CHARLES DICKENS

UM CONTO DE DUAS CIDADES

Tradução
Amanda Moura

Esta é uma publicação Principis, selo exclusivo da Ciranda Cultural

Traduzido do original em inglês
A tale of two cities

Texto
Charles Dickens

Tradução
Amanda Moura

Preparação
Ciranda Cultural

Revisão
Casa de Ideias
Maitê Ribeiro

Produção editorial e projeto gráfico
Ciranda Cultural

Diagramação
Casa de Ideias

Imagens
koya979/Shutterstock.com;
studiovin/Shutterstock.com;
Maximus256/Shutterstock.com;
beshtanya/Shutterstock.com;
Backgroundy/Shutterstock.com;
Viktorija Reuta/Shutterstock.com

Notas de rodapé
Todas as notas de editor foram retiradas e traduzidas do site:
http://dickens.stanford.edu/dickens/archive/tale/issue10_allusions.html

Dados Internacionais de Catalogação na Publicação (CIP) de acordo com ISBD

D548c Dickens, Charles

Um conto de duas cidades: a tale of two cities / Charles Dickens ; traduzido por Amanda Moura. - Jandira, SP : Principis, 2019.
352 p. ; 16cm x 23cm.

Inclui índice.
ISBN: 978-65-509-7038-3

1. Literatura inglesa. 2. Ficção. I. Moura, Amanda. II. Título.

CDD 823.91
2019-2264 CDU 821.111-3

Elaborado por Odilio Hilario Moreira Junior - CRB-8/9949

Índice para catálogo sistemático:
1. Literatura inglesa : Ficção 823.91
2. Literatura inglesa : Ficção 821.111-3

1ª edição revista em 2021
www.cirandacultural.com.br

SUMÁRIO

PRIMEIRA PARTE

DE VOLTA À VIDA

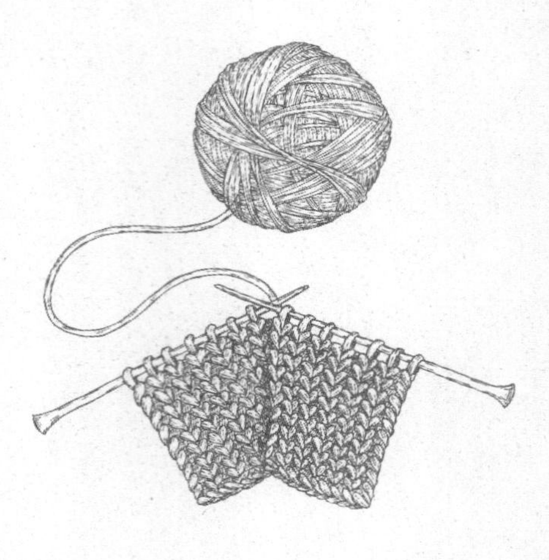

O PERÍODO

Aquele foi o melhor dos tempos, o pior dos tempos, foi a era da sabedoria, da loucura, foi a época da crença, da incredulidade, a era da Luz, das Trevas, a primavera da esperança, o inverno do desespero, tínhamos tudo bem diante dos nossos olhos, não tínhamos nada diante dos nossos olhos, iríamos todos para o Paraíso, todos na direção contrária... enfim, aquela foi uma época tão semelhante à atual que algumas das autoridades mais ruidosas insistiram para que lhe déssemos as boas ou más-vindas, que não fosse ignorada, no grau superlativo de comparação[1].

Ocupavam o trono da Inglaterra um rei de mandíbula grande e uma rainha de rosto inexpressivo; ocupavam o trono da França um rei de mandíbula grande e uma rainha de

---

1 O período mencionado no capítulo de abertura é o final do século XVIII – especificamente (como aprenderemos um pouco mais adiante) 1775; e o "melhor dos tempos" e o pior dos tempos de Dickens iniciam um tema que ajuda a nos preparar para uma das principais causas da Revolução Francesa – a coexistência de extremos opostos (como a coexistência de imensa riqueza e imensa pobreza na França) no período pré-revolucionário. A "era da Luz", coexistindo com a "era das Trevas", invoca outra ironia do período: se o "Iluminismo" foi um período de razão, racionalidade, ciência, etc., foi também um período de pseudociência e novos tipos de superstição. Assim, o período em que o romance se abre é um período tanto da Luz quanto das Trevas – um período de contrastes. O "período atual" do romance é, naturalmente, 1859, quando começou a publicação em série. Esse período é introduzido como "até agora" em 1775, talvez por causa da persistência de extremos contrastantes: no século XIX, a Inglaterra liderou a Revolução Industrial (para a qual o terreno foi construído pelos desenvolvimentos do século XVIII, como o motor a vapor); contudo, progresso científico, tecnológico e industrial sem precedentes coexistia com a moda dos "*rappers* espirituais", médiuns, frenologistas e assim por diante. Dickens faz referência a esses fenômenos no capítulo inicial, quando observa que "revelações espirituais foram concedidas à Inglaterra naquele período favorecido, como neste". (N.E.)

rosto bonito[2]. Em ambos os países, a infinitude da reserva de pães e peixes dos lordes de Estado, bem como dos bens em geral era mais clara que cristal.

Era o ano do Nosso Senhor, 1775. Naquela época privilegiada, concedia-se à Inglaterra revelações espirituais tal como ocorre nos tempos atuais. A senhora Southcott acabara de completar seu abençoado 25º aniversário e contava com um profético e, na ocasião, arauto soldado da Guarda Real, cuja sublime presença encarregou-se de declarar que se fizeram os preparos para a ruína de Londres e Westminster. Até o fantasma de Cock Lane[3] fora exorcizado há apenas uma dúzia de ano, depois de repetir incansavelmente suas mensagens, tal como o fizeram os espíritos deste ano que passou (com sobrenatural falta de originalidade). No plano terreno, por outro lado, chegavam à Coroa Britânica e ao povo inglês notícias de um congresso entre súditos britânicos sediado na América e, por mais estranho que possa parecer, o referido evento revelou-se à raça humana mais importante do que qualquer outra mensagem já transmitida por um covarde do bando dos Cock Lane.

A França, no geral menos favorecida em questões espirituais em comparação à sua irmã de escudo e tridente, placidamente descia morro abaixo fabricando e gastando papel-moeda. Sob a vigilância de seus pastores cristãos, também entreteve-se com feitos tão humanitários quanto mandar cortar as mãos de um jovem, arrancar-lhe a língua com uma tenaz e queimá-lo vivo porque o rapaz não havia se ajoelhado na chuva para reverenciar uma lamacenta procissão de monges que passava por ali, a uma distância de quarenta ou cinquenta e poucos metros dele. Quando aquele pobre coitado foi condenado à sentença de morte, é bem provável que certo Lenhador, chamado Destino, já tivesse cravado sua marca por aqueles bosques entre a França e a Noruega, nas árvores que seriam derrubadas, cortadas em tábuas e transformadas em um certo móvel, com um saco e uma lâmina, para lastimável registro da História. É bem provável também que as rústicas dependências de alguns lavradores naquelas terras enlameadas e adjacentes a Paris abrigassem carroças[4] igualmente rústicas, salpicadas pela

---

2 Em 1775 (o ano em que *Um conto de duas cidades* começa), o rei e a rainha da França eram Louis XVI (1774-93) e sua cônjuge, Marie-Antoinette. Na Inglaterra, George III (1760-1820) e sua majestade, Charlotte Sophia, eram o casal no poder. (N.E.)

3 Refere-se ao "fantasma" que começou a incomodar os moradores de uma casa em Cock Lane, West Smithfield (em Londres) nos primeiros meses de 1762 (e, portanto, foi colocado para descansar um pouco mais de uma dúzia de anos em 1775). Suas batidas e arranhões deveriam derivar do espírito da mulher que havia sido assassinada e foi enterrada nas proximidades. Embora o fenômeno tenha sido exposto como uma fraude, atraiu considerável interesse popular. A referência de Dickens aos "espíritos deste ano passado" refere-se aos "*rappers* espirituais" do final da década de 1850 (que se anunciavam principalmente agitando mesas e divulgando mensagens). (N.E.)

4 No inglês "tumbril", tipo de carroça utilizada no período da Revolução Francesa para transportar prisioneiros à guilhotina. (N.T.)

lama, farejadas por porcos, empoleiradas pelas galinhas e que o Fazendeiro, a Morte, já tinha preparado para transportar a Revolução. Mas o Lenhador e o Fazendeiro, embora trabalhassem sem cessar, o faziam em completo silêncio, sem que ninguém escutasse seus passos abafados; e aqueles que os ouviam procuravam ignorá-los para afastar qualquer probabilidade de que os dois tinham despertado, e seriam ateus e traidores.

Na Inglaterra, sobrava vanglória nacional e faltavam ordem e segurança. Todas as noites, homens armados arrombavam casas e praticavam assaltos pelas avenidas e ruas da capital. As famílias eram contundentemente alertadas a não saírem de casa sem deixar a mobília em um guarda-móveis, uma medida protetiva. O larápio que aparecia de noite, era o comerciante trabalhador no centro à luz do dia, e que, ao ser reconhecido e interceptado por um colega também comerciante, este sob o disfarce de "o Capitão", a sangue frio atirou na cabeça do homem e fugiu em disparada. A diligência foi assaltada por sete bandidos, dos quais três morreram com tiros disparados pelo guarda, por sua vez morto pelos outros quatro ladrões, "pois sua munição havia acabado"; após tal fatalidade, a diligência pôde ser roubada em paz. O magnificente potentado, o Lorde Prefeito de Londres, foi interceptado e rendido por um ladrão de estrada em Turnham Green, que despojou a ilustre figura bem debaixo dos olhos de todo o seu séquito. Nas cadeias londrinas, presos travavam guerra com os carcereiros e, sua majestade, a Lei, empunhando bacamartes abria fogo entre eles, disparando chumbo e bala. Crucifixos de diamantes eram arrancados do pescoço de nobres nos salões da Corte. Mosqueteiros entraram em Saint Giles à procura de mercadorias contrabandeadas, e o povo atirou contra eles, que por sua vez revidaram também com tiros. E ninguém jamais reconheceu nenhum desses fatos como anomalia de nenhum tipo.

Enquanto isso, o carrasco, sempre ocupado e mais imprestável do que nunca, era requisitado o tempo todo, ora enforcando longas filas de diferentes criminosos, ora exterminando no sábado um arrombador de casas que foi pego na terça-feira; ora em Newgate queimando com ferro em brasa as mãos de dúzias de pessoas, ora ateando fogo em panfletos na porta do Westminster Hall; em um dia, tirando a vida de um impiedoso assassino, em outro, de um gatuno pé de chinelo que roubara uma moedinha de um fazendeiro.

Todas essas coisas e mil outras como elas, sucederam-se no estimado e velho ano de 1775. Enquanto o Lenhador e o Fazendeiro trabalhavam sem chamar a atenção, aquelas duas figuras de mandíbula grande e as outras duas, uma de rosto inexpressivo e outra, formoso, davam passos ostentosos, erguendo e esbanjando seus direitos divinos. Assim, o referido ano trouxe suas Grandezas e miríades de pequenas criaturas, dentre elas as de que trata esta crônica, no decorrer das estradas que havia pela frente.

A DILIGÊNCIA

À frente do primeiro sobre quem esta história trata, em uma sexta-feira à noite, no final de novembro, estendia-se a estrada de Dover. E essa mesmíssima estrada se desdobrava além da diligência de Dover, que, com muito custo, subia a colina de Shooter. O homem de quem vamos falar subia a ladeira enlameada a pé, acompanhando o ritmo da carruagem, como o faziam todos os outros passageiros, não porque lhes apetecia o exercício da caminhada naquelas circunstâncias, mas porque a ingremidade, os arreios, o lodo, a diligência, tudo pesava tanto que os cavalos já tinham feito três paradas, além de terem de puxar a carruagem do outro lado da estrada, certa vez, com o amotinado intento de levá-la de volta a Blackheath. No entanto, rédeas e chicote, cocheiro e guarda, todos haviam lido o artigo do regulamento militar que proibia aquela prática e a recomendava somente por motivos de força maior, pois considerava que alguns animais selvagens possuem a capacidade de raciocinar; assim, os cavalos renderam-se e retomaram seus postos.

De cabeça baixa e com o rabo balançante, marcharam pela lama espessa, vacilando e tropeçando vez em quando, como se as juntas fossem se desintegrar a qualquer momento. Toda vez que o condutor parava para os cavalos descansarem e os posicionava para retomar o caminho com um "Arre! Andando! Upa!", o líder balançava a cabeça violentamente e com isso sacolejava todo o resto que carregava consigo, com uma atípica demonstração de autoridade, negando que o coche conseguiria chegar ao topo da colina. E a cada reação como essa do guia dos cavalos, o passageiro em questão, como qualquer outro naquele estado de desassossego, perturbava-se.

Uma úmida e fumegante bruma entremeava os montes e vagava pela colina feito um espírito maligno procurando em vão um lugar para descansar. A névoa quase congelante e visguenta perfilava o ar devagar, formando ondas sobrepostas feito as de um mar impróprio para banho e era densa o suficiente para bloquear tudo ao redor e que estivesse à frente das lanternas do coche, o qual continuava se movimentando como se tivesse vida própria, a alguns metros da estrada. E misturava-se ao nevoeiro o odor dos cavalos extenuados, como se fossem apenas um.

Além do mencionado, outros dois passageiros subiam com todo o custo a colina, ao lado da diligência. Todos os três andavam encapotados até as maçãs do rosto e calçavam botas de cano alto, tanto que nenhum dos três conseguiria descrever o semblante um do outro, e a cada um os os olhos do corpo pareciam tão encobertos quanto os do espírito. Naquele tempo, os viajantes evitavam conversa com estranhos que encontrassem pelo caminho, pois qualquer um que aparecesse poderia ser um gatuno ou estar a mando de um. Quanto à última hipótese, as estalagens de diligências e cervejarias poderiam hospedar algum larápio pela conta do "Capitão" de algum bando, sendo o gatuno um senhorio ou algum criado dos estábulos. Pois naquela noite, numa sexta-feira de novembro, ano 1775, o guarda da diligência de Dover matutava sobre isso enquanto rumava para o topo da colina de Shooter, no seu posto na parte de trás, batendo os pés e mantendo um olho e uma mão no baú de armas bem ali à frente, dentro da qual havia um bacamarte e outras seis ou oito pistolas das grandes carregadas e amontoadas debaixo dele, por sua vez depositadas em cima de um punhado de cutelos.

A diligência de Dover seguia no habitual e propício ritmo, em que o guarda desconfiava dos passageiros, os passageiros desconfiavam um do outro e do próprio guarda, todos por sua vez desconfiavam de todo mundo e o cocheiro de nada tinha certeza, a não ser dos cavalos, embora pudesse, de consciência muito limpa, jurar pelo Antigo e Novo Testamentos que os animais não dariam conta daquele trajeto.

– Arre! – exclamou o cocheiro. – Força! Só mais um trote e pronto, chegamos ao topo! Depois, que vão para o inferno, já me trouxeram muita dor de cabeça! Joe!

– Olá! – respondeu o guarda.

– Que horas tem aí?

– Onze e dez.

– Puta merda! – esbravejou o cocheiro. – E ainda não chegamos ao topo de Shooter! Tsc! Arre! Depressa, andem!

Açoitado pelo chicote, o cavalo autoritário teve a pior das reações, deu uma arremetida súbita e os outros três cavalos o acompanharam. Com o movimento, novamente a diligência de Dover sacolejou, fazendo as botas de cano alto dos passageiros baterem umas nas outras. Pararam no mesmo momento em que a carruagem e não arredaram o pé de perto dela. Se algum dos três se atrevesse a sugerir ao outro que adiantasse um pouco o passo em meio a toda aquela névoa e escuridão, correria o sério risco de, no mesmo instante, levar um tiro ao ser confundido com um ladrão como os que andavam pela estrada.

A derradeira investida levou a diligência ao topo da colina. Os cavalos pararam para recuperar o fôlego mais uma vez e o guarda desceu da diligência para travar a roda para a descida e abrir a porta para os passageiros entrarem.

– Tsc, Joe! – gritou o cocheiro em um tom alarmante, olhando para baixo da boleia.

– O que é isso, Tom?

Os dois ficaram em silêncio e de ouvidos abertos.

– Parece um cavalo a meio-galope, se aproximando, Joe.

– Eu diria um cavalo a todo galope, Tom – opinou o guarda, soltando a porta e retomando depressa a seu posto. – Cavalheiros! Em nome do rei! Atenção, todos vocês!

E com esse chamado repentino, engatilhou o bacamarte e permaneceu na ofensiva.

O passageiro tratado nesta história estava com o pé no estribo, pronto para subir na diligência, os outros dois vinham logo atrás, também prestes a entrar. Ele se deteve no degrau, um pé no estribo e o outro no chão, os outros continuaram na estrada, abaixo dele. Todos olhavam do cocheiro para o guarda, e do guarda para o cocheiro, prestando atenção. O cocheiro olhou para trás, o guarda olhou para trás, e até o cavalo autoritário ergueu as orelhas e olhou para trás, sem titubear dessa vez.

O silêncio que se instalou depois de interrompido o ribombo e o chacoalhar da carruagem, somado à quietude da noite, tornou tudo muito silencioso. A respiração ofegante dos cavalos fazia a diligência tremer, como se estivesse em um verdadeiro estado de perturbação. O coração dos passageiros batia tão alto que talvez desse para ouvir o som. Fato é que não poderia haver pausa silenciosa mais audível que aquela: uns arquejando, outros prendendo a respiração, outros ainda sentiam o coração querer saltar pela boca, tamanha a expectativa.

O barulho de um cavalo a galope, subindo a colina a toda velocidade, aproximava-se cada vez mais.

– Pare! – berrou o guarda o mais alto que pôde. – Quem se aproxima?! Pare ou atiro!

De repente, o galope foi interrompido e, ao crepitar de folhas e galhos na lama escorregadia, soou no nevoeiro a voz de um homem:

– Esta é a diligência de Dover?

– Por que deseja saber? – redarguiu o guarda. – Quem é o senhor?

– Esta é a diligência de Dover?

– Senhor, por que deseja saber?

– Preciso falar com um passageiro.

– De quem se trata?

– Do senhor Jarvis Lorry.

O passageiro retratado nesta história rapidamente se manifestou e confirmou estar a bordo. O guarda, o cocheiro e os outros dois passageiros o olharam com desconfiança.

– Nem um passo adiante – ordenou o guarda para a voz enevoada. – Do contrário, posso cometer um erro irreparável. Cavalheiro Lorry, responda caso esteja a bordo.

– O que houve? – perguntou o passageiro com a voz meio trêmula. – Quem me procura? É Jerry?

"Não gosto nem um pouco da voz do Jerry, caso seja esse mesmo o sujeito", resmungou o guarda consigo mesmo. "Rouca demais para o meu gosto".

– Sim, senhor Lorry.

– E o que quer falar comigo?

– Uma mensagem que mandaram entregar ao senhor. E veio de muito longe, T. & Cia.

– Conheço este homem, guarda – disse o sr. Lorry, descendo da diligência com a ajuda mais apressada do que gentil dos outros dois passageiros, que logo em seguida tornaram a se ajeitar na carruagem, fecharam a porta e abriram a janela. – Deixe que se aproxime. Não há perigo nenhum.

– Espero que não, cavalheiro, mas não posso ter certeza disso – reclamou o guarda, em um monólogo raivoso. – Olá, senhor!

– Olá! – respondeu Jerry meio titubeante e com a voz ainda mais rouca que antes.

– Pode vir devagar. Devagar! Entendeu? E se tiver algum coldre nesta sela, não se atreva a encostar a mão nele. Tenho o azar de cometer muitos enganos irreparáveis e, quando começo, vem um atrás do outro. Agora, vejamos, vamos revistar o senhor.

Aos poucos, por entre a neblina emergiram as figuras de um cavalo e do cavalheiro, que pararam bem ao lado da diligência, no exato lugar em que o passageiro estava sentado. O cavalheiro curvou-se e, erguendo os olhos em direção ao guarda, entregou ao passageiro um pedacinho de papel dobrado. O cavalo estava exaurido e os dois, cavalheiro e cavalo, encontravam-se enlameados dos cascos do animal ao chapéu do homem.

– Guarda! – chamou o passageiro com a voz baixa e que transmitia segurança.

O precavido guarda, com a mão direita posicionada na coronha do bacamarte, e a esquerda no cano da arma, e o olhar fixo no cavalheiro mensageiro, respondeu em um tom lacônico:

– Senhor.

– Não há motivo para preocupação. Pertenço ao Banco Tellson. Deve conhecê-lo, fica em Londres. Estou viajando para Paris a negócios. Tome aqui uma moeda para tomar algo por aí. Posso ler a mensagem?

– O mais rápido que puder, senhor.

Sob a luz da lanterna da carruagem, o homem leu a mensagem primeiro para si mesmo, depois em voz alta:

– "Espere por *Man'selle* em Dover". É só, como pode ver, senhor guarda. Jerry, diga que minha resposta é "DE VOLTA À VIDA".

Jerry sobressaltou-se na sela.

– É uma resposta muito da estranha – disse, com a voz mais rouca ainda.

– Leve esta mensagem de volta e eles saberão que a recebi, como se eu mesmo a tivesse escrito. E tenha uma boa viagem. Boa noite.

E, com essas palavras, o passageiro abriu a porta da carruagem e voltou a subir, dessa vez sem a menor ajuda dos outros dois passageiros, que sorrateiramente tinham escondido seus relógios e bolsas dentro das botas e agora fingiam dormir. E o fizeram com nenhum outro propósito senão o de evitar o risco de qualquer outra reação.

A carruagem retomou o caminho, com muita dificuldade, dessa vez envolta ainda mais na névoa pesada ao começar a descer. Dali a pouco, o guarda voltou a colocar o bacamarte no baú de armas e depois de averiguar o resto do armamento que havia ali dentro, bem como as pistolas a mais que carregava no cinturão, olhou para o baú menor debaixo do seu assento, onde estavam guardadas algumas ferramentas de ferreiro, um par de archotes e um estojo com uma pederneira. O guarda estava tão prevenido que caso as lanternas da carruagem apagassem com o vento, o que vez em quando acontecia, bastaria fechar-se ali dentro do veículo, raspar a pederneira no aço, manter a faísca bem longe da palha para com certa segurança (e um pouco de sorte) e rapidez (cinco minutos) acender a luz.

– Tom! – sussurrou sobre o teto da carruagem.

– Diga, Joe.

– Escutou a mensagem?

– Escutei, Joe.

– E o que você entendeu, Tom?

– Nada de nada, Joe.

– Que coincidência – contou o guarda pensativo –, também não entendi lhufas.

Nesse meio tempo, Jerry, sozinho em meio à névoa e à escuridão, apeou-se não só para deixar o cavalo descansar um pouco, como também para limpar a lama do rosto e sacudir a água da aba do chapéu, que poderia muito bem armazenar meio galão. Depois de um tempo ali parado, com as rédeas dependuradas no braço todo sujo de lama até não ouvir mais o barulho das rodas da diligência e voltar a recair o silêncio da noite, ele se virou para começar a descer a colina.

– Depois de vir galopando de Temple Bar, senhora, só volto a confiar em suas pernas dianteiras quando chegarmos a uma planície – disse o mensageiro da voz rouca, olhando para a égua. – "De volta à vida". Que mensagem mais estranha! Em que encrenca você se meteria, Jerry. Jerry, Jerry! Que encrenca vai ser se virar moda esse negócio de voltar à vida, Jerry!

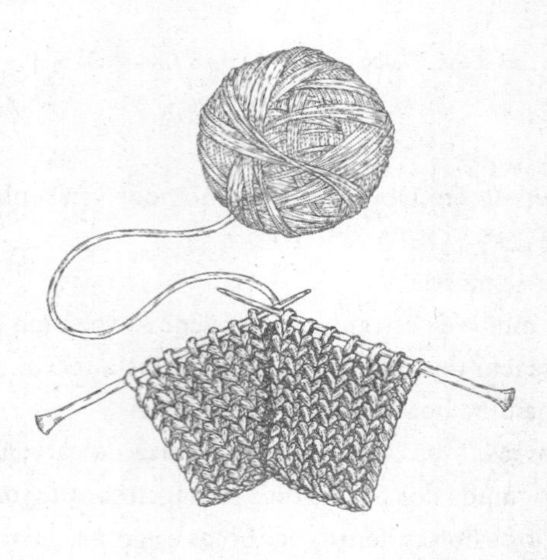

AS SOMBRAS DA NOITE

Um fato maravilhoso e digno de reflexão é o de que toda criatura humana é um profundo poço de segredo e mistério para todas as outras. Sempre que chego a uma cidade grande, à noite, reflito de modo muito sério que cada uma daquelas casas sombriamente aglutinadas abriga seu próprio segredo; que cada coração pulsante nas centenas e milhares de peitos ali presentes guarda algum segredo para o coração que há ali, bem ao lado. E esse fato tem a ver com algo muito terrível, relacionado até à própria morte. Não posso mais virar as páginas daquele livro de que eu gostava tanto e muito menos esperar o momento de conseguir lê-lo até o final. Não posso mais contemplar as profundezas dessa água insondável em que vislumbrei tesouros enterrados e outras coisas submersas sempre que luzes fugazes a iluminavam e a faziam brilhar. Estava escrito que o livro deveria se fechar com um baque e para sempre, depois que eu lera nada além de uma página. Estava escrito que a água se transformaria em gelo para sempre, enquanto a luz brincava em sua superfície e eu me mantinha às margens, ignorante. Meu amigo morreu, meu vizinho morreu, meu amor, o amor da minha vida, morreu; é a consolidação e perpetuação inexoráveis do segredo que sempre esteve naquela individualidade e que carregarei comigo até o fim da vida. Em algum túmulo desses pelos quais passei nessa cidade, dorme alguém mais incompreensível do que me parecem seus atarefados e vivos habitantes, ou talvez mais incompreensível do que pareço a eles?

Quanto a essa natural e inalienável herança, o cavalheiro mensageiro tinha exatamente as mesmas posses que o Rei, o primeiro-ministro de Estado e o mais abastado comerciante de Londres. E em relação aos outros três passageiros apinhados no estreito espaço da velha e desairosa diligência, eram um verdadeiro enigma um para o outro, tanto como se cada um viajasse na própria carruagem guiada por seis cavalos, ou na própria carruagem guiada por sessenta cavalos, com uma distância de um condado inteiro entre os três desconhecidos.

O mensageiro fez o percurso de volta sem pressa e parou várias vezes em cervejarias para beber, embora não parecesse muito disposto a se socializar e procurasse manter o chapéu cobrindo os olhos, olhos esses pretos, sem profundidade de cor nem forma, e que combinavam bem com esse ar taciturno. E de tão próximos um ao outro, esses olhos pareciam fundir-se e transformar-se em apenas um – como se estivessem com medo de serem descobertos caso ficassem distantes, isolados. Era um olhar sinistro, coberto por um velho chapéu de três pontas, parecido com uma escarradeira, e acima de um cachecol que cobria o queixo e a garganta e que chegava quase até a altura dos joelhos. Quando parava para beber, com a mão esquerda abaixava o cachecol e entornava a bebida com a outra; assim que terminava o gole, voltava a cobrir-se.

"Não, Jerry, não!" – disse o mensageiro, remoendo o mesmo assunto enquanto cavalgava. – "Isso não seria bom pra você, Jerry. Jerry, seu comerciante honesto, isso não combina nem um pouco com o SEU negócio. De volta à vida! Que eu caia duro e morto aqui no chão se aquele homem andou bebendo!"

Ficou tão atormentado com a mensagem que ele havia entregue ao passageiro que foi obrigado a arrancar o chapéu várias vezes e coçar a cabeça. Com exceção do topo do couro cabeludo calvo, os fios eram pretos e espessos, com algumas falhas aqui e ali, e desciam quase até o nariz largo e achatado. Pareciam tanto obra de um ferreiro que a cabeça facilmente poderia ser confundida com uma parede cheia de estacas, capaz de fazer o maior pulador de sela considerá-lo o homem mais perigoso do mundo e desistir do desafio.

No caminho de volta, montado no cavalo aos trotes e com a mensagem que deveria entregar ao guarda noturno em seu posto, na entrada do Banco Tellson, perto de Temple Bar, mensagem essa que deveria ser entregue a superiores que trabalhavam ali, as sombras da noite tomavam forma como se emergissem da própria mensagem que ele carregava, e para a égua assumiam a forma do que quer que a inquietasse. E pareciam numerosas, pois a cada sombra que aparecia, a égua se assustava.

Enquanto isso, a diligência continuava a sacolejar, ranger, chacoalhar e solavancar em seu enfastiante percurso, com os três impenetráveis passageiros a bordo e para quem as sombras da noite igualmente se relevavam, assumindo o formato que os olhos sonolentos e os devaneios assim permitiam.

A própria sombra do Banco Tellson pairava sobre a carruagem. Quando o passageiro do banco, com o braço envolto em uma alça de couro para evitar que caísse no passageiro ao lado e que o mantinha no lugar toda vez que a diligência solavancava de repente, cabeceou em seu assento, com os olhos semicerrados, ao lado da pequena janela atravessada pela luz fraca das lanternas, e o pacote volumoso do passageiro na frente dele, tudo se transformou no banco e em uma grande empreitada comercial. O chacoalho dos arreios se transformou no tilintar das moedas, e em cinco minutos mais ordens de pagamento foram cumpridas do que no próprio Tellson que, apesar de todas as suas conexões nacionais e internacionais, nunca havia pago tamanho montante no triplo desse tempo. Então, o cofre subterrâneo do Tellson, cheio de depósitos e valiosos segredos que o passageiro em questão conhecia (e com riqueza de detalhes muito bem), abriu-se e ele, com um molho de chaves dos grandes e uma vela tremeluzente, os encontrou a salvo, firmes, intactos e intocáveis exatamente como os vira da última vez.

Embora o banco estivesse quase sempre diante dele, e sentisse o balanço da diligência (de um modo estranho, feito a presença da dor sob o efeito de um opiáceo) uma sensação se fez presente a noite toda: a de estar prestes a desenterrar alguém de um túmulo.

Contudo, as sombras da noite não revelavam qual entre aqueles rostos diante dele era a verdadeira face do sepultado; mas eram todos rostos de um homem com seus quarenta e poucos anos e diferiam sobretudo pelas paixões que demonstravam e na aparência fantasmagórica de seu estado abatido. Orgulho, desdém, rebeldia, teimosia, submissão e lamento sucediam-se, bem como a variedade de rostos anêmicos, cadavéricos e das mãos e vultos esquálidos. Mas todos os rostos tinham o mesmo semblante, e todas as cabeças brancas prematuramente grisalhas. Uma centena de vezes o passageiro sonolento perguntou ao espectro:

– Enterrado há quanto tempo?

E a resposta era sempre a mesma:

– Quase dezoito anos.

– Perdeu a esperança de ser desenterrado?

– Faz tempo.

– Soube que foi chamado para voltar à vida?

– Soube.

– Tem vontade de voltar a viver?

– Não sei.

– Devo trazê-la até você? Aceitaria encontrá-la?

Para essa última questão, as respostas eram variadas e contraditórias. Ora vinha uma resposta incompleta como: “Espere! Eu morreria se a encontrasse tão cedo”. Ora respondia-se em meio ao pranto e dizia o seguinte: “Leve-me até ela”. Às vezes, com um olhar fixo e desconcertado, respondia: “Não a conheço. Não estou entendendo”.

Depois de uma conversa imaginária, em seus pensamentos errantes o passageiro cavava, cavava e cavava – ora com uma pá, ora com uma chave grande, depois com as mãos – para desenterrar essa miserável criatura. Fora do túmulo, por fim, com o rosto e o cabelo enlameado, o desenterrado de repente decompunha-se e transformava-se em pó. O passageiro, então, com um sobressalto despertava do transe e abaixava a janela para recobrar a realidade e sentir a névoa e a chuva na pele do rosto.

No entanto, mesmo com os olhos abertos para a névoa e a chuva, com os feixes de luz das lâmpadas e as sebes à beira da estrada abrindo espaço aos empurrões, as sombras do lado de fora entremeavam as sombras do lado de dentro da carruagem. A verdadeira agência bancária próxima a Temple Bar, o verdadeiro negócio do dia anterior, o verdadeiro cofre, a verdadeira e urgente mensagem enviada até ele e a verdadeira resposta remetida, tudo estava ali. E em meio a tudo aquilo, um rosto fantasmagórico aparecia e voltava a falar com ele:

– Enterrado há quanto tempo?

E a resposta era sempre a mesma:

– Quase dezoito anos.

– Tem vontade de voltar a viver?

– Não sei.

Cava, cava, cava. Até que o movimento impaciente de um dos passageiros o advertiu a fechar a janela, manter o braço bem envolto na alça de couro e o fez matutar sobre aquelas duas criaturas adormecidas, mas dali a pouco a imagem das duas esmaecia e o pensamento tornava a divagar entre o banco e o túmulo.

– Enterrado há quanto tempo?

E a resposta era sempre a mesma:

– Quase dezoito anos.

– Perdeu a esperança de ser desenterrado?

– Faz tempo.

As palavras ressoavam nos ouvidos do passageiro feito um eco, tão claras quanto quaisquer outros dizeres que os atravessaram durante a vida toda, quando ele, exaurido, começou a tomar consciência da luz do dia e notou que as sombras da noite tinham desaparecido.

Ele abaixou a janela e contemplou o nascer do sol. Avistou um cume de terra lavrada, com um arado deixado por ali na noite anterior quando desatrelaram os cavalos; um pouco mais à frente, um bosque silencioso, com árvores, muitas folhas vermelhas e amarelas pendendo dos galhos. Apesar do frio e da umidade da terra, o céu estava claro e limpo e o Sol resplandecia plácido e belo.

– Dezoito anos! – disse o passageiro, olhando para o Sol. – Bendito Criador do dia! Dezoito anos enterrado. Vivo!

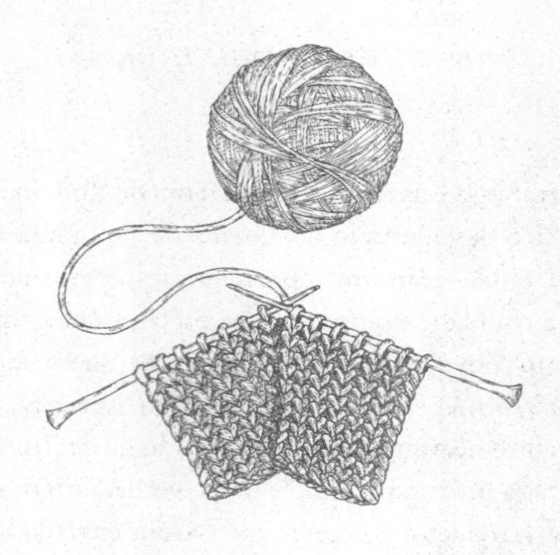

A PREPARAÇÃO

Quando por fim a diligência chegou a Dover, de manhã, o funcionário do Royal George Hotel abriu a porta da carruagem como era de costume. E o fez com todo o floreio e pompa, pois o percurso em uma diligência em pleno inverno era uma façanha digna de tal recepção a um viajante aventureiro.

Àquela altura, restava apenas um viajante aventureiro a ser parabenizado, pois os outros dois já tinham descido ao longo do caminho, cada um em seu respectivo destino. O mofado, úmido e sujo interior obscuro da carruagem, tinha um cheiro desagradável e poderia confundir-se com um imenso canil. O senhor Lorry, o passageiro, sacudindo-se para varrer os resquícios de palha, parecia um enovelado de felpo, chapéu molhado e pernas enlameadas, mas aparentava sobretudo um cachorro grandalhão.

– Sairá um pacote amanhã para o Calais, rapaz?

– Sim, senhor. Se o tempo assim o permitir e o vento consentir. A maré estará favorável pelas duas horas da tarde. Cama, senhor?

– Só devo descansar à noite, mas quero um quarto e um barbeiro.

– E depois o café da manhã, senhor? Sim, senhor. Por aqui, por favor. Levem este cavalheiro até o Concord! A valise do cavalheiro e a água quente para o Concord. Tirem-lhes as botas. (O senhor encontrará uma bela lareira de carvão mineral, senhor). Depressa, busquem um barbeiro para o Concord! Rápido! Andem logo para o Concord!

Era costume reservarem o Concord para passageiros que chegavam de diligência e como esses hóspedes vinham sempre cobertos da cabeça aos pés, os aposentos recebiam especial atenção do Royal George, porque apesar de o mesmo tipo de gente hospedar-se ali, dele saíam as mais variadas espécies de homens. Consequentemente, outro funcionário, dois bagageiros e várias camareiras e governanta perambulavam entre o Concord e a cafeteria quando um homem com seus 60 anos, apessoado e com terno marrom gasto mas bem cuidado, punhos grandes e quadrados e abas largas nos bolsos, passou por eles a caminho do café da manhã.

Não havia nenhum outro hóspede na cafeteria naquela manhã, era quase meio-dia, a não ser o cavalheiro de termo marrom. Sua mesa foi colocada de frente para a lareira e quando ele se sentou, esperando para ser servido, permaneceu tão imóvel que parecia fazer pose para um retrato.

O homem parecia ser figura organizada e metódica, com as mãos pousadas nos joelhos e um relógio que tiquetaqueava um barulhento sermão debaixo do colete com abas, como se opusesse sua gravidade e longevidade à leveza e ao desvanecimento de uma chama ardente. Tinha pernas bonitas e se envaidecia um pouco disso, pois usava meias justas, lustrosas e de tecido fino; os sapatos e as fivelas eram igualmente bem-compostos, apesar de simples. Usava uma peruca de linho loura, exótica e anelada, bem ajustada na cabeça: presume-se que tal apetrecho fosse feito de cabelo mesmo, mas aquela parecia produto de fios de seda ou quem sabe vidro. A camisa de linho, embora não fosse da mesma qualidade que as meias, eram tão alvas quanto a quebra das ondas na praia vizinha ou os pontinhos das velas reluzindo no mar à luz do Sol. Um semblante habitualmente contido e discreto sob a peruca exótica era também iluminado por dois olhos brilhantes que, em anos idos, devem ter custado labor e dor a seu dono que teve de adestrá-los para assumir a expressão reservada do Banco Tellson. As bochechas eram coradas e o rosto, apesar de enrugado, esboçava poucos traços de ansiedade. Mas talvez a principal preocupação dos solteirões reservados do Banco Tellson fosse o problema dos outros, e talvez as preocupações de segunda-mão, tal como as roupas de segunda-mão, pudessem em um piscar de olhos ser vestidas e trocadas.

Para completar a semelhança com a de um homem posando para um retrato, o senhor Lorry pegou no sono. Despertou com a chegada do café da manhã e, puxando a cadeira da mesa, disse para o criado:

– Gostaria que preparassem um quarto para uma senhorita que vai chegar hoje. Pode ser que ela pergunte pelo senhor Jarvis Lorry ou simplesmente pelo cavalheiro do Banco Tellson. Por favor, faça a gentileza de me avisar assim que ela chegar.

– Sim, senhor. Do Banco Tellson de Londres, senhor?

– Sim.

– Sim, senhor. Com frequência temos a honra de entreter nossos hóspedes em suas viagens de ida e vinda entre Londres e Paris, senhor. Viajam bastante, senhor, no Banco e na Companhia Tellson.

– É verdade. Somos quase tão franceses quanto ingleses.

– Sim, senhor. Não tem muito o hábito de viajar, estou enganado, senhor?

– Não nos últimos anos. Faz 15 anos que nós... que eu... fiz uma viagem para a França.

– É mesmo, senhor? Isso foi antes de eu trabalhar aqui, senhor. Antes de todo o pessoal começar a trabalhar aqui, senhor. O George era de outro dono naquela época, senhor.

– Creio que sim.

– Mas eu seria capaz de apostar, senhor, que uma casa[5] como a Tellson e Companhia já estaria de vento em polpa uns cinquenta anos atrás, imagine só quinze anos atrás?

– Pois pode triplicar esse número para cento e cinquenta que mesmo assim não estaria longe da realidade.

– De fato, senhor!

Com os olhos e a boca arregalados, o criado afastou-se um pouco da mesa, trocou o guardanapo do braço direito para o esquerdo, ajeitou-se em uma postura confortável e ficou observando o hóspede comer e beber, feito um vigia em sentinela. Com isso, agia de acordo com o costume tradicional dos garçons de todas as eras.

Terminado seu café da manhã, o senhor Lorry saiu para dar uma volta pela areia. A pequena, tortuosa e estreita cidade de Dover escondia-se da praia e enfiava a cabeça nos penhascos brancos de giz, feito um avestruz marinho. Quanto à praia, era um verdadeiro deserto, nada além de ondas e rochas que se chocavam selvagemente, e o mar fazia aquilo de que mais gostava, e do que gostava era destruição. Assombrava a cidade e os penhascos e arrastava a costa abaixo com toda a fúria. Era tão forte o odor da maresia por entre as casas que alguns chegavam a imaginar que daquelas águas emergiam e mergulhavam peixes doentes, assim como pessoas doentes iam se banhar naquele mar. Pouca pesca era praticada na região do porto e via-se muita gente passeando à beira-mar e contemplando a paisagem à noite, sobretudo nos períodos em que a maré estava alta, a ponto de transbordar. Havia poucos comerciantes, e entre eles nenhum praticava qualquer tipo de negócio, às vezes sem muita explicação faziam grandes fortunas; era evidente que ninguém por ali toleraria um acendedor de lampião.

Enquanto entardecia, e o tempo, que vez ou outra clareava a ponto de permitir avistar a costa francesa, tornava a ficar carregado pela bruma e o vapor, os pensamentos do senhor Lorry pareciam se anuviar igualmente. Quando escureceu e ele se sentou diante da lareira do refeitório, aguardando o jantar assim como havia esperado pelo

---

5 Em alguns trechos, banco está definido como "casa" por ser comum à época falar-se "casa bancária". (N.E.)

café da manhã, sua mente começou a divagar e a cavar, cavar, cavar entre o vermelho--vivo do carvão em brasa.

Uma boa garrafa de vinho tinto não faz mal nenhum a um escavador de carvão a não ser para desviá-lo do trabalho. O senhor Lorry estava sem fazer nada havia um bom tempo, sozinho bebia uma garrafa inteira de vinho com o maior ar de satisfação já visto no semblante de um idoso de feições conservadas, e caminhava para sua última taça de vinho quando o barulho das rodas de uma carruagem irrompeu do lado de fora e ribombou na estalagem.

Pôs na mesa a taça de que não tinha bebido nem um gole.

– É a *Mam'selle*! – disse.

Dali a poucos minutos, o garçom veio anunciar que a senhorita Manette havia chegado de Londres e que ficaria feliz em ver o cavalheiro do Tellson.

– Tão rápido?

A senhorita Manette havia parado no meio do caminho para fazer um lanche e por ora não pediu nada para comer, além de estar ansiosíssima para encontrar o cavalheiro do Tellson o quanto antes, tão logo fosse da vontade e conveniência dele.

Ao cavalheiro do Tellson não restava nada a fazer a não ser entornar a última taça de vinho e ele o fez com ares de total desespero; depois, ajeitou a exótica peruca loura nas orelhas e acompanhou o garçom até os aposentos da senhorita Manette. O quarto era grande e sinistro, com mesas pesadas e escuras e a mobília fúnebre era adornada com crina preta de cavalo. As mesas tinham sido envernizadas uma, duas ou mais vezes tanto que as chamas das duas velas no centro do espaço projetavam um reflexo sombrio na superfície, como se estivessem enterradas em profundos sepulcros de mogno preto e não se pudesse esperar delas nem mesmo uma centelha caso não fossem exumadas.

Era tão difícil penetrar tamanha escuridão que o senhor Lorry, abrindo caminho pelo tapete turco surrado, pensou que a senhorita Mannete estivesse naquele momento em algum quarto anexo, até que, depois de passar por duas velas compridas, viu de pé, aguardando por ele, na mesa entre as velas e a lareira, uma jovem de no máximo dezessete anos, ainda com os trajes da viagem, segurando pelas fitas o chapéu de palha que já tirara. Quando seus olhos fitaram a figura pequena, esguia e bela, de cabelo dourado e um par de olhos azuis que se cruzaram aos dele com um ar inquisitivo, e com uma testa de peculiar capacidade (além de lembrar o quão jovem e tenra era) de se erguer e tecer uma expressão que não era de perplexidade, admiração, tampouco espanto, ou mero estado de profunda concentração, embora incluísse todas essas coisas; enfim, quando os olhos do senhor Lorry depararam tudo aquilo, uma súbita, vívida e saudosa sensação o tomou, a de estar diante da criança que havia segurado nos próprios braços ao atravessar aquele mesmo canal, em um dia muito frio, quando o granizo encobria tudo e o mar se revolvia. A sensação desapareceu com a mesma velocidade de um sopro no espelho sinistro que havia atrás dela, em cuja moldura havia uma imensa procissão de cupidos negros, muitos deles decapitados e todos aleijados, oferecendo frutos do Mar Morto em cestas pretas a divindades femininas negras, e então o senhor Lorry curvou-se para cumprimentar a senhorita Manette.

– Por favor, sente-se, senhor. – Uma voz muito jovem e igualmente agradável com um discreto, bem discreto sotaque estrangeiro.

– Beijo-lhe a mão, senhorita – disse o senhor Lorry, com as maneiras de um cortejador de épocas anteriores, enquanto fazia reverência mais uma vez e sentava-se.

– Recebi ontem uma carta do banco, senhor, comunicando-me sobre uma informação... ou descoberta...

– A designação é o que menos importa, senhorita. Informação ou descoberta, ambas são propícias.

– ... sobre uma pequena propriedade de meu pobre pai, pai esse que nunca conheci... e que já morreu.

O senhor Lorry remexeu-se na cadeira e com um olhar preocupado fitou a exuberante procissão de cupidos negros. Como se *eles* pudessem ajudar alguém com essas cestas ridículas!

– ... Informaram que seria necessária minha vinda a Paris, e que eu deveria procurar um cavalheiro do banco, tão confiável que fora incumbido de viajar com esse propósito.

– Eu mesmo.

– Era o que eu esperava ouvir, senhor.

A jovem curvou-se diante do senhor Lorry (naquela época, era costume as damas fazerem reverências) com a cortês intenção de demonstrar o respeito pela figura mais velha e mais sábia que ela. E ele retribuiu reverenciando-a mais uma vez.

– Respondi ao Banco, senhor, que como foi considerada necessária a minha viagem para a França por aqueles com conhecimento do assunto, e tiveram a tamanha cortesia de me aconselhar tal viagem; sendo órfã e sem um amigo que pudesse me acompanhar, disse que ficaria muito agradecida se fosse disponibilizada a mim a proteção de algum cavalheiro respeitável durante o trajeto. O cavalheiro havia saído de Londres, mas acho que mandaram um mensageiro para lhe pedir o favor de me esperar aqui.

– Fico feliz – disse Lorry – de terem me incumbido de tal tarefa. E ficarei ainda mais satisfeito por executá-la.

– Senhor, eu o agradeço muito por isso. Agradeço-lhe com toda a minha gratidão. Disseram-me pelo banco que o cavalheiro explicaria detalhes sobre o negócio, e que eu estivesse pronta para ser surpreendida. Fiz o melhor para estar preparada e naturalmente estou ansiosa para saber do que se trata.

– Naturalmente – disse o senhor Lorry. – Sim... eu...

Após um momento de hesitação, e outro para ajustar a peruca loira nas orelhas, ele prosseguiu:

– É muito difícil começar.

Ele não começou mas, nesse instante de dúvida, cruzou o olhar dela de relance. A testa tenra ergueu-se naquela expressão singular – bela e caricata, além de singular – e ela ergueu a mão como se com aquele gesto espontâneo pudesse prender ou deter alguma sombra passageira.

– É mesmo um completo estranho para mim, senhor?

– Não sou? – perguntou o senhor Lorry, estendendo as mãos à frente com um sorriso discreto.

Entre as sobrancelhas e bem acima do narizinho feminino, cujos traços eram os mais delicados possíveis, o semblante se fechou quando ela, pensativa, sentou-se na cadeira próxima da qual até então mantinha-se em pé. O senhor Lorry a observava nesse ínterim e quando ela voltou a erguer os olhos, prosseguiu:

– Presumo, senhorita Manette, que em seu país adotivo, eu deva dirigir-me à senhorita como uma dama inglesa, certo?

– Por favor, senhor.

– Senhorita Manette, sou um homem de negócios e tenho como incumbência resolver o da senhorita. Ao ouvir o que tenho a dizer, não me dê mais atenção do que daria a uma máquina falante. A bem da verdade, não sou muito diferente de uma. Se me permite, senhorita, vou lhe contar a história de um de nossos clientes.

– História!

Ao que parecia, ele tinha confundido a palavra que ela repetira e depressa acrescentou:

– Sim, clientes! Nos negócios do banco, geralmente nos referimos a nossos contatos como clientes. Ele era um cavalheiro francês, cientista, um erudito... Doutor.

– Não era de Beauvais?

– Ah, sim, de Beauvais. Tal como *monsieur* Manette, seu pai, o cavalheiro era de Beauvais. E também como *monsieur* Manette, meu cliente era homem renomado de Paris. Tive a honra de conhecê-lo lá. Nosso contato era estritamente profissional, mas igualmente confidencial. Naquele tempo, eu estava na nossa casa francesa e isso foi há... nossa! Vinte anos!

– Naquele tempo... posso me atrever a perguntar que tempo era esse, senhor?

– Eu me refiro, senhorita, a vinte anos atrás. Ele casou-se... com uma dama inglesa... e eu era um de seus homens de confiança. Seus negócios, como os de tantos outros cavalheiros e famílias francesas estavam entregue às mãos do banco Tellson. Sendo assim, eu sou, ou fui, conselheiro em algum tipo de negócio de nossos clientes. São relações estritamente comerciais, senhorita. Não há nelas relação de amizade, nenhum interesse particular, nem sentimento de qualquer espécie. No decurso de minha vida profissional, passei de um caso a outro, assim como passo de um cliente a outro durante um dia de trabalho. Resumindo, não tenho sentimentos. Não passo de uma máquina. Continuando...

– Mas essa é a história do meu pai, senhor. Começo a pensar... – Os vincos da testa enrugada pareciam apontar para ele. – Que quando minha mãe faleceu, dois anos depois de meu pai, foi o senhor quem me trouxe para a Inglaterra. Tenho quase certeza disso.

O senhor Lorry segurou a mãozinha hesitante que em um gesto de confiança avançara em direção à dele e, com certa cerimônia, a levou à própria boca. Então, ele conduziu a jovem à sua cadeira e, segurando o encosto com a mão esquerda e, com a direita, alternando entre esfregar o queixo, puxar a peruca para baixo e ajustá-la nas orelhas, e enfatizar o que dizia, manteve-se de pé enquanto ela erguia o rosto para poder olhá-lo.

– Senhorita Manette, fui eu mesmo. E a senhorita pode ver o quanto fui sincero ao dizer que não tenho sentimentos e que todas as minhas relações são exclusivamente profissionais, se refletir que não a vi mais desde então. Não; a senhorita tem sido amparada pelo banco desde então. Sentimentos! Não tenho tempo pra isso, nem mesmo pra pensar no assunto. Passo a vida inteira, senhorita, ajudando a movimentar as engrenagens de uma imensa máquina monetária.

Depois dessa inusitada descrição da própria rotina de trabalho, com as duas mãos o senhor Lorry alisou a peruca loira presa na cabeça (gesto desnecessário, pois não havia no mundo superfície mais lisa do que aquela) e prosseguiu:

– Até o momento, como a senhorita bem observou, esta é a história do seu pesaroso pai. Mas agora vem a diferença. Se seu pai não tivesse morrido quando morreu... Não se assuste! Acalme-se.

E a moça estava mesmo assustada, tanto que agarrou com as duas mãos os dois pulsos do senhor Lorry.

– Por favor, senhorita – disse o senhor Lorry em um tom de conforto, soltando a mão esquerda do encosto da cadeira para levá-la aos dedos suplicantes e trêmulos que o agarravam com toda a força. – Imploro que controle seu estado emocional... vamos tratar de uma questão de negócios... Como eu estava dizendo...

A jovem pareceu tão transtornada que o senhor Lorry hesitou, pensou um pouco e retomou seus dizeres:

– Como eu dizia, se senhor Manette não tivesse morrido, se em vez disso desaparecesse de modo repetido e silencioso; se sumisse como quem foi tragado pela terra e ninguém jamais pudesse imaginar onde teria parado; se ele tivesse algum inimigo compatriota que pudesse se beneficiar de algo que, no meu tempo, até os mais atrevidos teriam medo de sequer sussurrar debaixo d'água; por exemplo, o privilégio de preencher formulários em branco para condenar um sujeito ao esquecimento ou à prisão pelo tempo que bem quisesse; se sua esposa implorasse ao rei, à rainha, à corte, ao clero pela menor notícia do desaparecido, de nada adiantaria... e a história do seu pai teria sido a mesma desse desafortunado cavalheiro, o doutor de Beauvais.

– Senhor, imploro que me conte mais sobre isso.

– Vou contar. Vou contar. Tem certeza que aguenta ouvir?

– Posso suportar tudo, menos esse estado de incerteza em que me deixou.

– Falou com calma e a senhorita... está calma. Ótimo! – Apesar disso, a postura do senhor Lorry demonstrava que ele não parecia tão satisfeito quanto suas palavras. – Uma questão de negócios. Veja tudo isso como uma questão de negócios... negócios que devem ser resolvidos. Veja, se a esposa desse médico, embora dama muita corajosa e decidida, tivesse sofrido tanto a falta do marido antes de o filho do casal nascer...

– Filha, o bebê era uma menina, senhor.

– Uma filha. Uma... uma questão de negócios... não se aflija. Senhorita, se essa pobre senhora sofreu tanto antes do nascimento desse bebê, a ponto de poupar essa criancinha da herança de um sofrimento cujas dores essa dama conhecera muito bem, plantando na filha a crença de que o pai estava morto... não! Não se ajoelhe! Santo Deus! Por que se ajoelhar aos meus pés, senhorita?

– Para implorar pela verdade. Ó, senhor de bom coração, pelo bom Deus, rogo-lhe que conte a verdade, somente a verdade!

– Uma... uma questão de negócios. A senhorita me confunde. E como posso tratar de negócios se estou confuso? Pensemos com calma. A senhorita poderia me dizer, agora, quanto são nove *pence* multiplicado por nove ou quantos xelins equivalem a vinte guinés? Ajudaria tanto se me fizesse essa gentileza. Eu ficaria bem mais tranquilo em relação ao seu estado emocional.

Embora ela não tenha respondido às perguntas propriamente, quando o senhor Jarvis Lorry com delicadeza levantou a moça do chão e percebeu que suas mãos, apesar de não terem soltado os punhos dele, pareciam mais firmes, sentiu-se mais seguro para continuar.

– Isso, isso mesmo. Coragem! Negócios! A senhorita tem negócios pela frente, e negócios dos bons. Senhorita Manette, sua mãe tomou essa decisão em relação à senhorita. E quando ela morreu, acredito eu, de coração partido, sem nunca ter deixado de procurar pelo seu pai, apesar das buscas inúteis, ela a deixou com 2 anos de idade para que crescesse bela, feliz, cheia de vida, livre do peso da incerteza quanto à existência do seu pai, sem saber se ele conseguiu livrar-se do cárcere ou se passou o resto da vida atrás das grades.

Ao dizer aquelas palavras, ele abaixou a cabeça em um admirável gesto de compadecimento àqueles fios dourados, como se já pudesse imaginá-los grisalhos.

– A senhorita sabe que seus pais não tinham muitas posses e o que tinham ficou segurado para a sua mãe e a senhorita. Não havia outro bem, dinheiro e nem propriedade de qualquer tipo foi encontrada, mas...

Naquele momento, o senhor Lorry voltou a sentir os dedos da moça lhe apertarem os punhos. A testa, que tanto atraíra sua atenção, e que agora mantinha-se praticamente imóvel, denotava sofrimento e dor.

– Mas ele foi... encontrado. Está vivo. Muito diferente, é provável. Abatido, presume-se, mas há de se torcer pelo melhor. Continua vivo. Seu pai foi levado para a casa de um antigo criado em Paris e iremos lá. Eu, para reconhecê-lo, se possível for; a senhorita, para trazê-lo de volta à vida, ao amor, aos deveres, ao descanso e ao conforto.

Um arrepio percorreu a senhorita e irradiou para o senhor Lorry. Ela, com a voz baixa, perplexa e vacilante, como se estivesse sonhando, disse:

– Vou encontrar um fantasma! O fantasma dele... não o meu pai!

Devagar, o senhor Lorry afagou as mãos que seguravam seu pulso.

– Não, não, senhorita! Agora já conhece a melhor e a pior parte da história. Está preparada para conhecer o pobre cavalheiro injustiçado, e depois de uma viagem tranquila pelo canal e um trajeto sossegado por terra, logo estará ao lado do seu estimado pai.

Com a mesma voz praticamente sussurrada, ela continuou:

– Até agora fui livre, feliz, sem nunca ter sido assombrada por esse fantasma!

– Uma última coisa – anunciou o senhor Lorry em um tom de ênfase, na tentativa de recobrar a devida atenção –, foi encontrado usando outro nome. O nome real foi esquecido ou ocultado. Seria inútil investigar agora qual das possibilidades é a verdadeira; mais inútil ainda questionar se passou todos esses anos esquecido ou encarcerado. Ainda mais desnecessário seria enchê-lo de perguntas de qualquer natureza, pois pode ser perigoso. Melhor não tocar no assunto, nem lá nem em outro lugar, e, em todo caso, tirá-lo por um tempo da França. Até mesmo eu, como cidadão inglês, e funcionário do Tellson, banco tão importante para as transações francesas, evito todo e qualquer tipo de menção ao assunto. Não ando com nenhum papel sequer que se faça referência clara ao tema. Afinal, é uma missão absolutamente secreta. Minhas credenciais, registros e memorandos todos se limitam a uma única frase: "De volta à vida", que deve permanecer vaga. Mas o que isso importa? Você não está prestando a menor atenção! Senhorita Manette!

Totalmente imóvel e em um estado de silêncio sepulcral, sem nem recostar na cadeira, ela permanecia agarrada às mãos dele, inexpressiva, com os olhos arregalados e fixos no senhor Lorry e com aquele traço na testa como se tivesse sido esculpida ou entalhada. Segurava-lhe o braço tão perto e com tanta força que ele temia machucá-la, caso a soltasse; então, sem mover nem um dedo sequer, gritou por ajuda.

Uma mulher com trejeito desatinado e cuja pele toda avermelhada, apesar do estado alvoraçado da figura, não passou despercebida aos olhos do senhor Lorry, assim como ele tampouco deixou de notar o cabelo ruivo, as vestes extraordinariamente justas e um chapéu espetacular semelhante a um balde de madeira (e dos grandes, diga-se de passagem) de um granadeiro, ou a um queijo Stilton, entrou correndo no quarto, chegou antes de qualquer outro criado do hotel e rapidamente resolveu a questão da apartação dos dois, desferindo a mão robusta sobre o peito dele, lançando-o com força contra a parede mais próxima.

"Só pode ser um homem disfarçado de mulher!", pensou o senhor Lorry resfolegante, no momento em que batia contra a parede.

– Ora, vejam só! – berrou a figura para os criados da hospedaria. – Por que não vão buscar ajuda em vez de ficarem aí parados feito estátua? Não sou tão bonita assim, sou? Por que não vão buscar algo para ajudar? Vão procurar sais, água fria e vinagre, rápido, ou vão se ver comigo!

Houve uma dispersão imediata em busca desses revigorantes e a mulher deitou a paciente com cuidado no sofá e cuidou dela com todo o zelo e gentileza, chamando-a de "minha preciosa!", "meu passarinho!" e afastando de lado os fios da cabeleireira dourada com muito cuidado e todo orgulho.

– E você de marrom! – chamou em um tom de indignação, falando com o senhor Lorry. – Pode fazer a gentileza de contar o que disse a essa moça para deixá-la assustada desse jeito? Olhe pra ela, veja como esse rostinho bonito ficou pálido e as mãos geladas. É isso que faz um banqueiro, senhor?

O senhor Lorry ficou tão desconcertado com a pergunta de tão difícil resposta que não teve nenhuma reação a não ser ficar observando, de longe, com pouca simpatia e humildade, enquanto a mulher robusta, depois de expulsar os criados do hotel sob a misteriosa ameaça de "haverem-se com ela", caso ali permanecessem olhando; após uma sequência de procedimentos, conseguiu restabelecer o ânimo da jovem e convenceu-a a apoiar a cabeça em seu ombro.

– Espero que ela melhore – disse o senhor Lorry.

– Não graças ao senhor aí de marrom. Pobre menininha!

– Espero... – continuou o senhor Lorry, após outra pausa de pouca simpatia e humildade –, que a senhora possa acompanhar a senhorita Manette à França...?

– É bem provável! – respondeu a mulher robusta. – Se estava escrito que eu deveria atravessar a água salgada, o senhor acha que a Divina Providência me manteria presa em uma ilha?

Outra pergunta difícil de responder. O senhor Lorry preferiu retirar-se para pensar na resposta.

A TABERNA

Um enorme barril de vinho tombara e se quebrou. O acidente deu-se em uma rua, quando o tiravam da carroça; ao escorregar dela, o barril saiu rolando, os arcos romperam e ele foi parar nas pedras bem em frente à porta de uma taberna, despedaçado feito uma casca de noz.

Toda a vizinhança interrompeu suas atividades, ou o ócio, para ir até lá e beber o vinho. As pedras rústicas e irregulares da rua, pontiagudas em várias dimensões e criadas, como se poderia pensar, especialmente para aleijar toda e qualquer criatura viva que delas se aproximassem, represavam o vinho em pequenas poças, cada qual cercada por um grupo pequeno ou por uma multidão, a depender da respectiva quantidade de bebida ali retida. Alguns homens ajoelhavam-se, formando conchas com as mãos e bebericavam, ou tentavam ajudar as mulheres que se apoiavam sobre os seus ombros para sorver a bebida antes que ela lhes escapasse pelos dedos. Outros ainda, homens e mulheres, mergulhavam nas poças com canecas de barro lascadas, ou usavam os lenços que as mulheres amarravam na cabeça e os torciam e espremiam na boca das crianças até a última gota; havia ainda os que improvisavam pequenas barreiras de terra para conter o vinho enquanto escorria e os que, orientados por outros que espiavam pelas janelas, corriam de um lado para o outro, tentando conter os pequenos fluxos de vinho que começavam a se espalhar por outras direções; alguns se empenhavam em extrair o máximo de vinho dos resquícios do barril, lambendo e até mastigando restos da bebida com avidez e êxtase. Não havia como escoar o vinho para carregá-lo, e não só se fartaram dele até a última gota, como também de toda a lama que com ele se fundiu, tanto que se poderia dizer ter passado por ali um varredor e limpado o chão por completo, se alguém familiarizado com a cena pudesse acreditar em tão miraculoso serviço.

Uma gargalhada estridente e o barulho de vozes animadas – homens, mulheres e crianças – ressoaram na rua enquanto durou o banquete do vinho. O que o banquete divertido não teve de selvageria, teve de brincadeira. Partilharam ali uma camaradagem peculiar, um esforço mútuo de unir-se ao outro, que resultou, sobretudo aos mais sortudos e entusiasmados, em abraços espontâneos, brindes à saúde, apertos de mão e até uma dança de roda, com dúzias de mãos dadas. Quando o vinho acabou e os espaços onde a bebida mais se acumulara transformou-se em uma curiosa marca de grades, cravadas por dedos, o alvoroço todo cessou de forma tão rápida quanto havia começado; o homem que largara a serra fincada na lenha que estava cortando voltou a manuseá-la; a mulher que deixara na soleira da porta uma bacia de rescaldo com que tentava aliviar a dor dos pés e das mãos exauridos, tanto a sua quanto a do filho, tornou ao trabalho; homens com os braços descobertos, cabelos desgrenhados e rostos cadavéricos, que tinham ressuscitado dos porões para a luz do inverno, regressaram às suas profundezas e uma melancolia coletiva recaiu naquele cenário, o que pareceu mais natural que a luz do sol.

O vinho tinto manchara o chão da rua estreita do subúrbio de Saint-Antoine, em Paris, por onde se espalhara. Também manchou muitas mãos, muitos rostos, muitos pés descalços e muitos tamancos. As mãos do homem que serrava a lenha tingiram as toras, e a testa da mulher que amamentava o filho ficou suja por causa da mancha do trapo que voltou a amarrar na cabeça. Os que avançaram nas aduelas do barril com mais gula, ficaram com os lábios marcados feito os de um tigre que acabou de capturar a presa; e um homem zombeteiro e grandalhão, manchado com o vinho de cima a baixo e cuja cabeça mal parecia caber dentro do barrete comprido e sujo que usava, com o dedo encharcado de vinho e lama, escreveu num muro: SANGUE.

Aproximava-se o momento em que outro vinho seria derramado pelas pedras daquela rua, espalhando sua mancha vermelha por entre muitos outros que ali viviam.

E agora que uma nuvem encobria Saint-Antoine, depois que um feixe de luz passageiro iluminara seu sagrado semblante, a escuridão trouxe consigo todo seu fardo: frio, sujeira, doença, ignorância e fome eram os senhores que acompanhavam aquela santa aparição: nobres muito poderosos, mas sobretudo o último deles. Apenas uma parte de um povo que fora terrivelmente moído e remoído, e certamente não no renomado moinho que transforma velhos em jovens, tremulavam em cada esquina, entravam e saíam por todo tipo de porta, espiavam pela janela, desassossegavam-se à menor peça de roupa que o vento sacudia. O moinho que os triturara era o mesmo que tornava velhos os jovens; as crianças tinham o rosto envelhecido e a voz grave;

e sobre essas crianças e seus rostos, lavrada em cada sulco da idade e renascendo a todo momento, lá estava ela, a marca da Fome. E predominava por toda a parte. A Fome exalava das roupas esfarrapadas penduradas em varais e fios no alto das casas. A Fome se remendava a essas roupas com resquícios de palha e trapos e madeira e papel; a Fome crepitava em cada filete da lenha que o serrador cortava; a Fome espreitava do alto das chaminés apagadas e perambulava pelas ruas imundas em cujas sobras do lixo não se podia encontrar absolutamente nada comestível. A Fome com todas as suas letras estava cravada nas prateleiras do padeiro, escrita em cada migalha das poucas sobras de pão embolorado; na salsicharia, em cada prato com carne de cachorro que era posto à venda; a Fome chacoalhava seus ossos secos entre as castanhas postas para torrar no cilindro giratório. A Fome desintegrava-se em átomos junto a cada minúscula porção de espessas lascas de batata a fritar com algumas ínfimas gotículas de óleo.

E sua persistência se fazia clara por todo o canto. Em uma rua estreita e sinuosa, cheia de vandalismo e mau cheiro, cruzando com outras ruas estreitas, pessoas aos trapos e farrapos e cheirando a trapos e farrapos e tudo o mais que os olhos podiam enxergar, que de tão melancólico, aparentava enfermidade. Na respiração daqueles que estavam ali, pairava o medo de a qualquer momento serem encurralados. Por mais deprimidos e abatidos, não lhes faltava o sangue nos olhos, nem lábios cerrados e esbranquiçados pelo que calavam; nem cenhos franzidos como a corda da forca sobre a qual cogitavam um dia enfrentar ou infligir. Os letreiros do comércio (e havia quase um por estabelecimento) tornaram-se lúgubres ilustrações da Fome. O açougueiro e o vendedor de porco punham à venda apenas os pedaços mais magros de carne; o padeiro, apenas os pães mais minguados. Os frequentadores de tabernas eram grotescamente retratados bebendo vinho aguado e cerveja em doses escassas e trocando olhares furiosos. Não se tinha notícia de abundância de nenhum tipo, a não ser de ferramentas e armas: facas e cutelos[6] eram muito bem afiados e reluzentes, os martelos do ferreiro eram pesadíssimos e o estoque do fabricante de armas era infindável. O amontoado de pedras irregulares do chão, com suas numerosas poças de lama e água, não formava calçadas para os pedestres e terminava bem à porta das casas. O esgoto, em compensação, corria solto no meio da rua (quando chegava a correr) depois de uma chuva forte e adentrava caminhos inusitados, inclusive as próprias casas. Pelas ruas, dependurados por roldana e corda e com muitos metros de distância entre um e outro, havia lampiões; à noite, quando o acendedor de lampiões baixava a corda para acendê-los e voltava a erguê-los, as luzes turvas pendiam sobre as cabeças de um lado

6 Espada curva, com gume na parte convexa, usada nas execuções por decapitação. (N.E.)

para o outro, provocando um efeito nauseante, como se estivessem em alto-mar. De fato, estavam mesmo à deriva e o barco e a tripulação poderiam a qualquer momento enfrentar uma tempestade.

Portanto, aproximava-se a hora em que os espantalhos cadavéricos daquelas redondezas, tendo entre os dias de ócio e fome observado os lampiões por muito tempo, poderiam aperfeiçoar seu método e teriam a ideia de içar homens e mulheres usando essas mesmas roldanas e cordas, com o intento de trazer luz àquelas condições sombrias. Contudo, ainda não chegara a hora, e todo o vento que soprava sobre a França açoitava em vão os andrajos dos espantalhos, pois os pássaros, entretidos com seu canto agradável e suas penas, não notaram nenhum sinal de alarme.

A taberna ficava em uma esquina, e era melhor do que os outros estabelecimentos quanto à localização e à aparência, e o taberneiro estava do lado de fora, com um colete amarelo e calção verde, observando a disputa desatada pelo vinho derramado.

– Não tenho nada a ver com isso – disse, dando de ombros. – A culpa é do pessoal do mercado. Eles que reponham o barril.

Naquele momento, ele bateu o olho no rapaz brincalhão e grandalhão no outro lado da rua e que escrevia no muro.

– Diga, meu caro Gaspard, o que faz aí? – perguntou o taberneiro.

O sujeito apontou para a sua arte todo envaidecido, como era comum entre os de seu grupo. Mas a "arte" perdera seu significado e falhara, como também era frequente entre eles.

– Mas o que diabos é isso? Está querendo ir parar em um hospício? – perguntou o taberneiro e no mesmo instante atravessou a rua e com a mão cheia de lama, que tinha pegado do chão com este propósito, a esfregou no muro e apagou a arte. – Por que escreve nos espaços públicos? Não há... diga-me, não há outro lugar por aí para escrever coisas como essa?

Enquanto repreendia o sujeito, o homem esbarrou a mão limpa (talvez por acidente ou não) no peito do brincalhão, que a segurou, deu um salto de repente e desceu fazendo uma coreografia excêntrica durante a qual arrancou um dos sapatos manchados e agora o exibia em uma das mãos estendidas. Um fanfarrão de primeira, surpreendentemente alegre diante daquelas circunstâncias.

– Calce o sapato, calce! – mandou o outro. – Chame de vinho o vinho[7] e pare com essa coisa agora.

E, com esse conselho, o taberneiro limpou a mão suja de propósito na roupa do fanfarrão, assim como o fez quando pegara um punhado de lama do chão. Depois, atravessou a rua e voltou para a taberna.

7 No original: "*Call wine, wine*", expressão idiomática para "isto é o que é". (N.E.)

O taberneiro era um homem de trinta e poucos anos, aparência marcial, pescoço avantajado e empapado e deveria ser o tipo calorento, pois apesar do frio daquele dia, não vestiu o paletó e o trazia pendurado no ombro. Tinha as mangas da camisa arregaçadas e os braços morenos descobertos até a altura do cotovelo. E também nada lhe protegia a cabeça além do próprio cabelo curto, escuro e encaracolado. Era pardo, de olhos expressivos e uma boa distância entre eles. Bem-humorado à primeira vista, mas igualmente implacável, de personalidade forte, evidentemente o tipo que ninguém deseja encontrar em uma rua sem saída ou com um abismo de cada lado, pois nada o deteria.

Madame Defarge, sua esposa, estava atrás do balcão quando ele chegou. Era uma mulher robusta, mais ou menos da mesma idade que o marido, de olhar centrado e ao mesmo tempo relapso; mãos grandes e cheias de anéis, expressão resoluta, semblante forte e muita compostura. Algo na personalidade de madame Defarge deflagrava ser ela o tipo que não costumava errar consigo em nenhum dos cálculos de que cuidava. Muito friorenta, vestia um casaco de peles e a cabeça estava toda enrolada em um lenço colorido, sem deixar de mostrar os brincos grandes. A agulha de tricô e o novelo estavam em cima do balcão, mas ela os deixara de lado para palitar os dentes. Assim entretida, com o cotovelo direito apoiado na mão esquerda, madame Defarge nada disse quando o marido entrou, apenas tossiu de leve. Isso, combinado ao erguer das sobrancelhas escuras e espessas em detrimento do palito que tinha a largura de uma linha, bastou para o marido entender que deveria circular pela taberna e entre os clientes, caso algum novo freguês tivesse chegado enquanto ele esteve fora.

O taberneiro assim o fez, correndo os olhos por todo o estabelecimento, até pousarem em um senhor acompanhado de uma jovem, os dois sentados no canto. E ali havia outros: dois clientes jogando dominó, mais dois jogando baralho e outros no balcão, compartilhando uma dose de vinho. Ao passar por trás do balcão, o taberneiro percebeu que o cavalheiro de idade olhou para a jovem e disse:

– É ele.

"O que diabos estão fazendo nesta galé[8]?"– disse *o* senhor Defarge consigo mesmo. – "Não os conheço."

Mas decidiu fingir não notar os dois estranhos e começou uma conversa entusiasmada com os três clientes que bebiam no bar.

– Como vai, Jacques? – perguntou um dos três ao senhor Defarge. – Já acabaram com o vinho derramado?

---

8 Do francês: *"Que faites-vous dans cette galère?"*, fazendo alusão ao texto do autor Cyrano de Bergerac, em sua peça *Le Pédant Joué* (Ato II, cena 4). (N.E.)

– Não sobrou nem uma gota, Jacques – respondeu o senhor Defarge.

Depois desse intercâmbio de nomes de batismo, a madame Defarge, cutucando os dentes com o palito, deu mais uma tossida de leve e tornou a arquear as sobrancelhas.

– Não é sempre – comentou um dos três, dirigindo-se ao senhor Defarge –, que um bando de esfomeados tem a oportunidade de saborear vinho ou alguma outra coisa além de pão preto e morte, não é mesmo, Jacques?

– É assim mesmo, Jacques – concordou o senhor Defarge.

A essa segunda troca de nomes, a madame Defarge, ainda escarafunchando os dentes com o palito e em admirável compostura, tossiu mais uma vez e tornou a erguer as sobrancelhas.

O último dos três, depois do último gole, colocou o copo vazio no balcão, estalou os lábios e disse:

– Ah! Tanto pior! Coisa amarga mesmo é o gosto que esse pobre gado sente na boca o tempo todo, com a vida miserável que leva, Jacques. Não estou certo, Jacques?

– Está sim, Jacques – respondeu senhor Defarge.

Essa terceira troca de nomes completou-se no momento em que a madame Defarge deixou o palito de lado, manteve as sobrancelhas bem erguidas e remexeu-se discretamente na cadeira.

– Pois então! É verdade – murmurou o marido. – Cavalheiros... esta é a minha esposa!

Os três clientes tiraram o chapéu para a madame Defarge, com três floreios. Ela retribuiu o gesto inclinando a cabeça e com um olhar de relance. Em seguida, espiou ao redor da taberna sem pretensão especial, pegou as agulhas de tricô, o novelo e voltou a tricotar com aparente calma e paz de espírito, absorta na própria atividade.

– Cavalheiros – disse o marido, mantendo-se atento à mulher –, bom dia. Os aposentos de solteiro que desejavam ver e sobre o qual perguntaram quando saí está pronto. A porta da escada leva a um pequeno pátio à esquerda, perto da janela da taberna – explicou, apontando com a mão. – Mas, se estou bem lembrado, um dos cavalheiros já esteve por lá e conhece o caminho. Cavalheiros, *adieu*!

Os três pagaram a conta e saíram da taberna. O senhor Defarge observava a esposa enquanto ela tricotava quando o cavalheiro que estava com a moça levantou do canto e pediu-lhe o favor de falar um minuto.

– De bom grado, senhor – respondeu senhor Defarge e com discrição conduziu o cavalheiro até a porta.

A conversa foi breve e assertiva. Logo de início, senhor Defarge pasmou-se e manteve-se atento. Não havia nem um minuto que estavam ali, quando o taberneiro assentiu e saiu. O cavalheiro, então, acenou para a jovem e os dois também saíram.

Madame Defarge, entre os hábeis movimentos dos dedos e as sobrancelhas estáveis, não percebeu nada.

O senhor Jarvis Lorry e a senhorita Manette, saindo da taberna, uniram-se ao *monsieur* Defarge na porta, a mesma que ele havia indicado para os três clientes pouco tempo antes. Do outro lado, havia um pátio pequeno, escuro e malcheiroso e que tinha entrada para um amontoado de casas onde morava um punhado de gente. No sombrio chão revestido de ladrilhos e que levava à sombria escadaria também de ladrilhos, o senhor Defarge abaixou-se, dobrou um dos joelhos para falar com a filha de seu antigo patrão e beijou-lhe a mão. Gesto gentil, mas não totalmente cuidadoso; uma transformação extraordinária o acometera nos últimos segundos. Seu semblante ficara carrancudo, pesado, e de repente o taberneiro se tornara um homem taciturno, raivoso e perigoso.

– Fica bem lá em cima, a subida é meio difícil. Melhor ir devagar. – Foi essa a advertência de *monsieur* Defarge, com a voz grave, para o senhor Lorry, quando começaram a subir os degraus.

– Ele está sozinho? – sussurrou o senhor Lorry.

– Sozinho. Que Deus se compadeça dele! Quem mais poderia lhe fazer companhia? – disse o taberneiro no mesmo tom sussurrado.

– Ele fica sempre sozinho?

– Fica.

– E por vontade própria?

– Por necessidade. Exatamente como estava quando o vi pela primeira vez, quando me encontraram e perguntaram se eu cuidaria dele com discrição, sob os riscos que eu correria. Encontra-se exatamente como o encontrei naquela ocasião.

– Está muito diferente?

– Diferente!

O taberneiro interrompeu o passo, lançou um murro contra a parede e soltou um palavrão. Nenhuma resposta objetiva teria sido tão clara. O estado de inquietação do senhor Lorry só fazia crescer à medida que ele e os outros dois subiam cada um dos degraus.

Tal escadaria, com suas peculiaridades em uma região das mais antigas e populosas de Paris, seria um grande desafio nos dias atuais; mas, naquela época, decerto era tarefa tenebrosa para os menos acostumados e os mais velhos. Cada minúsculo apartamento daquele cortiço imundo em um prédio de muitos andares, isto é, os quartos que haviam ali a cada porta da escadaria que se abria, descartavam seu próprio lixo nos corredores, além de os atirarem também pelas janelas. A incontrolável e desesperançada massa em decomposição assim engendrada poderia poluir o ar, mesmo que a pobreza e a privação já não o tivessem infestado com suas impurezas; essas duas fontes contaminadas e combinadas tornavam tudo aquilo quase insuportável. Nessa atmosfera, por uma íngreme e escura vala de sujeira e veneno, perfilava-se o caminho. Cedendo à própria inquietação mental e ao desassossego de sua companheira, o qual aumentava a cada instante, o senhor Lorry interrompeu a subida duas vezes para descansar. Cada parada foi feita diante de uma sinistra grade por entre a qual parecia escapar o quase ínfimo resquício de ar salubre, e por onde todas as menores partículas podres e enjoativas ameaçavam se infiltrar.

Entre as barras enferrujadas, depreendia-se o gosto em vez do vislumbre daquela amontoada vizinhança; e nada por ali, mais perto ou mais longe que o cume das duas imensas torres de Notre-Dame aspirava a promessa de uma vida saudável.

Por fim, chegaram ao topo da escada e fizeram uma terceira parada. Havia ainda outro lance de escadas, mais íngreme e mais estreito, antes de chegarem ao sótão. O taberneiro, caminhando o tempo todo à frente dos outros dois, e sempre ao lado do senhor Lorry, temendo quaisquer perguntas da moça, virou-se ali e, tateando os bolsos do paletó que carregava no ombro, pegou uma chave.

– Então, a porta fica trancada, meu amigo? – perguntou o senhor Lorry surpreso.

– Fica – respondeu o *monsieur* Defarge de pronto, com a voz grave.

– O senhor julga necessário deixar o pobre cavalheiro tão isolado assim?

– Acho que é necessário girar a chave – sussurrou *monsieur* Defarge perto do ouvido do senhor Lorry e franzindo expressivamente a testa.

– Por quê?

– Por quê?! Porque todo esse tempo ele viveu trancado e ficaria assustado... traumatizado... desmoronaria... morreria ou sei lá mais o que de mal poderia lhe acontecer se essa porta ficasse aberta.

– É possível! – exclamou o senhor Lorry.

– É possível! – repetiu Defarge em tom amargo. – Sim. E no belo mundo em que vivemos, quando é possível, e quando tantas outras coisas são possíveis, e não só possíveis, mas também acontecem, e veja só o senhor! Sob este céu, acima da nossa cabeça, todo dia. Vida longa do *diabo*. Continuemos.

Tão sussurrada foi essa conversa que nem uma só palavra chegou aos ouvidos da jovem. Àquela altura ela tremia tanto e aparentava tamanha ansiedade, mas sobretudo medo, pavor, que o senhor Lorry sentiu-se na obrigação de dizer-lhe uma ou outra palavra de conforto.

– Coragem, senhorita! Coragem! Negócios! O pior vai passar daqui a pouco. Assim que atravessarmos a porta desse quarto, o pior terá passado. Depois, tudo o de melhor que a senhorita lhe oferecer, todo o alívio, toda a alegria vai começar. Deixe nosso bom amigo aqui ajudá-la nisso. Muito bem, companheiro Defarge. Vamos lá. Negócios, negócios!

E assim os três subiram devagar e com cuidado. Eram poucos degraus e logo chegaram ao topo. Ali, onde havia uma brusca curva, depararam-se com três homens, todos com a cabeça baixa, grudada na porta, espiando através de umas frestas ou buracos na parede o quarto ao qual pertencia aquela porta. Ao ouvirem passos se aproximando, eles se viraram e levantaram e eis que se tratavam dos três fregueses que estavam bebendo na taberna.

– Com a surpresa da visita dos senhores, acabei me esquecendo dos três – explicou *monsieur* Defarge. – Por favor, rapazes. Deixem-nos a sós, temos negócios a tratar por aqui.

Os três retiraram-se à francesa e desceram sem trocar uma palavra sequer.

Como parecia não haver nenhuma outra porta naquele andar, e o taberneiro foi em direção a mesma porta que os outros três espiavam segundos atrás, em um sussurro meio enraivecido, o senhor Lorry perguntou:

– Está exibindo o senhor Manette feito um bicho no zoológico?

– Eu o mostro, como o senhor bem viu, para alguns poucos escolhidos.

– E acha certo isso?

– Acho, sim.

– E quem são esses escolhidos? Como os seleciona?

– Escolho homens dignos, de palavra e que tenham o meu nome, Jacques, e para quem essa visão possa de algum modo fazer bem. Já chega: o senhor é inglês, é outra coisa. Aguarde um momento aqui, por favor.

Orientando os dois a se afastarem, em um gesto de advertência, ele se inclinou e espiou pela fenda na parede. Em poucos segundos ergueu a cabeça e bateu duas ou três vezes na porta com a evidente intenção de fazer barulho. Com essa mesma intenção, raspou a chave na porta três ou quatro vezes antes de girá-la de um modo desajeitado e ruidoso na fechadura.

O taberneiro abriu-a devagar, empurrando-a para dentro, olhou o quarto e disse algo. Uma voz fraca respondeu. Uma sílaba ou não muito mais que isso foi dita pelos dois lados. Ele olhou por cima dos ombros e fez um sinal para os dois entrarem. O senhor Lorry envolveu a cintura da jovem e a segurou com firmeza porque sentia que ela estava a ponto de desmoronar.

– São... são... negócios, negócios! – argumentou com gotas de suor reluzindo nas bochechas que nada tinham a ver com negócios. – Vamos, vamos!

– Estou com medo – disse a moça, estremecendo.

– De quê?

– Dele. Do meu pai.

Em um ato de desespero, tanto pelo estado da moça quanto pelo sinal do taberneiro, ele suspendeu o braço trêmulo da jovem, o envolveu no próprio pescoço e junto dela entrou depressa no quarto. Assim que atravessaram a porta, ele pousou a moça no chão e a segurou enquanto ela se agarrava a ele.

Defarge retirou a chave da fechadura, trancou a porta por dentro e segurou a chave na mão. Fez tudo isso de modo metódico, ruidoso e bruto. Por fim, cruzou o cômodo com passos calculados em direção à janela. Ali parou e olhou ao redor.

O sótão, construído para servir de depósito de lenhas e afins, era escuro e lúgubre; a janela de teto, era na verdade a porta do telhado com uma pequena grua para içar suprimentos da rua: sem verniz e com uma abertura que o dividia em dois, como qualquer porta de construções francesas. Para proteção contra o frio, mantinha-se metade dessa porta fechada e a outra entreaberta. Ínfimos feixes de luz perpassavam essa fenda, tanto que era muito difícil enxergar qualquer coisa ao entrar; e somente a força do hábito, adquirida no decorrer de muito tempo, permitiria naquele breu a execução de qualquer atividade que demandasse precisão. Apesar disso, um trabalho dessa natureza vinha sendo feito naquele sótão. De costas para a porta e com o rosto voltado para a janela na qual o taberneiro parara para olhá-lo, encontrava-se um homem de cabelos grisalhos, sentado em um banquinho, com o corpo curvado e muito atarefado, confeccionando sapatos.

O SAPATEIRO

– Bom dia! – disse *monsieur* Defarge, olhando para a cabeça branca debruçada sobre o sapato.

O grisalho ergueu a cabeça por um instante e uma voz fraca respondeu à saudação, como se viesse de muito longe:

– Bom dia!

– Continua dando um duro no trabalho, pelo que vejo.

Depois de um longo silêncio, a cabeça grisalha ergueu-se mais uma vez e a voz respondeu:

– Sim, estou. – Dessa vez, um par de olhos abatidos espreitaram o questionador, antes de voltar a abaixar sua cabeça.

A fraqueza daquela voz era lastimável e assombrosa. Não se tratava apenas de algo físico, embora o confinamento e a falta de alimentação fossem responsáveis por parte daquilo. A peculiaridade dessa deplorável fraqueza se dava pela solidão e falta de uso da voz. Esta soava como o último e mais enfraquecido eco de um som emitido muito, muito tempo atrás. Perdera tão completamente o vigor e a ressonância da voz humana que afetou os sentidos feito uma cor vibrante que desvanece, desbota e torna-se uma mancha quase invisível. De tão abafada e suprimida, soava como se estivesse em um plano subterrâneo. Era a mais pura expressão de uma criatura perdida e desesperançada, tanto que um viajante faminto, ao ouvi-la, solitário e exaurido de tanto vagar pelo deserto, teria recordado a casa e os amigos antes de sucumbir à morte.

Passaram-se alguns minutos de trabalho em silêncio e só então os olhos abatidos voltaram a erguer-se, não por algum interesse nem curiosidade em especial, mas pela percepção automática e aborrecida de que o lugar no qual o único visitante de que ele tinha conhecimento de o ter ocupado, não estava vazio.

– Eu gostaria de deixar entrar um pouco mais de luz aqui – disse Defarge ainda com os olhos atentos no sapateiro. – Acha que consegue aguentar?

O sapateiro interrompeu o trabalho. Ainda com a cabeça baixa, olhou de relance para o chão ao seu lado; depois, de modo semelhante, fez o mesmo para o outro lado. Em seguida, ergueu a cabeça e encarou seu interlocutor.

– O que disse?

– Acha que consegue aguentar um pouco mais de luz?

– Terei de aguentar, se deixá-la entrar – respondeu, enfatizando as últimas palavras em um tom grave.

A metade entreaberta da porta abriu-se um pouco mais e manteve-se nesse ângulo. Um fulgurante raio de luz adentrou o sotão e iluminou o homem com um sapato inacabado no colo, parado. A seus pés e ao seu banco, havia poucas ferramentas e vários pedaços de couro. Tinha barba branca, mal aparada, mas não muito comprida, rosto encovado e olhos excessivamente resplandecentes. A magreza da face tornaria os olhos ainda maiores sob as sobrancelhas escuras e o cabelo grisalho desgrenhado, se fossem pequenos; mas eram naturalmente grandes e apesar disso pareciam artificiais. A camisa surrada e amarela estava aberta na altura do pescoço e mostrava o corpo raquítico e abatido. Ele, com um avental de lona, as meias frouxas e todo o resto da roupa batida tinham, depois de tanto tempo isolados do ar e da luz, desbotado e pareciam se fundir em um condensado de amarelo-pergaminho de tal modo que seria difícil discernir o homem de suas vestes.

Para proteger-se da luz, ele levara uma mão aos olhos e seus ossos pareciam transparentes. E ali permaneceu sentado e imóvel nessa posição, com o olhar vago. Não erguia os olhos para a figura à sua frente sem antes olhar para os dois lados do chão, como quem perdeu a capacidade de associar o lugar ao som. Nunca falava sem antes divagar e esquecer-se do que estava prestes a dizer.

– Vai terminar aquele par de sapatos hoje? – perguntou Defarge, fazendo sinal para o senhor Lorry se aproximar.

– O que disse?

– Pretende terminar esse par hoje?

– Não posso dizer que pretendo. Suponho que sim. Não sei.

A pergunta o fez lembrar-se do trabalho, e ele voltou a curvar-se. O senhor Lorry aproximou-se em silêncio, deixando a jovem na soleira da porta. Depois de um ou dois minutos em silêncio, ao lado de Defarge, o sapateiro ergueu os olhos. Não demonstrou surpresa ao ver outra figura ali, mas quando olhou para a moça, levou os dedos trêmulos de uma das mãos aos lábios (os lábios e as unhas tinham a mesma cor de chumbo) e em seguida voltou a curvar-se e retomou o trabalho. Entre o olhar e o gesto, não se passou nem mesmo um instante.

– O senhor tem visita – anunciou o senhor Defarge.

– O que disse?

– Tem visita.

O sapateiro ergueu os olhos como antes, mas sem interromper o movimento das mãos dessa vez.

– Venha! – disse Defarge. – Aqui é o senhor Manette, capaz de reconhecer de longe um sapato bem-feito. Mostre a ele esse par que está confeccionando. Pegue-o, cavalheiro.

O senhor Lorry segurou-o.

– Diga ao cavalheiro que tipo de sapato é e quem o fez.

Depois de um momento de silêncio mais longo que o habitual, o sapateiro respondeu:

– Esqueci o que me perguntou. O que disse?

– Eu pedi para descrever para o cavalheiro que tipo de sapato é esse.

– É um sapato de mulher. Para passeio. Um modelo que está na moda. Nunca vi antes. O molde está aqui comigo – explicou, contemplando o sapato com um ligeiro ar de orgulho.

– E quem foi o sapateiro? – perguntou Defarge.

Agora que não tinha os sapatos para ocupar as mãos, ele apoiou as juntas dos dedos da mão direita na palma da mão esquerda, depois as juntas dos dedos da mão esquerda na palma da mão direita, depois passou a mão pelo queixo barbudo e foi alternando esses movimentos, sem nenhuma interrupção entre eles. A tarefa de resgatá-lo de qualquer que fosse a divagação em que sempre entrava quando alguém lhe perguntava algo, era como tentar reanimar um desfalecido ou como o esforço excepcional, na esperança de que houvesse alguma revelação, de descobrir como salvar um moribundo.

– O senhor perguntou meu nome?

– Exatamente.

– Cento e cinco, Torre Norte.

– Só isso?

– Cento e cinco, Torre Norte.

Com um som fatigado, que não era nem um suspiro nem um gemido, ele voltou a se curvar sobre o trabalho até romperem mais uma vez o silêncio.

– O senhor não é sapateiro por profissão? – indagou Lorry, olhando firme para ele.

Os olhos abatidos voltaram-se para Defarge, como se tivessem devolvendo a pergunta para ele. Então, como nenhuma ajuda apareceu dali, os olhos dele voltaram-se para o primeiro interlocutor depois de percorrem o chão mais uma vez.

– Se não sou sapateiro por profissão? Não, eu não era sapateiro. Aprendi... aprendi o ofício aqui. Sozinho. Pedi licença para...

Por alguns minutos, pareceu perdido nos próprios pensamentos, fazendo aquele movimento ininterrupto com as mãos. Até que, aos poucos, os olhos voltaram para o rosto do qual tinham se desviado; ao encontrá-lo, ele se assustou e recomeçou feito um adormecido que acabara de despertar recobrando um assunto da noite anterior.

– Pedi licença para aprender sozinho e, depois de um bom tempo, com muita dificuldade, fui aprendendo e tenho confeccionado sapatos desde então.

Ao estender a mão para pedir de volta o sapato que lhe tiraram, o senhor Lorry, ainda fitando o homem, disse:

– Senhor Manette, não se lembra de mim?

O sapato caiu no chão e ele sentou olhando atentamente para o interlocutor.

– Senhor Manette – disse o senhor Lorry, com a mão apoiada no braço de Defarge. – Não recorda nada desse homem? Olhe bem para ele. Olhe para mim. Não se lembra de um bancário, um negócio antigo, criados, não se recorda dos velhos tempos, nada lhe vem à mente, senhor Manette?

Enquanto o cativo de longa data continuava olhando fixamente ora para o senhor Lorry, ora para Defarge, algumas marcas há muito extintas de uma mente brilhante pouco a pouco apareciam no meio da testa, rompendo lentamente a névoa soturna que o abatera. Voltaram a ensombrecer, desvanecer e depois sumiram, mas estiveram presentes. E era também essa a expressão no rosto da bela moça que, rastejando pela parede, deu alguns passos até um ponto de onde conseguiria vê-lo, e de onde o observava, com as mãos, até então erguidas por um gesto involuntário de compaixão e medo, fosse para afastá-lo ou para não vê-lo, agora estendidas em sua direção, trêmulas e ávidas por afagar o rosto espectral e deitá-lo em seu jovem e caloroso peito, amá-lo e trazê-lo de volta à vida e à esperança. O semblante repetia-se com tamanha exatidão (apesar dos traços mais fortes) no belo e jovial rosto que parecia ter se transportado dele para ela feito o movimento de um feixe de luz.

O rosto dele anuviou-se mais uma vez. Olhou para os dois, cada vez mais distraído e o olhar perdido mais uma vez percorreu o chão de um lado ao outro, como antes. Por fim, com um longo e profundo suspiro, ele pegou o sapato e retomou o trabalho.

– Reconheceu-o, senhor? – indagou Defarge, sussurrando.

– Sim, por um momento. A princípio achei que não havia esperança, mas não resta dúvida de que vi, por um momento, o rosto que já conheci tão bem. Silêncio! Voltemos mais um pouco. Silêncio!

A jovem andara da parede do sótão e se aproximara do banco onde o sapateiro estava. Uma sensação terrível percorria o inconsciente do homem, a de que a figura tão próxima poderia tocá-lo a qualquer momento enquanto ele cuidava do trabalho.

Nenhuma palavra pronunciada, nem um som emitido. Ela permaneceu ali, feito um espírito atrás dele, e ele focado no trabalho.

Após algum tempo, por necessidade, ele teve de trocar a ferramenta que usava por uma faca de sapateiro. E ela estava do lado que não era o da moça. Ele pegou a faca e, enquanto se abaixava para retomar o trabalho, viu de relance a saia do vestido da jovem. Ergueu os olhos e a fitou. Os dois espectadores deram um passo à frente, mas ela fez sinal para detê-los; não temia que o homem a atacasse com a faca, apesar de os outros dois não pensarem o mesmo.

Ele a olhou apavorado, depois os lábios começaram a balbuciar algumas palavras, embora nenhum som tenha escapado por eles. Aos poucos, entre as pausas da respiração rápida e entrecortada, escutaram-no dizer:

– O que é isso?

Com lágrimas escorrendo pelo rosto, ela levou as mãos aos lábios e mandou beijos para ele; depois, as apertou contra o peito, como se embalassem ali a cabeça confusa dele.

– Não é a filha do carcereiro?

Com um suspiro, ela respondeu:

– Não.

– E quem é você?

Sem confiar na firmeza da própria voz, ela sentou-se no banco ao lado dele. Ele recuou, mas ela apoiou a mão em seu braço. Com o gesto, uma estranha sensação o percorreu. Devagar, ele foi deixando a faca de lado ao mesmo tempo em que olhava para a moça.

O cabelo dourado e com cachos compridos foram afastados de lado às pressas e penderam pelos ombros. Pouco a pouco, ele esticou a mão, pegou os cachos e fitou-os. No meio do gesto, ele tornou a se perder e, com outro suspiro profundo, retomou o trabalho com o sapato.

Mas não por muito tempo. Soltando o braço, ela apoiou a mão no ombro dele. Depois de olhá-la duas ou três vezes, como que para ter certeza de que estava realmente ali, ele deixou o trabalho de lado, levou a mão ao próprio pescoço e retirou dele um cordão envelhecido no qual estava preso um retalho dobrado. Com cuidado, ele o apoiou nos joelhos, o abriu e revelou ali uma minúscula mecha de cabelo, não mais que um ou dois fios compridos que ele tinha, em alguma ocasião perdida, enrolado no dedo.

Ele voltou a segurar o cabelo dela e o olhou de perto.

– É o mesmo. Como pode?! Quando foi! Como foi?!

À medida que a concentração voltava a marcar os sinais na testa dele, ele pareceu notar que o mesmo acontecia com ela. Virou-a em direção à luz e a fitou.

– Ela apoiou a cabeça no meu ombro naquela noite em que fui intimado... estava com medo... da minha partida, apesar de eu não sentir medo nenhum... E quando me levaram para a Torre Norte, encontraram isso na manga da minha camisa. "Podem deixá-los comigo? Não podem me ajudar a fugir fisicamente, mas servirão de refúgio para a alma." Foi isso que pedi. Lembro bem disso.

Ele ensaiou essas palavras infinitas vezes antes de proferi-las de fato. Mas quando por fim conseguiu pronunciá-las, o fez com coerência, apesar da lentidão.

– Como isso foi acontecer? *Era você*?

Mais uma vez, os dois espectadores sobressaltaram-se quando, de modo repentino e assustador, ele a agarrou. Mas a moça continuou sentada, imóvel e com a voz baixa, disse:

– Suplico-lhes, cavalheiros, que não se aproximem de nós, não falem, não se mexam!

– Escutem! – exclamou ele. – De quem é essa voz?

As mãos dele a soltaram no exato momento do grito e agarraram os cabelos grisalhos dele, em um ato de desespero. O devaneio, como todo o resto exceto o trabalho com os sapatos, esvaiu-se, e ele voltou a dobrar o pedaço de retalho e fez que ia guardá-lo no peito, mas sem tirar os olhos dela, balançava a cabeça num gesto de tristeza.

– Não, não, não. É jovem demais, está na flor da idade. Não pode ser. Veja o que virou o prisioneiro. Não são essas as mãos que ela conhecia, não é esse o rosto que ela conhecia, não foi essa voz que ela escutou. Não, não. Ela era... e ele era... antes dos longos anos da Torre Norte... muitos e muitos anos atrás. Como se chama, anjo celeste?

Retribuindo a delicadeza dos modos dele, a filha ajoelhou-se diante do pai, levando as mãos suplicantes ao peito dele.

– Ó, senhor, em outra hora você saberá meu nome, e quem foi minha mãe, e quem foi meu pai, e que eu nunca soube da história dolorosa, muito dolorosa dos dois. Por enquanto, não posso lhe contar, não posso lhe contar aqui. A única coisa que posso fazer aqui e agora, é lhe implorar que me toque e me abençoe. Beije-me, beije-me! Ó, meu querido, meu querido!

A cabeça grisalha e fria fundiu-se à cabeleira reluzente dela que a aqueceu e a iluminou como se fosse a própria luz da Liberdade resplandecendo sobre ele.

– Se o senhor consegue reconhecer na minha voz... não sei se consegue, mas torço por isso... se reconhece em minha voz uma semelhança com a voz que já soou como uma melodia doce aos seus ouvidos, chore por ela, chore por ela! Se tocar... se ao tocar o meu cabelo sentir algo que o faça recordar de uma cabeça que em outras épocas descansou em seu peito quando o senhor era um homem jovem e livre, chore por ela, chore por ela! Se, quando lhe sugiro um Lar que nos espera, onde estarei, com todo o fervor do meu coração, a seu serviço, resgato a lembrança de um Lar há muito tempo desolado enquanto seu coração cansado sangrava, chore por ele, chore por ele!

E, com isso, ela o puxou pelo pescoço, aproximando-o dela e o embalou no peito como uma criança.

– Se, quando lhe digo, meu estimado, que chegou ao fim a sua agonia, e que estou aqui para tirá-lo desse estado, e que iremos para a Inglaterra para viver em completa paz e descanso, faço-o pensar no tempo de vida desperdiçado, que poderia ter sido tão útil, e na nossa terra natal, a França, que o tratou com tanto desdém, chore, chore por ela! E se, quando eu lhe disser o meu nome, e o do meu pai, que vive, e o da minha mãe, que morreu, saberá que devo me ajoelhar aos pés do meu adorado pai e implorar pelo seu perdão por nunca ter passado todos os dias de minha vida intercedendo por ele, e todas as noites de minha vida acordada, aos prantos, porque por amor minha mãe escondeu de mim a tortura pela qual meu pai passava, chore, chore por ela! Chore por ela, sim, e chore por mim! Cavalheiros de bom coração, Deus seja louvado! Sinto as lágrimas sagradas dele no meu rosto e seu pranto fustiga o meu coração. Ó, vejam! Deus seja louvado! Graças aos céus!

Ele tinha mergulhado nos braços dela e repousado o rosto em seu peito: uma cena comovente e ao mesmo tempo terrível por todo o erro e sofrimento que a antecederam, tanto que os dois espectadores cobriam o rosto para não ver.

Depois de um bom tempo sem que o silêncio fosse rompido, e o peito arfante e o corpo irrequieto sucumbiram à calmaria que sucede todas as tempestades – para a humanidade, símbolo do descanso e do silêncio a que se resume a torrente chamada Vida – os dois observadores se aproximaram para levantar pai e filha do chão. O pai fora desabando aos poucos no chão e ali permaneceu letárgico, exaurido. Ela se apinhara junto dele, amparando a cabeça apoiada em seu braço e seus cabelos, feito uma cortina, protegiam-lhe os olhos da luz.

– Se não for incômodo – disse a senhorita Manette, erguendo a mão para o senhor Lorry que se abaixava em direção aos dois, depois de assoar o nariz várias vezes – podemos providenciar imediatamente todo o necessário para a viagem a Paris, se pudermos fazer com que ele atravesse aquela porta e não volte nunca mais...

– Mas pensemos um pouco. Será que ele está em condições de enfrentar uma viagem como essa? – perguntou o senhor Lorry.

– Tem mais condições para isso do que para permanecer nesta cidade que lhe causou tanto mal.

– É verdade – concordou Defarge, agachado no chão para observar e ouvir. – Mais do que isso. Não faltam motivos para o *senhor* Manette sair da França o quanto antes. Diga, devo lhe arranjar uma carruagem e cavalos?

– Estamos tratando aqui de negócios – disse o senhor Lorry, retomando a postura metódica antes do que se poderia esperar. – E sendo esse o caso, é melhor que eu me encarregue disso.

– Então, por gentileza – pediu a senhorita Manette em um tom suplicante –, deixe-nos sozinhos aqui. O senhor viu como ele se acalmou, não tem motivos para temer que fiquemos sozinhos agora. E por que teria? Se trancar a porta para evitar que nos incomodem, duvido que quando voltar o encontre em condições diferentes. De todo modo, cuidarei dele até o senhor voltar e depois o tiraremos daqui o mais depressa possível.

A ideia pareceu não agradar nem ao senhor Lorry tampouco a Defarge, pois preferiam que um dos dois ficasse. No entanto, além da carruagem e dos cavalos, havia outras tratativas a serem providenciadas, como a documentação para a viagem e, como restava pouco tempo antes de anoitecer, os dois acabaram dividindo às pressas as tarefas e saíram, cada um para cuidar de sua parte.

Assim, enquanto a noite se aproximava, a filha apoiou a cabeça no chão duro ao lado do pai e o observou. O céu escurecia mais e mais e os dois permaneceram ali deitados e imóveis até o momento em que uma luz atravessou as fissuras da parede.

Os senhores Lorry e Defarge cuidaram de todos os preparativos para a viagem e trouxeram, além de mantos e cobertores, pão e carne, vinho e café quente. Defarge colocou as provisões e a lamparina que carregava no banco do sapateiro (não havia nada além de um leito no sotão); ele e o senhor Lorry despertaram o cativo e o ajudaram a levantar-se.

Nenhum intelecto humano poderia ler os mistérios da mente do sapateiro, escondidos em um semblante surpreso e apavorado: se sabia o que acontecera, se recordava o que tinham dito a ele, se sabia que estava livre, a todas essas questões nem mesmo a alma mais perspicaz poderia responder. Tentaram conversar com ele, mas estava tão confuso e assustado e demorava tanto a responder que ficaram receosos e concordaram em não o incomodar mais, ao menos por ora. De vez em quando, apertava a cabeça com as duas mãos em um gesto agressivo e disperso, hábito que antes não tinha; todavia, alegrava-se só de escutar a voz da filha e sempre a olhava quando ela começava a falar.

Do modo submisso de quem há muito acostumou-se a obedecer quando coagido, ele comeu e bebeu o que lhe ofereceram e vestiu o manto e os outros cobertores que lhe deram. Reagiu sem titubear quando a filha envolveu-lhe o braço, pegou e segurou com firmeza a mão dela entre as suas mãos.

Começaram a descer as escadas. Defarge foi à frente com a lamparina e o senhor Lorry ia por último, rematando o pequeno cortejo. Não tinham avançado muitos degraus da extensa escadaria quando ele parou, fitou o telhado e as paredes.

– Lembra-se daqui, meu pai? Lembra-se de quando chegou aqui?

– O que disse?

Antes que houvesse tempo de ela repetir a pergunta, ele murmurou uma resposta, como se a filha tivesse de fato a repetido.

– Se lembro? Não, não lembro. Faz muito, muito tempo.

Estava claro para os três que o senhor Manette não guardava nenhuma lembrança de quando fora trazido da prisão para aquele apartamento. Escutaram-no murmurar:

– Cento e cinco, Torre Norte.

E ao olhar ao redor, certamente procurava as muralhas da fortaleza que por tanto tempo o cercaram. Quando chegaram ao pátio, em um gesto instintivo ele mudou o ritmo do passo, como se esperasse encontrar ali uma ponte levadiça; como não a encontrou e avistou a carruagem parada na rua, soltou a mão da filha e voltou a apertar a cabeça.

Não havia ninguém na porta, tampouco a menor sombra nas janelas. Nem mesmo um transeunte sequer passava pela rua naquele momento. Um silêncio e abandono incomuns reinavam ali. Apenas uma vivalma apareceu e tratava-se de madame Defarge, recostada no batente da porta, tricotando e sem ver mais nada à sua frente.

O prisioneiro entrara na carruagem e a filha foi logo atrás, quando os passos do senhor Lorry foram interrompidos pelas súplicas dele por suas ferramentas e os sapatos inacabados. A senhora Defarge prontamente gritou para o marido, avisando que os buscaria e saiu andando pelo pátio, ainda tricotando, afastando-se da luz da lamparina. Rapidamente, os trouxe e entregou para ele. Logo em seguida, encostou-se no batente da porta, voltou a tricotar e não viu nada.

Defarge subiu à carruagem e disse:

– À Barreira!

O condutor da diligência estalou o chicote e eles partiram, sacolejando sob a luz fraca dos lampiões.

À luz dos lampiões oscilantes, que iluminavam mais nas ruas melhores e menos nas piores, e da fachada dos estabelecimentos, grupos de pessoas contentes, cafeterias iluminadas, entradas de teatros, chegaram a um dos portões da cidade. Ali, na casa de guarda, havia soldados com lanternas.

– Documentos, por favor, viajantes!

– Aqui estão, senhor oficial – disse Defarge, descendo da carruagem e levando o oficial até um canto. – Esses são os documentos do senhor grisalho. Foram confiados a mim, assim como ele próprio, no... Naquele momento, Defarge abaixou a voz quando as luzes das lanternas militares começaram a percorrer diferentes cantos, e um braço uniformizado apontou uma delas para dentro da carruagem, e os olhos pertencentes ao do braço uniformizado fitaram o senhor de cabeça grisalha de um jeito que não se vê todos os dias.

– Está tudo bem. Podem seguir viagem! – disse o do uniforme.

– *Adieu*! – respondeu Defarge. E, assim, sob a luz fraca de um bosque de lampiões balançantes, avançaram para uma imensa constelação de estrelas.

E seguiram sob aquela abóbada de luzes impassíveis e eternas, algumas tão distantes dessa pequenina porção de terra que os eruditos declaram duvidar se seus raios sequer nos descobriram como um pontinho no espaço suscetível a ações e reações. As sombras da noite se intensificavam e propagavam. No decorrer daquele irrequieto e gélido intervalo até o amanhecer, novamente sussurravam no ouvido do senhor Jarvis Lorry – sentado de frente para o sepultado que fora exumado, e perguntando-se quais capacidades sutis daquele homem perderam-se para sempre e quais ainda tinham salvação – a velha e conhecida pergunta:

– Tem vontade de voltar a viver?

E a velha e conhecida resposta:

– Não sei.

SEGUNDA PARTE

O FIO DOURADO

CINCO ANOS DEPOIS

O Banco Tellson, perto de Temple Bar, era um estabelecimento antiquado, mesmo no ano 1780. Pequeno demais, escuro demais, feio demais, desconfortável demais. Era antiquado, sobretudo, no aspecto moral, pois os sócios orgulhavam-se da falta de espaço, da escuridão, da feiura e do desconforto. Vangloriavam-se da incomparabilidade nesses quesitos e tinham a convicção explícita de que, quanto menos censuráveis, menos respeitáveis. E não era uma crença passiva, mas uma arma potente que empunhavam nas circunstâncias mais convenientes para os negócios. O Tellson (segundo eles) dispensava mais espaço, o Tellson dispensava a luz, o Tellson dispensava os enfeites. Talvez essas coisas interessassem ao Noakes & Cia, ou ao Snooks Brothers, mas ao Tellson, por Deus, jamais!

Qualquer um entre os sócios teria deserdado o próprio filho caso este manifestasse o menor interesse em reformar o Tellson. Nessa perspectiva, a casa estava muito alinhada aos propósitos do país, que com frequência deserdava seus filhos por sugerirem melhorias nas leis e nos costumes que há muito eram amplamente censuráveis, e por isso eram igualmente as mais respeitáveis. Assim, o Tellson era o triunfo perfeito da inconveniência. Depois de arrombar a porta de uma imbecil teimosia em cuja garganta rangia um grito esganiçado, após escorregar por dois degraus, quem entrava deparava-se, desde o primeiro momento, com um ambiente pequeno e descuidado, e dois balcões nos quais os mais velhos de todos os homens faziam os cheques tremular quase tanto quanto a força do vento o faria, enquanto avaliavam a assinatura contra a luz das janelas mais sujas de que se tem notícia, e que viviam sob a lama da Fleet Street e ainda ficavam mais escurecidas por conta de suas grades de ferro e da obscura sombra de Temple Bar. Quem por alguma razão de negócios precisasse ir "à casa", era levado a uma espécie de "câmara dos condenados", ao fundo do estabelecimento, em que permaneceria aguardando e meditando sobre uma vida desperdiçada até que o representante da "casa", com as mãos nos bolsos, viria atendê-lo e o cliente sequer poderia pestanejar naquela lúgubre penumbra. Seu dinheiro saía ou entrava em gavetas de madeira carcomida, cujas partículas penetravam pelas narinas e pela garganta, toda vez que as abriam ou fechavam. As cédulas cheiravam a mofo, como se estivessem a ponto de se decompor. A prataria era guardada entre o esgoto da vizinhança e, em um ou dois dias, o contato com o lixo comprometia todo o polimento. Os documentos eram mantidos em caixas-fortes improvisadas, montadas em cozinhas e copas, e toda a gordura de seus contratos circulava pelo ambiente bancário. As caixas mais leves, com documentos de família, eram levadas para o andar de cima, em uma sala imaginária onde sempre havia uma mesa grande de jantar (nenhuma refeição jamais foi servida ali) e onde, mesmo no ano de 1780, até pouquíssimo tempo atrás as primeiras cartas enviadas pelo seu antigo amor, ou pelos seus filhinhos, não escapariam dos olhos curiosos que espreitavam pelas janelas de Temple Bar com uma ferocidade e uma brutalidade dignas dos impérios Abissínia ou Ashanti[9].

Contudo, de fato, a execução era algo em voga naqueles tempos em todas as negociações e profissões, inclusive no Tellson. Se a morte é o remédio natural para todas as coisas, por que não seria para a legislação? Assim sendo, o falsário era condenado à morte; quem descumpria sua palavra e não honrava uma nota promissória, era condenado à morte; o violador de correspondências era condenado à morte; o ladrão que furtava quarenta xelins e seis *pence* era condenado à morte; o homem que ficava cuidando de um cavalo à porta do Tellson e resolvia fugir era condenado à morte; o

---

9 Antigos Impérios Africanos. A comparação dessa barbárie com a de dois povos africanos – os abissínios e os ashantes (de outra forma "ashantis" ou "ashantees") – foi particularmente atual no século XIX. A Abissínia – moderna Etiópia – era um reino turbulento. Alguma estabilidade foi alcançada em 1855, quando Negus Theodore III declarou-se imperador do país, dividido entre várias facções políticas; mas o cônsul britânico da Abissínia, Walter Chichele Plowden, que era a favor do imperador, foi morto em 1860 por um chefe rebelde ao voltar para a Inglaterra. Esse evento tenderia, de um ponto de vista público, a justificar o senso de barbaridade abissínio de Dickens; e a barbárie de Ashanti teria sido igualmente notória na Inglaterra. Na década de 1820, os britânicos tentaram mediar entre os Ashantis – "um dos povos Akan da África Ocidental" que vivem na parte Norte do que hoje é Gana; e seus vizinhos Fanti ao Sul. Os britânicos (na posse de uma série de fortes ao longo da costa) conseguiram um tratado entre os agressores Fanti e Ashanti em 1820; contudo, mais tarde foi repudiado pelo governador britânico, Sir Charles McCarthy. McCarthy liderou uma força no território de Ashanti em 1824, mas foi espancado na batalha de Bonsaso, e seu crânio tornou-se o copo de bebida do rei Ashanti. (N.E.)

cunhador que falsificasse um xelim era condenado à morte; os culpados por três quartos de uma série de crimes eram condenados à morte. Não que isso servisse como uma boa medida preventiva; talvez seja importante destacar que o efeito era justamente o contrário, mas extinguia (pelo menos deste mundo) um problema de cada caso em particular, bem como apagava todos os seus rastros. E, assim, o Tellson, a seu tempo, como outros proeminentes estabelecimentos comerciais, colocara fim a tantas vidas que, se as cabeças decepadas fossem enfileiradas em Temple Bar em vez de simplesmente serem descartadas, provavelmente teriam apagado a exígua luz do piso térreo.

Apinhados entre todos os tipos de armários e caixas sinistras do Tellson, os mais velhos dos homens tratavam dos negócios com seriedade. Quando contratavam algum jovem para trabalhar no Tellson de Londres, o escondiam em algum lugar até ficar velho. Mantinham-no em um lugar escuro, feito um queijo, até absorver o sabor e o bolor do Tellson. Só então permitiam sua aparição pública, debruçado sobre livros grandes com toda pompa, com suas calças e polainas, confluindo com o ambiente pesado.

Do lado de fora do Tellson, jamais nas dependências internas, a menos que fosse chamado, ficava um biscateiro, ora porteiro ora mensageiro ocasional, o qual servia como um letreiro vivo do banco. Nunca saía de seu posto durante o expediente, a menos se recebesse a ordem de fazê-lo, e nesse caso, era substituído pelo próprio filho, um pivete de doze anos, medonho e que era a cara do pai. Entendia-se que o Tellson, em um gesto nobre, tolerava o biscateiro. A casa sempre tolerara alguém nesse posto, e o tempo e a sorte trouxeram essa pessoa até ali. De sobrenome Cruncher, quando jovem, por procuração, renunciou às tentações das trevas, e na paróquia de Hounsditch, foi batizado como Jerry.

O cenário era a residência particular do senhor Cruncher, em Hanging Sword Alley, Whitefriars; manhã ventosa, sete e meia, mês de março, *Anno Domini* de 1780 (o senhor Cruncher sempre se referia aos Anos do Nosso Senhor como *Anna Dominoes,* provavelmente por ter a impressão de que a Era Cristã datava da invenção de certo jogo popular, criado por uma senhora que lhe conferira o próprio nome).

A residência do senhor Cruncher não ficava em um bairro agradável e tinha apenas dois cômodos, se é que se pode chamar de cômodo um cubículo no qual a janela tinha um único painel de vidro; porém, eram mantidos com muita decência. Era bem cedo, um dia de março com muita ventania, o cômodo em que dormia já tinha sido limpo e esfregado e entre as xícaras e os pires postos para o café da manhã e da mesa desengonçada, havia um pano branquíssimo esticado.

O senhor Cruncher descansava debaixo de uma colcha de retalhos feito um arlequim. No começo, tinha um sono pesado, mas pouco a pouco começava a rolar pela cama e se mexer, até levantar com o cabelo espetado cujas pontas poderiam rasgar em fitas os lençóis. Nessa situação e com a voz exasperada, exclamou:

– Que o diabo me carregue se não for ela de novo!

Uma mulher de aparência metódica e ativa que estava de joelhos no canto levantou-se com pressa e temor suficientes, o que revelava ser a pessoa a quem ele se referia.

– O quê?! – disse o senhor Cruncher, olhando para o chão à procura das botas. – De novo?

Depois de recepcionar a manhã com essa segunda saudação, ele a cumprimentou pela terceira vez ao arremessar a bota contra a mulher. Era uma bota muito enlameada e pode ilustrar as estranhas circunstâncias ligadas à economia doméstica do senhor Cruncher que, mesmo depois do expediente no banco, chegava em casa com as botas limpas e, muitas vezes, ao acordar no dia seguinte, as encontrava cobertas de lama.

– O que diabos está aprontando, Aggerawayter! – exclamou o senhor Cruncher após errar o alvo.

– Só estava fazendo as minhas orações.

– Fazendo orações! Mas é uma boa esposa! E o que pretendia se ajoelhando para rezar contra mim?

– Não estava rezando contra você, mas por você.

– Não estava, não. E mesmo que estivesse, não lhe dei liberdade para isso. Veja só! Sua mãe é uma boa mulher, pequeno Jerry, rezando contra a prosperidade do seu pai. Tem mesmo uma mãe religiosa, meu filho. Dobrando o joelho ao chão para arrancar o pão de cada dia da boca do único filho.

O pequeno Cruncher (que estava de camiseta) ficou enraivecido e, para defender o pai, virou-se para a mãe e rechaçou toda e qualquer oração.

– E que valor, mulher presunçosa, acha que têm suas orações? – indagou o senhor Cruncher, sem perceber a aberração da própria pergunta. – Diga o preço que você põe nessas orações!

– Elas vêm do coração, Jerry. Não têm nenhum valor além disso.

– Não valem mais do que isso, então. Não têm muito valor – repetiu. – Tenham ou não, não me inclua nelas, não quero que reze contra mim, isso lhe digo. Não respondo por isso. Não vou correr o risco de virar um azarado por sua causa. Se quer se ajoelhar, então o faça a favor de seu marido e de seu filho, não contra os dois. Se eu não tivesse uma esposa tão desnaturada, se esse menino não tivesse uma mãe tão desnaturada, eu poderia ter ganhado algum dinheiro semana passada, em vez de ter sido vítima dessas pragas que você chama de orações. Que o diabo me carregue! – declarou o senhor Cruncher, que passou o tempo todo se vestindo enquanto falava – se não fui, graças à sua piedade e a um golpe aqui e outro ali, abençoado com a pior má-sorte que um pobre negociante trabalhador e honesto pode ter! Jerry, vista-se, filhinho, e enquanto limpo minhas botas, vigie sua mãe vez em quando, e se perceber o menor sinal de que vai se ajoelhar, me avise. – Voltando a olhar para a esposa, completou: – Fique sabendo de uma coisa, não vou admitir que tramem contra mim. Já ando mais magro que um pangaré de carruagem alugada, tão sonolento como se estivesse sob efeito de remédio, sinto o couro tão dolorido que não saberia dizer se é minha essa carcaça ou se de outro, e nem assim consigo encher o bolso. Desconfio que passa dia e noite ajoelhada pelos cantos pedindo para que meus bolsos continuem vazios, e não vou tolerar isso. Aggerawayter, e então, o que tem a me dizer?

Resmungando entre uma frase e outra expressões como "Ah, sim! Você também é religiosa. Não seria capaz de se opor aos interesses do seu esposo e do seu filho, não é mesmo? Não, você não seria!" e atirando assim farpas sarcásticas do seu esmeril de indignação, o senhor Cruncher concentrou-se na limpeza das botas e nos preparativos para mais um dia de trabalho. Enquanto isso, seu filho, cujos cachos mais tenros enfeitavam a cabeça e cujos olhos joviais eram separados um do outro por uma ínfima distância, tal como os do pai, mantinha-se vigilante, observando a própria mãe. A todo instante, perturbava a pobre mulher, saindo do cubículo em que dormia e se vestia, com uma reprimenda: "A senhora vai se ajoelhar, mãe? Ei, papai!", e depois de disparar o falso alarme, dali a pouco lançava outro com um sorriso traquino.

O humor do senhor Cruncher em nada mudara quando ele sentou-se para o café da manhã. Ofendeu-se e reagiu com notável animosidade quando a esposa fez uma prece antes da refeição.

– E o que é isso agora, Aggerawayter? O que está tramando? Outra vez?

A senhora Cruncher explicou que estava apenas "pedindo uma bênção".

– Cale-se! – exclamou o senhor Cruncher, olhando ao redor como quem está esperando o pão desaparecer ante as súplicas da esposa. – Não vou admitir que me tirem de minha casa. Não vou permitir que me tirem o pão. Cale-se!

Com os olhos avermelhados e turvos, como se tivesse passado a noite inteira em uma festa nada proveitosa, Jerry Cruncher mais preocupou-se com o café da manhã do que o consumiu, rosnando sobre a comida feito um quadrúpede em uma jaula do zoológico. Por volta das nove horas, alisou o cabelo desgrenhado e, recompondo a postura externa de um homem respeitável e profissional, tanto quanto seu temperamento lhe permitia, saiu para o trabalho.

Não se podia considerar aquele negócio de fato um comércio, apesar de Jerry encher a boca quando se identificava como "um comerciante honesto". O negócio consistia em um banco, feito com madeira reaproveitada do encosto de uma cadeira, banco esse que o pequeno Jerry, acompanhando o pai, levava todas as manhãs para debaixo da janela da casa bancária perto de Temple Bar e onde, com mais um punhado de palha recolhido de algum veículo que por ali passava, para proteger da umidade e do frio os pés do biscateiro, ele armava o acampamento para aquele dia. No seu posto, o senhor Cruncher era tão conhecido na Fleet Street quanto em Temple Bar e igualava-se a esses locais em matéria de aparência.

Acampado às quinze para as nove, a tempo de tirar seu chapéu de três pontas como saudação para o mais velho dos homens que chegava ao Tellson, Jerry assumiu seu posto na referida manhã ventosa de março, acompanhado do pequeno Jerry, quando este não resolvia passear por Temple Bar para causar graves danos físicos e mentais aos meninos que passassem por ali e que eram pequenos o bastante para tão amável propósito. Pai e filho, cara de um e focinho do outro, em silêncio observando o tráfego matinal da Fleet Street, com a cabeça tão perto uma da outra quanto o eram os olhos dos dois, tinham incrível semelhança com uma dupla de macacos. Tal semelhança era reforçada quando, em alguma circunstância casual, o Jerry pai mordia e cuspia palha, enquanto os olhos cintilantes do Jerry filho observavam atentamente os movimentos do pai e de tudo mais que acontecia na Fleet Street.

A cabeça de um dos mensageiros internos do Tellson apareceu pela fresta da porta e uma ordem foi dada:

– Precisam de carregador!

– Oba, papai! Começamos bem hoje.

Depois de desejar boa sorte ao pai, Jerry filho assumiu seu posto no banquinho, dedicando-se ao seu interesse na palha que o pai mastigava, e refletiu:

– Sempre enferrujados. Os dedos dele estão sempre enferrujados! – murmurou Jerry filho. – De onde será que meu pai tira toda essa ferrugem? Não tem nada enferrujado por aqui!

UMA VISÃO

– Conhece bem o Old Bailey, não conhece? – perguntou um dos mais antigos funcionários do banco ao mensageiro.

– S...sim – respondeu Jerry com a voz tenaz. – Conheço bem o Bailey.

– Como imaginei. E conhece o senhor Lorry.

– Conheço o senhor Lorry, sim, mais até do que Bailey. Muito mais – afirmou Jerry, de um modo não muito diferente ao de uma relutante testemunha em um tribunal – do que, como comerciante honesto, gostaria de conhecer Bailey.

– Muito bem. Encontre a porta por onde as testemunhas entram e mostre ao porteiro esta mensagem endereçada ao senhor Lorry. Com isso, ele permitirá sua entrada.

– No tribunal, senhor?

– No tribunal.

Os olhos do senhor Cruncher pareceram aproximarem-se ainda mais e se perguntarem: "O que acha disso?".

– Devo esperar no tribunal, senhor? – perguntou depois da breve assembleia ocular.

– Vou lhe explicar. O porteiro vai transmitir a mensagem ao senhor Lorry, então você fará um sinal qualquer que chamará a atenção do senhor Lorry para o local onde você está posicionado. Depois, só precisa permanecer lá até ele solicitar os seus serviços.

– Algo mais, senhor?

– Não, só isso. Ele vai precisar de um mensageiro à disposição. Esta mensagem é para avisá-lo que você estará a postos para servi-lo.

Enquanto o velho funcionário dobrava o pedaço de papel e o endereçava, o senhor Cruncher, depois de observá-lo em silêncio até chegar a parte do mata-borrão, comentou:

– Suponho que estejam tratando de falsificações nesta manhã?

– Traições!

– Então, é caso de esquartejamento – disse Jerry. – Que barbaridade!

– É a lei – afirmou o funcionário do banco, fitando Jerry com um olhar de surpresa por trás dos óculos. – É a lei.

– Acho a lei dura demais por retalhar um homem. Não bastasse matá-lo, ainda precisam esquartejá-lo, senhor?

– Não faça esse tipo de pergunta sob hipótese nenhuma – retrucou o funcionário. – Fale bem da lei. Vigie o peito e a voz, meu camarada, e deixe que a lei se encarregue de si mesma. Tome meu conselho.

– É a umidade, senhor, que se instala no meu peito e voz. Se o senhor soubesse quão úmido é o meu modo de ganhar a vida!

– Bem, bem – comentou o bancário –, cada um tem seu modo de ganhar a vida. Uns enfrentam a umidade, outros a seca. Tome aqui o bilhete. Pode ir.

Jerry pegou a mensagem, e, com menos consideração do que demonstrava internamente, disse consigo: "Você também não anda lá essas coisas, camarada"; então, cumprimentou o funcionário, avisou ao filho para aonde ia, eventualmente. E seguiu o seu caminho.

Naqueles dias, os enforcamentos aconteciam em Tyburn, assim, a rua de frente para Newgate ainda não tinha a má fama que passou a ter desde então. Porém, a prisão era um lugar vil onde se praticava todo o tipo de libertinagem e vilania e de onde surgiam doenças terríveis, que acompanhavam os prisioneiros quando compareciam à corte e, por vezes, essas moléstias se projetavam do banco dos réus para o próprio Lorde Chefe de Justiça e o arrancava da tribuna. Não foi apenas uma vez que um juiz com seu traje preto anunciou a própria sentença com quase a mesma certeza com que condenava o prisioneiro, e acabava morrendo antes dele. De resto, Old Bailey carregava a fama de um jardim letal, de onde viajantes empalidecidos partiam com frequência, fosse em carroças ou carruagens, para uma impetuosa jornada mundo afora, atravessando pouco mais de quatro quilômetros de ruas e estradas e envergonhando alguns poucos bons cidadãos, se é que restava algum ainda. Tão poderoso é o hábito, e tão necessário que seja um bom hábito desde o começo. Tyburn também era famoso pelo pelourinho, instituição antiga e sábia que infligia um castigo do qual ninguém poderia supor o grau de severidade; e também pela chibata, outra estimada e velha instituição, tão humanizadora e enternecedora quando vista em ação; e também pelas transações financeiras de cujo papel-moeda escorria sangue, mais um capítulo da sabedoria ancestral, levando de forma sistemática aos crimes mercenários mais hediondos de que se tem notícia debaixo desse céu.

Em suma, Old Bailey, naquela época, era o modelo perfeito do "Tudo que aí está, correto é", aforismo tão conclusivo quanto indolente, posto não considerar que nada do que sempre foi, estivesse errado.

Abrindo o caminho por entre a multidão corrompida, andando de um lado ao outro em um cenário hediondo, com a habilidade de um homem discreto, o mensageiro encontrou a porta que procurava e entregou o bilhete através de uma fenda que havia ali. Por certo, o público pagava para assistir às peças de Old Bailey assim como o faziam em Bedlam, salvo o fato de que o primeiro era o preferido. Dessa forma, todas as portas de Old Bailey eram muito bem vigiadas, com exceção das portas sociais pelas quais os criminosos entravam e essas quase sempre permaneciam escancaradas.

Depois de uma certa demora e algumas objeções, com relutância e muito rangido nas dobradiças, a porta foi entreaberta, permitindo assim ao senhor Jerry Cruncher espremer-se pela fenda e entrar no tribunal.

– O que estão julgando ali? – sussurrou para o homem com quem deu de cara.

– Por enquanto nada.

– E o que vai começar?

– Caso de traição.

– E vai ser esquartejamento, é?

– Ah! – respondeu o homem com gosto. – O réu será arrastado pelo pescoço até o patíbulo, a ponto de quase morrer enforcado, depois vão tirá-lo de lá e esfaqueá-lo vivo, arrancarão suas tripas e as queimarão enquanto ele assiste, em seguida, vão decapitar o infeliz e cortá-lo em pedacinhos. É essa a sentença.

– Você quer dizer, se o julgarem culpado, não é? – Jerry acrescentou essa ressalva.

– Ah! Vão julgá-lo culpado, sim – respondeu o homem. – Não se preocupe.

Os olhos do senhor Cruncher desviaram para o porteiro, que se dirigiu ao senhor Lorry, com o bilhete na mão. O senhor Lorry estava sentado a uma mesa, junto a cavalheiros de peruca, entre eles o advogado do réu que tinha um calhamaço de folhas diante de si; quase de frente para outro cavalheiro também de peruca e com as mãos nos bolsos e cujos olhos, quando o senhor Cruncher o observou vez ou outra, pareciam absolutamente vidrados no teto do tribunal. Depois de tossir com força, coçar e esfregar o queixo e fazer um sinal com a mão, Jerry conseguiu chamar a atenção do senhor Lorry, que se levantara para procurá-lo, assentira e voltara a sentar-se.

– O que ele tem a ver com o caso? – perguntou o homem com quem ele havia conversado.

– Sei lá – respondeu Jerry.

– E, se me permite a pergunta, o que o senhor tem a ver com o caso?

– Também não sei.

A entrada do juiz, com um consequente alvoroço sucedido da mais perfeita ordem, interrompeu a conversa entre os dois. O banco dos réus tornou-se o centro das atenções. Dois carcereiros que aguardavam ali saíram e o prisioneiro foi trazido ao tribunal.

Todos os presentes, exceto o cavalheiro de peruca que não tirava os olhos do teto, fitaram o réu. Todo o ar humano daquele ambiente soprava para o sujeito, feito o mar, o vento, o fogo. Rostos ávidos esgueiravam-se por entre os pilares e os cantos para conseguirem vê-lo. Espectadores da última fileira levantavam-se para não perder de vista nem um fio de cabelo sequer do acusado. Os que estavam no chão do tribunal apoiavam as mãos nos ombros dos que estavam à frente para a todo custo conseguirem o melhor ângulo do espetáculo: sustentavam-se na ponta dos pés, apoiavam-se em qualquer superfície mais alta, equilibravam-se onde desse, tudo para não perdê-lo de vista. Destacando-se entre esses últimos, parecendo uma coluna ambulante do muro pontudo de Newgate, estava Jerry, lançando ao prisioneiro o bafo da cerveja que havia tomado pelo caminho, antes de chegar ali, e misturando-se às ondas e mais ondas de outras cervejas, gim, chá, café e sabe-se lá mais o quê, que avançavam sobre o acusado e se quebravam nas janelas imensas atrás dele, formando uma nebulosa insalubre.

O objeto de tamanha curiosidade era um jovem de vinte e cinco anos, bem-criado e de boa aparência, de bochechas coradas e olhos pretos. Um jovem cavalheiro. Vestia roupas simples e pretas, ou cinza-escura, e o cabelo comprido e também preto, estava preso para trás com uma fita, mais para afastá-lo do pescoço do que servir como enfeite. Como as emoções mais profundas da alma são capazes de atravessar qualquer cobertura que o corpo lhes imponha, a palidez daquela circunstância penetrou o bronzeado das bochechas, provando a alma ser mais forte do que o sol. Apesar disso, mantinha-se controlado, curvou-se diante do juiz e ficou em silêncio.

O interesse com que observavam e baforavam para aquele homem não é o tipo de coisa que eleva a humanidade. Se o réu recebesse sentença menos terrível, isto é, caso houvesse a chance de ele ser poupado de algum daqueles detalhes bárbaros, teria do mesmo modo perdido todo o fascínio que despertava. O modo tão asqueroso com que seria condenado era a grande atração; o pobre mortal que seria abatido e despedaçado causava furor. Qualquer que fosse a tinta com que os numerosos espectadores tentavam disfarçar seus interesses, lançando mão das mais variadas artimanhas de autoengano, no fundo, tais interesses eram da mesma natureza dos de um ogro.

– Silêncio na corte! No dia anterior, Charles Darnay declarou-se (com veemência) inocente em relação à acusação a ele atribuída, a de traidor falsário do nosso sereno, ilustre, excelente e todas outras qualidades que lhe cabem, príncipe, nosso Senhor o Rei, por ter ele, o acusado, em diferentes ocasiões e por diferentes meios, prestado auxílio a Luís, o rei da França, durante as guerras contra o supracitado sereno, ilustre, excelente e todas outras qualidades que lhe cabem. Em outras palavras, em suas idas e vindas, entre os domínios de nosso sereno, ilustre, excelente e todas outras qualidades que lhe cabem, o Rei, bem como entre os do supracitado rei Luís, de maneira perversa, traidora, falsa e quaisquer outras designações vis que lhe caibam, o acusado revelou quais forças nosso sereno, ilustre, excelente e todas outras qualidades que lhe cabem, o Rei, preparava para enviar ao Canadá e à América do Norte.

Ao escutar esses dizeres, Jerry, com os fios da cabeça cada vez mais espetados à medida que processava os termos da lei, com imensa satisfação e contentamento chegou à seguinte conclusão: o supracitado, repetidas vezes supracitado, Charles Darnay, estava ali aos olhos de todos para ser julgado; o júri estava prestando juramento; e o senhor procurador-geral preparava-se para discursar.

O acusado, que estava (e tinha consciência disso) sendo mentalmente enforcado, decapitado e esquartejado por cada um dos presentes, não se esquivava da situação e tampouco agia como se estivesse em um palco. Permanecia calado e atento. Assistiu aos procedimentos de abertura com notável interesse, manteve as mãos apoiadas na tábua de madeira à sua frente com tamanha compostura que nem uma folha sequer das ervas com que cobriram as tábuas saiu do lugar. Todo o tribunal fora coberto com essas folhas e borrifado com vinagre para prevenir a febre e as moléstias do cárcere.

Acima da cabeça do prisioneiro, havia um espelho para iluminar seu rosto. Multidões de iníquos e miseráveis tiveram seus rostos refletidos ali naquela superfície e depois desapareceram para sempre. Aquele lugar abominável teria sido assustadoramente mal-assombrado se o espelho pudesse reproduzir as imagens nele refletidas, como o mar um dia traz de volta seus mortos. Algum pensamento sobre a infâmia e a desgraça reservadas àquele espelho deve ter cruzado a mente do prisioneiro. Qualquer que fosse o caso, um simples movimento o fez ciente do feixe de luz em seu rosto e ele olhou para cima. Ao ver o espelho, o acusado enrubesceu e com a mão direita afastou as ervas.

Com o gesto, acabou virando o rosto para a esquerda, mesmo lado em que estava o tribunal. Quase ao mesmo nível de seus olhos, estavam, no canto do assento do juiz, duas pessoas que lhe chamaram a atenção de imediato, e tal foi o estado de surpresa do prisioneiro que todos os olhares centrados nele voltaram-se para essas pessoas.

Os espectadores viram que as duas figuras eram uma jovem dama com pouco mais de vinte anos e um cavalheiro que evidentemente era seu pai, homem de aparência muito notável dada a brancura absoluta dos cabelos e o semblante indescritivelmente marcante: não o tipo ativo, mas ponderado e introspectivo. Com essa expressão, parecia um velho, mas quando ele se movimentava, como nos momentos em que falava com a filha, tornava-se um cavalheiro distinto e no auge da vida adulta.

A filha, sentada ao lado dele, mantinha uma das mãos enroscadas no braço do pai e a outra apoiada sobre ela. Assustada com a cena e compadecendo-se do prisioneiro, estava praticamente grudada no pai. O terror e a compaixão expressos claramente na testa não viam nada além do perigo que corria a vida do acusado. E tamanhas eram a contundência e a naturalidade dessa expressão que comoveram todos os espectadores e um burburinho sussurrado se espalhou pelo tribunal: "Quem são eles?".

Jerry, o mensageiro que à sua maneira fizera as próprias observações e que, concentrado, passara o tempo todo chupando a ferrugem dos dedos, esticou o pescoço para saber quem eram. Ao seu redor, a pergunta circulava entre a multidão, passando de um para o outro, até chegar ao assistente mais próximo, e dele a mensagem fora passada de volta mais devagar, até por fim chegar a Jerry:

– Testemunhas.

– De qual lado?

– Contra.

– Contra qual lado?

– O do prisioneiro.

O juiz, cujos olhos percorriam a multidão em geral, lembrou-se daqueles dois, recostou-se no assento e fitou o homem cuja vida estava em suas mãos, enquanto o procurador-geral levantava-se para puxar a corda, afiar o machado e bater os pregos no andaime.

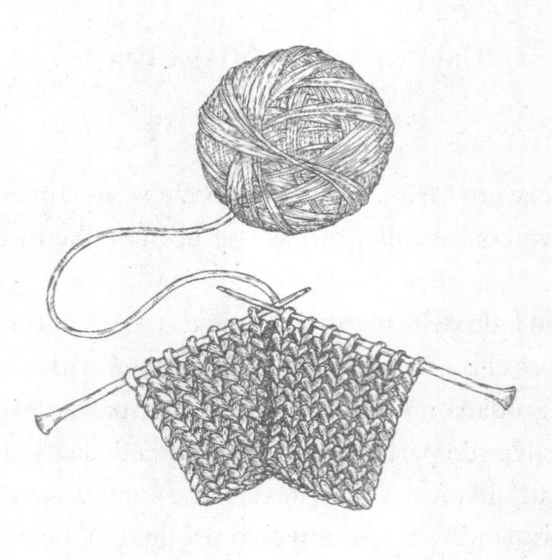

UMA DECEPÇÃO

O senhor procurador-geral teve de informar o júri que o prisioneiro em questão, embora jovem de idade, era velho na prática de traições pelas quais sua vida era reivindicada naquela ocasião. Que essa correspondência com o inimigo público não datava daquele dia, nem do anterior e tampouco do último ano. Que com certeza o prisioneiro tinha há muito o hábito de circular entre França e Inglaterra para tratar de assuntos secretos sobre os quais não oferecia explicações honestas. Que se fosse da natureza da traição prosperar (o que felizmente não era), a verdadeira perversidade e culpabilidade de suas tramoias jamais teriam sido descobertas. Que a Providência, no entanto, incumbira um coração destemido e irrepreensível de falar mais alto e denunciar os esquemas do prisioneiro, levando-os ao Chefe da Secretaria de Estado e ao honorável Conselho Privado de Sua Majestade. Que esse patriota seria apresentado ao júri. Que sua postura e sua atitude eram veneráveis. Que ele fora amigo do prisioneiro, mas desde o instante auspicioso e ominoso em que descobria sua infâmia, decidiu sacrificar o traidor por quem já não nutria nenhum sentimento bom, no altar sagrado de sua pátria. Que, se na Inglaterra, tal como na Grécia e na Roma antigas, mandassem erguer estátuas para benfeitores públicos, esse ilustre cidadão certamente seria condecorado com uma. Que, como ainda não tinham decretado lei como essa, ele provavelmente não teria uma. Que a virtude, como bem observaram os poetas (em vários trechos que ele sabia bem que o júri tinha na ponta da língua, palavra por palavra, e que o mesmo júri parecia ter a consciência pesada por nada saber a respeito dessas passagens) era de certo modo contagiosa, sobretudo a brilhante virtude do patriotismo ou amor ao próprio país. Que o importante exemplo dessa testemunha imaculada e impecável a favor da Coroa, a quem referia-se com todo o orgulho, por mais indigno que fosse de fazê-lo, fizera contato com o criado do prisioneiro e plantara nele a sagrada determinação de revistar as gavetas e os bolsos do patrão e confiscar sua papelada. Que o senhor procurador-geral estava preparado para ouvir comentários desagradáveis em relação àquele admirável criado, mas que, a bem da verdade, estimava-o mais que os próprios irmãos e irmãs (do senhor procurador-geral) e o honrava mais que aos próprios pais (do senhor procurador-geral). Que ele tinha convicção de que o júri faria o mesmo. Que a evidência dessas duas testemunhas somada à documentação comprobatória que seria apresentada, mostraria ter o prisioneiro acesso às listas das forças de Sua Majestade, bem da disposição e dos preparativos dessas forças, tanto pelo mar quanto pela terra e então não restariam dúvidas de que ele fornecera todas essas informações ao hostil adversário. Que não se podia provar que a caligrafia encontrada nessas listas era do prisioneiro, mas que isso pouco importava; que, na verdade, era até melhor para o processo, pois mostrava a esperteza do prisioneiro em suas precauções. Que as provas se referiam a cinco anos anteriores e mostravam o envolvimento do prisioneiro em missões perniciosas, poucas semanas antes da primeira batalha travada entre as tropas britânicas e os americanos. Que, por essas razões, o júri, composto por personas leais (como ele bem sabia que o eram) e responsáveis (como ele bem sabia que o eram) deveria declarar o acusado culpado e sentenciá-lo com a pena de morte, ainda que tal decisão não agradasse a todos. Que jamais conseguiriam deitar a cabeça em seu travesseiro. Que jamais tolerariam a hipótese de suas esposas deitarem a cabeça em seus travesseiros. Que jamais suportariam a hipótese de seus filhos deitarem a cabeça em seus travesseiros, em suma, que jamais haveria, para eles ou qualquer um dos seus, a possibilidade de repousar a cabeça no travesseiro a menos que a do prisioneiro fosse sacrificada. Exigia o senhor procurador-geral, em nome de tudo em que ele imaginar, aquela cabeça e sob a confiança de sua solene afirmação de que já considerava o acusado morto e enterrado.

Quando o procurador-geral findou seu discurso, um burburinho generalizado se espalhou pela corte como se uma nuvem carregada de moscas-varejeiras circulasse o prisioneiro, feito o prenúncio do que ele viria a se tornar dali a pouco. Ao arrefecer do alvoroço, um incontestável patriota sentou-se no banco das testemunhas.

O promotor geral, então, sucedendo o seu líder, avaliou o patriota: John Barsad, cavalheiro de nome. A história de sua alma pura era exatamente a que o senhor procurador-geral havia descrito, com uma ou outra exceção, talvez pelo excesso de exatidão. Depois de descarregar do peito o seu fardo, o cavalheiro teria se retirado discretamente, mas o homem de peruca com uma papelada à sua frente, o mesmo sentado não muito longe do senhor Lorry, manifestou-se e pediu que ficasse, pois ainda tinha algumas perguntas. O outro cavalheiro de peruca, sentado na outra ponta, continuava fitando o teto da corte.

Teria ele sido um espião? Não, desdenhou dessa hipótese repugnante. Como ganhava a vida? Com o lucro de sua propriedade. Onde ficava sua propriedade? Não se lembrava da localização exata. E do que se tratava o negócio? Não era da conta de ninguém. Herdara-a de alguém? Sim. De quem? Um parente distante. Muito distante? Muito. Já foi preso alguma vez? Nunca. Já foi preso por dívidas? Não via ligação entre uma coisa e outra. Nunca foi preso por conta de dívidas? Ora essa, de novo! Nunca? Sim. Quantas vezes? Duas ou três vezes. Não foram cinco ou seis? Talvez. E qual era a ocupação? Cavalheiro. Já foi chutado alguma vez? Talvez sim. Com frequência? Não. Já foi chutado e rolou escada abaixo? Seguramente não; uma vez levou um chute no topo de uma escada e saiu rolando por conta própria. E, nessa ocasião, foi chutado por ter trapaceado no jogo de dados? Algo do gênero foi relatado pelo bêbado mentiroso que o atacou, mas não era verdade. Jura não ter sido verdade? Pela própria vida. Já viveu à custa de jogatina? Não mais do que os outros cavalheiros o fazem. Já tomou dinheiro emprestado do prisioneiro? Sim. E o pagou? Não. Essa intimidade com o prisioneiro, não teria sido, na verdade, forçada em carruagens, estalagens e navios? Não. Certeza que não viu o prisioneiro com as listas? Certeza. Não sabia algo a mais sobre elas? Não. Não as conseguira por conta própria, por exemplo? Não. Espera receber algo em troca desse depoimento? Não. Nem um emprego fixo no governo, para se infiltrar como agente quando necessário? Por Deus, não. Ou para fazer qualquer outra coisa? Claro que não. Jura? De pés juntos. Alguma outra motivação além do exemplar patriotismo? Nenhuma.

O virtuoso criado, Roger Cly, jurou tantas vezes foram necessárias dizer a verdade e somente a verdade. Ele trabalhara para o prisioneiro, com boa-fé e ingenuidade, há quatro anos. Na ocasião, a bordo do navio Calais, perguntara se precisava de um faz-tudo e o prisioneiro o contratou. Jamais ofereceu seus serviços como um ato de caridade; nunca pensou em coisa como essa. Começou a suspeitar do sujeito e passou a vigiá-lo desde então. Enquanto arrumava as roupas, durante a viagem, por diversas vezes vira nos bolsos do prisioneiro listas semelhantes àquelas. Pegara aquelas listas na gaveta da escrivaninha dele. Não foi ele quem as pusera ali. Vira o prisioneiro mostrar listas idênticas àquelas a cavalheiros franceses, em Calais, e listas semelhantes a essas também a cavalheiros franceses, tanto em Calais quanto em Bolonha. Pelo amor que sente pelo seu país, não conseguiu suportar tal situação e resolveu denunciá-lo. Nunca fora suspeito de roubar um bule de prata; tentaram difamá-lo, acusando-o de roubar um mostardeiro, mas constataram que não passava de um pote banhado à prata. Conhecia a testemunha anterior há sete ou oito anos, mas não por mera coincidência. Não considerava essa uma coincidência particularmente estranha. A maioria das coincidências é estranha. Tampouco considerava estranha coincidência o fato de o seu autêntico patriotismo ser sua única motivação. Era um autêntico britânico e tinha esperanças de que houvesse muitos como ele.

As moscas-varejeiras recomeçaram a zunir e o procurador-geral chamou Jarvis Lorry.

– Senhor Jarvis Lorry, o senhor é funcionário do banco Tellson?

– Sim.

– Em uma certa noite de sexta-feira, no mês de novembro, no ano de 1775, por conta dos negócios viajou de diligência de Londres a Dover?

– Sim, viajei.

– Havia outros passageiros além do senhor na diligência?

– Dois.

– E desceram na estrada no decorrer da noite?

– Sim, desceram.

– Senhor Lorry, olhe para o prisioneiro. Era ele um desses passageiros?

– Não posso afirmar com certeza que era ele.

– Ele se parece com um desses passageiros?

– Os dois estavam muito cobertos, e estava muito escuro, e todos estávamos calados, que não posso nem mesmo afirmar isso com certeza.

– Senhor Lorry, olhe mais uma vez para o prisioneiro. Suponha que ele estivesse tão coberto quanto aqueles dois passageiros, há algum traço físico ou algo em relação à sua estatura que torne improvável o fato de ele ser um daqueles dois?

– Não.

– Pode jurar, senhor Lorry, que ele não era um daqueles dois?

– Não.

– Então, pelo menos admite que ele pode ter sido um daqueles dois passageiros?

– Sim. Só que me lembro de os dois, assim como eu, estarem com medo de sermos atacados por ladrões no meio da estrada. E esse prisioneiro não tem cara de medroso.

– Alguma vez já viu alguém fingir medo, senhor Lorry?

– Certamente, já.

– Senhor Lorry, olhe mais uma vez para o prisioneiro. Já o viu, de acordo com o que sabe, em alguma outra ocasião?

– Sim, vi.

– Onde?

– Estava voltando da França alguns dias depois e, em Calais, o prisioneiro embarcou no navio em que eu viajava e fez a viagem comigo.

– E a que horas ele embarcou?

– Pouco depois da meia-noite.

– Na calada da noite. Foi o único passageiro que embarcou no navio, naquele horário tão inoportuno?

– Por acaso foi, sim, o único.

– Não se preocupe com o "acaso", senhor Lorry. Ele foi o único passageiro que embarcou na calada da noite?

– Sim, foi.

– O senhor viajava sozinho, senhor Lorry, ou vinha acompanhado?

– Com dois acompanhantes. Um cavalheiro e uma dama. Eles estão aqui.

– Eles estão aqui. O senhor chegou a conversar com o prisioneiro?

– Quase nada. Chovia muito, a travessia foi longa e difícil, deitei no sofá e lá permaneci praticamente o percurso todo.

– Senhorita Manette!

A jovem dama, que atraíra a atenção de todos e agora tornara a fazê-lo, levantou-se. O pai dela fez o mesmo, ainda com o braço entrelaçado no da filha.

– Senhorita Manette, olhe para o prisioneiro.

Confrontar tamanhas piedade, juventude e beleza era algo muito mais difícil do que confrontar a multidão toda. Em pé, perto dela e ao mesmo tempo a um passo da própria cova, nem mesmo todos aqueles olhares curiosos que o fitavam com abismal curiosidade poderiam, por um instante que fosse, petrificá-lo. A apressada mão direita ajeitava as ervas à frente dele, transformando-as em um jardim imaginário, cheio de flores, e os esforços para se controlar e estabilizar a respiração faziam tremular os lábios dos quais toda a cor escapara para o coração. O zunir das moscas-varejeiras tornou a se elevar.

– Senhorita Manette, já viu esse prisioneiro em outra oportunidade?

– Sim, senhor.

– Onde?

– A bordo do navio que acaba de ser mencionado, senhor, e na mesma ocasião.

– A senhorita é a dama que foi mencionada?

– Oh! Infelizmente, sou eu.

O tom melancólico e compadecido fundiu-se à voz menos melódica do juiz, que se pronunciou de maneira impetuosa:

– Limite-se a responder as perguntas que lhe são feitas e não teça comentários a respeito delas.

– Senhorita Manette, conversou com o prisioneiro durante aquela travessia pelo canal?

– Sim, senhor.

– Relate o que foi dito.

No intercurso de um silêncio sepulcral, a voz vacilante da moça irrompeu:

– Quando este cavalheiro embarcou...

– A senhorita refere-se ao prisioneiro? – inquiriu o juiz com uma carranca.

– Sim, senhor.

– Então, refira-se a ele como prisioneiro.

– Quando o prisioneiro embarcou, percebeu que meu pai – relatou, desviando o olhar para ele, que estava ao seu lado –, estava exausto e com a saúde muito debilitada. Meu pai estava tão abatido que fiquei com medo de levá-lo para tomar ar, então, preparei-lhe uma cama no convés, perto dos degraus da cabine, e sentei-me ao seu lado, para cuidar dele. Não havia outros passageiros a bordo naquela noite, apenas nós quatro. O prisioneiro teve a bondade de me pedir permissão para sugerir um modo de proteger melhor meu pai do vento e do frio. Eu não o protegera como deveria, pois não sabia a direção que o vento tomaria em alto-mar. Ele fez essa cortesia. Mostrou grande gentileza e bondade ante o estado de meu pai e tenho certeza de que foi sincero em seus atos. Foi assim que começamos a conversar.

– Permita-me interrompê-la por um instante. Ele embarcou sozinho?

– Não.

– Quantos o acompanhavam?

– Dois cavalheiros franceses.

– Eles conversavam entre si?

– Conversaram até o último momento, quando os cavalheiros franceses tiveram de embarcar no bote deles.

– Viu eles trocarem alguns papéis semelhantes a essas listas?

– Trocaram alguns papéis, mas não sei quais eram.

– Parecidos com esses, em relação à forma e ao tamanho?

– Possivelmente, mas de fato não posso assegurar, embora conversassem sussurrando bem próximos a mim. Ficaram no alto da escada da cabine porque havia um lampião pendurado por ali. A luz era fraca, eles conversavam muito baixo. Não ouvi o que conversavam, só vi que olhavam para uns papéis.

– Agora, voltemos à conversa com o prisioneiro, senhorita Manette.

– Esse prisioneiro teve tanta confiança em mim, tendo em vista minha situação de desamparo, que foi gentil, bondoso e providencial a meu pai. Espero – disse às lagrimas –, não retribuir tal generosidade causando-lhe o mal hoje.

Zunido das moscas-varejeiras.

– Senhorita Manette, se o prisioneiro não compreender ser a obrigação da senhorita dar testemunho, que é um dever fazê-lo, e do qual não pode se esquivar; com grande má-vontade, ele seria o único presente a não entender isto. Por favor, prossiga.

– Ele me contou que o motivo da viagem eram negócios e se tratava de algo de natureza delicada e difícil, pois poderia causar grandes problemas e que, por isso, viajava com nome falso. Também contou que esses mesmos negócios, há poucos dias tinham-no levado à França, e poderiam, vez em quando, fazê-lo deslocar-se entre França e Inglaterra por um bom tempo.

– Ele mencionou algo em relação à América, senhorita Manette? Seja específica.

– Ele tentou me explicar como aquela rixa tinha começado, e disse também que, de acordo com seu entendimento, a Inglaterra agia de modo errado e insensato. Ele acrescentou, em tom de brincadeira, que talvez o nome de George Washington marcasse a história quase como o de George III. Mas não senti nenhum tom de maldade no comentário, teve a simples intenção de causar riso e matar o tempo.

Qualquer expressão facial do ator principal em uma cena de grande interesse e que atrai todas as atenções, será imitada inconscientemente por seus espectadores. A testa dela denunciava uma ansiedade angustiante durante o depoimento, e nos momentos de pausa em que interrompia a fala para o juiz fazer suas anotações, observava os efeitos entre os lados da defesa e da acusação. Quanto ao público que observava, o que se via era a mesma expressão pelos quatro cantos da corte, tanto que a maioria daquelas testas poderia formar um mar de espelhos refletindo a testemunha no momento em que o juiz desviou o olhar das anotações e a encarou com perplexidade ao ouvir tremenda heresia sobre George Washington.

O procurador-geral manifestou ao juiz que, como medida de precaução e formalidade, considerava necessário chamar o pai da jovem, doutor Manette. A recomendação foi aceita e ele foi chamado.

– Doutor Manette, olhe para o prisioneiro. O senhor o conhece?

– Já o vi uma vez. Quando me procurou na minha casa, em Londres. Há uns três anos, três anos e meio.

– O senhor o reconhece como sendo o passageiro a bordo do navio, ou pode falar sobre a conversa que ele teve com a sua filha?

– Senhor, não posso fazer nem uma coisa nem outra.

– E há alguma razão particular que o impossibilite de fazer isso?

– Há, sim – respondeu com a voz baixa.

– E esse motivo seria o infortúnio de ter passado anos na prisão sem que ocorresse julgamento tampouco acusação em seu país de origem, doutor Manette?

A resposta veio em um tom que sensibilizou todos os corações.

– Anos e mais anos na prisão.

– O senhor tinha acabado de ser libertado naquela ocasião?

– Disseram-me que sim.

– Recorda-se daquela ocasião?

– Não. Tudo se apagou da minha memória desde aquela época.... nem sei ao certo em que momento eu, no cativeiro, comecei a me ocupar com o ofício de sapateiro para quando me vi morando em Londres com a minha filha querida. Ela se tornou familiar para mim quando o bondoso Deus restaurou minhas faculdades, mas não sei dizer exatamente como isso aconteceu. Não me recordo como foi.

O procurador-geral sentou-se e pai e filha também sentaram, os dois ao mesmo tempo. O objetivo era mostrar que o prisioneiro, acompanhado de algum conspirador ainda não identificado, descera da diligência de Dover naquela noite, uma sexta-feira de novembro, cinco anos antes, em um ponto onde não permaneceu, mas do qual retornava, viajando algumas dezenas de quilômetros ou mais, até uma guarnição ou arsenal naval no qual obtivera informações; uma testemunha foi convocada para identificá-lo como o homem que vira na cafeteria de um hotel, naquela cidade, naquele exato momento, esperando por alguém. O advogado do prisioneiro interrogava a testemunha; porém, sem resultado, a não ser o fato de ela nunca ter visto o acusado em nenhuma outra ocasião além daquela, foi quando o cavalheiro de peruca que passara todo esse tempo olhando para o teto da corte escreveu uma ou duas palavras em um pedacinho de papel, o amassou e jogou para o advogado. Depois de abrir o bilhete durante a pausa seguinte, o advogado fitou o prisioneiro com atenção e curiosidade.

– O senhor reafirma ter quase certeza de que essa pessoa se tratava do prisioneiro?

A testemunha tinha quase certeza.

– Alguma vez o senhor já encontrou alguém que fosse muito parecido com o prisioneiro?

Não tão parecido (respondeu a testemunha) a ponto de confundi-lo com alguém.

– Olhe bem para este cavalheiro, meu versado amigo ali – pediu, apontando para o que tinha lhe jogado o papel –, depois, olhe bem para o prisioneiro. Diga-me, os dois não se parecem bastante?

À parte da aparência desleixada, senão desgastada, do "versado amigo", os dois, quando postos à comparação, eram suficientemente parecidos para surpreender não só as testemunhas mas todos os presentes. Solicitaram ao juiz que pedisse ao "versado amigo" para retirar a peruca, e tendo ele consentido, aparentemente contra a própria vontade, a semelhança ficou ainda mais evidente. O juiz perguntou ao senhor Stryver (advogado do prisioneiro) se estavam considerando indiciar o senhor Carton (assim se chamava o "versado amigo") por traição. O senhor Stryver respondeu que não, mas afirmou que pediria à testemunha para responder se o que acontece uma vez pode acontecer duas; se teria tanta convicção, se tivesse visto antes essa demonstração de sua atitude precipitada, se teria tanta certeza vendo aquilo, etc. A intenção era estilhaçar o testemunho feito um vaso de louça e pôr fim à sua importância para a resolução do caso, feito um objeto inútil.

O senhor Cruncher, a essa altura, já tinha devorado um belo almoço de ferrugem com o que sugou dos seus dedos enquanto acompanhava os testemunhos. Agora, observava como o senhor Stryver tentava convencer o júri, feito quem tenta ajustar uma roupa apertada em um corpo grande, mostrando como Barsad, o patriota, era um traidor e espião a mando de outrem, traficante por natureza e um dos maiores canalhas que pisou na terra desde o execrável Judas, com quem, aliás, o facínora se parecia bastante. E como o virtuoso criado, Cly, era seu amigo e comparsa, como era digno de ser. E como os olhos esbugalhados daqueles falsários que prestavam falso testemunho escolheram como vítima o prisioneiro, que por algumas questões familiares na França, tendo ele descendência daquele país, necessitava fazer travessias pelo canal, embora por consideração a pessoas próximas e queridas e por proteção à própria vida, não pudesse revelar a natureza de tais questões. E como o testemunho que fora arrancado e distorcido da jovem dama, cuja angústia por tais circunstâncias todos tinham testemunhado, não levava a conclusão nenhuma, pois retratavam apenas galanterias e cortesias trocadas entre qualquer cavalheiro e qualquer dama na flor daquela idade e naquelas circunstâncias, à exceção da referência a George Washington, por demais exagerada e impossível de se considerar a não ser como uma imensa brincadeira de mau gosto. E como seria uma demonstração de fraqueza do governo sucumbir à tentação da popularidade, explorando os mais baixos medos e antipatias nacionais, como fizera o procurador-geral, do melhor modo que pôde. E como, porém, nada fundamentou-se em evidências, exceto pelos repugnantes e infames depoimentos que não raramente deturpavam a conclusão de casos como aquele e dos quais os anais de julgamento do Estado estavam cheios. Naquele momento, porém, o juiz interveio (com a expressão grave como a de quem escuta uma falsa acusação), afirmando que como autoridade daquele tribunal não toleraria tais insinuações.

O senhor Stryver, então, chamou suas poucas testemunhas e o senhor Cruncher observou enquanto o senhor procurador-geral virava do avesso as roupas que o advogado do prisioneiro vestira no júri, argumentando que Barsad e Cly eram cem vezes melhores do que ele julgara e o prisioneiro cem vezes pior. Por fim, manifestou-se o próprio juiz, ora virando, ora desvirando os trajes, mas decidido a ajustá-las e transformá-las em uma mortalha para o prisioneiro.

E, na sequência, o júri reuniu-se para deliberar e as moscas-varejeiras tornaram a zunzunar.

O senhor Carton, que passara tanto tempo fitando o teto da corte, manteve-se no mesmo lugar e na mesma posição, mesmo com o alvoroço todo do ambiente.

Enquanto isso, seu versado amigo, o senhor Stryver, reunia seus papéis e sussurrava para os que havia ao seu redor, olhando, ansioso, vez ou outra para o júri; os espectadores se mexiam, uns mais, outros menos, reagrupando-se de outros modos; o próprio juiz levantava-se de seu assento e devagar andava de um lado ao outro do tablado, seguido pelos olhos e pela suspeita do público de que o meritíssimo estava tão irrequieto quanto todos ali; o senhor Carton recostava-se na cadeira, com a toga aberta meio caída para o lado, a peruca desalinhada e deixada ali exatamente na mesma posição em que a recolocou, as mãos enfiadas nos bolsos e os olhos grudados no teto como o fizera o dia inteiro. Algo em seu modo desleixado, não apenas lhe conferia uma sórdida aparência como diminuía a semelhança inegável entre ele e o prisioneiro (fortalecida pela sua seriedade no momento em que os dois foram comparados), tanto que muitos espectadores, observando os dois agora, comentavam entre si que dificilmente teriam imaginado se parecerem tanto. O senhor Cruncher fez um comentário com o espectador mais próximo e acrescentou:

– Aposto meio guinéu que ele não é advogado coisa nenhuma. Não leva nem um pouco o jeito, não acha?

Entretanto, o senhor Carton reparava mais os detalhes do que aparentava, pois foi o primeiro a ver a cabeça da senhorita Manette desfalecer no peito do pai e gritou:

– Oficial! Cuide daquela jovem dama. Ajude o cavalheiro a levá-la. Não percebe que está prestes a desmaiar?

Houve grande comiseração por ela enquanto a levavam, e grande solidariedade pelo pai. Era evidente a angústia que o acometera ao rememorar os dias de cárcere. Ficara visivelmente abalado no momento do interrogatório e a nuvem que o deixava tão introspectivo e entristecido, fazendo-o parecer mais velho, voltara a se mover em torno dele. Enquanto caminhava até a saída, o júri, que virara para deliberar, manifestou-se por meio do primeiro jurado.

Não tinham chegado a um consenso e pediram para se retirar. O juiz (talvez com George Washington na cabeça), mostrou-se surpreso, mas concedeu licença para se retirarem, desde que sob vigilância, e depois também se retirou. O julgamento durou o dia inteiro e as lâmpadas da corte começaram a acender. Corria o boato de que o júri se ausentaria por um bom tempo. Os espectadores saíram para comer, o prisioneiro retirou-se para o banco dos réus e lá sentou.

O senhor Lorry, que saíra no mesmo momento em que a jovem e o pai se foram, voltou e fez sinal para Jerry que, agora, com o ambiente mais calmo, pôde se aproximar sem dificuldades.

– Jerry, se quiser sair para comer, pode ir. Mas fique por perto, para poder ouvir quando o júri regressar. Não se atrase nem um segundo sequer, pois preciso que leve o veredicto ao banco. É o mensageiro mais rápido que conheço e sei que chegará a Temple Bar muito antes de mim.

Jerry esfregou a testa grande com os nós dos dedos, grande o suficiente para assim permiti-lo, gesto que confirmou o entendimento da ordem e o recebimento de um xelim. Naquele momento, o senhor Carton aproximou-se e tocou o braço de Jerry.

– Como está a moça?

– Muito aflita, mas o pai está tratando de consolá-la. Sente-se melhor agora que saiu do tribunal.

– Vou repassar a informação ao prisioneiro. Não faria bem para a reputação de um bancário respeitável como o senhor ser visto conversando com ele publicamente, como sabe.

O senhor Lorry enrubesceu como se já tivesse debatido o assunto mentalmente e o senhor Carton caminhou em direção à grade. Naquela mesma direção ficava a saída da corte e Jerry saiu logo atrás dele, os olhos, ouvidos e cabelo ligados.

– Sr. Darnay!

O prisioneiro levantou-se imediatamente.

– Naturalmente deve estar ansioso para saber qual é o estado da testemunha, senhorita Manette. Está bem. Acalmou-se e o pior já passou.

– Sinto muito ter causado tudo isso. Poderia dizer isso a ela, com a minha mais sincera gratidão?

– Posso, sim, se o pedir.

O comportamento do senhor Carton de tão despreocupado beirava a insolência. Estava parado, meio de banda para o prisioneiro e com o cotovelo apoiado na grade.

– Peço, sim, por gentileza. Aceite meu cordial agradecimento.

– O que espera que aconteça, senhor Darnay? – perguntou, ainda com o corpo meio de lado.

– O pior.

– É o mais sensato de se esperar e o mais provável de acontecer. Porém, considero essa retirada do júri um sinal a seu favor.

Como não permitiam demorar-se pela saída do tribunal, Jerry não ouviu mais nada, mas os deixou – tão semelhantes na aparência e tão diferentes no comportamento – lado a lado, ambas as imagens refletidas no espelho pendurado acima deles.

Uma hora e meia arrastou-se nos corredores abarrotados de crápulas e calhordas no andar debaixo, embora tenham providenciado torta de carneiro e cerveja. O mensageiro rouco, desconfortavelmente sentado depois daquela refeição, começava a cair no sono no momento em que um burburinho audível e o barulho de passos nos degraus que levavam à corte o carregaram junto ao andar acima.

– Jerry! Jerry! – chamava o senhor Lorry, já na porta no momento em que o mensageiro chegou.

– Estou aqui, senhor! Foi uma luta voltar pra cá. Mas aqui estou, senhor!

O senhor Lorry entregou-lhe um papel por entre a multidão.

– Rápido! Conseguiu pegá-lo?

– Sim, senhor.

Rabiscada no papel estava a palavra "ABSOLVIDO".

– Se o senhor tivesse mandado aquela mensagem "De volta à vida" – murmurou Jerry, virando-se –, dessa vez eu saberia o que significa.

Não teve chance de dizer, tampouco de pensar mais nada, quando se deu conta, estava em Old Bailey, pois a multidão saía tão alvoraçada que quase o ergueu do chão, e um zunido alto e coletivo varreu a rua como se as moscas-varejeiras desnorteadas se dispersassem à procura de outra carniça.

CONGRATULAÇÕES

Na penumbra dos corredores sombrios da corte, o último resíduo do ensopado humano que fervera ali o dia inteiro se dissipava quando o doutor Manette, sua filha, Lucie Manette, o senhor Lorry, o jurisprudente e o advogado de defesa, senhor Stryver, circundavam o senhor Charles Darnay, recém-libertado, parabenizando-o por ter escapado da morte.

Mesmo com uma iluminação, o que não era o caso, teria sido difícil reconhecer no doutor Manette, persona composta e de semblante intelectual, o sapateiro do casebre em Paris. Porém, ninguém que o olhava uma, duas vezes, deixava de observá-lo por uma terceira, ainda que não tivesse a chance de notar a cadência triste da voz grave e a abstração que se abatia sobre ele vez em quando feito uma nuvem, sem nenhuma razão aparente. Embora um fator externo, como a menção aos anos de agonia sempre (como ocorreu no julgamento) evocasse esse estado das profundezas de sua alma, ele também emergia por conta própria, trazendo consigo uma melancolia tão incompreensível para os que não conheciam a história daquele homem, como se vissem a verdadeira sombra da Bastilha projetada sobre ele pelo sol de verão, com uma distância de quase quinhentos metros entre a figura e a sombra em si.

Somente a filha tinha o poder de afastar da mente do pai essa nuvem carregada. Ela era o fio dourado que o unia ao passado antes de todo sofrimento e ao presente que o sucedia. O som de sua voz, a luz de seu rosto, o toque de sua mão na maioria das vezes surtiam uma espécie de efeito mágico sobre ele; não sempre, pois vez ou outra ela podia recordar-se de algumas ocasiões em que seu poder falhara, mas quando algo assim acontecia, era suave e passageiro e ela considerava aquilo algo superado.

O senhor Darnay beijou a mão da moça com fervor e gratidão, virou-se para o senhor Stryver, a quem ofereceu sua mais profunda gratidão. O senhor Stryver, homem de pouco mais de trinta anos, mas que aparentava ter vinte anos a mais, era robusto, espalhafatoso, rosado e totalmente despreocupado com cerimônias, tinha um jeito descomedido de abrir caminho (moral e fisicamente) para adentrar em grupos e participar de conversas que combinava com a maneira como projetava, degraus acima, o próprio sucesso na vida.

Ainda com a peruca e a toga, embrenhou-se no grupo, abrindo espaço de tal forma que forçou o inocente senhor Lorry a esquivar-se dali.

– Fico feliz de tê-lo livrado de forma honrada, senhor Darnay. Esta foi uma acusação infame, grosseiramente infame, mas nem por isso menos passível de ser solucionada.

– Tenho uma dívida eterna com o senhor. Em ambos os sentidos – disse o cliente, cumprimentando o advogado com um aperto de mão.

– Dei o meu melhor pela sua causa, senhor Darnay. E o meu melhor é tão bom quanto o de qualquer outro homem, creio eu.

Com a obrigação que caberia a qualquer um em circunstâncias semelhantes àquela, incumbiu-se o senhor Lorry de acrescentar "Muito melhor", talvez não de forma desinteressada, pois desejava tornar à conversa.

– O senhor acha? – perguntou o senhor Stryver. – Bem, o senhor esteve presente o dia todo, então deve saber. É um homem de negócios também.

– E como tal – disse o senhor Lorry, a quem o versado advogado trouxe de volta à conversa com a mesma força com que o tinha expulsado do grupo –, peço ao senhor Manette para encerrarmos essa nossa reunião e retornarmos todos a nossas casas. A senhorita Lucie não parece bem, o senhor Darnay teve um dia terrível e todos estamos muito exaustos.

– Fale pelo senhor, senhor Lorry – retrucou Stryver. – Tenho a noite inteira de trabalho pela frente ainda. Fale pelo senhor.

– Falo por mim, pelo senhor Darnay e pela senhorita Lucie. Senhorita Lucie, acha que posso falar por todos nós? – perguntou em um tom incisivo, olhando de relance para o pai da moça.

O senhor Manette estava paralisado, com o olhar peculiarmente concentrado em Darnay. Um olhar intenso que resultou em uma carranca de antipatia e desconfiança regada a uma dose de medo. E com esse semblante estranho, seus pensamentos divagaram.

– Meu pai – disse Lucie, apoiando a mão com delicadeza na dele.

Aos poucos, ele se desvencilhou da sombra e virou-se para a filha.

– Podemos ir para casa, meu pai?

Depois de um profundo suspiro, ele respondeu:

– Sim.

Os amigos do prisioneiro, com a impressão, criada pelo próprio, de que não seria liberto naquela noite, tinham se dispersado. Quase todas as luzes dos corredores já estavam apagadas, os portões de ferro fecharam-se com um rangido e uma pancada; o nefasto espaço esvaziou-se até a manhã do dia seguinte, quando renasceria o interesse pela forca, pelourinho, picota e ferretes. Entre o pai e o senhor Darnay, Lucie Manette caminhou ao ar livre. Mandaram alugar uma carruagem e, assim, pai e filha partiram.

O senhor Stryver os deixara para trás no corredor e andou em direção à sala onde os magistrados despiam-se das togas, para não perder a chance de se entrosar. Alguém, que não se reunira com o grupo nem trocara nenhuma palavra sequer com nenhum deles, mas que permanecera esse tempo todo recostado na penumbra mais lúgubre da parede, saíra calado, sem que ninguém notasse sua presença e espiou a carruagem até o momento de sua partida. Depois, aproximou-se de Lorry e Darnay, que estavam na calçada.

– Ora, ora, senhor Lorry! Homens de negócio podem conversar com o senhor Darnay agora?

Ninguém reconhecera a atuação do senhor Carton na causa daquele dia, ninguém nem mesmo tomara conhecimento disso. Ele já havia se despido da toga e nem assim a aparência melhorara.

– Se o senhor soubesse o conflito que se passa na cabeça de um homem de negócios quando se vê dividido entre o impulso do altruísmo e as aparências profissionais, se surpreenderia, senhor Darnay.

O senhor Lorry enrubesceu e em um tom cordial, disse:

– Já mencionou isso, senhor. Nós, homens de negócios que estamos a serviço de uma instituição, não somos nossos próprios mestres. A instituição vem antes de nós mesmos. Primeiro pensamos nela.

– Eu sei, eu sei – retrucou o senhor Carton, parecendo não se importar. – Não se aborreça, senhor Lorry. O senhor é tão bom quanto qualquer outro, melhor dizendo, *muito melhor*, me atrevo a dizer.

– Francamente, senhor – prosseguiu o senhor Lorry, sem se importar com o advogado –, de fato não sei o que o senhor tem a ver com o assunto. Perdoe-me pelo que vou dizer, mas como homem bem mais velho, recomendo que se preocupe de tratar dos seus negócios.

– Negócios! Deus me livre, não tenho negócio nenhum! – resmungou o senhor Carton.

– Lamento por isso, senhor.

– Também lamento.

– Se os tivesse, talvez pudesse ocupar-se com eles – persistiu o senhor Lorry.

– Valha-me Deus! Não! Não faria isso – disse Carton.

– Pois bem, senhor – exclamou Lorry, a essa altura enraivecido com a indiferença do advogado –, os negócios são coisa muito boa e respeitável. E, senhor, se os negócios impõem suas restrições, discrições e impedimentos, o senhor Darnay, como jovem e generoso cavalheiro, saberá como fazer concessões em uma circunstância como essa. Senhor Darnay, boa noite, Deus o abençoe! Espero que o dia de hoje tenha sido o marco de uma vida próspera e feliz. Cocheiro, aqui!

Talvez um pouco enraivecido consigo mesmo, assim como com o advogado, o senhor Lorry lançou-se ao assento da carruagem e foi conduzido ao Tellson. Carton, que cheirava a vinho do porto e não parecia muito sóbrio, riu e virou-se para Darnay:

– Que estranha circunstância essa que nos uniu. Esta deve ser uma noite estranha, não? Parado aqui, sozinho com um sósia nessa rua deserta?

– Mal sinto que voltei a fazer parte deste mundo – afirmou Charles Darnay.

– Não é de se estranhar. Há pouquíssimo tempo estava praticamente com os dois pés no outro mundo. O senhor parece exausto.

– Começo a achar que de tão fraco falta pouco para eu desmaiar.

– Então, por que não janta? Jantei enquanto aqueles cabeça-ocas decidiam a qual mundo o senhor pertencia, se a este ou a outro. Permita-me mostrar-lhe uma taberna próxima daqui, que serve comida da boa.

E, oferecendo o braço ao cavalheiro, conduziu-o por Ludgate Hill e pela Fleet Street, depois andaram por uma área coberta e entraram na taberna. Ali, foram levados a uma pequena sala onde Charles Darnay não tardou a recuperar suas forças ao pedir uma refeição completa e um bom vinho. Enquanto isso, Carton ficou sentado à mesma mesa, de frente para ele, servindo-se sozinho de uma garrafa do porto e com o costumeiro trejeito insolente.

– Sente que voltou a pertencer a este plano terrestre, senhor Darnay?

– Ainda me sinto perdido quanto ao tempo e ao espaço, mas aos poucos começo a sentir, sim.

– Deve ser uma satisfação imensa!

O advogado pareceu amargurado e voltou a encher o copo de vinho, que era dos grandes.

– Quanto a mim, tudo que mais queria era poder me esquecer que pertenço a ele. Não tem me oferecido nada de bom, exceto por vinhos como este, e tampouco eu tenho algo de bom para oferecer a ele. Então, penso que não somos nada parecidos nesse aspecto. De fato, começo a pensar que o senhor e eu não nos parecemos em absolutamente nada.

Confuso por conta das emoções daquele dia e sentindo como se aquela circunstância com seu sósia de comportamento grosseiro fosse um sonho, Charles Darnay não soube o que dizer e por fim, acabou não dizendo nada.

– Agora que terminou o seu jantar, por que não brinda à saúde de alguém, senhor Darnay? – sugeriu Carton.

– Saúde de quem? Que brinde?

– Ora, de quem está na ponta da sua língua. Deve estar, com certeza está, juro que está.

– À senhorita Manette, então!

– À senhorita Manette!

Fitando bem o rosto do companheiro enquanto faziam o brinde, Carton, por cima do próprio ombro, atirou seu copo contra a parede, onde se estilhaçou por completo. Depois, tocou a sineta e pediu outra dose.

– É uma jovem formosa demais para se enfiar em uma carruagem a essa hora da noite, senhor Darnay! – comentou, enchendo o novo copo.

Uma discreta franzida na testa e um lacônico "Sim" como resposta.

– É bela demais para se compadecer e chorar assim por alguém! Como o senhor se sente? Vale o risco de perder a vida para ser objeto de tamanha empatia e compaixão, senhor Darnay?

Novamente, Darnay não respondeu.

– Ela ficou muito contente com a sua mensagem, quando a entreguei. Não que tenha demonstrado seus sentimentos, mas eu notei.

A alusão serviu a Darnay como oportuno lembrete de que essa desagradável companhia, por livre e espontânea vontade, o ajudara no imenso aperto daquele dia. Ele direcionou a conversa para esse tópico e lhe agradeceu pelo auxílio.

– Não desejo agradecimento nenhum, tampouco nenhum mérito – replicou a figura desleixada. – Em primeiro lugar, não tive de fazer nada. Em segundo, não sei por que o fiz. Senhor Darnay, permita-me fazer uma pergunta.

– Fez de bom grado e com uma pequena recompensa pelo bom serviço.

– Considera que tenho um apreço especial pelo senhor?

– Para lhe ser sincero, senhor Carton, nunca cheguei a pensar nessa possibilidade – respondeu estranhamente desconcertado.

– Pois, bem. Pense agora.

– Agiu como se tivesse, mas não acho que o tenha.

– Tampouco acho que eu tenho. Começo a formar uma boa opinião sobre a sua capacidade de discernimento.

– Porém – pontuou Darnay, levantando-se para tocar a sineta –, espero que isso não me impeça de pedir a conta e de que cada um parta sem ressentimentos de nenhuma das partes.

– De modo algum! – enfatizou Carton. Enquanto isso, Darnay tocou a sineta.
– Vai pagar a conta toda? – Quando Darnay respondeu que sim, Carton acrescentou:
– Então, traga-me outro litro deste mesmo vinho, rapaz, por favor e me acorde às dez.

Depois de pagar a conta, Charles Darnay levantou-se e desejou boa noite a Carton. Sem responder ao cumprimento, Carton também se levantou e em um certo tom ameaçador, disse:

– Uma última palavra, senhor Darnay. O senhor acha que estou bêbado?

– Acho que bebeu bastante, senhor Carton.

– Acha? O senhor sabe que bebi bastante.

– Se me permite afirmar, sei, sim.

– Então, o senhor precisa saber por quê. Sou um burro de carga frustrado, senhor. Não me importo com ninguém neste plano, e ninguém neste plano se importa comigo.

– Lamento muito por isso. O senhor deveria ter usufruído melhor dos seus talentos.

– Talvez sim, senhor Darnay, ou talvez não. Mas não se deixe enganar pelo estado sóbrio. Nunca se sabe o que está por vir. Boa noite!

Quando ficou sozinho, essa estranha figura pegou uma vela, caminhou até o espelho que havia pendurado em uma das paredes e contemplou o próprio corpo minuciosamente.

– Tem algum apreço especial por esse homem? – murmurou para a própria imagem. – Por que deveria gostar tanto de um homem tão parecido com você? Não há em você nada que o agrade, você sabe disso. Ah, que o diabo o carregue! Que bela mudança fez consigo mesmo! Que belo motivo para se afeiçoar a um homem que é a síntese daquilo que você poderia ter sido! Tivesse você trocado de lugar com ele, teria atraído a atenção daqueles olhos azuis assim como ele o fez e se compadecido daquele rosto perturbado como ele se compadeceu? Vamos, crie coragem e diga com todas as palavras! Você odeia aquele sujeito.

Com isso, buscou consolação no vinho, em poucos minutos esvaziou a garrafa e adormeceu debruçado sobre os próprios braços, com os cabelos espalhados pela mesa e o sudário da vela escorrendo e encobrindo-o.

O CHACAL

Aqueles eram dias de muita embriaguez e a maioria dos homens bebia demais. O progresso trazido pelo tempo para tais hábitos foi tão significativo que qualquer modesta estimativa da quantidade de vinho e ponche que um sujeito seria capaz de beber em uma noite, sem o menor risco de ferir a sua reputação de perfeito cavalheiro, hoje em dia, pareceria um ridículo exagero. A sábia profissão da lei certamente não ficava para trás de nenhuma outra sábia profissão no que se refere às propensões dionisíacas, tampouco o senhor Stryver, que à força abria caminho para uma prática muito maior e lucrativa, da qual seus pares já colhiam frutos, apresentando melhor desempenho nas partes mais secas da competição legal.

Favorito em Old Bailey, bem como nas sessões, o senhor Stryver aos poucos começava a alçar os degraus mais baixos da escada onde havia montado. As sessões em Old Bailey agora tinham de convocar o predileto e recebê-lo de braços abertos, e todos os dias se via o rosto enrubescido do senhor Stryver soerguido sobre o do Lorde Chefe da Justiça na corte do Tribunal Superior de Justiça, irrompendo no mar de perucas feito um girassol que brota abrindo caminho, buscando seu lugar ao sol em um jardim bastante florido.

Certa vez, em Temple Bar, notaram que embora o senhor Stryver fosse um falastrão, e inescrupuloso, e esperto, e ousado, faltava-lhe a habilidade de extrair a essência de um conjunto de declarações, uma das características mais proeminentes e necessárias a um advogado. Porém, vinha melhorando e dando passos largos nesse quesito. Quanto mais causas defendia, mais aparentava capturar a espinha dorsal e o coração, e por mais que passasse a noite adentro farreando com Sydney Carton, na manhã seguinte sempre tinha toda a argumentação arquitetada na ponta da língua.

Sydney Carton, o mais malandro e menos promissor dos homens, era o grande aliado de Stryver. O que os dois bebiam juntos no intervalo entre o Hilary Term e o Michaelmas[10], daria para fazer flutuar o navio do rei. Nunca houve um caso sequer que Stryver tenha defendido sem que Carton estivesse lá, com as mãos nos bolsos, fitando o teto da corte. Os dois atuavam nos mesmos circuitos, e mesmo nessas circunstâncias estendiam até tarde da noite suas orgias, e corria à boca miúda que Carton era visto indo para casa em plena luz do dia, a passos trôpegos e sorrateiros, feito um gato cambaleante.

Por fim, entre aqueles que se interessavam pelo assunto, começou a se espalhar o boato de que embora Sydney Carton nunca se tornasse um leão, era um chacal incrivelmente bom que prestava serviço a Stryver nessas condições deploráveis.

– Dez horas, senhor – avisou o homem da taberna a quem ele havia pedido para o acordar. – Dez horas, senhor.

– O que foi?

– Dez horas, senhor.

– E o que quer dizer com isso? Dez horas da noite?

– Sim, senhor. Vossa senhoria me pediu para acordá-lo às dez horas.

– Ah! Estou lembrado. Muito bem, muito bem.

Depois de alguns enfadonhos esforços para recobrar o sono, que o taberneiro suprimiu atiçando o fogo sem parar por cinco minutos, Carton levantou, meteu o chapéu na cabeça e saiu. Virou-se ao chegar em Temple e, sentindo-se mais revigorado depois de fazer duas vezes o caminho entre King's Bench Walk e Paper Buildings, foi ao escritório de Stryver.

O escrevente de Stryver, que nunca participava dessas reuniões, tinha ido para casa e quem abriu a porta foi o próprio advogado. Estava de chinelos, camisola larga, o pescoço descoberto para sentir-se mais à vontade. Tinha aquela marca profunda, libertina e escura em torno dos olhos, típica dos boêmios de sua classe, à la retrato de Jeffries e daí para pior, e cujos rastros se viam dissimulados sobre as mais variadas formas de arte nos retratos de todas as Eras de Embriaguez.

– Está um pouquinho atrasado, Memória – disse Stryver.

– Mais ou menos no mesmo horário de sempre. Talvez uns quinze minutos a mais.

---

10 O ano legal inglês era dividido em quatro "termos" – Termo Hilary, Termo de Páscoa, Termo de Trindade e Michaelmas, com "Longas férias" (em que a atividade jurídica dos tribunais era suspensa) de julho a outubro. Os tribunais poderiam continuar em sessão entre os termos, embora às vezes mudassem de local durante esse período. Descobrir o que Carton e Stryver bebem juntos entre Hilary e Michaelmas é calcular a quantidade de álcool consumida em todo o curso do ano legal. (N.E.)

Os dois entraram em uma sala escura abarrotada de livros e papéis e onde havia uma lareira acesa, em cuja prateleira fervia uma chaleira. Em meio à papelada espalhada, resplandecia uma mesa com muito vinho, e conhaque, e rum, e açúcar e limão.

– Já entornou sua garrafa, pelo que vejo, Sydney.

– Foram duas hoje, acho. Fui jantar com o cliente do dia. Ou melhor, fiquei assistindo-o jantar... Dá na mesma!

– Que bela cartada aquela sua, Sydney, trazer o ponto da semelhança. Como chegou a isso? Quando percebeu?

– Achei que era mesmo um sujeito bonito, e pensei que deveria ter sido como ele, o mesmo tipo, se tivesse tido essa sorte.

O senhor Stryver gargalhou a ponto de sacolejar a pança precoce.

– Você e sua bendita sorte, Sydney! Anda, ao trabalho. Ao trabalho!

Visivelmente enfastiado, o chacal afrouxou a camisola, foi a uma sala adjacente e voltou com um jarro grande de água, uma bacia e uma ou duas toalhas. Imergindo as toalhas na água e torcendo-as sem esgotar muito a água, ele as dobrou e as levou à cabeça de um modo bizarro. Depois, sentou-se à mesa e disse:

– Agora estou pronto!

– Não há muito o que fazer esta noite, Memória – afirmou Stryver contente enquanto examinava os papéis.

– Quantos?

– Dois apenas.

– Comecemos pelo pior.

– Fique à vontade para escolher, Sydney. São todos seus!

O leão, então, sentou-se reto no sofá ao lado da mesa de bebidas, enquanto o chacal ficou do outro lado, acomodou-se à própria escrivaninha lotada de papéis, com as garrafas e os copos à inteira disposição. Ambos se serviram sem moderação das bebidas, mas cada um a seu modo. O leão passou a maior parte do tempo reclinado, com as mãos na cintura, olhando para o fogo e vez ou outra flertando com algum documento mais simples; o chacal, com o cenho franzido e concentrado, tão imerso em sua tarefa que os olhos sequer acompanhavam o movimento da mão quando a esticava para pegar o copo, e com frequência tateava por um minuto ou mais antes de por fim encontrar o copo e levá-lo à boca. Duas ou três vezes, o caso que examinava mostrava-se tão intrincado que o chacal se viu obrigado a levantar e mergulhar as toalhas na água mais uma vez. Dessas peregrinações ao jarro e à bacia, ele retornava com um adorno tão excêntrico na cabeça que nenhuma palavra no mundo conseguiria descrevê-lo, e que somado à carrancuda e ansiosa expressão tornava a cena ainda mais cômica.

Por fim, depois de preparar a refeição completa, o chacal a ofereceu ao leão, que a recebeu, a analisou com cautela, fez seus comentários e contou com a ajuda do chacal em ambas as etapas. Uma vez escarafunchada a comida, o leão tornou a levar as mãos à cintura e recostou-se para refletir. O chacal então renovou as energias molhando a garganta com um copo cheio e refrescando a cabeça com mais uma compressa, depois, começou os preparativos para o próximo banquete, que por sua vez foi servido ao leão do mesmo modo e só terminou de ser esmiuçado quando o relógio bateu as três horas da manhã.

– E agora que acabou, Sydney, sirva-se de ponche – disse o senhor Stryver.

O chacal retirou as toalhas da cabeça, que por sua vez voltava a fervilhar, sacudiu-se, bocejou, estremeceu e obedeceu.

– Foi muito assertivo hoje, Sydney, em relação àquelas testemunhas da coroa. Em cada uma das perguntas.

– Sou sempre assertivo, não?

– Não posso negar. O que houve que se irritou de repente? Tome um gole de ponche e trate de melhorar essa cara.

Com um grunhido, o chacal tornou a obedecer.

– O velho Sydney Carton da velha Shrewsbury School – disse Stryver, assentindo como quem está avaliando o passado e o presente do sujeito. – O velho e o novo Sydney, pendendo de um lado para o outro na balança. Ora lá em cima, ora lá embaixo. Ora animado, ora entristecido.

– Ah! – exclamou o outro com um suspiro. – Sim! O mesmo Sydney, com a mesma sorte. Mesmo naquela época, eu já fazia os exercícios dos camaradas e raramente fazia os meus.

– E por que era assim?

– Sabe Deus. Era meu jeito, suponho.

E com isso sentou-se, as mãos nos bolsos e as pernas esticadas, olhando para a lareira.

– Carton – chamou o amigo, ajeitando o corpo e pondo-se à frente dele com um ar intimidador, como se a lareira fosse uma fornalha na qual o esforço contínuo é forjado e a única medida gentil para se tomar em prol do velho Sydney Carton da velha Shrewsbury School seja arremessá-lo fogo adentro. – O seu jeito é e sempre foi frouxo. Falta energia e propósito. Olhe para mim.

– Ah, quanta importunação! – retrucou Sydney, com uma risada leve e mais animada. – Não me venha com lição de moral!

– Como cheguei aonde estou? – perguntou Stryver. – Como faço o que faço?

– Em partes, pagando-me para ajudá-lo, suponho. Mas não perca seu tempo me oferecendo sermões sobre o assunto. O que quer fazer, você faz. Sempre estava na linha de frente e eu sempre estive atrás.

– Tive de chegar à linha de frente. Não nasci nela, nasci?

– Não compareci à cerimônia, mas em minha opinião, você nasceu, sim – respondeu Carton. Ele riu de novo, e dessa vez, os dois riram juntos.

– Antes de Shrewsbury, durante Shrewsbury e depois Shrewsbury, você assumiu sua posição e eu a minha. Mesmo quando éramos colegas naquele bairro de estudantes em Paris, estudando francês, legislação francesa e outras migalhas francesas nas quais nós não fomos muito bons, você já tinha seu lugar e eu vivia sempre pelos cantos.

– E de quem é a culpa?

– Juro pela minha alma, tenho minhas dúvidas de que não tenha sido sua. Você sempre empurrava, pressionava, abria os caminhos com tanta força que não me restou outra opção senão a inércia e a resignação. Mas que coisa deprimente falar do passado com o dia raiando. Mude de assunto antes que eu vá embora.

– Pois bem! Brindemos à bela testemunha! – sugeriu Stryver, erguendo o cálice. – Falemos de algo mais agradável?

Ao que pareceu, a sugestão não agradou, pois Carton manteve a carranca.

– Bela testemunha – murmurou, olhando para o cálice de vinho. Estou farto de testemunhas por hoje. Quem é essa tal bela a quem se referiu?

– A linda filha do doutor, a senhorita Manette.

– Ela é bonita?

– Não acha?

– Não.

– Que isso, homem! O tribunal inteiro ficou de queixo caído com a moça!

– Para o diabo o queixo do tribunal! E desde quando Old Bailey virou tribunal de beleza? Aquela moça é uma boneca de cabelo dourado!

– Sabe, Sydney – disse o senhor Stryver, encarando Carton com um olhar mordaz e deslizando a mão pelo rosto rosado –, no momento do julgamento, cheguei a pensar que você simpatizou com a moça e se mostrou afoito por saber o que tinha acontecido com a boneca de cabelo dourado.

– Afoito! Se uma moça, boneca ou não, desfalece debaixo do nariz de um homem, ele não precisa de nenhum telescópio para ver o que aconteceu. Brindo com você, mas nego a beleza da moça. E já chega de beber por hoje. Vou dormir.

Quando o anfitrião saiu atrás dele até a escada, segurando uma vela para iluminar os degraus, a luz do dia começava a penetrar pelo vidro encardido da janela. Ao sair da casa, o ar estava frio e tristonho, e o cenário parecia o de um deserto sem vida. E uma cortina de poeira girava feito uma espiral antes do alvorecer, como se a areia do deserto tivesse se elevado, avançando e pairando sobre a cidade.

Sentindo-se esgotado e cercado por um deserto, esse homem interrompeu o passo enquanto atravessava um terraço silencioso e, por um momento, em meio à fustigante ventania, avistou a miragem de uma ambição digna, abnegação e perseverança. Na clara cidade em que se delineou essa miragem, havia galerias arejadas de onde amores e graças o aguardavam, jardins férteis nos quais os frutos da vida pendiam e as águas da esperança reluziam à vista dele. No instante seguinte, a miragem desapareceu. Subindo os degraus para chegar a seus aposentos, entre um emaranhado de casas, jogou-se na cama desarrumada sem trocar de roupa e ali encharcou o travesseiro com lágrimas.

Infelizmente, infelizmente, o sol despontou. E despontou em uma cena que não poderia ser mais triste, a do homem de boas virtudes e bons sentimentos, incapaz de usufruí-los por conta própria, incapaz de ajudar a si mesmo e ser feliz, ciente da própria desgraça e permitindo deixar que ela o devore.

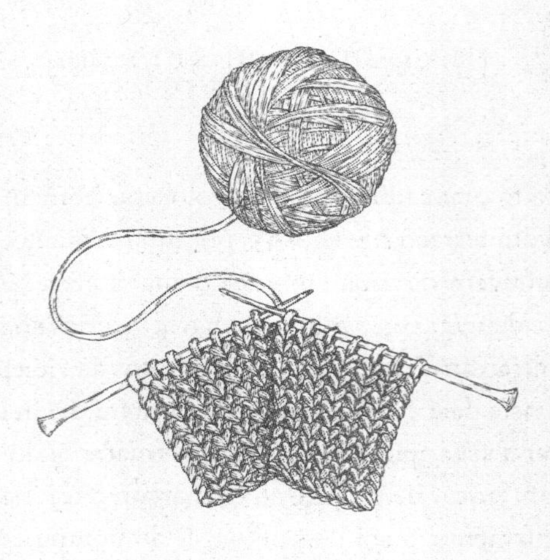

CENTENAS DE PESSOAS

O tranquilo domicílio do doutor Manette ficava em uma esquina sossegada não muito longe do Soho. Na tarde de um certo domingo, quando as ondas de quatro meses já haviam rolado sobre aquele julgamento por traição e o varreram, tanto do interesse público quanto da memória pública, para as profundezas do oceano, o senhor Jarvis Lorry caminhava pelas ruas ensolaradas de Clerkenwell, onde morava, até a casa do doutor Manette, com quem iria jantar. Depois de muito tempo dedicando-se inteiramente aos negócios, Lorry tornara-se amigo de Manette e a tranquila esquina agora era a parte ensolarada de sua vida.

Nesse agradável domingo, o senhor Lorry andava em direção ao Soho, ao entardecer, movido pela força do hábito em três aspectos: primeiro porque em domingos agradáveis como aquele, com frequência ele saía, antes do jantar, com o doutor e Lucie; segundo porque, em domingos nublados, ele estava acostumado a estar com eles como amigo da família, conversando, lendo, olhando pela janela, esperando o dia passar; terceiro porque tinha suas próprias inquietações, conhecia os hábitos da casa do doutor e sabia que esses eram os momentos oportunos para resolvê-las.

Não se via em Londres nenhuma outra esquina tão pitoresca quanto aquela onde morava o doutor Manette. Por ali não havia cruzamento e as janelas da frente da casa tinham uma vista discreta para a rua, com um agradável ar de retiro. Ao norte da avenida Oxford havia poucos prédios, floresciam as árvores de floresta, cresciam flores silvestres e desabrochavam espinheiros nos campos hoje desaparecidos. Como consequência, o ar campestre circulava pelo Soho de vento em popa, em vez de se arrastar pelas ruas do bairro como os mendigos sem rumo; e não muito longe dali, em um belo muro, pêssegos brotavam e amadureciam quando chegava a estação.

No alvorecer, a luz do verão resplandecia naquela esquina, mas quando começavam a esquentar as ruas, o canto ficava à sombra, não a ponto de impedir a contemplação do brilho do sol. Era um lugar fresco, tranquilo como também alegre, reduto maravilhoso dos ecos e refúgio perfeito para escapar da agitação das ruas.

Deveria haver uma barca tranquila por ali naquele ancoradouro e de fato havia. O doutor Manette morava em dois andares de uma casa grande e espaçosa, onde se suporia que diferentes talentos eram praticados ao longo do dia, mas ouvia-se pouco barulho e à noite era evitada por todos. Em um edifício aos fundos, cujo acesso era feito por um pátio onde farfalhavam as folhas verdes dos plátanos, órgãos de igreja aguardavam para serem produzidos, e a prata para ser esculpida e, da mesma forma, o ouro aguardava para ser martelado pela mão de algum gigante misterioso, cujo braço lançava-se pela parede da fachada, como se ele próprio tivesse se esculpido para chegar à preciosidade e ameaçasse o mesmo tipo de conversão a todos os visitantes. Pouquíssimo se via ou se ouvia desses estabelecimentos, tampouco do inquilino solitário que morava no andar de cima como corria à boca miúda, ou do fabricante de acessórios para carruagem que, segundo contavam, tinha um escritório de contabilidade no andar debaixo. Vez ou outra um trabalhador passava vestindo seu casaco, atravessando o saguão, ou um estranho vagava por ali, perscrutando tudo, ou ouvia-se um tinido vindo do jardim, ou escutava-se a marchetada do gigante de ouro. No entanto, essas eram apenas as exceções que provavam a regra de que o canto dos pardais nos plátanos atrás da casa e os ecos na esquina eram os sons que imperavam das manhãs de domingo às noites de sábado.

O doutor Manette atendia ali os pacientes; que, graças à sua antiga reputação, retomada pelo burburinho que circulava a respeito de sua história, o procuravam. O conhecimento científico, a cautela e a habilidade de conduzir engenhosos experimentos trouxeram-lhe razoável clientela e a renda que desejava.

E tudo isso permeava os pensamentos, a percepção e a consciência do senhor Jarvis Lorry quando ele tocou a campainha da casa tranquila da esquina, em uma bela tarde de domingo.

– O doutor Manette está?

Saiu, mas volta logo.

– A senhorita Manette está?

Saiu, mas volta logo.

– A senhorita Pross está?

É possível que esteja, mas para uma criada é impossível prever as intenções da senhorita Pross em relação à confirmação ou à negação desse fato.

– Como eu estou em casa, vou subir – disse o senhor Lorry.

Embora a filha do doutor nada conhecesse de sua terra natal, aparentava ter herdado a habilidade inata dos que ali nasciam, a de produzir muito com pouco, umas das mais úteis e sensatas características dos franceses. Por mais simples que fosse a mobília, tinha pequenos enfeites de todo o tipo, sem nenhum valor além do bom gosto e do charme, o que tornava encantadora a decoração. A disposição de tudo nos cômodos, do maior ao menor objeto; a combinação das cores, a elegante variedade e contraste obtidos com o uso moderado dos objetos, pelas mãos delicadas, olhos atentos e pelo bom senso; tudo isso era ao mesmo tempo tão agradável em si e tão expressivo de quem os criou, que, enquanto o senhor Lorry olhava ao redor, as próprias cadeiras e mesas pareciam, com aquela expressão peculiar a qual ele conhecia tão bem e há tanto tempo, perguntar: o cavalheiro aprova?

No mesmo andar, havia três quartos e as portas pelas quais se comunicavam estavam abertas para que o ar circulasse livremente por todos eles. O senhor Lorry, deleitoso observador daquela exuberante semelhança detectada ao seu redor, andou de um para o outro. O primeiro era o melhor entre eles, onde os pássaros, e as flores, e os livros, e a escrivaninha, e a mesa de trabalho e a caixa de aquarela de Lucie ficavam; o segundo era o consultório do médico, também usado como sala de jantar; o terceiro, pontilhado pela sombra oscilante das folhas do plátano no jardim, era onde dormia o doutor e, em um dos cantos, ficavam o banco de sapateiro e a caixa de ferramentas, assim como no quinto andar do lúgubre sótão da taberna, no subúrbio de Saint-Antoine, em Paris.

– Eu fico me perguntando... – disse o senhor Lorry, interrompendo por um instante a contemplação dos aposentos – qual o motivo para ele guardar essa lembrança do seu sofrimento!

– E por que se admira? – Assustou-o uma voz de repente.

Tratava-se da senhorita Pross, a mulher ruiva, forte e de mãos grandes que ele conhecera no Royal George Hotel, em Dover, e com quem tinha passado a se relacionar melhor desde então.

– Bem que eu imaginei... – disse o senhor Lorry.

– Ah! O senhor bem que imaginou! – retrucou a senhorita Pross e o senhor Lorry deixou a conversa de lado.

– Como vai o senhor? – perguntou a senhorita com certa rispidez, mas ao mesmo tempo em um tom de quem estava em missão de paz.

– Vou muito bem, obrigado – respondeu o senhor Lorry com gentileza. – E a senhorita?

– Nada do que possa me gabar.

– É mesmo?

– Ah, verdade. Estou muito preocupada com minha menina – respondeu a senhorita Pross.

– É mesmo?

– Santo Deus! Diga alguma coisa que não seja "é mesmo?" se não quiser me matar de tédio – reclamou a senhorita Pross, cuja paciência (ao contrário da estatura) era curta.

– É verdade, então? – emendou o senhor Lorry.

– "É verdade, então" não muda muito, mas é um pouco melhor. Sim, estou muito preocupada.

– Permite-me perguntar o motivo?

– Não quero esse *bando* de gente inadequada para minha menina vindo aqui atrás dela – explicou a senhorita Pross.

– Aparece um *bando* de gente aqui com esse propósito?

– Um bando e mais um pouco.

Era típico dessa dama (como de alguns nascidos antes e depois dela) exagerar em suas respostas sempre que era questionada sobre alguma afirmação.

– Valha-me Deus! – exclamou o senhor Lorry, lançando mão da frase mais segura em que conseguiu pensar.

– Moro com a minha querida... ou minha querida mora comigo e me paga por isso, o que certamente ela jamais deveria ter feito, juro pela minh'alma, pois se tivesse tido condições, desde os seus dez anos sustentaria a nós duas sem pedir nenhum centavo em troca. É muito duro.

Sem ter certeza do que ela quis dizer com "muito duro", o senhor Lorry balançou a cabeça, usando dessa parte de si mesmo como uma espécie de capa mágica que serve para qualquer situação.

– Não para de aparecer aqui todo tipo de gente, gente esta que não tem o valor de um animal de estimação – acrescentou a senhorita Pross. – Quando o senhor começou com essa coisa...

– Eu comecei, senhorita Pross?

– E não foi o senhor? Quem desenterrou o pai dela?

– Ora! Se a senhorita considera isso o começo...

– Suponho que não foi o fim, não é? Digo, quando o senhor começou com isso, foi muito duro. Não que eu tenha algo contra o fato de o doutor Manette ter reaparecido, a não ser o fato de ele não merecer uma filha como ela, o que não é culpa dele, porque não se espera que ninguém seja digno dela, sob nenhuma circunstância. Mas é realmente duas, três vezes mais difícil ver esse amontoado de gente vindo atrás dele (e eu poderia tê-lo perdoado) para tirar a minha menina de mim.

O senhor Lorry sabia que a senhorita Pross era muito ciumenta, mas a essa altura também sabia que debaixo do disfarce da excentricidade escondia-se uma das criaturas mais altruístas; encontrada apenas entre mulheres que, por amor e admiração, entregavam-se voluntariamente como escravas à juventude que perderam, à beleza que nunca tiveram, às realizações que nunca alcançaram, à esperança que nunca brilhou em suas vidas sombrias. O senhor Lorry conhecia o mundo o suficiente para saber que não há nada mais valioso do que a leal entrega do coração, tão abnegado e tão livre de qualquer mancha mercenária, e tinha um respeito tão profundo por isso que nos complexos arranjos da trama de sua própria mente – coisa que todos fazemos, uns mais, outros menos –, posicionou a senhorita Pross muito mais perto dos anjos caídos do que as numerosas damas clientes do banco Tellson, incomensuravelmente mais privilegiadas, tanto pela natureza como pela arte.

– Nunca houve e jamais haverá um homem digno da minha menina, exceto um – afirmou a senhorita Pross. – É meu irmão, Solomon, se ele não tivesse cometido um erro na vida.

As perguntas do senhor Lorry quanto à vida pessoal da senhorita Pross levaram-no a descobrir que o irmão dela, Solomon, era um calhorda sem coração que usurpara tudo que ela tinha, gastando com jogatina; depois, sem esboçar nenhum remorso, abandonou a irmã na completa pobreza. A cega confiança da senhorita Pross em Solomon (reduzindo a uma mera insignificância esse leve delito) era assunto seríssimo para o senhor Lorry e tinha um peso considerável na boa percepção que ele fazia a respeito dela.

– Aproveitando o fato de estarmos sozinhos no momento e de sermos pessoas de negócios – comentou depois de retornarem à sala de estar e sentarem-se como bons amigos –, permita-me fazer uma pergunta. O doutor, quando conversa com Lucie, nunca menciona a época em que era sapateiro?

– Nunca.

– E ainda conserva aquele banco e aquelas ferramentas de sapateiro com ele?

– Ah! – exclamou a senhorita Pross, balançando a cabeça. – Mas eu não disse que ele não toca no assunto quando está sozinho.

– Acha que ele ainda pensa bastante nisso?

– Acho.

– A senhorita consegue imaginar... – O senhor Lorry começou a indagar, mas a senhorita Pross o interrompeu.

– Nunca imagino nada. Imaginação é coisa que não tenho.

– Perdoe meu erro. A senhorita supõe... chega a supor, às vezes?

– De vez em quando – respondeu a senhorita Pross.

– A senhorita supõe – continuou o senhor Lorry com um olhar afetuoso e de certo modo brincalhão enquanto a olhava com gentileza –, que o doutor Manette tenha guardado ao longo de todos esses anos alguma teoria própria em relação ao que lhe aconteceu, e talvez até saiba a identidade de seu opressor?

– Não suponho nada a respeito a não ser pelo que a minha menininha me conta.

– E o que ela diz...

– Que acha que ele tem.

– Bem, não se zangue comigo por estar fazendo todas essas perguntas, porque não passo de um mero entediante homem de negócios, e a senhorita é uma mulher de negócios.

– Entediante? – inquiriu a senhorita Pross em um tom sereno.

Tentando deixar de lado o modesto adjetivo que usara, o senhor Lorry respondeu:

– Não, não, não. É claro que não. Voltemos aos negócios, não é de se admirar que o doutor Manette, claramente inocente e isento da culpa de qualquer crime, como todos nós bem sabemos, nunca tenha tocado no assunto com ninguém? Não me refiro a mim, embora ele mantivesse relações de negócios comigo há muitos anos e agora sejamos íntimos. Mas e quanto a sua bela filha a quem é tão apegado, e que é tão apegada a ele? Acredite, senhorita Pross, não toco nesse assunto com sua pessoa por simples curiosidade, mas por apreço.

– Bom! Pelo que sei, e não é muita coisa, me corrija se eu estiver errada – disse a senhorita Pross, com a voz de quem faz um pedido de desculpas –, ele tem medo desse assunto.

– Medo?

– Creio que seja fácil, a meu ver, compreender os motivos dele. É uma terrível lembrança. Além disso, com o fato, perdeu-se de si mesmo. E sem saber como se perdeu, ou como se reencontrou, talvez nunca poderá ter certeza de que não vai voltar a se perder. Isso, por si só, torna o assunto desagradável, penso eu.

O comentário foi mais profundo do que o senhor Lorry esperava.

– Verdade – concordou o senhor Lorry. E apavorante para se pensar sobre. No entanto, uma dúvida paira na minha cabeça, senhorita Pross. Será benéfico para o doutor Manette manter o que aconteceu trancado dentro dele? De fato, é essa dúvida, e a inquietação que esta me causa algumas vezes, que me levou a lhe fazer essa confidência.

– Não há o que fazer – afirmou a senhorita Pross, balançando a cabeça em um gesto negativo. Basta tocar nessa tecla e ele muda para pior. Melhor deixar para lá. Trocando em miúdos, é melhor deixar a coisa como está, goste ou não. Às vezes, ele acorda no meio da noite e o ouvimos andando de um lado para o outro, para lá e para cá, no quarto dele. Lucie já sabe que é nesses momentos que a mente dele vagueia de um lado para o outro, na prisão onde ele ficava. Ela vai até ele e então os dois continuam, andando de um lado para o outro, juntos, para lá e para cá, até ele se acalmar. Mas ele não diz uma palavra que explique o motivo da inquietação e ela acha melhor nem sugerir isso a ele. E assim ficam os dois, em silêncio, andando de um lado para o outro juntos, para lá e para cá, até que a companhia e o amor da filha o tragam de volta a si.

Embora a senhorita Pross negasse a própria imaginação, por meio da repetição da frase "andando de um lado para o outro", havia nela a percepção da dor de ser assombrada por lembranças tristes, como as do doutor Manette; e tal fato confirmava a capacidade dela em imaginar.

A esquina já mencionada era de fato um lugar privilegiado para os ecos, pois os passos que se aproximavam começaram a ressonar de tal modo como se a simples menção àquele vaivém de pés tivesse trazido consigo o movimento.

– Aí vem eles! – disse a senhorita Pross, levantando-se e interrompendo a conversa. – E daqui a pouco devem chegar dúzias e mais dúzias de gente!

Aquele era um canto tão peculiar em suas características acústicas, tal como um peculiar Ouvido do Lugar, que o senhor Lorry parou na janela aberta, olhando para ver o pai e a filha cujos passos ele já tinha ouvido, e chegou a imaginar que jamais chegariam. Não só os ecos desapareceram, como se os passos cessassem de repente; mas, ecos de outros passos começaram a ressonar e desapareciam para sempre quando pareciam mais próximos do que nunca. Porém, pai e filha por fim apareceram e a senhorita Pross pôs-se a postos na porta para recebê-los.

Cena agradável de ser ver foi a senhorita Pross, apesar de arisca, avermelhada e sisuda, retirando o gorro de sua adorada menina quando ela chegou ao andar de cima; apalpando a pele da moça com a ponta do lenço; soprando-lhe a poeira do corpo; dobrando o manto para guardá-lo; alisando o exuberante cabelo com o mesmo orgulho com que faria com os seus, se fosse a mais vaidosa e bela das mulheres. Era também uma visão agradável sua adorada menina abraçando-a agradecendo-lhe e queixando-se de dar tanto trabalho; este último em tom de brincadeira, claro, do contrário, a senhorita Pross, extremamente magoada, se retiraria para os seus aposentos e lá se debulharia em lágrimas. Igualmente agradável era ver o doutor, observando as duas, dizendo à senhorita Pross que mimava demais Lucie, com um tom e um olhar que evidenciavam que o próprio pai fazia o mesmo com a filha (senão mais), se fosse possível. Não menos agradável era ver o senhor Lorry, figura sorridente diante daquela cena, radiante sob a pequena peruca e agradecendo às estrelas da solteirice por tê-lo presenteado, em sua velhice, com um lar. No entanto, o bando de gente não apareceu e o senhor Lorry esperou em vão a concretização da profecia da senhorita Pross.

Chegou a hora do jantar e ainda nem o menor sinal do bando de pessoas. Quanto às tarefas domésticas, a senhorita Pross encarregava-se do andar de baixo e desempenhava suas funções com maestria. Os jantares, embora de qualidade modesta, eram tão bem preparados e servidos, e tão elegantes em seus pratos, com culinária metade inglesa e metade francesa, que nada poderia ser melhor. Sendo a senhorita Pross o tipo inteiramente prático, inclusive no que tange às relações, percorrera todo o Soho e as províncias da redondeza, à procura de destituídos franceses que, atiçados por xelins e meias-coroas, compartilhavam com ela os mistérios da culinária. E com esses filhos e filhas decadentes da Gália aprendera artes tão maravilhosas que a mulher e a menina da equipe de domésticas consideravam a senhorita Pross alguma espécie de feiticeira, ou uma fada madrinha da Cinderela, capaz de mandar buscar uma galinha, um coelho, um legume ou outro da horta e transformá-los no que bem quisesse.

Aos domingos, a senhorita Pross sentava à mesa com o médico, mas nos outros dias da semana insistia em fazer suas refeições em horários alternativos, em um canto escondido da casa ou nos próprios aposentos no segundo andar, onde ninguém mais tinha permissão de entrar, a não ser sua menina. Naquele domingo, a senhorita Pross, em retribuição ao semblante acolhedor de sua menina e aos esforços desta para agradá-la, sentiu-se muitíssimo à vontade. Aquele foi um jantar muito agradável.

E foi também um dia de muito calor e, depois do jantar, Lucie sugeriu que tomassem o vinho ao ar livre embaixo do plátano. Como ela era o centro norteador de tudo e todos, os demais saíram e foram se sentar no local da sugestão dela, e Lucie levou consigo o vinho, para sorte do senhor Lorry. Algum tempo antes, ela já tinha se encarregado de servir o senhor Lorry e enquanto conversavam sob o plátano, mantinha o copo dele sempre cheio. Misteriosos fundos e extremidades de casas os espiavam enquanto conversavam e as folhas do plátano sussurravam à própria maneira sobre a cabeça deles.

E o bando de gente continuava sem aparecer. O senhor Darnay chegou enquanto estavam ali, ao ar livre, mas foi o único.

O doutor Manette o recebeu com gentileza e assim também o fez Lucie. No entanto, de repente a senhorita Pross queixou-se de dores na cabeça e no corpo e recolheu-se para a casa. Era frequente ela ser acometida por tal distúrbio, que, em conversas informais, chamava de "ataque de nervos".

Quanto ao doutor, estava em sua melhor forma e parecia particularmente jovem. A semelhança entre ele e Lucie ficava muito evidente nessas ocasiões, como quando sentavam lado a lado, ela apoiada no braço do pai, ele apoiando o braço no encosto da cadeira da filha, era algo fascinante de se observar.

Ele passara o dia inteiro conversando sobre diferentes assuntos e com um ânimo não muito habitual.

– Diga-me, senhor Manette, conhece bem a Torre de Londres? – perguntou o senhor Darnay, sentando-se ao pé da árvore, e o fez com muita naturalidade, com o objetivo de enredar no tema em questão, por acaso os antigos edifícios de Londres.

– Lucie e eu estivemos lá, uma breve passagem, mas conhecemos o bastante para saber que se trata de um lugar interessante. Nada além disso.

– Estive lá, como o senhor bem sabe – afirmou Darnay com um sorriso, apesar do rosto ligeiramente enrubescido pela raiva –, mas em outras circunstâncias, que não me permitiam conhecer o edifício como eu gostaria. Soube de um fato curioso enquanto estive lá.

– É mesmo? O quê? – indagou Lucie.

– Durante uma reforma, os operários descobriram uma antiga masmorra, que tinha sido construída há muitos anos e ficou esquecida. Cada pedra da parede interna continha datas, nomes, queixas e orações entalhados pelos prisioneiros. Em uma pedra angular, um prisioneiro, que aparentemente foi condenado à morte, havia deixado uma última mensagem com três letras. A mensagem fora escrita às pressas, com algum instrumento improvisado e com as mãos trêmulas. A princípio, parecia D.I.C., mas em uma leitura mais atenta, descobriram que a última letra era na verdade G. Não havia nenhum registro ou rastro que levasse a algum prisioneiro com essas iniciais e muitos palpites surgiram sobre a que se referia aquela mensagem, mas não passou de especulação. Por fim, concluíram que as letras não eram iniciais, mas formavam uma palavra completa, "DIG"[11]. Vasculharam com muito cuidado o chão abaixo da mensagem e, na terra, debaixo de uma pedra, telha ou fragmento de algo que compunha a pavimentação, encontraram as cinzas de um papel misturadas às de uma pequena pasta ou bolsa de couro. O que o prisioneiro não identificado grafara nunca poderá ser lido, mas escrevera algo e o escondeu da vista do carcereiro.

– Meu pai! – exclamou Lucie. – O senhor não está bem!

O doutor Manette se levantara de repente, com a mão na cabeça. E seu semblante e reação deixaram todos ali muito preocupados.

– Não, minha querida, estou bem. Só me assustei com essas gotas grandes de chuva que começaram a cair, por isso levantei-me. É melhor entrarmos.

E, com isso, recompôs-se quase instantaneamente. De fato, havia começado a chover e ele mostrou o dorso da mão molhado. Mas o doutor Manette não disse uma palavra sequer quanto à descoberta relatada e, enquanto retornavam à casa, os olhos afiados do senhor Lorry detectaram ou cogitaram ter detectado no doutor Manette,

11 Do inglês "cavar", "desenterrar". (N.T.)

quando este voltou-se para Charles Darnay, o mesmo olhar que notara ao observá-lo nos corredores do tribunal.

No entanto, ele recuperou-se tão rapidamente que o senhor Lorry duvidou da própria percepção. O braço do gigante dourado no saguão não era mais firme que o doutor, quando este parou embaixo dele para lhes mostrar que ainda não era imune a pequenas surpresas (se é que um dia o seria) e que a chuva o assustara.

Hora do chá, e a senhorita Pross teve outro ataque de nervos e nem um indivíduo sequer do bando de gente se apresentara. O senhor Carton também aparecera, mas com ele, eram apenas duas pessoas.

Foi uma noite tão abafada que, embora tivessem deixado as portas e as janelas abertas, sentiam-se sufocados de tanto calor. Terminado o chá, todos foram para uma das janelas e apreciaram o denso crepúsculo. Lucie sentou-se ao lado do pai, Darnay sentou-se ao lado dela, Carton encostou-se na janela. As cortinas eram compridas e brancas e com algumas rajadas de vento rodopiavam até o teto, formando no ar fantasmagóricas espirais.

– A chuva continua caindo, com poucas gotas, mas grandes e pesadas – comentou o doutor Manette. – A tempestade aproxima-se devagar.

– Mas é certa – completou Carton.

Conversavam com a voz baixa, como a maioria das pessoas o faz enquanto observa e aguarda. Como sempre fazem aqueles em um quarto escuro, enquanto observam e aguardam pelos relâmpagos.

Nas ruas, todos de repente apressavam-se à procura de um abrigo antes de a tempestade começar. Aquele maravilhoso reduto dos ecos ressoava os passos que iam e vinham, embora não se visse ninguém especificamente ali.

– Uma multidão de gente e ao mesmo tempo uma multidão de solitários! – comentou Darnay, quebrando o silêncio mantido há algum tempo.

– Não é impressionante, senhor Darnay? – perguntou Lucie. – Às vezes sento aqui ao entardecer, até a hora que começo a devanear... mas nessas horas, quando tudo parece tão sombrio e solene, até a sombra de um devaneio me estremece.

– Pois permita-nos a mesma sensação. Queremos saber que devaneios são esses.

– Pode parecer coisa sem importância para os senhores. Essas coisas só impressionam no momento em que as criamos, não são feitas para serem compartilhadas. Às vezes, à noite, fico aqui sentada sozinha, escutando até perceber que esses ecos são na verdade os ecos de todos os passos que entram e saem de nossas vidas.

– Se for assim, há uma multidão preparando-se para entrar em nossas vidas, suponho – comentou Sydney Carton, em um tom de certo modo melancólico.

Os passos não cessavam e se movimentavam em um ritmo cada vez mais e mais acelerado. A esquina ecoava e tornava a ecoar a marcha de pés; alguns, como pareciam, bem embaixo das janelas; outros, dentro da sala; alguns vindo, outros indo, alguns diminuindo, outros parando de repente, tudo em ruas distantes, nenhum à vista.

– E todos esses passos vêm em nossa direção, senhorita Manette, vamos dividi-los entre nós?

– Não sei, senhor Darnay. Eu lhes disse que se tratava de devaneios bobos, mas é o senhor que me pergunta. Quando me entreguei a eles, estava sozinha, e imaginei serem aqueles os passos de pessoas que entrarão na minha vida e na de meu pai.

– Pois que entrem na minha também! – exclamou Carton. – Não faço perguntas e nem lhes imporei condições. Há uma multidão enorme vindo em nossa direção, senhorita Manette, e eu a vejo... nos relâmpagos. – As duas últimas palavras foram ditas logo depois que um clarão irrompeu no céu e mostrou-o encostado na janela. – E eu posso escutá-lo! – acrescentou depois de um trovão. – Aí vêm eles, rápidos, ferozes, furiosos!

Era ao ímpeto e ao bramido da chuva a que Carton referia-se, os mesmos que o detiveram, pois nenhuma voz poderia ser ouvida naquele ínterim. Uma tempestade impossível de ser esquecida, entremeada por trovões e relâmpagos desmoronou céu abaixo, sem um intervalo sequer entre estrondos, lampejos e água até o nascer da lua, à meia-noite.

O grande sino de Saint Paul badalou à uma da manhã no ar claro, quando o senhor Lorry, acompanhado por Jerry, com botas de cano alto e lanterna à mão, pegou o caminho de volta a Clerkenwell. Havia alguns trechos sem nenhum movimento pela estrada no caminho entre Soho e Clerkenwell; o senhor Lorry, preocupado com possíveis salteadores, confiava a retaguarda a Jerry, embora esses assaltos costumassem acontecer duas horas mais cedo.

– Que noite essa, não?! Quase uma noite e tanto para desenterrar os mortos das sepulturas! – comentou o senhor Lorry.

– Nunca vi uma noite como essa, patrão, e espero nunca ver uma... nem o que isso causaria – disse Jerry.

– Boa noite, senhor Carton! – desejou o homem de negócios. – Boa noite, senhor Darnay! Que tenhamos outras noites como esta!

Possivelmente. Talvez, veja a grande multidão de pessoas com seus bramidos e passos apressados, avançando sobre eles, também.

MONSENHOR NA CIDADE

Monsenhor, um dos lordes mais poderosos da Corte, oferecia quinzenalmente uma pomposa recepção em sua mansão, em Paris. Estava em seu aposento particular, santuário dos santuários, o mais sagrado dos sacratíssimos para a multidão de adoradores ao lado de fora. Sua excelência estava prestes a tomar seu chocolate. Conseguia engolir muitas coisas com extrema facilidade, e para algumas mentes mais ousadas, seria capaz de devorar a França com ainda mais destreza. Porém, o chocolate matinal não lhe descia pela garganta sem a ajuda de quatro homens fortes, além do cozinheiro.

Sim, foram necessários quatro homens, todos reluzentemente adornados e cujo chefe não permitia aparição com menos de dois relógios de ouro no bolso, acompanhando o estilo nobre e galante imposto por monsenhor para levar o afortunado chocolate aos lábios deste. Um lacaio trazia a chocolateira à sua sagrada presença; outro moía e escumava o chocolate com o pequeno instrumento trazido para tal função; um terceiro oferecia-lhe seu guardanapo favorito; um quarto (o que carregava dois relógios de ouro), enchia a xícara. Para o monsenhor, seria impossível dispensar um desses lacaios e manter-se no mais alto patamar de admiração dos Céus. Incomensurável seria a mácula em seu brasão e a demonstração de desprezo se o chocolate fosse servido por apenas três homens; e ele morreria, se fossem apenas dois.

Na noite anterior, monsenhor participara de um jantarzinho no qual representaram de modo fascinante a Comédia e a Grande Ópera. Quase todas as noites sua excelência participava de jantares como aquele, com encantadoras companhias. Tão cortês e impressionável era o monsenhor, que a Comédia e a Grande Ópera tinham de longe mais influência sobre ele nos entediantes negócios e segredos do Estado, do que as necessidades da França inteira. E que feliz circunstância essa para a França – e para todo e qualquer país igualmente favorecido! –, caso da Inglaterra, por exemplo, vendida nos famigerados tempos do feliz Stuart.

Monsenhor mantinha a ideia verdadeiramente nobre a respeito dos negócios públicos em geral, que consistia em deixar que tudo seguisse o próprio curso; e quanto aos negócios públicos que diziam respeito a ele próprio, sua excelência mantinha outra ideia verdadeiramente nobre de que tudo deveria transcorrer ao ritmo próprio – desde que desembocasse em sua autoridade e nos seus bolsos. Com relação a seus prazeres gerais e particulares, monsenhor igualmente tinha a nobre ideia de que o mundo fora feito para eles. Em seu texto de posse (cuja única alteração foi a de um pronome), lia-se: "De monsenhor é a terra e a sua plenitude, o mundo e aqueles que nele habitam".

No entanto, aos poucos, monsenhor descobriu que alguns empecilhos vulgares entrepunham-se em seus negócios, tanto os particulares quanto os públicos e forçosamente teve de aliar-se a um cobrador de impostos. No que dizia respeito às finanças públicas, monsenhor, sem saber o que fazer com elas, teve de confiá-las às mãos de quem soubesse; em relação às finanças particulares, teve de entregá-las porque os cobradores de impostos eram ricos e, monsenhor, depois de gerações de muito luxo e gastos, depauperava. Por essas razões, sua excelência tirara a irmã do convento, enquanto ainda havia tempo de não receber o hábito, acessório mais barato que ela poderia vestir, e entregara-a como um prêmio a um abastado cobrador de impostos, mas de família pobre. Esse mesmo cobrador de impostos, de posse de uma bengala com uma maçã de ouro no castão, estava entre os presentes do lado de fora de seus aposentos, servindo como alvo de veneração para aqueles olhares prostrados a seus pés, com exceção daquela parcela superior que carregava nas veias o sangue do monsenhor, entre a qual estava a própria esposa, que com desprezo fitava o cobrador de impostos.

Era figura suntuosa o cobrador de impostos. Mantinha trinta cavalos na estrebaria, vinte e quatro criados o serviam na mansão e seis criadas ficavam à disposição de sua esposa. Como era o tipo que aparentava saquear e despojar tudo o quanto pudesse, o cobrador de impostos, por mais que o matrimônio o alçasse a uma condição de moralidade ante a sociedade, era no mínimo a figura de mais prestígio entre as personalidades presentes no palácio de monsenhor naquele dia.

Quanto aos cômodos, embora formassem um belíssimo cenário adornado com todo o tipo de decoração que o bom gosto e a perspicácia da época assim permitiam selecionar, não podiam enganar os olhos, já que contrapunham ao cenário de espantalhos vestindo trapos e barretes alhures (não muito longe dali, pois das torres de observação de Notre Dame, quase equidistantes dos dois extremos, via-se ambos), e desagradável seria essa constatação se o assunto fosse da conta de algum entre os presentes na casa de monsenhor. Oficiais das forças armadas destituídos de conhecimento militar; oficiais da marinha sem terem ideia do que era um navio; agentes civis sem conhecimento das ocorrências; eclesiásticos impudentes que cometiam os pecados mais pecaminosos da face da terra, todos com olhos maliciosos, língua solta e vida regrada a libertinagem, todos com uma conduta totalmente inadequada às suas respectivas vocações, e todos fingindo descaradamente executá-las com maestria, mas todos eles direta ou indiretamente ligados ao monsenhor e, portanto, metidos em cargos públicos dos quais poderiam tirar todo o proveito, eram o tipo que se prolifera e multiplica. Pessoas que à primeira vista não tinham nenhuma ligação direta com monsenhor ou com o Estado, e igualmente sem nenhuma ligação com o que era real, ou que passavam a vida viajando estradas afora sabe-se lá para aonde, também proliferavam aos montes. Médicos que faziam portentosas fortunas criando remédios saborosos para doenças imaginárias, das antecâmaras de monsenhor, sorriam para seus pacientes corteses. Planejadores que descobriam a solução para os pequenos males que atingiam o estado, exceto o método para começar a trabalhar com afinco para cortar a raiz de um único pecado, derramavam sua verborragia no primeiro ouvido que conseguiam fisgar na recepção de monsenhor. Filósofos incrédulos que remodelavam o mundo a seu modo, usando cartas de baralho para erguerem as torres de Babel e alçarem os céus, conversavam com químicos incrédulos que estavam de olho na transmutação de metais, tudo isso na encantadora recepção promovida por monsenhor. Distintos cavalheiros da mais nobre estirpe, que, desde aquela época memorável, eram reconhecidos pelos frutos da indiferença em relação a todo e qualquer assunto natural de interesse humano, esbanjavam o mais alto grau de exaustão desfilando pelas dependências de monsenhor. Por terem esses lares de variadas notabilidades sido deixados para trás no prestigioso mundo de Paris, os mais observadores entre os devotos de monsenhor – e que formavam uma significativa porção da companhia agradável entre os presentes – teriam encontrado dificuldade para descobrir no meio dos anjos daquela esfera uma única esposa cujos modos e aparência revelassem sua condição de mãe. De fato, salvo o ato de trazer a este mundo uma despropositada criatura, o que por si não basta para angariar o título de mãe, tal condição não constava dos padrões da moda. Camponesas mantinham esses bebês fora de moda por perto e os criavam e vovós charmosas de sessenta anos vestiam-se e bebiam como as moças de vinte.

A lepra da irrealidade desfigurou toda e qualquer criatura à disposição de monsenhor. Em uma dependência mais afastada, encontrava-se uma excepcional meia dúzia de pessoas que, há alguns anos, haviam tido o vago receio de que as coisas em geral caminhavam para o lado errado. E, no promissor anseio de consertá-las, metade dessa meia dúzia tornara-se membro de uma fantástica seita de Convulsionistas e chegava a cogitar se deveria espumar, enraivecer-se, urrar ou sofrer ataques catalépticos, acendendo assim, um sinal altamente inteligível em direção ao futuro, para o conhecimento de monsenhor. Além desses dervixes, havia ainda outros três que afiliaram-se a outra seita que recorria ao lema "o centro da verdade", defendendo que o homem era fruto desse centro (coisa que dispensava muita demonstração), mas não saíra da Circunferência, e que deveria ser vigiado para não escapar da Circunferência, e até mesmo empurrado de volta para o centro por intermédio do jejum e da visão de espíritos. Assim, entre esses prosseguia a interlocução com os espíritos e, com isso, trouxeram ao mundo tão significativo e jamais manifesto bem.

No entanto, havia um conforto entre tudo isso, o fato de toda aquela gente presente no suntuoso palácio de monsenhor estar muito bem trajada. Se o Dia do Juízo Final fosse decretado ali e tendo como critério as vestimentas, todos naquela ocasião seriam eternamente salvos. Tantas cabeças frisadas, empoadas, tantos penteados armados, rostos tão delicados, artificialmente conservados e remendados, tantas espadas pomposas e tantos aromas delicados aguçando o olfato assegurariam o agradável decurso de qualquer coisa, para todo o sempre. Os distintos cavalheiros da mais nobre estirpe usavam pequeninos penduricalhos que tilintavam quando se mexiam com languidez; essas correntes de ouro badalavam feito pequenos e preciosos sinos, e o som, associado ao farfalhar da seda, do brocado e do mais fino linho, fazia vibrar o ar ao ponto de soprar Saint-Antoine e sua fome vociferadora para longe.

A vestimenta era o único e infalível talismã e amuleto para manter tudo em seu devido lugar. Todos estavam trajados para um baile à fantasia que jamais teria fim. Do Palácio das Tulherias, na figura de monsenhor e de toda corte, às câmaras, tribunais de justiça e à sociedade toda (com exceção dos espantalhos), o baile de máscaras desceu aos carrascos a quem, por conta dos atrativos, ordenou-se oficializar "o cabelo frisado, empoado, casaco enfeitado com rendas douradas, escarpim e meias de seda branca". Nas forcas e nas rodas – o machado raramente era usado – *monsieur Paris* (o modo episcopal como era chamado entre seus irmãos professores da província, *monsieur* Orleans e os demais) cumpria seu ofício trajado com toda essa elegância. E quem, dentre os convidados da recepção de monsenhor, naquele 1780, ano do Nosso Senhor, duvidaria da eternidade de um sistema arraigado em um carrasco tão frisado, empoado, revestido de ouro, escarpins e meias de seda brancas?

Depois de aliviar o fardo de seus quatro criados e de tomar o seu chocolate, monsenhor ordenou que se abrissem as portas do mais sagrado entre os sacratíssimos e levantou-se. Depois, quanta submissão, quanta bajulação, quanto servilismo, que abjeta humilhação! Em relação às mesuras de corpo e espírito, nada restou aos céus, um dos motivos pelos quais as questões que transcendem a terra nunca preocuparam os devotos de monsenhor.

Oferecendo uma promessa aqui, um sorriso ali, um sussurro a um escravo feliz e um aceno para outro, monsenhor atravessou a passos afáveis os salões do palácio e caminhou até a remota área da Circunferência da Verdade. Lá, virou-se, deu meia-volta e retornou para o mesmo lugar de onde viera e, assim, no devido tempo, com o auxílio dos duendes do chocolate trancafiou-se em seu santuário e não foi mais visto.

Findado o espetáculo, a vibração no ar transformou-se em uma tempestade discreta e os pequenos e preciosos sininhos badalavam andar abaixo. Logo restou apenas um entre toda aquela multidão, o qual, com o chapéu debaixo do braço e uma caixinha de rapé na mão, passou devagar por entre os espelhos e logo saiu.

– Eu o consagro – declarou esse homem, parando à porta no meio do caminho, virando-se em direção ao santuário –, ao diabo!

E, com isso, sacudiu o rapé dos dedos como quem sacode a poeira dos pés e, em silêncio, desceu as escadas.

Tinha em torno de sessenta anos, estava bem-vestido, tinha ares de arrogante e um rosto que, de tão belo, mais parecia uma máscara; uma tez branca, quase transparente, todos os traços meticulosamente definidos, um semblante uniforme, quase uma pintura. O nariz, igualmente gracioso, exceto pelo topo achatado de cada narina. E eram esses dois sinais, a única variação encontrada naquela face; às vezes, insistiam em mudar de cor, e vez ou outra dilatavam e contraíam feito uma discreta pulsação. Nessas ocasiões, conferiam um ar traiçoeiro e cruel à fisionomia inteira. Examinando-a com mais atenção, o que ajudava a sustentar tal semblante era o contorno dos lábios e as linhas das órbitas dos olhos, demasiadamente finas e horizontais; mesmo assim, a despeito do efeito que causasse, era um rosto bonito e marcante.

O dono de tal expressão desceu as escadas, chegou ao pátio, entrou na carruagem e partiu. Poucos haviam conversado com ele na recepção. Ele permanecera mais afastado e talvez monsenhor pudesse ter agido de modo mais acolhedor. Dadas as circunstâncias, parecia que ao cavalheiro agradava mais observar a turba se dispersando entre os cavalos, muitas vezes por muito pouco escapando de ser pisoteada. O criado o conduzia como quem corre atrás de um inimigo e o homem mantinha-se inexpressivo da testa ao queixo, mesmo diante da imprudência do sujeito. Por vezes se ouvia, mesmo naquela cidade surda e naqueles tempos mudos, nas ruas estreitas e sem calçada, queixas contra o ruído atroz dos coches dos patrícios, que pareciam mutilar e engolir os plebeus. Contudo, poucos se importavam com a questão o suficiente para ponderá-la mais uma vez e, nesse aspecto, tanto quanto em todos os outros, restava aos infelizes coitados lidar com as próprias dificuldades à maneira que podiam.

Com um atroz sacolejo e uma desumana falta de consideração não muito fácil de ser compreendida nos dias atuais, a carruagem atravessou as ruas e varreu as esquinas, com mulheres aos brados à sua frente, homens se agarrando uns aos outros e puxando as crianças para salvá-las do atropelamento. Por fim, ao dobrar uma esquina junto a uma fonte, uma das rodas sofreu um solavanco mais forte, gritos estridentes foram ouvidos ao redor e os cavalos empinaram o tronco e relincharam.

Não fosse por essa inconveniência, provavelmente a carruagem não teria parado, afinal, coisa frequente era ver as carruagens seguindo adiante e largando os atropelados para trás, por que seria diferente naquele caso? Pois eis que o criado, assustado, às pressas desceu e em pouco tempo vinte mãos seguravam as rédeas do cavalo.

– O que houve? – perguntou o senhor, olhando para fora com um semblante calmo.

Um homem alto e com um gorro de dormir na cabeça pegara das patas dos cavalos um pacote, o colocara na mureta da fonte e agora encontrava-se caído na lama e na água, rolando e uivando feito um animal selvagem.

– Lamento, *monsieur* marquês! – disse um homem maltrapilho e submisso. – Foi uma criança.

– E por que esse homem está fazendo esse estardalhaço no chão? Foi o filho dele?

– Perdoe-me, *monsieur* marquês... é uma pena... sim.

A fonte ficava um pouco distante dali, do outro lado da rua, em uma área entre nove e onze metros quadrados. Quando o homem alto de repente se levantou do chão e veio correndo em direção à carruagem, o *monsieur* marquês agarrou o cabo de sua espada.

– Assassinado! – esbravejou o homem desesperado, erguendo os braços para o alto, encarando o marquês. – Morto!

As pessoas ao redor aproximaram-se fechando o círculo e fitaram o marquês. Os numerosos olhares que o observavam nada revelavam além de atenção e avidez; não havia raiva tampouco ameaça visíveis. Do mesmo modo, ninguém abriu a boca para dizer nada. Depois do primeiro grito, todos fizeram silêncio e assim permaneceram. A voz do homem submisso que respondera à pergunta do marquês era a síntese da mansidão e da subserviência. Os olhos do *monsieur* marquês percorreram o grupo como se não passasse de um bando de ratos que tinham acabado de sair do esgoto.

Apanhou a carteira.

– Choca-me – disse – a incapacidade dos senhores de cuidarem de si mesmos e de seus filhos. Um ou outro dos senhores sempre entra no meio do caminho. E sabe-se lá o quanto feriram meus cavalos! Tome aqui! Dê-lhe isto.

Com isso, jogou uma moeda de ouro que tirara da carteira e todas as cabeças acompanharam o movimento do dinheiro até cair ao chão. O homem alto tornou a berrar, exalando da garganta um ruído quase sobrenatural.

– Morto!

Foi contido pela súbita chegada de outro homem, para quem o aglomerado de gente abriu caminho. Ao vê-lo, a infeliz criatura desabou sobre seus ombros, chorando e soluçando, apontando para a fonte onde algumas mulheres rodeavam a passos gentis o pacote imóvel e mantinham-se em silêncio, tanto quanto os homens.

– Já soube de tudo, já soube de tudo! – disse o recém-chegado. – Coragem, meu Gaspar! Foi melhor para esse pobrezinho morrer do que continuar vivo. Morreu em um instante, sem dor nenhuma. Será que teria vivido por uma hora inteira com igual alegria?

– O senhor é um belo filósofo, tenho de admitir – comentou o marquês com um sorriso. – Qual é a sua graça, senhor?

– Defarge.

– E trabalha com o quê?

– *Monsieur* marquês, sou vendedor de vinhos.

– Tome aqui, filósofo e vendedor de vinhos – disse o marquês, jogando-lhe mais uma moeda de ouro –, e gaste como bem quiser. Os cavalos ali, estão bem?

Sem dignar-se a olhar para a multidão uma segunda vez, o *monsieur* marquês recostou em seu assento e, quando estava a ponto de ser levado de volta a seu percurso acidentalmente interrompido, como se houvesse quebrado algo e tivesse de pagar pelo prejuízo, coisa que podia dar-se ao luxo de fazer, teve o sossego perturbado por uma moeda que entrou voando na carruagem e tilintou no chão.

– Espere! – ordenou o *monsieur* marquês. – Retenha os cavalos! Quem jogou a moeda?

Ele olhou em direção ao ponto onde Defarge estivera há pouquíssimo tempo, mas encontrou o miserável pai rastejando com o rosto no asfalto e, parada ao lado dele, havia uma figura em pé, uma mulher robusta e de pele escura, tricotando.

– Bando de cachorros! – disse o marquês, mas com a voz branda e o semblante inexpressivo, exceto pelos sinais das narinas. – Eu passaria por cima dos senhores com todo o prazer e os exterminaria da face da Terra. Se eu soubesse quem foi o calhorda que atirou essa moeda, e se ele estivesse bem perto dela, não pensaria duas vezes e o esmagaria com as rodas.

Tão assustadora era a condição deles, e tão longa e insuportável a experiência que tinham sobre o que um homem como aquele era capaz de fazer, dentro e fora da lei, que nem uma voz, uma mão e tampouco um olho se ergueu. Entre os homens. Porque a mulher ali de pé, tricotando, fitou o rosto do marquês. Mas ele não se deu ao trabalho de perceber o gesto. O olhar de desprezo a percorreu, bem como a todos os outros ratos, e ele tornou a recostar-se no banco e ordenou:

– Podemos seguir viagem!

E assim a carruagem partiu e logo atrás, em uma rápida sequência, vieram outras, trazendo: o ministro, o planejador do Estado, o cobrador de impostos, o doutor, o advogado, o eclesiástico, a Grande Ópera, a Comédia, e todo o baile à fantasia em um fluxo contínuo e cintilante, em uma procissão vertiginosa. Os ratos tinham escapado de suas tocas para espiar e ali permaneceram por horas. Soldados e policiais se infiltravam entre eles e o desfile, formando uma barreira atrás da qual alguns se esquivavam e outros espreitavam. O pai há muito tempo pegara o seu pacote e fora embora com ele, quando as mulheres que o rodeavam na fonte sentaram-se na mureta para observar o fluxo da água e o desfile do baile à fantasia, e dentre elas apenas uma mantinha-se de pé, tricotando com a mesma implacabilidade do destino. A água corria na fonte, o fluxo veloz do rio corria, o dia corria para a noite, tantas vidas naquela cidade corriam para os braços da morte ditada pelas regras, o tempo e a maré não esperavam por ninguém, os ratos voltavam a dormir aninhados em suas tocas escuras, o baile à fantasia se animava com o jantar e tudo seguia o próprio curso.

MONSENHOR NO CAMPO

Uma bela paisagem, onde o trigo cintilava, mas não proliferava. Tufos de centeio seco onde o trigo deveria brotar, porções mirradas de ervilha e feijão e outras de legumes mais ordinários para substituir o trigo. Na natureza inanimada, tal como nos homens e nas mulheres que a cultivavam, parecia prevalecer a tendência de uma vegetação involuntária, a desairosa predisposição de desistir e definhar.

O *monsieur* marquês, a bordo de sua carruagem (que talvez pudesse ser mais leve), transportada por quatro cavalos e dois condutores, subiu com dificuldade a colina excessivamente íngreme. O rubor no rosto de *monsieur* marquês não punha em risco sua mais alta nobreza, não era algo que vinha de dentro, mas a consequência de um fator externo que escapava de seu controle: o sol poente.

O pôr do sol refulgiu na carruagem de tal modo que, quando ela chegou ao topo da colina, seu passageiro parecia ter mergulhado no carmesim.

– Vai desaparecer – disse *monsieur* marquês, olhando para as próprias mãos. – Em breve.

De fato, o sol estava a poucos centímetros da linha do horizonte, tanto que dali a alguns instantes desapareceu. Quando a trava pesada foi ajustada à roda e a carruagem deslizou colina abaixo, exalando um cheiro de queimado que se somou à nuvem de poeira, o brilho carmesim sumiu totalmente. O sol e o marquês desceram juntos e não restou nenhum feixe de luz quando a trava da carruagem foi retirada.

No entanto, naquele cenário prevalecia um campo devastado, vasto e persistente, um vilarejo no sopé da colina, uma área ampla e elevada por trás dela, a torre de uma igreja, um moinho de vento, uma floresta para caça e um penhasco no qual havia uma fortaleza usada como prisão. Ladeado por todo esse cenário escuro, à medida que a noite se aproximava, o marquês observava tudo com o ar de quem está perto de casa.

O vilarejo tinha uma única rua pobre, com uma cervejaria pobre, um curtume pobre, uma taberna pobre, uma pobre estrebaria para troca de cavalos, uma pobre fonte e todos seus pobres e costumeiros recursos. E também uma população pobre. Todos os habitantes eram pobres e muitos deles estavam sentados à porta, descascando cebolas miúdas e o que mais houvesse para preparar o jantar, enquanto outros estavam na fonte, lavando folhas, ervas, capim e toda e qualquer miudeza colhida da terra que servisse de comida. Provas visíveis do que tornava pobre aquela gente não faltavam: o imposto do Estado, o imposto da Igreja, o imposto para o senhor, o imposto local e o imposto geral eram pagos ora aqui, ora ali, conforme mandava o solene e miraculoso registro do vilarejo, até o ponto em que miraculoso seria não ser devorado por tantos impostos.

Poucas crianças eram vistas, e não havia cachorros. E quanto aos homens e às mulheres, a escolha que lhes restara refletia-se na vida em condições precárias, nas profundezas do vilarejo sob o moinho, ou no cativeiro e na morte da prisão no penhasco.

Anunciado com antecedência por um mensageiro e pelo estalido dos chicotes dos condutores, os quais brandiam feito serpentes sobre suas cabeças no ar noturno, feito quem vem escoltado pelas Fúrias, *monsieur* marquês a bordo de sua carruagem foi conduzido ao portão da estalagem, que ficava bem perto da fonte e os camponeses, ao avistar o recém-chegado, pararam seus afazeres para observá-lo. Ele os encarou e viu, sem dar-se conta, no entanto, da lenta e inexorável fileira de rostos e corpos esquálidos, que fariam da magreza da França uma crença na Inglaterra e que perduraria pelos quase cem anos seguintes.

Monsieur marquês olhou para aqueles rostos submissos que se prostravam diante dele, tal como homens da mesma classe que tinham se curvado diante do monsenhor da corte (com a diferença de aquelas faces estavam inclinadas para sofrer, jamais para bajular) quando um calceteiro grisalho se juntou ao grupo.

– Tragam-me cá aquele sujeito! – ordenou o marquês ao mensageiro.

Trouxeram o sujeito, de barrete na mão, e os outros fizeram um círculo em torno dele para observar e ouvir, como fizeram aqueles na fonte de Paris.

– Ultrapassei você na estrada?

– Monsenhor, é verdade. Tive a honra de ser ultrapassado na estrada.

– Subindo a colina e no topo da colina?

– Sim, monsenhor, é verdade.

– E o que chamava tanto a sua atenção?

– Monsenhor, eu olhava para o homem.

Inclinando-se um pouco, com o barrete azul e surrado ele apontou para debaixo da carruagem. E todos os que estavam ali reunidos ao seu redor abaixaram-se para olhar.

– Que homem, seu porco? E por que olha para lá?

– Perdão, monsenhor. Ele ficou pendurado na corrente do freio... da trava.

– Quem? – indagou o viajante.

– Monsenhor, o homem.

– Que o diabo carregue esses idiotas! Como se chama esse homem? Conhece todo mundo por essas redondezas. Quem era ele?

– Rogo clemência, monsenhor! Não era dessas bandas. Nunca em minha vida vi esse homem.

– Pendurado na corrente? Então se enforcou?

– Com a sua graciosa permissão, foi justamente isso que me espantou, monsenhor. Estava com a cabeça pendurada... assim!

Ele virou-se de lado para a carruagem, recostou nela e jogou a cabeça para trás, olhando para o céu, mantendo a cabeça suspensa. Depois, se recompôs, revolveu o barrete e fez reverência.

– E como era o tal homem?

– Monsenhor, mais branco que o moleiro. Todo coberto de poeira, branco e alto feito um fantasma. Um fantasma!

A imagem causou grande impacto no pequeno aglomerado de gente, mas todos os olhares, sem se cruzarem, estavam voltados ao monsenhor marquês. Talvez para saber se ele carregava na consciência algum espectro.

– Na verdade, você agiu certo – afirmou o marquês, felizmente convencido de que um verme como aquele não poderia perturbá-lo. – Viu um salteador perseguindo a minha carruagem e não abriu essa sua boca grande. Arre! Deixe esse homem pra lá, senhor Gabelle!

Senhor Gabelle era o chefe da estalagem e também cobrador de impostos e se dispusera com muita solicitude a auxiliar nessa investigação, agarrando com ares de autoridade o interrogado pela manga da camisa.

– Anda! Suma da minha frente! – ordenou o senhor Gabelle.

– Prenda esse sujeito se ele tentar hospedar-se no vilarejo esta noite e certifique-se de que tem intenções honestas, Gabelle.

– Monsenhor, cumprir as suas ordens será verdadeira lisonja para mim.

– Camarada, ele fugiu? Mas onde está aquele desgraçado?

O desgraçado já estava debaixo da carruagem com meia dúzia de amigos, apontando com o barrete azul para a corrente. Outra meia dúzia de amigos prontamente o puxaram de volta e o mostraram, resfolegante, ao marquês.

– Responda, seu pateta, o homem fugiu quando paramos para ajustar a trava?

– Monsenhor, ele se atirou em direção à encosta, a cabeça primeiro, feito quem mergulha no rio.

– Vá cuidar disso, Gabelle! Ande!

A meia dúzia continuava espiando por debaixo da carruagem, feito velhas, quando as rodas se movimentaram tão de repente que por sorte tiveram tempo de salvar a pele e os ossos; não que tivessem nada muito além disso para salvar, do contrário, talvez não teriam tido tanta sorte.

O ímpeto com que a carruagem partiu do vilarejo e começou a subir o morro que havia por trás dele logo foi contido pela própria ingremidade da colina. Aos poucos, foi perdendo a velocidade até atingir o ritmo de passos de uma caminhada, balançando e subindo com dificuldade por entre as doces fragrâncias de uma noite de verão. Os condutores, rodeados por uma nuvem de mosquitos diáfanos em vez das Fúrias, remendavam calados as pontas dos chicotes. O pajem caminhava lado a lado com os cavalos e ouvia-se o mensageiro trotando mais à frente, adentrando a escuridão.

No topo da colina havia um pequeno cemitério, com uma cruz e uma imagem nova e grande de Nosso Salvador. Era uma imagem simples, de madeira, obra de algum escultor inexperiente, mas cuja inspiração foi a vida, talvez a própria, pois a imagem era assustadoramente simplória e magra.

Diante dessa representação angustiante de uma penúria maior que há muito só fazia aumentar, e ainda assim não atingira seu ápice, havia uma mulher ajoelhada. Quando a carruagem se aproximou, ela virou para olhar, levantou-se depressa e foi até a porta do coche.

– Monsenhor, é o senhor! Monsenhor, tenho uma súplica a fazer.

Com um resmungo impaciente, mas o semblante imutável, monsenhor olhou-a.

– Mais essa! O que é? As pessoas e suas súplicas!

– Monsenhor. Pelo amor do Deus todo-poderoso! Meu marido, o guarda-florestal.

– O que tem seu marido, o guarda-florestal? Sempre a mesma história. Está precisando de dinheiro para pagar alguma dívida?

– Não deve nada, monsenhor. Está morto.

– E, então, que posso fazer? Posso trazê-lo de volta à senhora?

– Ai, de mim, monsenhor! Mas ele descansa ali, debaixo de um punhado de mato.

– E...?

– Monsenhor, há muitos punhados de grama espalhados por aí...

– De novo... E?

Apesar de aparentar mais idade, era uma mulher jovem. E comportava-se como quem sofre de uma dor lancinante, pois ora juntava ambas as mãos cheias de calos e veias salientes com muita força, ora apoiava uma delas na porta da carruagem com ternura, acariciando-a como se fosse um peito humano, capaz de reagir ao toque suplicante.

– Monsenhor, me escute! Monsenhor, por favor, ouça minha súplica! Meu marido morreu de fome, muitos morrem de fome e muitos outros ainda morrerão de fome.

– De novo... E? Tenho o poder de dar de comer a todos eles?

– Monsenhor, só o bom Deus sabe, mas minha súplica não é essa. Meu pedido é que mande colocar um pedaço de pedra ou de madeira com o nome do meu marido sobre o túmulo. Do contrário, logo esse lugar será esquecido e nunca conseguirão encontrá-lo quando eu morrer do mesmo mal, e vão me enterrar debaixo de algum punhadinho de mato por aí. Monsenhor, são tantos, morrem mais e mais a cada dia, há tanta gente passando fome. Monsenhor! Monsenhor!

O pajem a afastara da porta e a carruagem irrompeu em disparada, os condutores trotando a toda velocidade, a mulher foi deixada para trás e monsenhor, novamente escoltado pelas Fúrias, rapidamente diminuía para uma ou duas léguas a distância entre ele e seu *chateau*.

As doces fragrâncias de verão tornaram a aparecer e rodeá-lo enquanto a chuva começava a cair, imparcialmente, sobre o grupo empoeirado, esfarrapado e exaurido aos pés da fonte, não muito longe dali; grupo este para quem o calceteiro, com a ajuda do homem de barrete azul sem o qual ele não seria nada, contaria inúmeras vezes e aumentaria a história do homem parecido com um fantasma, e continuaria a contar até que se cansassem de ouvi-lo. Aos poucos, quando já não suportavam mais a história, começaram a se retirar, um a um, e pequenas luzes começaram a tremeluzir nas janelinhas, as mesmas luzes que, conforme as janelas eram envoltas pelo breu, e mais e mais estrelas fulguravam no céu, pareciam ter ascendido às nuvens em vez de terem sido apagadas.

A sombra de uma casa grande e de telhado alto irrompia por entre o arvoredo à vista de monsenhor marquês, e logo depois deu lugar à luz de uma tocha quando a carruagem parou e as portas de seu *chateau* se abriram.

– Monsenhor Charles, a quem espero, já chegou da Inglaterra?

– Ainda não, monsenhor.

A CABEÇA DE MEDUSA

Era uma construção maciça o *chateau* de monsenhor marquês, com um imenso pátio de pedra na entrada e dois lances de escada que levavam a um terraço também de pedra diante da porta principal. Um verdadeiro conglomerado pétreo: balaustrada de pedra, e urnas de pedra, e flores de pedra, e estátuas com rostos de pedra, e cabeças de leão de pedra, enfim, pedra por todos os lados. Era como se a cabeça de Medusa inspecionasse tudo depois de pronto, dois séculos antes.

Rumo ao lance de degraus baixos, monsenhor marquês, precedido pela tocha, saiu da carruagem, perturbando a escuridão o suficiente para despertar o protesto ruidoso de uma coruja parada no telhado desmesurado da estrebaria construído entre as árvores. De resto, um silêncio sepulcral reinava, tanto que a tocha que iluminava o caminho à frente e a outra presa na porta gigante queimavam como se estivessem em um ambiente fechado, não ao ar livre. Salvo o arrulho da coruja, não se ouvia mais nada, exceto o som da água na fonte em sua bacia de pedra. Era uma daquelas noites em que se prende a respiração por horas adentro, exala-se um suspiro profundo e silencioso e volta-se a prender o fôlego.

A porta ressoou logo que foi fechada e o monsenhor marquês atravessou um tétrico vestíbulo onde havia lanças para caçar javalis, espadas e facas de caça; e mais tétrico ainda por conta de certas varas de cavaleiros e chicotes das quais muitos camponeses sentiram o peso quando seu patrão se enraivecia, sendo depois despachados à sua benfeitora, a morte.

Tentando evitar os salões maiores, que estavam escuros e mais macabros à medida que a noite se firmava, monsenhor marquês, com o criado levando a tocha à sua frente, subiu a escada chegando a um corredor onde havia uma porta. Uma vez aberta a porta, ele adentrou os próprios aposentos compostos por três quartos, um com a cama e outros dois. Abóbadas altas, piso frio e sem tapete, grandes cães sobre a lareira onde se queimava lenha durante o inverno e todo o luxo condizente com a vida de um marquês em uma época e país luxuosos. O estilo do penúltimo Luís, de uma linha de sucessão que jamais se romperia, o décimo quarto Luís, ficava evidente na suntuosa mobília; no entanto, havia uma diversificação no ambiente graças a vários objetos que ilustravam bem as páginas antigas da história da França.

A mesa de jantar fora posta para dois no terceiro quarto; era um cômodo circular que ficava em uma das quatro torres de cobertura em formato de extintor. Um ambiente pequeno, mas majestoso, com a janela escancarada e as venezianas de madeira fechadas, assim a escuridão da noite atravessaria apenas as pequenas linhas pretas horizontais, alternando com as largas linhas cinzentas das pedras.

– Meu sobrinho – disse o Marquês, observando os preparativos para o jantar. – Disseram-me que não chegou ainda.

E de fato não havia chegado, embora esperassem que viesse com o monsenhor.

– Ah! É provável que não chegue esta noite. Mesmo assim, deixe a mesa como está. Apronto-me em quinze minutos.

E de fato dentro de quinze minutos monsenhor aprontara-se e sentou-se sozinho à suntuosa e farta mesa. Sentado de frente para a janela, ele tomara a sopa e levava a taça de Bordeaux à boca quando hesitou e a colocou sobre a mesa.

– O que é isso? – perguntou com a voz calma, espiando por entre as linhas horizontais pretas e cinzentas.

– Monsenhor? Isso o quê?

– Lá fora. Abra as cortinas.

E assim sua ordem foi cumprida.

– E então?

– Monsenhor, não é nada. Apenas as árvores e a noite.

O criado que respondeu, o mesmo que havia aberto e escancarado a veneziana, e olhado para o breu lá fora, manteve-se no mesmo lugar, inexpressivo, aguardando as próximas ordens.

– Que bom – disse o patrão inabalável. – Feche-as de novo.

Assim foi feito e o marquês continuou a jantar. Na metade da refeição, novamente hesitou, segurando a taça suspensa no ar, escutando o barulho das rodas que se aproximavam rapidamente, em direção à porta do *chateau*.

– Pergunte quem é.

Era o sobrinho do monsenhor. No começo daquela tarde, estivera a poucas léguas atrás do tio. Apertara o passo, mas não o suficiente para alcançar monsenhor na estrada. Na estalagem, por onde passou, ouvira que o tio estivera por ali pouco antes.

Deveria ser informado (conforme as ordens de monsenhor) que o jantar o aguardava tão logo ele chegasse e que poderia subir imediatamente. E assim ele o fez. Na Inglaterra, era conhecido como Charles Darnay.

Monsenhor o recebeu com cordialidade, mas eles não trocaram nenhum aperto de mão.

– O senhor saiu de Paris ontem? – perguntou a monsenhor, enquanto acomodava-se à mesa.

– Ontem. E você?

– Vim direto.

– De Londres?

– Sim.

– Demorou para voltar – comentou o marquês com um sorriso.

– Pelo contrário. Vim direto.

– Perdoe-me! Não quis dizer que a viagem foi demorada, mas que demorou para decidir-se a vir.

– Fui impedido por... – respondeu o sobrinho com uma pausa na sequência. – Vários negócios.

– Sem dúvida – concordou o refinado tio.

Enquanto o criado estivera presente, nenhuma outra palavra fora trocada entre tio e sobrinho. Depois que o café foi servido e os dois ficaram sozinhos, o sobrinho, olhando para o tio e fitando o rosto que parecia uma bela máscara, puxou a conversa.

– Voltei, como o senhor bem deve supor, à procura do mesmo motivo que me fez ir embora. E esse motivo colocou-me em grande e inesperado perigo. Apesar disso, tratava-se de coisa sagrada e se tivesse me custado a vida, ainda assim me sentiria confortado.

– À morte, não – redarguiu o tio. – Não chegaria a tal ponto.

– Tenho minhas dúvidas, meu tio, caso esse assunto tivesse me levado à beira da morte, se o senhor teria feito algo para impedir o fato – resmungou o sobrinho.

As marcas profundas das narinas e o alargamento das rugas finas daquele rosto cruel soaram ameaçadoras; o tio fez um gracioso gesto de protesto, que como um mero sinal de boa educação não reconfortara o sobrinho.

– De fato, senhor – prosseguiu o sobrinho –, pelo que sei, o senhor pode ter contribuído para aumentar as suspeitas das circunstâncias já arriscadas que me cercavam.

– Não, não, não – negou o tio em um tom conciliador.

– Mas seja como for – declarou o sobrinho, olhando para o tio com profunda desconfiança –, sei que qualquer que fosse o modo, a sua diplomacia impediria que o pior acontecesse e que tais métodos seriam inescrupulosos.

– Meu caro, eu já lhe disse – afirmou o tio, com um ligeiro sinal de pulsação nas narinas –, faça-me o favor de recordar o que eu lhe disse tempos atrás.

– Lembro-me bem.

– Obrigado – disse o marquês com demasiada delicadeza.

E o tom permaneceu no ar, quase como o ressoar de um instrumento musical.

– Na verdade, senhor, creio que tanto o seu azar quanto a minha sorte safaram-me da prisão aqui na França – afirmou o sobrinho.

– Não entendo o que quis dizer – retrucou o tio, bebericando seu café. – Devo atrever-me a pedir que explique?

– Acredito que, se o senhor não estivesse mal afamado na corte e se não tivesse sido encoberto por aquela nuvem anos atrás, uma carta *de cachet* teria bastado para eu ser enviado a alguma fortaleza por tempo indeterminado.

– É possível – concordou o tio com grandiosa calma. – Em prol da honra da família, eu poderia tê-lo importunado a tal ponto. Suplico-lhe que me perdoe!

– Percebo que, para minha sorte, a recepção de anteontem foi, como de costume, fria – pontuou o sobrinho.

– Eu não diria para sua sorte, meu amigo – rebateu o tio, novamente com exímia polidez. – Não teria tanta certeza disso. Uma boa oportunidade para a reflexão, cercado pelas vantagens da solidão, talvez pudesse influenciar seu destino de modo bem mais significativo do que você próprio o faria. Mas é inútil discutirmos essa questão. Eu estou, como você disse, em desvantagem. Esses pequenos instrumentos de correção, esses gentis auxílios ao poder e à honra das famílias, esses pequenos favores que muito o incomodam, só podem ser obtidos agora por meio de interesse e importunações. Tantos os pedem, e são concedidos (comparativamente) a pouquíssimos! Não costumava ser assim, mas a França piorou muito no que tange a essas questões. Nossos ancestrais não muito distantes detinham o direito sobre a vida e a morte da gentalha que os cercava. Quantos calhordas saíram desses aposentos direto para a forca! No cômodo ao lado (meu quarto), um sujeito, pelo que foi dito, depois de professar alguma insolente insinuação à própria filha, foi apunhalado na mesma hora. Perdemos muitos privilégios. Uma nova filosofia virou moda e, nesses dias em que vivemos, a afirmação da nossa posição pode (não posso afirmar, mas cogitar a possibilidade) nos causar um verdadeiro inconveniente. As coisas caminham muito mal, muito mal!

O marquês pegou uma pitada de rapé e balançou a cabeça em um gesto de desalento, tão elegantemente desanimado quanto poderia diante de um país que, apesar dos pesares, ainda o abrigava e, portanto, havia grandes esperanças de regeneração.

– De tal modo afirmamos nossa posição, tanto no passado quanto no presente, que temo ser o nosso nome o mais detestado de todos os outros da França – pontuou o sobrinho em tom de lamento.

– Esperemos que sim – declarou o tio. – O ódio aos superiores é uma involuntária homenagem de seus inferiores.

– Não há – prosseguiu o sobrinho, com o mesmo tom melancólico –, um rosto sequer em todo esse país que me olhe com alguma deferência que não a de medo e submissão.

– Um elogio à grandeza da família, e merecido, haja vista a maneira com que a família sustentou essa grandeza – afirmou o marquês. – Ah! – exclamou, pegando outra pitada de rapé e cruzando de leve as pernas.

Todavia, quando o sobrinho, apoiando um cotovelo na mesa, cobriu os olhos com as mãos, em um gesto desanimado e reflexivo, a bela máscara o olhou de soslaio, com ares de agudeza, proximidade e antipatia, incompatível com a postura de indiferença mantida até então.

– A repressão é a única filosofia que perdura. A obscura reverência consequente do medo e da submissão, meu amigo, mantém a obediência da gentalha aos açoites, enquanto esse teto – disse o marquês, olhando para cima neste momento – esconder o céu.

Talvez não durasse tanto tempo assim quanto o marquês supunha. Se lhe mostrassem naquela noite um retrato de como estaria o *chateau*, ou outros cinquenta iguais a ele, dali a alguns anos, é provável que tivesse dificuldade de discernir qual seria o seu entre as ruínas macabras, chamuscadas e saqueadas. E quanto ao teto do qual se gabava, talvez o marquês descobrisse que encobria o céu de outro modo, ou seja, da vista daqueles cujos corpos foram atingidos pelo chumbo disparado dos canos de cem mil mosquetes.

– Enquanto isso – disse o marquês –, preservarei a honra e a paz da família, mesmo que você não o faça. Mas você deve estar cansado. Podemos encerrar essa conversa por hoje?

– Mais um momento, por favor.

– Uma hora, se preciso for.

– Senhor – disse o sobrinho –, nós cometemos erros e estamos colhendo os frutos desses erros.

– Nós cometemos erros? – repetiu o marquês, com um sorriso intrigado e apontando com delicadeza primeiro para o sobrinho, depois para si mesmo.

– Nossa família. Nossa honrada família cuja honra pertence a nós dois, de maneiras tão diferentes. Mesmo no tempo de meu pai, cometemos muitos erros, prejudicando toda e qualquer criatura humana que se embrenhava entre nós e o nosso prazer, qualquer que fosse ele. Por que preciso falar da época de meu pai, se ela é como a nossa? Posso separar de meu pai o irmão gêmeo dele, seu co-herdeiro e sucessor dele mesmo?

– A morte já o fez! – respondeu o marquês.

– E me deixou para trás, atrelado a um sistema que me apavora, me responsabiliza, mas não tenho nenhum poder sobre ele; tentando satisfazer o último pedido pronunciado pelos lábios de minha querida mãe e obedecer a seu último olhar, implorando por misericórdia e reparação; e sofrendo a aflição de procurar auxílio e poder em vão.

– Ao procurar por isso em mim, meu sobrinho – disse o marquês, tocando com o dedo indicador o peito do rapaz (os dois agora estavam de pé, próximos à lareira) –, asseguro-lhe que a sua busca sempre será em vão.

Cada linha fina e perceptível na brancura daquele rosto comprimiu-se com crueldade e astúcia enquanto em silêncio fitava o sobrinho, com a caixa de rapé na mão. Novamente, tocou-o no peito, como se o dedo fosse a ponta afiada de alguma adaga com que, em um gesto de extrema delicadeza, atravessaria o corpo do sobrinho e disse:

– Meu amigo, morrerei perpetuando o sistema sob o qual tenho vivido.

Ao dizer isso, o marquês aspirou o último punhado de rapé e guardou a caixa no bolso.

– É melhor manter os pés no chão – acrescentou depois de tocar a sineta que havia na mesa –, e aceitar o curso natural do destino. Mas vejo que está perdido, *monsieur* Charles.

– Para mim, esta propriedade e a França estão perdidas – disse o sobrinho melancólico. – Renuncio às duas.

– E ambas são suas para renunciar a elas? A França pode até ser, mas a propriedade...? Nem vale a pena tocar na questão, mas a propriedade já é sua?

– Não tive a intenção, com as minhas palavras, de reivindicá-la. Se ela me fosse transferida pelo senhor, amanhã...

– O que me reservo a presunçosa esperança de ser improvável.

– Ou daqui uns vinte anos...

– Que grande a honra a sua para comigo – afirmou o marquês. – Ainda assim, prefiro a outra suposição.

– Eu a abandonaria e viveria de outro modo, em outro lugar. Não há muito a se perder. O que é tudo isso senão uma selva de miséria e ruína!

– Hah! – exclamou o marquês, olhando ao redor do quarto luxuoso.

– Pode parecer bonita aos olhos, mas se observada por inteiro, sob a luz do dia, não passa de uma torre de desperdício, má administração, extorsão, dívidas, hipoteca, opressão, miséria, privação e sofrimento.

– Hah! – exclamou o marquês mais uma vez, com grande ar de satisfação.

– Se algum dia ela for minha, será confiada a mãos mais preparadas para que um dia a libertem, se é que se pode considerar essa possibilidade, do peso que a projeta para baixo, para que os pobres que não podem deixá-la e que são levados aos limites da resistência há tanto tempo possam, em outra geração, sofrer menos. Mas essa tarefa não caberá a mim. Uma maldição se apossou deste lugar e de toda esta terra.

– E você? – perguntou o tio. – Perdoe-me pela curiosidade, mas sob essa nova filosofia, de que pretende viver?

– Preciso fazer, para viver, o que meus compatriotas, mesmo tendo o peso da nobreza sobre as costas, talvez tenham de fazer um dia. Trabalhar.

– Na Inglaterra, por exemplo?

– Sim. O nome da família, senhor, está a salvo de mim neste país. Não pode ser arranhado por minha causa em nenhum outro lugar, uma vez que não o uso em nenhum outro país.

Com o toque da sineta, a luz do quarto contíguo foi acesa e agora atravessava a porta. O marquês olhou em direção à luz e manteve-se atento aos passos do criado.

– A Inglaterra lhe atrai muitíssimo, contrapondo o quão pouco prosperou por lá – observou, virando o rosto sereno para o sobrinho e sorrindo.

– Eu já lhe disse que, quanto à minha parca prosperidade na Inglaterra, sinto que posso estar em dívida com o senhor. De resto, ali é o meu refúgio.

– Dizem, aqueles ingleses prepotentes, que é refúgio de muitos. Conhece um compatriota que encontrou refúgio por lá? Um médico?

– Sim.

– Com uma filha?

– Sim.

– Sim – disse o marquês. – Você está cansado. Boa noite!

Ao abaixar a cabeça do modo mais cortês que poderia fazê-lo, o rosto sorridente resguardava um segredo e havia certo ar de mistério naquelas palavras, fazendo-as chocar com toda a força contra os olhos e os ouvidos do sobrinho. Ao mesmo tempo, as linhas retas e finas ao redor dos olhos e os lábios igualmente retos e finos, somados aos sinais nas narinas, curvados com um sarcasmo que parecia muito diabólico.

– Sim – repetiu o marquês. – Um médico e uma filha. Sim. Assim começa a nova filosofia! Você está cansado. Boa noite!

Inquirir qualquer uma das faces de pedra no pátio do *chateau* teria sido tão inútil quanto indagar aquele rosto. Ao passar pela porta, em vão o sobrinho o olhou.

– Boa noite! – disse o tio. – Será um prazer revê-lo amanhã de manhã. Bom descanso! Ilumine o caminho até os aposentos de meu sobrinho!... – E, antes de voltar a tocar a sineta e chamar o pajem de volta ao próprio quarto, acrescentou: – E cuide para que arda em chamas na cama!

O criado veio e se foi e o marquês começou a andar de um lado para outro, com o roupão aberto, preparando-se aos poucos para dormir naquela noite quente. Farfalhando pelo quarto, os pés com chinelos macios não faziam barulho no chão, e ele se movia com a matreirice de um tigre refinado: parecia um marquês encantado, do tipo perverso e impenitente, cuja transformação periódica para o formato de tigre estava apenas começando ou a ponto de terminar.

Movia-se de uma ponta a outra no opulento quarto, repassando uma vez mais os sucedidos na viagem feita naquele dia e que lhe atravessavam a mente: a vagarosa subida à colina, o pôr do sol, a descida, o moinho, a prisão no penhasco, o vilarejo no vale, os camponeses na fonte e o calceteiro com seu barrete azul, apontando para a corrente debaixo da carruagem. Aquela fonte que aludia à de Paris, o pequeno pacote na mureta, as mulheres ao redor do embrulho e o homem alto e com os braços erguidos, gritando: "Morto!".

– Sinto-me refrescado agora – disse o marquês. – Já posso ir para a cama.

E, assim, mantendo acesa apenas a chama do fogo da lareira, deixou o cortinado fechar-se ao seu redor e escutou a noite rompendo seu silêncio com um suspiro profundo enquanto se acomodava na cama.

Durante as próximas três horas maçantes, os rostos pétreos nas paredes externas fitaram às cegas a escuridão da noite; durante as próximas três horas maçantes, os cavalos remexeram-se em suas baias, os cães latiram e a coruja emitiu um ruído pouquíssimo semelhante ao convencionalmente atribuído pelos poetas a uma ave dessa espécie. Mas é costume incansável dessas criaturas quase nunca agir de acordo com o que se espera delas.

Durante as próximas três horas maçantes, os rostos pétreos do castelo, tanto os humanos quanto o dos leões, fitaram a noite às cegas. Por todo o cenário jazia o breu mortal, e o breu mortal acrescentava seu silêncio sepulcral à silenciosa poeira das estradas. As coisas no cemitério chegaram a tal ponto que os pequenos tufos de grama eram indistinguíveis um do outro; a imagem da cruz poderia ter desabado ao chão, tão pouco que se via dela. No vilarejo, cobradores e pagantes de impostos dormiam. Sonhando, talvez, com banquetes, como é de costume entre os esfomeados, e com a paz e o descanso, como o fazem os escravos extenuados e o gado sobrecarregado; assim dormiam os moradores esquálidos, que em sonho eram alimentados e libertados.

A fonte do vilarejo continuava a fluir de modo invisível e inaudível, e a fonte do castelo gotejava de modo invisível e inaudível, ambas diluindo-se feito os minutos que escorrem da primavera do tempo, no decurso de três horas. Em seguida, a água cinzenta de ambas as fontes começou a brilhar sob a luz fantasmagórica e os olhos dos rostos pétreos do castelo abriram-se.

Brilhou cada vez mais e mais, até que por fim o sol tocou a copa das árvores e derramou seu esplendor sobre a colina. À luz do dia, da água da fonte do castelo parecia jorrar sangue e os rostos de pedra avermelhavam. O canto dos pássaros soava cada vez mais audível e alto e, no peitoril corroído pelo tempo na janela do quarto do marquês, um passarinho gorjeava seu mais doce canto com toda a força. Ao escutá-lo, o rosto pétreo mais próximo pareceu surpreso, e de boca aberta e queixo caído, demonstrava pleno estado de espanto.

O sol agora brilhava forte e no vilarejo o movimento começava. Janelas de dobradiças abriam-se, portas aos pedaços foram abertas e as pessoas saíam para a rua tremulando, arrefecidas por ora pela brisa doce da manhã. E assim começou a labuta diária, raramente aliviada para os moradores dali. Alguns foram para a fonte, outros, para os campos; homens e mulheres cavando e revirando a terra; homens e mulheres cuidando do gado magro e levando as vacas esquálidas para os pastos à beira da estrada. Na igreja e na cruz, uma ou duas criaturas ajoelhadas; acompanhando os que rezavam, as vacas pastoreadas escarafunchavam as ervas daninhas do solo ao redor à procura do desjejum.

O castelo acordou mais tarde, como era de costume, mas de modo vagaroso e assertivo. Primeiro, as lanças solitárias para caçar javalis e as facas de caça avermelharam como se tivessem envelhecido, depois, brilharam com o raiar do dia. Agora, portas e janelas eram escancaradas, os cavalos em suas baias espreitavam a luz e a brisa que adentrava as fendas das portas, as folhas reluziam e farfalhavam nas grades de ferro das janelas, os cães esticavam suas coleiras, ansiosos pela liberdade.

Todos esses incidentes triviais faziam parte da rotina da vida e do alvorecer. Poder-se-ia dizer o mesmo, sem dúvidas, das badaladas do grande sino do castelo, do subir e descer de degraus, das figuras apressadas no terraço, do ruído das botas e de passos aqui, ali e lá, da rapidez com que selavam os cavalos e partiam a galope?

Que ventos levavam essa pressa para o calceteiro grisalho, já a seu posto no topo da colina para além do morro por trás do vilarejo, com o almoço (pouco peso a carregar) embrulhado em um pacote que nem aos corvos atrairia, se posto em um amontoado de pedras? Será que os pássaros, ao espalharem por terras longínquas alguns grãos do castelo, teriam, por acaso, deixado cair alguma sobre ele? Qualquer que fosse a resposta, o calceteiro descia a colina naquela manhã abafada como quem se vê em uma questão de vida ou morte, a poeira cobrindo-lhe as pernas até os joelhos, e ele só parou quando chegou à fonte.

Todos os moradores do vilarejo parados em torno dela, sussurrando entre si, cabisbaixos, não sem transparecer nenhuma emoção além de mórbida curiosidade e surpresa. As vacas trazidas às pressas e amarradas ao que pudesse contê-las, observavam a cena com olhar parvo ou deitavam e ruminavam o pedaço do que tinham conseguido recolher durante o passeio interrompido, mas que não valera o esforço. Algumas pessoas do castelo, outras da estalagem e todas as autoridades relacionadas à cobrança de impostos estavam mais ou menos armadas e apinhadas do outro lado da ruazinha, sem um motivo aparente, formando uma cena tensa e sem sentido. O calceteiro embrenhara-se em um grupo de cinquenta amigos e batia no próprio peito com o barrete azul. O que tudo isso pressagiava, e o que pressagiava a rápida subida de *monsieur* Gabelle na garupa de um cavalo conduzido por um criado, e a partida a galope do já mencionado Gabelle (apesar de o cavalo estar com o dobro do peso suportado), feito uma nova versão da balada alemã "Leonora"?

A resposta é: entre os outros muitos, havia mais um rosto pétreo no pátio do castelo.

A Medusa inspecionara o castelo mais uma vez na noite anterior e acrescentara a face pétrea que desejava, a mesma pela qual esperara por cerca de duzentos anos.

Jazia no travesseiro de monsenhor marquês. Aparentava uma bela máscara, a princípio assustada, depois enraivecida e então petrificada. Mergulhada no coração da figura petrificada havia uma faca. No cabo havia um papel envolto, no qual estava rabiscado:

"Levem-no logo para a tumba. Assinado Jacques."

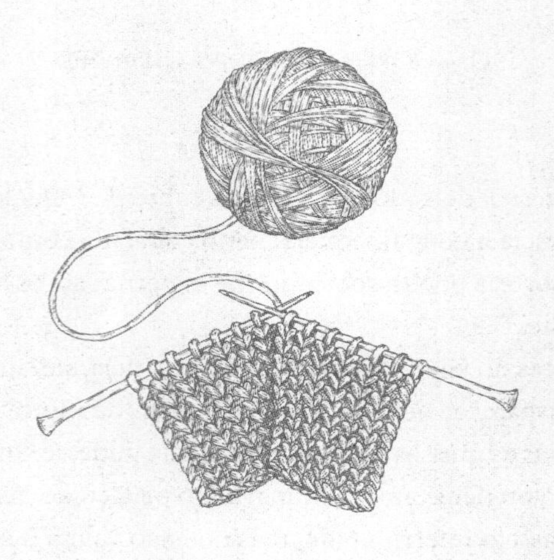

DUAS PROMESSAS

Outros meses, no total doze, vieram e se foram, e o senhor Charles Darnay estabeleceu-se na Inglaterra como professor de língua francesa e versado em literatura francesa. Nos dias atuais, seria considerado professor, naqueles tempos, era preceptor. Orientava rapazes que tinham interesse e prazer pelo estudo de uma língua viva, falada em todo o mundo, e cultivava o gosto por aquela fonte de conhecimento e imaginação. Além disso, também escrevia e falava inglês em ótimo nível. Naquele tempo, não era fácil encontrar mestres assim. Príncipes que já tinham ocupado o trono e reis que viriam a fazê-lo ainda não pertenciam à classe dos professores e nenhum nobre falido saltara dos livros-caixa do Banco Tellson para tornar-se cozinheiro ou carpinteiro. Como preceptor, cujos talentos tornavam o caminho do aluno extraordinariamente agradável e proveitoso, e como peculiar tradutor, que trazia ao seu trabalho contribuições para além das que constavam no dicionário, o jovem senhor Darnay logo tornou-se conhecido e estimado. Ademais, estava bem familiarizado com os acontecimentos de seu país e o interesse por eles só fazia aumentar. Assim, com intensa perseverança e incansável empenho, ele prosperou.

Em Londres, não esperava caminhar em calçadas de ouro, tampouco deitar-se em camas de rosas. Se tivesse nutrido expectativas tão altas, não teria prosperado. Esperava trabalho, e o encontrara, e o executara da melhor maneira possível. Eis em que consistia sua prosperidade.

Passava parte do tempo em Cambridge, onde lecionava para alunos da graduação, feito uma espécie de contrabandista autorizado a traficar idiomas europeus, em vez de transportar o grego e o latim pela alfândega. O restante do tempo, permanecia em Londres.

No entanto, desde os dias em que era sempre verão no Éden aos dias em que predomina o inverno nas latitudes baixas, o mundo de um homem segue invariavelmente a mesma direção, a de Charles Darnay, a direção ao amor de uma mulher.

Apaixonou-se por Lucie Manette desde aquele momento em que a própria vida corria perigo. Nunca ouvira som tão doce e aprazível como o daquela voz compassiva; nunca vira rosto tão formoso e terno como o dela, naquele momento em que foi confrontado com o próprio à beira do túmulo que o aguardava. Contudo, ainda não tocara no assunto com ela. O assassinato no castelo abandonado e longínquo, muito além das águas agitadas e dos quilômetros extensos de estrada empoeirada – o sólido castelo de pedra que se tornara a simples bruma de um sonho – completara um ano e Darnay não revelara a ela, pelo menos por meio das palavras, o sentimento guardado no coração.

Tinha suas razões para isso, não lhe restava dúvidas. Certa vez, em um dia de verão, assim que chegou a Londres depois de cumprir seu ofício na faculdade, dobrou a pacata esquina do Soho, decidido a encontrar a chance de abrir o seu coração ao doutor Manette. Findava o dia de verão e ele sabia que Lucie teria saído com a senhorita Pross.

Ele encontrou o doutor lendo em sua poltrona, à janela. A energia que o sustentara nos anos de sofrimento e intensificara a sua agudeza, aos poucos fora recuperada. Tornara-se um homem repleto de energia, com notável firmeza de propósito, força de resolução e vigor em suas atitudes. E nessa mesma energia vez em quando despontava certos rompantes impulsivos, como sucedera quando começou a exercitar suas faculdades recém-recuperadas. No entanto, tal comportamento era pouco frequente e vinha se tornando cada vez mais raro.

O doutor Manette estudava muito, dormia pouco, suportava com muita facilidade alto grau de fadiga e vivia sempre contente. Aparecia-lhe agora Charles Darnay, e logo que o avistou deixou o livro de lado e estendeu a mão para cumprimentá-lo.

– Charles Darnay! Que prazer revê-lo. Achávamos que retornaria há uns três ou quatro dias. O senhor Stryver e Sydney Carton vieram aqui ontem e ambos comentaram que já era mais do que hora de o senhor voltar.

– Devo aos dois um agradecimento pelo interesse no assunto – respondeu com certa frieza, embora especialmente caloroso com o doutor. – A senhorita Manette...

– Está bem! – disse o médico, interrompendo-o. – E seu retorno agrada a nós todos. Ela saiu para cuidar de alguns assuntos domésticos, mas voltará logo.

– Doutor Manette, eu sabia que ela não estaria em casa. Aproveitei a oportunidade para pedir-lhe alguns minutos de sua atenção.

Seguiu-se um silêncio absoluto.

– Sim? – disse o médico com evidente constrangimento. – Traga sua cadeira e fale.

E assim ele o fez em relação à cadeira, mas pareceu mais desconfortável quanto à fala.

– Tive a sorte, doutor Manette, de tornar-me amigo íntimo da família – disse por fim, depois de uma longa pausa –, há mais ou menos um ano e meio e espero que o assunto sobre o qual vou falar não traga...

Foi interrompido pelo médico que estendeu a mão fazendo sinal para detê-lo. Depois de alguns instantes com a mão suspensa no ar, o médico a recolheu e perguntou:

– O assunto é Lucie?

– Sim.

– É difícil para mim falar sobre ela, não importa o momento. E é mais difícil ainda ouvir falarem dela assim, nesse tom, Charles Darnay.

– É um tom de fervorosa admiração, verdadeiro respeito e profundo amor, doutor Manette! – afirmou com decoroso respeito.

Outro momento de silêncio antes de o pai da moça tornar a falar:

– Eu acredito nisso. Faço-lhe jus e acredito.

Tão evidente era o constrangimento do médico e tão evidente o fato de que sua causa era o desejo de não tocar no assunto, que Charles Darnay hesitou.

– Devo continuar, senhor?

Silêncio mais uma vez.

– Sim, continue.

– Pode pressentir o que vou dizer, mas não pode saber a dimensão da seriedade com que o digo, da seriedade com que sinto, não pode saber sem conhecer o segredo que carrego no coração, e as esperanças, os medos e a ansiedade que há muito pesam sobre ele. Caro doutor Manette, amo a filha do senhor com todo o afeto, carinho, desinteresse e devoção. Se existe amor neste mundo, é o que sinto por ela. O senhor mesmo já amou. Deixe que esse sentimento fale por mim!

O médico virou o rosto para o outro lado, mas sem levantar a cabeça. Ao escutar essas últimas palavras, voltou a erguer a mão apressadamente e exclamou:

– Isso não, senhor! Deixe isso pra lá! Eu lhe suplico, não me faça recordar!

A súplica pareceu um autêntico grito de dor, tanto que permaneceu ressonando nos ouvidos de Charles Darnay muito depois de ser proferida. O médico fez um sinal com a mão estendida, um aparente apelo para que Darnay parasse. O sinal foi entendido e o rapaz manteve-se calado.

– Peço-lhe perdão – disse o doutor, com a voz mais branda, depois de alguns instantes. – Não duvido de seu amor por Lucie, tranquilize-se quanto a isso.

Ele girou o corpo em direção a Darnay, mas não o olhou e tampouco ergueu os olhos. Apoiou o queixo na mão e o cabelo grisalho lhe ofuscou o rosto.

– Já falou com Lucie?

– Não.

– Nem lhe escreveu?

– Nunca.

– Seria mesquinho de minha parte ignorar que sua abnegação deve-se à estima ao pai dela. O pai dela agradece.

O médico estendeu-lhe a mão, mas o olhar permaneceu no mesmo lugar de antes.

– Eu sei, doutor Manette – afirmou Darnay em tom respeitoso –, e como não saberia, se os vejo juntos todos os dias, que entre o senhor e a senhorita Manette há uma afeição tão rara, tão comovente, tão própria às circunstâncias de onde brotou, que não pode haver comparações nem mesmo entre um pai e uma filha. Eu sei, doutor Manette, e como não saberia, que misturado ao afeto e ao dever de uma filha que já se tornou mulher, há, no coração dela, em relação ao senhor, todo o amor e a dependência característicos da infância. Sei que, como a senhorita Manette não teve a figura dos pais presente durante a infância, ela agora dedica-se ao senhor com toda a lealdade e fervor inerentes à sua idade e personalidade atuais, mas também com a confiança e o apego dos primeiros anos de vida em que o senhor não esteve presente. Sei muito bem, ainda que o senhor tivesse regressado do plano dos mortos, dificilmente teria se tornado aos olhos dela figura mais sagrada do que esta que ela o considera. Sei que quando ela o abraça, são as mãos de uma criança, de uma garotinha e ao mesmo tempo de uma mulher que envolvem o seu pescoço. Sei que, ao amá-lo, ela vê e ama a própria mãe quando tinha a mesma idade dela, vê e ama o senhor na minha idade, ama a mãe e seu coração partido, ama o senhor no período de seu inimaginável sofrimento e de sua abençoada restauração. Desde o momento em que passei a frequentar a sua casa, não há um só dia, nem uma só noite em que eu não veja isso.

O pai permaneceu em silêncio, sentado e de cabeça baixa. Apesar da respiração um pouco entrecortada, ele reprimiu todos os demais sinais de inquietação.

– Caro doutor Manette, por sempre saber disso, por sempre vê-la junto do senhor envoltos em uma espécie de luz sagrada, recusei e reprimi meus sentimentos pelo tempo em que a natureza humana assim permitiu. Sempre senti, como sinto até agora, que colocar o meu amor... até o meu amor-próprio... entre vocês dois seria tocar esta história com algo muito inferior a ela. Entretanto, eu a amo. O céu é a testemunha de que a amo!

– Eu acredito – afirmou o pai com pesar. – Eu já havia percebido. Eu acredito.

– Mas não pense – ponderou Darnay, para quem o tom pesaroso soou como uma reprovação –, que se um dia eu for agraciado com a sorte de torná-la minha esposa, devo criar qualquer tipo de separação entre o senhor e ela, juro-lhe por tudo o que é mais sagrado. Além de inútil coisa como essa, sei que seria de uma imensa sordidez. Se tal possibilidade, mesmo que daqui há muitos anos, sondasse meus pensamentos e se escondesse no meu coração... se é que isso seria possível... eu jamais poderia tocar essa honrada mão.

Ao dizer isso, Darnay apoiou a mão sobre a do médico.

– Não, caro doutor Manette. Tal como o senhor, exilei-me voluntariamente na França. Tal como o senhor, afastei-me daquele país por conta da desorientação, opressão e miséria que se passava por ali. Tal como o senhor, esforcei-me para viver longe de tudo isso e contando apenas com meus próprios recursos, confiando em um futuro melhor. Meu único desejo é dividir a minha vida com vocês e ser-lhes fiel até a morte, jamais dividir com Lucie o privilégio que ela tem de ser sua filha, companheira e amiga, e sempre ajudá-lo a mantê-la por perto e ainda mais próxima do senhor, se é que há essa possibilidade.

A mão de Darnay permanecia apoiada na do médico. Depois de retribuir ao gesto por um instante, sem frieza, o pai de Lucie apoiou as mãos nos braços da poltrona e pela primeira vez desde o início da conversa, ergueu os olhos. A expressão evidenciava uma batalha, uma batalha contra aquele semblante ocasional, o qual tinha uma tendência para a dúvida sombria e o pavor.

– Fala com tanto sentimento e bravura, Charles Darnay, que lhe agradeço de todo o meu coração, assim como vou abri-lo... ou assim tentarei. Há algum motivo para o senhor acreditar que Lucie o ama?

– Nenhum. Até o momento, nenhum.

– Seria o objetivo dessa sua confidência investigar, com minha permissão, se seria esse o caso?

– De forma alguma. É provável que eu não tenha a confiança necessária para fazê-lo daqui a semanas, tampouco amanhã, salvo engano meu.

– Então, deseja algum conselho de minha parte?

– Não lhe peço, senhor. Mas ocorreu-me que talvez o senhor teria o poder de orientar-me, se assim julgar correto e possível.

– O senhor espera alguma promessa de minha parte?

– Sim, isso sim, espero.

– E qual é essa promessa?

– Sei bem que, sem o senhor, não me resta nenhuma esperança. Sei bem que, mesmo que a senhorita Manette me guarde em seu coração inocente... e não pense que alimento tão audaciosa presunção, de modo algum... Eu não poderia manter-me nele contra o amor que ela sente pelo pai.

– Sendo esse o caso, o senhor vê o que, por outro lado, isso envolve?

– Também entendo muito bem que uma palavra do pai a favor de um pretendente teria mais valor do que a de qualquer outra questão na face da terra. Por esse motivo, doutor Manette – afirmou Darnay com a voz modesta, porém firme –, eu jamais lhe pediria favor como esse, nem mesmo se a minha própria vida estivesse em risco.

– Tenho certeza disso. Charles Darnay, mistérios cercam tanto as relações mais íntimas quanto as mais distantes. No primeiro caso, são sutis e difíceis de desvendar. Minha filha Lucie, no que diz respeito a essa questão, é um grande mistério para mim. Não posso adivinhar o que se passa no coração dela.

– Se me permite perguntar, o senhor acha que ela... – Darnay hesitou por um momento e o médico preencheu o silêncio, respondendo:

– Que ela tem outro pretendente?

– Era essa a pergunta que eu ia lhe fazer.

Depois de pensar um pouco, o pai respondeu:

– O senhor já viu o senhor Carton por aqui. E o senhor Stryver também aparece, mais ocasionalmente. Se houver outro pretendente, só poderia ser um dos dois.

– Ou os dois – pontuou Darnay.

– Não considerei essa possibilidade. E provavelmente não consideraria nem um nem outro. O senhor quer que eu lhe prometa algo. Diga-me do que se trata.

– Que, se a senhorita Manette, porventura procurá-lo, de livre e espontânea vontade, para lhe fazer uma confidência como a minha, o senhor revelará o que acabei de lhe dizer e lhe assegurará ter acreditado em minhas palavras. Minha esperança é que o senhor faça tão bom julgo de minha pessoa que não se oponha a mim. É tudo quanto posso lhe pedir. Exija as condições que bem considerar para fazer o que lhe peço, e seu direito de fazê-lo é inegável, e eu as acatarei imediatamente.

– Eu lhe faço essa promessa sem impor nenhuma condição – declarou o médico. – Acredito que sua intenção seja pura e sincera, como a declarou. Acredito que sua vontade é perpetuar, e não enfraquecer, os laços que unem a mim com a minha outra adorada metade. Se em alguma circunstância minha filha disser que a felicidade dela depende do senhor, eu entregarei a mão dela ao senhor. Se houvesse... Charles Darnay, se houvesse...

O jovem apertou a mão do doutor em gesto de gratidão. Os dois mantinham as mãos unidas quando o médico disse:

– ... Qualquer suposição, qualquer motivo, qualquer receio, qualquer coisa, fosse nova ou antiga, contra o homem que minha filha amasse verdadeiramente... e que não fosse ele o responsável pelo ocorrido, tudo haveria de ser apagado pela felicidade dela. Lucie é tudo para mim, o valor que ela tem para mim é muito maior que o sofrimento, muito maior que os erros, muito maior que... Bom! Isso é conversa fiada.

Foi tão esquisito o silêncio em que o médico se afundou e tão esquisito foi o olhar fixo que ele manteve quando parou de falar, que o próprio Darnay sentiu esfriar a mão apoiada na dele, que começava a escorregar e afastar-se.

– O senhor me disse algo... – falou o doutor Manette, abrindo um sorriso. – O que foi mesmo?

Darnay não soube o que responder, até lembrar-se de ter mencionado uma condição. Aliviado por conseguir recobrar o assunto, ele respondeu:

– A confiança que o senhor deposita em mim será retribuída de minha parte com igual e total confiança. O nome que uso, embora seja o de minha mãe com uma simples modificação, não é, como o senhor bem lembra, meu nome verdadeiro. Quero lhe contar qual é meu verdadeiro nome e o motivo de estar aqui, na Inglaterra.

– Pare! – disse o doutor de Beauvais.

– Desejo contar-lhe para fazer jus à confiança que me atribui e para não guardar nenhum segredo do senhor.

– Pare!

Por um momento, o doutor chegou a tapar os dois ouvidos; por outro, levou as duas mãos aos lábios de Darnay.

– Diga-me quando eu lhe perguntar, não agora. Caso sua pretensão prospere, e Lucie o ame, o senhor me contará na manhã do seu casamento o que deseja dizer. Promete?

– De bom grado.

– Dê-me a sua mão. Lucie deve chegar daqui a pouco e é melhor que não nos veja juntos esta noite. Vá! E Deus lhe abençoe!

Já escurecera quando Charles Darnay partiu e ainda mais escuro estava quando Lucie chegou, uma hora depois. Ela entrou correndo na sala, sozinha, pois a senhorita Pross subira as escadas e surpreendeu-se ao ver a poltrona de leitura vazia.

– Meu pai! – chamou. – Papai, querido!

Não houve resposta, mas Lucie escutou o som baixo de marteladas, vindo do quarto dele. Ela atravessou o cômodo intermediário a passos lentos e silenciosos, olhou para a porta do quarto do pai e voltou correndo, assustada, chorando, gritando consigo, sentindo o sangue congelar nas veias.

– O que faço?! O que faço?!

A dúvida persistiu por apenas um instante. Ela correu até o quarto mais uma vez, bateu na porta e com gentileza o chamou. O barulho cessou com sua voz e ele caminhou até ela. E assim, os dois caminharam de um lado para o outro por um bom tempo.

Naquela noite, ela levantou da cama para vigiar-lhe o sono. Ele dormia profundamente, e a bandeja de ferramentas de sapateiro e o velho sapato inacabado permaneciam no mesmo lugar de sempre.

UM CENÁRIO COMPLEMENTAR

– Sydney – disse o senhor Stryver, naquela mesma noite, ou na manhã seguinte, para o seu criado. – Arranje mais uma tigela de ponche. Tenho algo para lhe contar.

Sydney estava trabalhando o dobro naquela noite, e também na noite anterior e na noite anterior a esta, e mais um bom número de noites seguidas, organizando toda a papelada do senhor Stryver antes do início do extenso recesso. Por fim, conseguira organizar tudo; todo o trabalho atrasado do senhor Stryver fora posto em dia com maestria, ficariam livres de tudo até a chegada de novembro com suas desordens atmosféricas e jurídicas, quando teriam de voltar a arregaçar as mangas.

Tanta tarefa não tornara Sydney mais animado tampouco mais sóbrio. Foi necessária uma quantidade extra de toalhas molhadas para mantê-lo a todo vapor durante a noite, e uma quantidade proporcional de vinho precedera essas toalhas; e agora as condições de Sydney eram péssimas, depois que ele tirou o turbante e o jogou na mesma bacia com água em que o mergulhara em curtos intervalos nas últimas seis horas.

– Está preparando mais uma jarra de ponche? – perguntou Stryver, o corpulento, com as mãos apoiadas no cós da calça, olhando ao redor do sofá onde estava deitado de barriga para cima.

– Estou.

– Preste atenção! Vou contar algo que o surpreenderá, e que talvez faça-o pensar que não sou tão esperto quanto supunha. Pretendo me casar.

– Pretende?

– Sim. E não é por dinheiro. O que me diz?

– Não estou em condições de falar muito. Quem é ela?

– Adivinhe.

– Eu a conheço?

– Adivinhe.

– Não vou tentar adivinhar às cinco da manhã, com o cérebro fritando e estalando dentro da cabeça. Se quer que eu adivinhe, terá de me convidar para jantar.

– Está bem, então lhe contarei – declarou Stryver, erguendo o corpo aos poucos para sentar-se. – Sydney, eu me esforço em fazer-me inteligível para você, porque você não passa de um selvagem insensível.

– E você? – retrucou Sydney ocupado, preparando o ponche. – É um espírito tão sensível e poético!

– Não me venha com essa! – rebateu Stryver, gargalhando com prepotência. – Apesar de negar qualquer pretensão ao título de alma romântica, considero-me velhaco demais para isso, ainda sou um tipo mais afetuoso do que você.

– Tem mais sorte do que eu, foi o que quis dizer, não?

– Não quis dizer isso, mas sim que sou um homem mais... mais...

– Mais cortejador, vamos direto ao ponto – sugeriu Carton.

– Ora! Muito bem, concordo. O que queria dizer é que sou um homem – explicou Stryver, gabando-se diante do amigo que preparava o ponche –, que se preocupa mais em ser agradável, que se esforça mais para ser agradável, que na companhia de uma mulher sabe ser mais agradável do que você.

– Continue – pediu Sydney Carton.

– Não. Antes disso – disse Stryver, balançando a cabeça de um modo autoritário –, vou lhe confessar uma coisa. Você tem ido à casa do doutor Manette tanto quanto eu, se não mais. Contudo, fico constrangido com seu comportamento irritadiço quando estamos lá! Age feito um cachorro abandonado e mudo, juro pela minha vida e a minha alma que sinto vergonha por você, Sydney!

– Deve ser muito benéfico para um homem com seu comportamento no tribunal envergonhar-se de alguma coisa – retrucou Sydney. – Deveria agradecer-me.

– Não vai escapar do assunto como pensa, Sydney – redarguiu Stryver, recobrando o controle da conversa. – Não, Sydney, é meu dever lhe dizer... e digo olhando na sua cara, para o seu bem, que você se comporta como um sujeito malicioso e agressivo nesse tipo de sociedade. É uma companhia desagradável.

Sydney entornou um gole do ponche que preparava e começou a gargalhar.

– Olhe para mim! – ordenou Stryver, aprumando-se. – Tenho menos necessidade do que você de fazer-me agradável, graças à minha autossuficiência. Sendo assim, por que me faço agradável?

– Ainda não testemunhei esse feito – murmurou Carton.

– Pois o faço por uma questão política e por princípios. E olhe só pra mim! Sigo progredindo.

– Mas não progride com a história de suas intenções matrimoniais – retrucou Carton, aparentando indiferença em relação a essa questão. – Gostaria que não perdesse o foco da conversa. Quanto a mim, nunca vai entender que sou um sujeito incorrigível?

A última pergunta soou desdenhosa.

– Não há motivo para ser incorrigível – respondeu o amigo em um tom não muito reconfortante.

– Não há motivo para eu ser nada, pelo que sei – resmungou Sydney Carton. – Quem é a dama?

– Veja, espero que não se sinta incomodado quando eu lhe revelar o nome, Sydney – ponderou Stryver, preparando o terreno com excessiva afabilidade para a revelação que estava prestes a fazer. – Porque sei que não racionaliza nem metade do que diz, e se o fizesse, não teria a menor importância. Faço esse preâmbulo, pois uma vez referiu-se a essa jovem dama com termos desdenhosos.

– Fiz isso?

– Fez, sim. E bem aqui nestes aposentos.

Sydney Carton olhou para seu cálice de ponche e em seguida para o complacente amigo; bebeu o ponche e fitou-o novamente.

– Referiu-se à moça como uma boneca de cabelo dourado. Trata-se da senhorita Manette. Se você tivesse o mínimo de sensibilidade ou de perspicácia em relação a sentimentos como esse, Sydney, eu poderia ter me ressentido um pouco com suas palavras, mas o fato é que você não tem. Falta-lhe toda e qualquer espécie de bom senso; portanto, me incomodo tanto com a sua atitude quanto me incomodaria com a opinião de um homem (a quem falta o mínimo de senso crítco) a respeito de um retrato meu, ou quanto me incomodaria com a opinião de um homem sem ouvidos para música em relação a uma canção composta por mim.

Sydney Carton entornava generosas goladas do ponche, uma atrás da outra, fitando o amigo.

– Agora já sabe de tudo, Syd – disse Stryver. – Não me preocupo com o dinheiro. Ela é uma criatura encantadora e decidi agradar a mim mesmo, acho que posso me dar ao luxo de satisfazer a mim mesmo. Ela terá em mim um homem já bem de vida, em vertiginosa ascensão e de certa distinção, um exemplar golpe de sorte para ela, mas ela merece essa sorte. Está surpreso?

Carton, ainda bebendo o ponche, respondeu com uma pergunta:

– E por que deveria estar?

– Você aprova?

Carton, ainda com o ponche, respondeu com outra pergunta:

– E por que não aprovaria?

– Ora! – exclamou o amigo Stryver. – Aceitou a notícia de um jeito muito melhor do que imaginei, e mostrou-se menos mercenário a meu favor do que pensei. Mas, é claro que, a essa altura, já sabe que seu amigo velhaco aqui é um homem dotado de grande força de vontade. Sim, Sydney, estou farto desse estilo de vida e não tenho nenhum outro para adotar. Sinto que coisa agradável para um homem é ter um lar no qual se sinta confortável (e quando não se sentir, deve procurar outro lugar). E sinto que a senhorita Manette saberá se comportar em qualquer ambiente e tê-la como esposa sempre me fará um homem de crédito. Então, estou decidido. E, agora, Sydney, meu velho, quero lhe falar sobre as *suas* perspectivas. Está em um caminho muito ruim, você sabe, muito ruim mesmo. Desconhece o valor do dinheiro, vive com o bolso vazio, qualquer dia vai acabar doente e acamado. Precisa pensar seriamente em alguém que cuide de você.

O tom condescendente com que disse essas palavras fez Stryver parecer duas vezes maior do que era e quatro vezes mais ofensivo do que era.

– Agora, permita recomendar-lhe que enfrente a vida – seguiu Stryver. – É isso que tenho feito, a meu modo. E você, faça o mesmo, a seu modo. Case-se. Arranje alguém para cuidar de você. Não importa que não lhe agrade as mulheres, tampouco que não as compreenda. Encontre alguma mulher respeitável com uma pequena propriedade... talvez alguma dona de estalagem, ou de algum imóvel... e case-se com ela para evitar problemas com dinheiro no futuro. Esse é o tipo de solução que serve para você. Pense nisso, Sydney.

– Pensarei – disse Sidney.

UM HOMEM PRUDENTE

Tendo o senhor Stryver decidido contemplar a filha do doutor com tão magnânima sorte, resolvera comunicar tão afortunada notícia à jovem antes de sair da cidade para o longo período de férias. Depois de refletir sobre o assunto, chegou à conclusão de que seria melhor cuidar de todas as negociações prévias, assim os dois poderiam organizar-se para decidir se ele deveria desposá-la uma ou duas semanas antes da festa de São Miguel ou no pequeno recesso de fim de ano, entre o Natal e o Santo Hilário.

Não lhe restava dúvidas de que aquela causa estava ganha e via claramente o caminho até o veredicto. Uma vez apresentados ao júri os termos fundamentalmente mundanos – os únicos que valiam a pena explorar – a causa era simples e não havia nenhuma dificuldade com que se preocupar. Apresentar-se-ia como autor da causa, tinha provas consistentes, o advogado do réu entregou seu dossiê e o júri nem sequer se daria ao trabalho de refletir para deliberar. Depois de conhecer cada minúscula parte do processo, Stryver, o Chefe de Justiça, estava convencido de que não poderia haver causa mais fácil do que aquela.

Assim sendo, o senhor Stryver daria início às longas férias com um convite formal para levar a senhorita Manette aos Jardins de Vauxhall. Caso recebesse resposta negativa, proporia levá-la a Ranelagh e se, por alguma razão inexplicável, esse convite também fosse recusado, ele iria ao Soho e lá revelaria sua nobre intenção.

Rumo ao Soho, portanto, o senhor Stryver cortou caminho por Temple Bar, enquanto as primeiras pétalas da flor do longo recesso jurídico irrompiam. Quem o visse em Temple Bar, ao lado de Saint Dunstan, a passos arrojados em direção ao Soho, saltitando pela calçada, esbarrando e acotovelando os pedestres mais fracos, constatava o quão seguro e confiante estava.

Ao passar em frente ao Tellson, e como ele próprio era cliente do banco e sabia que o senhor Lorry era amigo íntimo dos Manettes, ocorreu-lhe a ideia de entrar e contar ao senhor Lorry o esplendor que o aguardava no horizonte do Soho. Assim, abriu a porta, que emitiu um rangido fraco, lançou-se dois degraus abaixo, passou pelos dois caixas veteranos que trabalhavam ali e meteu-se à força na bolorenta baia onde o senhor Lorry trabalhava, rodeado de enormes livros-caixa e cheios de espaços preenchidos com números, e onde barras de ferro perpendiculares protegiam a janela, como se estivessem ali igualmente para serem preenchidas com números, e tudo sob as nuvens se resumisse a contas.

– Olá! – disse o senhor Stryver. – Como o senhor tem passado? Espero que bem!

Era característica peculiar de Stryver o fato de ele sempre parecer grande demais para qualquer lugar ou espaço que ocupasse. Era tão corpulento para o Tellson que os funcionários em diferentes cantos do banco olhavam-no com ares de protesto, como se ele os encurralasse contra a parede. O próprio gerente do banco, lendo o jornal com toda a pompa, a uma certa distância dali, abaixou o periódico como se a cabeça de Stryver tivesse invadido o seu colete.

O comedido senhor Lorry, em um tom de voz apropriado para aquela circunstância, o cumprimentou com um "Como vai, senhor Stryver? Como vai o senhor?" e apertou-lhe a mão de um modo peculiar, hábito comum entre os funcionários do Tellson e seus clientes na presença do gerente; era um gesto de abnegação, como se o próprio Tellson e Cia personificados cumprimentassem os clientes.

– Como posso ajudar-lhe, senhor Stryver? – perguntou o senhor Lorry em um tom profissional.

– Ora, em nada, não se trata de uma visita de negócios, senhor Lorry. Vim falar-lhe em particular.

– Ah, claro! – disse o senhor Lorry, aproximando o ouvido, olhando de relance para o gerente, a uma certa distância deles.

– Vou... – contou Stryver, apoiando os braços sobre a escrivaninha em um gesto confiante, e apesar da avantajada superfície, o móvel não pareceu suficientemente grande para sustentá-lo. – Vou oferecer-me para casar com a sua adorável amiguinha, a senhorita Manette, senhor Lorry.

– Santo Deus! – exclamou o senhor Lorry, coçando o queixo e observando com ar duvidoso o visitante.

– Santo Deus, senhor? – repetiu Stryver, recuando. – Santo Deus, senhor Lorry? O que quer dizer com isso?

– O que quis dizer – respondeu o homem de negócios –, é que, obviamente, como quem lhe considera e lhe tem apreço, tal atitude merece muito crédito e... em suma...

o que quis dizer é tudo o que o senhor poderia desejar. Mas... na verdade, sabe, senhor Stryver... – Lorry hesitou e balançou a cabeça em um gesto esquisito, como se lutasse internamente contra o impulso de acrescentar: – Esse casamento é um intento muito pretensioso!

– Ora! – exclamou Stryver, batendo na escrivaninha com a mão espalmada e controvertida, esbugalhando os olhos e respirando fundo. – Se bem o conheço, senhor Lorry, isso significa que não tenho a menor chance!

O senhor Lorry ajustou a peruca curta, ajeitando-a nas orelhas e mordiscou a pena da caneta.

– Pro diabo tudo isso, senhor! – resmungou Stryver, fitando Lorry. – Não sou bom partido?

– Por Deus, claro que é! É, sim. Um ótimo partido. Se o senhor se diz um bom partido, é porque o é.

– Não sou um homem bem de vida? – indagou Stryver.

– Ah! Se a questão for essa, o senhor é um homem bem de vida, sim – respondeu Lorry.

– E em ascensão?

– Quanto a isso, o senhor sabe... – ponderou Lorry, satisfeito por poder responder afirmativamente mais essa questão. – Ninguém tem dúvidas.

– Então, o que diabos o senhor quer dizer, senhor Lorry? – inquiriu Stryver, visivelmente frustrado.

– Bem! Eu... O senhor estava a caminho de lá? – indagou Lorry.

– Exatamente! – confirmou Stryver, dando uma batida na mesa com o punho cerrado.

– Acho que em seu lugar, eu não iria.

– Por quê? – questionou Stryver. – Agora, vou lhe colocar contra a parede. – E, dizendo isso, apontou o dedo indicador para o senhor Lorry. – É um homem de negócios e deve ter as suas razões para dizer isso. Pois bem, diga-me. Por que não devo ir?

– Porque... eu não tocaria em assunto como esse sem ter um motivo para crer na possibilidade de êxito – explicou o senhor Lorry.

– Raios me partam! – gritou Stryver. – Mas contra essa possibilidade não há argumentos.

O senhor Lorry espiou o gerente e tornou a olhar para o enraivecido Stryver.

– O senhor é homem experiente, homem de negócios... – comentou Stryver. – ... Em um banco... e que depois de confirmar três razões para o sucesso de meu intento, me diz que não há possibilidade nenhuma de êxito! E o fez com a cabeça que o pescoço sustenta! – bradou Stryver, como se caso o senhor Lorry não tivesse a cabeça sobre o pescoço, o comentário seria muito menos importante.

– Quando digo sucesso, refiro-me à moça, e quando falo das causas e das razões para o sucesso de seu intento, refiro-me às causas e razões que estejam de acordo com os sentimentos da moça. Aquela jovem, meu caro senhor – afirmou o senhor Lorry, com uns tapinhas de leve no braço de Stryver –, aquela jovem... Está em primeiro lugar.

– Então, o que quer me dizer, senhor Lorry – declarou Stryver, ajeitando os cotovelos apoiados na escrivaninha –, é que, tendo refletido um pouco, a jovem em questão é uma tola mimada?

– Não exatamente. O que quero lhe dizer, senhor Stryver – corrigiu Lorry, enrubescendo –, é que jamais admitirei nem sequer uma palavra ofensiva proferida da boca de quem quer que seja em relação àquela moça. E que, se eu viesse a conhecer algum homem... e espero que jamais isso aconteça... tão grosseiro e tão arrogante a ponto de não conseguir se conter e referir-se àquela jovem de maneira desrespeitosa neste meu posto de trabalho, nem mesmo o Tellson poderia me impedir de dar-lhe uma boa lição.

A necessidade de reprimir a raiva colocou em risco os vasos sanguíneos do senhor Stryver quando chegou a sua vez de se exasperar; quanto às veias do senhor Lorry, por mais metodicamente o sangue fluísse por elas, não estavam em condições muito diferentes agora que ele se irritava.

– É isso que eu quis dizer ao senhor – pontuou Lorry. – Espero que não lhe reste dúvidas quanto a isso.

O senhor Stryver pegou uma régua da escrivaninha e sugou-lhe a ponta por um tempo, depois a percutiu por entre os dentes, formando uma melodia, tanto que provavelmente tenha lhe rendido alguma dor. Rompeu o constrangedor silêncio, dizendo:

– Eu me surpreendo, senhor Lorry, com o seu conselho de não ir ao Soho oferecer-me como pretendente... *eu*, Stryver, do tribunal superior?

– O senhor veio em busca de um conselho meu, senhor Stryver?

– Sim, vim.

– Pois bem. Então, eu lhe ofereci e o senhor o repetiu corretamente.

– O único comentário que me resta a respeito – disse Stryver com uma risada sarcástica e contrariada –, é que... rá, rá! Isso supera tudo que houve no passado, no presente e que haverá no futuro!

– Compreenda-me, senhor – insistiu o senhor Lorry. – Como homem de negócios, não me sinto confortável para opinar sobre tal questão, pois, em tal posição, nada conheço do assunto. Mas, foi como sujeito experiente, que carregou a senhorita Manette nos braços, que é amigo de confiança dela e de seu pai, e que possui grande afeição por ambos, que lhe ofereci esse conselho. Lembre-se que foi o senhor quem me procurou para fazer a confidência, não eu. Agora, acha que posso estar errado?

– Eu não! – respondeu Stryver, sibilando. – Não posso buscar em terceiros o bom senso que cabe tão somente a mim encontrar. Suponho haver bom senso em certos cantos por aí, e suas suposições parecem não fazer o menor sentido. Confesso ter me surpreendido, mas de todo modo o senhor tem razão, ouso dizer.

– O que suponho ou deixo de supor, senhor Stryver, é tão somente da minha conta... e, compreenda-me, senhor – afirmou o senhor Lorry, enrubescendo de imediato –, não permitirei, nem mesmo no Telsson, que minhas suposições sejam formuladas por nenhum cavalheiro que não eu.

– Ora! Rogo-lhe perdão!

– Está perdoado. Obrigado. Bem, senhor Stryver, o que eu estava prestes a dizer era o seguinte: pode ser doloroso descobrir que estava enganado, pode ser doloroso para o doutor Manette a tarefa de ser sincero com o senhor, pode ser doloroso para a senhorita Manette a tarefa de ser sincera com o senhor. O senhor sabe bem o quanto me sinto feliz e honrado de manter relações com aquela família. Se o senhor assim concordar, sem comprometê-lo, e sem citá-lo de modo algum, me encarregarei de averiguar a validez de meu conselho, observando e discernindo os fatos. Caso minha conclusão não lhe agrade, o senhor poderá averiguar a questão por conta própria, por outro lado, caso ela o satisfaça e esteja de acordo com o que lhe disse hoje, todos os envolvidos poderão ser poupados. O que me diz?

– E, até lá, por quanto tempo eu precisaria permanecer na cidade?

– Ah! É questão de poucas horas. Posso ir ao Soho à noite e de lá sigo para o seu escritório.

– Pois então concordo com a oferta – declarou Stryver. – Não irei à casa dos Manettes agora, sinto-me menos ansioso do que quando cheguei aqui. Então, minha resposta é sim, aguardo sua visita hoje à noite. Bom dia.

E assim Stryver deu as costas e foi embora, causando tremendo abalo a caminho da saída, tanto que os dois funcionários veteranos do banco tiveram de segurar-se ao balcão com a pouca força que lhes restava. Esses dois coitados e veneráveis funcionários eram sempre vistos curvando-se ante os outros e o povo por ali acreditava que quando os dois faziam reverência a um cliente que se despedia, mantinham o tronco curvado mesmo com o escritório vazio, aguardando a entrada do próximo cliente.

O advogado era ardiloso o suficiente para supor que o banqueiro não teria sido tão claro ao expressar sua opinião se não a baseasse em uma sólida convicção. Por mais despreparado que estivesse para engolir aquela pílula, assim o fez.

– E agora – afirmou o senhor Stryver para si mesmo, apontando o dedo indicador forense para toda a Temple Bar e depois de a pílula atravessar-lhe a garganta – o que me resta é provar que todos vocês estão errados.

Esse era um dos artifícios praticados em Old Bailey e do qual o senhor Stryver se valeria para resolver aquela questão.

– A senhorita não vai contrariar as minhas certezas – afirmou o senhor Stryver. – Sou eu quem farei isso em relação às suas.

E, conforme o combinado, quando o senhor Lorry chamou à porta naquela noite, às dez horas, o senhor Stryver, entre uma pilha de livros e papéis espalhados propositadamente, parecia absorto em qualquer outro assunto, menos no que foi tratado de manhã. Até mostrou-se distraído, depois preocupado e surpreso com a visita do senhor Lorry.

– Bem! – disse o emissário de bom coração, depois de, em vão, passar meia hora tentando resgatar a questão com o senhor Stryver. – Fui ao Soho.

– Ao Soho? – repetiu o senhor Stryver com frieza. – Ah! Claro! Onde estou com a cabeça?!

– E agora não me restam dúvidas – afirmou o senhor Lorry –, de que eu tinha razão quanto ao que lhe disse hoje de manhã. Minha opinião foi confirmada e reitero meu conselho.

– Asseguro-lhe – declarou Stryver no mais amistoso dos tons –, que sinto muito tanto pelo senhor quanto pelo pai da jovem. Sei que este sempre será um assunto espinhoso para a família. Que essa conversa termine aqui.

– Não o compreendo – disse o senhor Lorry.

– Receio que não – confirmou Stryver, assentindo de modo conclusivo e tranquilo. – Todavia, não tem importância, não tem importância.

– Tem importância, sim – insistiu o senhor Lorry.

– Não, não tem. Eu lhe asseguro que não. Supus haver bom senso onde não havia e louvável ambição onde não havia nenhuma. Errei, mas não faz mal. Muitas outras jovens mulheres já cometeram erros semelhantes e se arrependeram quando terminaram na pobreza e no esquecimento. Em uma perspectiva altruísta, lamento muito o fato de a coisa não ter prosperado, pois também teria sido uma empreitada ruim para mim, de um ponto de vista mundano. Em uma perspectiva egoísta, fico feliz de a coisa não ter prosperado, pois teria sido uma empreitada ruim para mim, do ponto de vista mundano; nem é preciso dizer que eu não ganharia nada com esse casamento. Felizmente, nenhuma das partes foi prejudicada. Não pedi a mão da moça e, cá entre nós, refletindo sobre o assunto, penso que não deveria me atirar em um compromisso como esse. Senhor Lorry, não se pode controlar os caprichos e bobagens dessas jovens de cabeça oca. Ninguém pode alimentar essa esperança, do contrário, corre-se o risco de viver decepcionado. Agora, encerremos esse tema. Digo-lhe que lamento pelos outros, mas de minha parte me dou por satisfeito. E lhe agradeço pela disposição em me ouvir e por me oferecer seus conselhos. O senhor conhece aquela jovem melhor do que eu e tem razão. Jamais daria certo.

O senhor Lorry surpreendeu-se tanto que permaneceu embasbacado, olhando para o senhor Stryver enquanto este lhe forçava porta afora, em um gesto regado de muita generosidade, paciência e boa vontade, pelo menos para aquela alma iludida.

– Veja o lado bom de tudo isso, meu caro – sugeriu Stryver. – E não toque mais no assunto. Novamente, lhe agradeço pelo conselho. Boa noite!

Antes que pudesse se dar conta, o senhor Lorry viu-se sob o luar. Enquanto isso, o senhor Stryver deitava no sofá e encarava o teto, pestanejando.

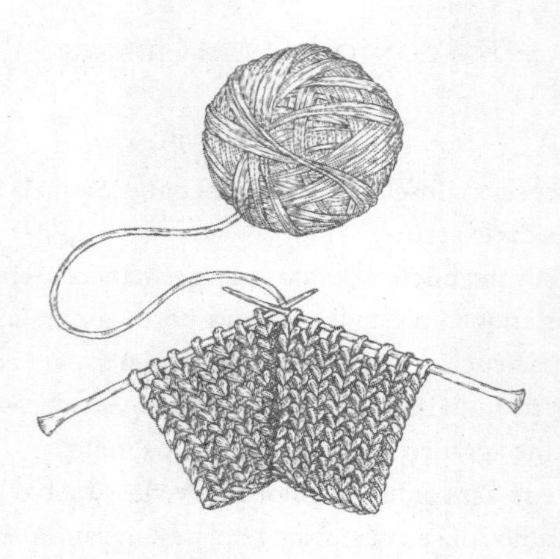

UM HOMEM IMPRUDENTE

Se Sydney Carton brilhou em algum lugar, com certeza não foi na casa do doutor Manette. Frequentara o lugar muitas vezes ao longo do ano e sempre se mantinha taciturno e ranzinza. Quando se dava ao luxo de abrir a boca, falava bem, mas a nuvem da indolência, que o encobria com a fatalidade das trevas, raramente era penetrada pela luz que havia dentro dele.

Assim, de algum modo as ruas no entorno daquela casa o apeteciam, tal como as pedras que compunham o asfalto. Por muitas noites, quando o vinho já não lhe trazia a alegria passageira, perambulou por essas ruas, sem destino específico e tampouco motivo para se contentar, e tantas outras madrugadas tediosas revelaram sua figura solitária ali, flanando sem rumo, e ainda a vaguear quando os primeiros raios de sol irrompiam, trazendo consigo um enorme alívio, revelando a beleza arquitetônica das torres das igrejas e dos altaneiros edifícios, como se talvez o momento de tranquilidade lhe trouxesse a esperança de acontecimentos mais felizes, embora esquecidos e inalcançáveis para ele. Ultimamente, o quarto abandonado em Temple Court o abrigava menos do que nunca e muitas vezes Carton se atirava na cama não mais que por alguns minutos, voltava a se levantar e saía perambulando e assombrando as ruas.

Certo dia de agosto, após o senhor Stryver (depois de contar ao seu chacal que "pensara melhor sobre o assunto do casamento"), levou sua delicadeza para Devonshire, e quando a vista e o perfume das flores pelas ruas da cidades despertavam gestos bondosos nos malvados, saúde nos enfermos e juventude nos mais velhos, os pés de Sydney ainda pisavam sobre essas pedras. De hesitantes a despropositados, os passos de repente animaram-se por um certo propósito e, a fim de concretizá-lo, levaram-no à porta do doutor.

Foi levado ao andar de cima e encontrou Lucie sozinha, trabalhando nos seus afazeres. Ela nunca se sentira muito confortável na companhia dele, e o recebeu com certo constrangimento quando ele se sentou à mesa perto dela. Contudo, ao olhar em seu rosto durante as primeiras trivialidades da conversa, Lucie notou algo de diferente nele.

– Receio que não esteja passando muito bem, senhor Carton!

– Não. Mas com a vida que levo, senhorita Manette, não há como contar com muita saúde. O que se pode esperar de um libertino, ou o que um libertino pode esperar disso?

– Não é... Perdoe-me, mas não posso deixar de perguntar... Não é uma pena o senhor não levar uma vida melhor?

– Deus sabe o quanto me envergonho dela!

– Então, por que não mudar seus hábitos?

Fitando-o com doçura, ela se surpreendeu e entristeceu ao vê-lo com os olhos marejados. E as lágrimas embargavam-lhe a voz, quando ele respondeu:

– É tarde demais para isso. Nunca serei melhor do que sou. Afundarei ainda mais e ficarei ainda pior do já estou.

Ele apoiou o cotovelo na mesa dela e cobriu os olhos com a mão. A mesa tremulou durante o silêncio que se seguiu.

Ela nunca o vira abatido e ficou muito angustiada com a cena. Ele notou o estado da moça e, sem olhar para ela, disse-lhe:

– Peço-lhe que me perdoe, senhorita Manette. Meu abatimento se deve ao que venho lhe dizer. A senhorita consente em me ouvir?

– Se isso lhe fizer algum bem, senhor Carton, se servir para animá-lo, ouço-o de muito bom grado!

– Deus a abençoe por tamanha compaixão!

Depois de algum tempo, ele tirou a mão do rosto e começou a falar com firmeza.

– Não tenha medo do que vai escutar. Não se assuste com nada do que eu lhe contar. Sou como um morto-vivo que partiu quando jovem. Eu já poderia ter sido enterrado.

– Não, senhor Carton. Tenho certeza de que a melhor parte de sua vida ainda está por vir. Tenho certeza de que o senhor ainda pode ser muito, muito digno de si mesmo.

– Sendo essa a sua opinião, senhorita Manette, e embora eu tenha consciência da realidade... embora no miserável recôndito do meu coração, eu tenha plena consciência da realidade.... jamais esquecerei suas palavras!

A senhorita Manette estava empalidecida e trêmula. Carton aparecera em busca de ajuda com um semblante tão desesperado que aquela conversa tornou-se diferente de qualquer outra que poderiam ter.

– Se tivesse sido possível, senhorita Manette, que correspondesse ao amor deste homem à sua frente... arruinado, extenuado, embriagado, uma pobre criatura estropiada como bem a conhece... ele saberia, neste dia e nesta hora, apesar de sua fortuna, que lhe traria sofrimento, tristeza e arrependimento, a arruinaria, desonraria e a arrastaria para o fundo do poço junto dele. Sei bem que a senhorita não nutre por mim nenhuma afeição, e não lhe peço nenhuma e para lhe ser sincero, me sinto aliviado pela impossibilidade desse sentimento.

– E sem ser correspondido, não há outro modo de salvá-lo, senhor Carton? Não posso... perdoe-me pela insistência!... Não posso lhe recomendar um futuro melhor? Não há alguma forma de retribuir essa confidência que me fez? Sei que se trata de uma confidência – disse meio sem jeito, depois de hesitar um pouco e às lagrimas, por sinal sinceras. – Sei que não diria isso a ninguém. Não há nada que eu possa fazer para ajudá-lo, senhor Carton?

Ele fez que não com a cabeça.

– Nada. Não há nada nem ninguém que possa me ajudar, senhorita Manette. Se a senhorita se dispuser a me ouvir mais um pouquinho, terá feito tudo o que poderia fazer por mim. Eu quero que saiba que a senhorita é o último sonho de minha alma. Em minhas agruras, me sinto menos angustiado ao vê-la junto de seu pai, nesta casa que em suas mãos se tornou um verdadeiro lar, e isso despertou em mim antigas sombras que eu já tinha por dizimadas. Desde que a conheci, sou perturbado por um remorso que jamais pensei tornar a enfrentar, ouço o sussurro de vozes antigas que me impeliam a seguir adiante e que imaginei terem se calado para todo o sempre. Passei a acalentar o vago desejo de um recomeço, de esforçar-me novamente, extirpar de minha vida a preguiça e a lascívia e retomar o combate abandonado. Um sonho, tudo um sonho, que finda em nada, e mantém o adormecido exatamente onde ele deitou, mas meu desejo era que a senhorita soubesse que foi a minha inspiração.

– E não resta mais nada desse sonho? Ora, senhor Carton! Tente outra vez! Tente outra vez!

– Não, senhorita Manette, mesmo nas quimeras desse sonho, tinha consciência de que era indigno dele. E ainda assim sucumbi à fraqueza, e continuo sucumbindo, de fazê-la saber a repentina maestria com que reacendeu as chamas de um amontoado de cinzas, e como o transformou em uma verdadeira fogueira... fogueira essa, no entanto, inseparável de minha própria natureza, incapaz de acender coisa alguma, de iluminar coisa alguma, de ter alguma serventia, com labaredas crepitantes e igualmente inúteis.

– Já que é minha a desventura, senhor Carton, de tê-lo tornado mais infeliz do que era antes de me conhecer...

– Não diga isso, senhorita Manette, pois a senhorita teria me regenerado, quando nada mais o faria. A senhorita jamais será a causa de minha piora.

– Já que seu estado de espírito, como o senhor descreve, é, sob todos os aspectos, consequência de minha influência... quero dizer, tentando ser mais clara... Não posso valer-me dessa influência para auxiliá-lo? Não tenho nenhum poder de lhe fazer algum bem?

– O único bem que poderia ser-me ofertado, foi o que acaba de me conceder, senhorita Manette. De resto, deixe-me levar pelo resto dessa vida desalentada, a lembrança de que abri o meu coração pela última vez à senhorita, e que havia nele algo de que se apiedou e lastimou.

– O que lhe suplico para que creia, de novo e de novo, com todo o fervor e de todo o coração, é que o senhor é muito melhor do que imagina, senhor Carton!

– Não me suplique mais, senhorita Manette. Conheço-me bem e já sei que estou certo. Vejo que a angustio, já estou prestes a terminar. Permitir-me-ia acreditar, quando eu rememorar este dia, que a última confidência de minha vida foi entregue à sua pura e inocente alma, e que nela jaze, e jamais será partilhada com ninguém?

– Se isso lhe servir de reconforto, sim.

– Não será partilhada nem mesmo com a pessoa mais adorada que a senhorita possa vir a ter?

– Senhor Carton – respondeu ela, depois de um momento perturbador de silêncio. – O segredo é seu, não meu. E prometo respeitá-lo.

– Obrigado. E, mais uma vez, que Deus a abençoe.

Ele colocou as mãos dela nos lábios e dirigiu-se à porta.

– Não receie, senhorita Manette, que algum dia eu retome essa conversa nem mesmo nas entrelinhas. Nunca mais recobrarei o assunto. Nem se eu estivesse morto a senhorita poderia ter tanta certeza do que lhe asseguro agora. No momento de minha morte, levarei comigo essa sagrada lembrança, e agradecerei e abençoarei a senhorita, a quem entreguei a minha última confissão, e sei que guardará o meu nome, as minhas falhas e as minhas agruras com toda a delicadeza em seu coração. E que seja essa a única mácula que pese sobre ele, para que de resto permaneça leve e feliz!

Carton comportava-se de um modo tão diferente como jamais a senhorita Lucie o vira, e a entristecia profundamente pensar o quanto ele jogara fora e o quanto se corrompia, tanto que ela se debulhou em lágrimas por ele, lastimando tudo aquilo, enquanto Carton mantinha-se parado, olhando para ela.

– Anime-se! – pediu ele – Não sou merecedor desse sentimento, senhorita Manette. Daqui a uma ou duas horas, os péssimos hábitos e camaradas que tanto desprezo, mas aos quais sempre acabo me rendendo, farão de mim ainda menos merecedor dessas lágrimas do que qualquer calhorda que se arrasta pela sarjeta. Anime-se! Mas saiba que dentro de mim, em relação à senhorita, sempre serei o que sou agora, embora por fora eu possa parecer o mesmo de antes. A última súplica que lhe faço é que acredite em mim para todo o sempre.

– Acreditarei, senhor Carton.

– Esta é a minha última súplica à senhorita. E, com isso, vou livrá-la de um visitante com quem, como bem sei, a senhorita não tem nada em comum e do qual está apartada por um abismo intransponível. É inútil dizer-lhe isso, eu sei, mas falo com a alma. Pela senhorita e por qualquer ente que lhe seja querido, eu faria qualquer coisa. Se minha situação fosse outra em que houvesse qualquer possibilidade de sacrificar-me, me ofereceria em sacrifício pela senhorita e por aqueles que estima. Em seus momentos de silêncio, tente guardar-me na lembrança de maneira ardente e sincera. Chegará o tempo, e não tardará, em que a senhorita será envolta em novos laços... laços que a amarrarão e a prenderão com ainda mais ternura e força ao lar que adorna... laços tão valorosos que para sempre vão agraciá-la e alegrá-la. Ó, senhorita Manette, quando o embevecido semblante de um pai feliz contemplar o seu, quando a senhorita vir a sua própria beleza irrompendo, reproduzindo-se a seus pés, de vez em quando pense que há um homem que daria a própria vida para preservar ao seu lado a vida daqueles que a senhorita ama.

E, com isso, ele disse "Adeus!", repetiu um último "Deus a abençoe" e partiu.

O COMERCIANTE HONESTO

Aos olhos do senhor Jeremiah Cruncher, sentado em seu banquinho na Fleet Street, com o filho medonho bem ao lado, uma vasta e variada quantidade de objetos em movimento passavam todos os dias. E quem, sentado em plena Fleet Street nos horários de maior movimento, não ficaria atordoado e ensurdecido com as duas procissões gigantescas, uma sempre na direção oeste, rumo ao sol, e a outra seguindo para o leste, contra o sol, ambas desaparecendo para além da superfície vermelha e roxa onde o sol se punha?

Com uma tira de palha na boca, o senhor Cruncher observava as duas ondas revoltas, feito um camponês pagão que, por vários séculos, cumpria a obrigação de vigiar a correnteza, exceto pelo fato de Jerry não ter a menor esperança de que um dia aquelas torrentes secariam. Nem teria sido essa uma boa expectativa, já que uma pequena parte do seu ganha-pão provinha da companhia que fazia às mulheres tímidas (a maioria de traje completo e de meia-idade ou mais) e que atravessavam a calçada da corrente que passava pelo Tellson em direção à margem oposta. Por mais breve que fosse o tempo em que lhes fazia companhia, nesse ínterim, o senhor Cruncher nunca deixava de se interessar por uma dama, tanto que expressava o enfático desejo de ter a honra de brindar-lhe à saúde. E era por meio desses regalos ofertados em retribuição a um gesto tão benevolente que ele complementava sua renda, como já citado.

Houve um tempo em que poetas sentavam-se em banquinhos nos espaços públicos e meditavam à vista dos homens. O senhor Cruncher, sentado em um banquinho em local público, porém, não sendo poeta, meditava o mínimo possível, e olhava ao redor.

Ocorreu que Jerry encontrava-se, dessa maneira, em um período no qual a multidão estava reduzida, notadamente a circulação de mulheres; essa falta de prosperidade do negócio despertou no peito do senhor Cruncher a forte suspeita de que a esposa estivesse ajoelhada com fervor pelos cantos, quando uma procissão incomum de gente descendo a Fleet Street, na direção oeste, chamou-lhe atenção. Olhando naquela direção, o senhor Cruncher imaginou que deveria haver algum funeral em andamento, contra o qual o povo se revoltava, causando alvoroço.

– Jerry júnior – disse o senhor Cruncher, voltando-se para o herdeiro –, é um enterro.

– Hurra, pai! – exclamou Jerry júnior.

O jovem cavalheiro proferiu essa frase em tom exultante e enigmático. O velho cavalheiro ficou com tanta raiva daquela reação que na primeira oportunidade desferiu um tapa na orelha do menino.

– Que modos são esses? Qual é o motivo dessa farra? O que está querendo mostrar ao seu próprio pai, rapaz? Esse moleque é demais pra mim! – exclamou o senhor Cruncher, observando-o. – Ele e esses "hurras"! Não abra mais a boca, ou vai sentir de verdade o peso da minha mão! Entendeu?

– Não fiz nada de errado – retrucou Jerry júnior, coçando a bochecha.

– Então, fique quieto – advertiu o senhor Cruncher. – Não vou aguentar nenhuma malcriação sua. Sente aí e assista ao enterro!

E assim o filho obedeceu e a multidão aproximou-se, esbravejando e vaiando em torno de um lúgubre carro e de uma lúgubre carruagem, e nesta última havia apenas um enlutado, vestido com os trajes fúnebres e apropriados à dignidade de sua posição. E tal posição parecia não o agradar nem um pouco, com a agitação crescente em torno da carruagem, vaiando-o, fazendo-lhe caretas, grunhindo e bradando:

– Arre! Espiões! Vão pro inferno! Espiões! E outras manifestações demasiadamente numerosas e impetuosas para serem repetidas.

Os funerais sempre atraíram e muito a atenção do senhor Cruncher. Sempre que algum passava em frente ao Tellson, aguçava-lhe os sentidos e o entusiasmava. Não é de se estranhar, portanto, que um funeral com tão inusitado cortejo o tenha exaltado muitíssimo, a ponto de perguntar para o primeiro homem que passou perto dele:

– O que acontece aí, irmão? Qual é o motivo do alvoroço?

– Não sei – respondeu o homem. – Arre! Espiões! Vão pro inferno! Espiões! – e perguntou a outro homem:

– Quem é o morto?

– Não sei – respondeu o sujeito, unindo as mãos e levando-as à boca, formando uma concha e vociferando com toda a raiva e ardor: – Arre! Espiões! Tsc, tsc! Es-pi-ões!

Por fim, uma pessoa mais bem informada sobre os pormenores do caso trombou no senhor Cruncher e dela ele soube que aquele era o funeral do senhor Roger Cly.

– E ele era espião? – perguntou o senhor Cruncher.

– Sim, de Old Bailey – respondeu o informante. – Arre! Tsc! Espiões de Old Bailey!

– Ora! É ele mesmo! – exclamou Jerry, lembrando-se do julgamento que assistira. – Eu o vi. Morreu, é?

– Mortinho – respondeu o outro –, mais morto que qualquer outro defunto. Tirem-no daí! Espiões! Tirem-no do carro! Espiões!

A sugestão soou tão apropriada diante da prevalência da falta de ideias, que a multidão aceitou-a com entusiasmo e a plenos pulmões começou a repetir: "Tirem-no do carro!, Tirem-no do carro!" e cercaram os dois veículos de tal modo que tiveram de parar. Quando a multidão abriu as portas da carruagem, o enlutado debateu-se e ficou nas mãos deles por um momento; porém, ele estava tão alerta e atento ao que se passava em cada segundo daquela cena que, na primeira oportunidade, esgueirou-se por um beco, depois de tirar o manto, o chapéu que tinha uma fita vistosa, o lenço branco de bolso e todos os outros vestígios simbólicos do luto.

Com grande entusiasmo, o povo rasgou os trajes deixados para trás em pedacinhos e espalhou pelos ares, ao mesmo tempo em que os comerciantes fechavam as portas de suas lojas, pois em tempos como aqueles nada poderia deter uma multidão, que formava um dos monstros mais temerosos. Já haviam aberto a porta do carro fúnebre para retirar o caixão quando algum gênio mais brilhante entre eles propôs, em meio ao regozijo geral, seguirem com o funeral rumo a seu destino em vez de removerem o defunto. Como sugestões práticas eram muito bem-vindas, esta foi aceita com aplausos, e logo oito deles embarcaram na carruagem e outros doze ficaram do lado de fora, enquanto no teto do veículo subiram tantos quanto a engenhosidade assim permitia. Entre os primeiros desses voluntários estava o próprio Jerry Cruncher, que escondeu a cabeça de cabelos espetados do campo de visão do Tellson e ajeitou-se no canto mais acobertado da carruagem.

Os coveiros protestaram um pouco diante das mudanças na cerimônia; no entanto, como o rio ficava cada vez mais próximo e ouviam-se numerosas vozes comentando a eficácia da água gelada para recobrar a razão de coveiros rebeldes, o protesto deles foi discreto e breve. E assim a reorganizada procissão começou o desfile, com um limpador de chaminés conduzindo o carro fúnebre e devidamente orientado pelo cocheiro oficial, que se mantinha empoleirado ao lado dele, particularmente para esse propósito, executando rigorosa inspeção, e um doceiro, igualmente amparado por seu ministro de gabinete, guiando a carruagem. Um adestrador de ursos, figura bastante popular da época, incrementou a cena feito um enfeite extra antes de o cortejo descer a Strand; e seu urso, preto e sarnento, conferiu verdadeira visão funesta à porção da procissão da qual participava.

E, assim, bebendo cerveja, fumando cachimbo e cantarolando e caricaturando as típicas lástimas de uma desgraça, a procissão desordenada seguiu seu rumo, ganhando cada vez mais adeptos a cada passo, e fazendo todas as portas dos comércios se fecharem. O destino era a velha igreja de Saint Pancras, longe da cidade, situada no campo. Depois de algum tempo, o cortejo lá chegou e insistiu permanecer ali pelos campos. Por fim, procederam ao enterro do falecido Roger Cly como bem quiseram e deram-se por muito satisfeitos.

Sepultado o defunto, e necessitando a multidão encontrar outra distração, outro gênio brilhante (ou talvez o mesmo de antes) teve a ideia de acusar os pedestres por ali de espiões de Old Bailey e de descarregarem neles o seu ódio. Dezenas de inocentes que nunca sequer haviam passado perto de Old Bailey foram perseguidos, empurrados e maltratados. A transição da brincadeira para a depredação de janelas e consequentes saques às tabernas foi algo fácil e natural. Por fim, depois de muitas horas, quando várias casas de campo haviam sido destruídas e algumas cercas derrubadas, para servirem de arma aos espíritos mais beligerantes, correu o boato de que os guardas estavam a caminho. Antes de o boato se espalhar, no entanto, a multidão gradualmente se dissipara e talvez os guardas tenham vindo, ou talvez nunca tenham aparecido, e assim era o habitual fluxo de um alvoroço.

O senhor Cruncher não participou do encerramento da brincadeira, mas permaneceu no pátio da igreja para conversar e condoer-se com os coveiros. Aquele lugar exercia um efeito tranquilizante sobre ele. Em uma taberna das redondezas, conseguiu um cachimbo e fumou, observando o cercado e contemplando os arredores com maturidade.

– Jerry – disse o senhor Cruncher, conversando consigo mesmo como de costume –, aquele Cly que descansa ali é o mesmo daquele dia, e veja com seus próprios olhos que ele era um homem jovem e correto.

Terminando de fumar o cachimbo e depois de ruminar um pouco mais, virou-se e foi embora, pois precisava retomar o seu posto no Tellson antes do fim do expediente. Fosse pelas reflexões sobre a morte, que podem ter lhe atacado o fígado, ou porque a saúde de modo geral já não andava boa, ou talvez pelo desejo de chamar atenção de um homem eminente, não vem ao caso, o fato é que, no caminho de volta, o senhor Cruncher decidiu fazer uma breve visita a seu médico, um renomado cirurgião.

Jerry filho substituíra o pai com muita diligência e relatou não ter havido nenhuma ocorrência durante a ausência dele. O banco fechou, os funcionários idosos foram embora, o vigia assumiu seu posto como de costume e o senhor Cruncher e o filho foram para casa tomar o chá.

– Escute, mulher, o que vou lhe dizer! – disse o senhor Cruncher à esposa, enquanto entrava. – Se, como um comerciante honesto, meus negócios fracassarem hoje à noite, vou investigar se você andou rezando de novo por mim, e vou lhe infernizar como se tivesse com meus próprios olhos visto você ajoelhada.

A abatida senhora Cruncher fez que não com a cabeça.

– Ora! Faz isso bem na minha cara! – retrucou o senhor Cruncher, dando sinais de raiva.

– Mas eu não disse nada.

– Muito bem, então. Não diga e nem fale nada. Não dobre os joelhos no chão e não pense em nada. De um jeito ou de outro pode me prejudicar. Largue mão disso de uma vez.

– Sim, Jerry.

– Sim, Jerry – repetiu o senhor Cruncher, sentando-se para o chá. – Ah! É assim mesmo que deve responder. "Sim, Jerry".

O senhor Cruncher não tinha nenhuma intenção em particular naquelas afirmações tão rabugentas, mas as usava, assim como as pessoas em geral usam para expressar de modo irônico sua insatisfação geral.

– Você e seu "sim, Jerry" – retrucou o senhor Cruncher, mordendo o seu pão com manteiga, aparentemente ajudando-o a descer goela abaixo com o auxílio de uma ostra invisível fora de seu pires. – Ah! Acho que sim. Acredito em você.

– Vai sair hoje à noite? – perguntou a esposa decorosa, enquanto ele dava uma segunda mordida no pão.

– Sim, vou.

– Posso ir com o senhor, pai? – perguntou o filho no mesmo instante.

– Não, não pode. Estou indo, como a sua mãe sabe, pescar. É isso que vou fazer. Pescar.

– A sua vara de pescar está enferrujada, não está, pai?

– Não é da sua conta.

– O senhor vai trazer algum peixe pra casa, pai?

– Se eu não trouxer, mal vão ter o que comer amanhã – respondeu o cavalheiro, fazendo que não com a cabeça. – E chega de pergunta por hoje. Só saio daqui depois que estiver na cama, dormindo sono pesado.

E dedicou o restante da noite à intensa vigilância da senhora Cruncher, encurralando-a em uma dura conversa para impedi-la de seguir adiante com suas preces em desfavor do marido. Com sua queixa, incentivou o filho a também participar da conversa e convencer a mãe, e deixou a pobre coitada em uma situação difícil, insistindo em todos os possíveis motivos de reclamações contra ela, sem deixá-la em paz com os próprios pensamentos por nenhum momento sequer. O mais devoto dos devotos não teria prestado homenagem maior à eficácia de uma oração sincera do que o senhor Cruncher ao expressar tamanha desconfiança da própria esposa. Era como se alguém que não acredita em fantasmas se assustasse ao ouvir uma história sobre eles.

– E preste bem atenção! – ordenou o senhor Cruncher. – Nada de brincadeiras amanhã. Se eu, como comerciante honesto, conseguir arranjar um bife ou dois, não quero ver nenhum dos dois rejeitando a carne para comer o pão. Se eu, como comerciante honesto, conseguir um pouco de cerveja, que nenhum dos dois prefira a água. Quando em Roma, aja como os romanos, do contrário, Roma lhes parecerá péssima. Eu sou a Roma de vocês, como sabem.

E tornou a resmungar:

– Com você cuspindo no próprio prato que come e no copo que bebe! Não sei o quanto esses seus disparates só vão fazer a nossa situação piorar. Olhe bem para o seu filho! É fruto de suas entranhas, não é? Está mais magro que um sarrafo. Você se diz mãe, mas não sabe que o primeiro dever de uma mãe é engordar o próprio filho?

Essa última parte tocou o pequeno Jerry no fundo da alma, que intimou a mãe a cumprir seu principal dever, e a despeito do que mais ela fizesse ou negligenciasse, deveria em primeiríssimo lugar executar essa função materna com todo o afeto e delicadeza recomendados pelo pai.

E assim transcorreu a noite da família Jerry, até o pequeno Jerry receber a ordem para ir dormir, e sua mãe, submetida a similares injunções, obedeceu-as. O senhor Cruncher ludibriou as primeiras horas de vigília da noite com algumas cachimbadas solitárias e só começou a expedição próximo à uma da manhã. Naquela curta e fantasmagórica hora, ele se levantou da cadeira, tirou a chave do bolso, destrancou um armário e dele tirou um saco, um pé-de-cabra de tamanho apropriado, uma corda, uma corrente e outros equipamentos de pesca. Manejando todo o conjunto com destreza, lançou um olhar desafiador para a senhora Cruncher, apagou a luz e saiu.

O pequeno Jerry, que apenas fingira despir-se quando lhe mandaram dormir, pulou da cama e não muito depois do pai, saiu também. Acobertado pelo breu, atravessou a sala, desceu as escadas, saiu pelo jardim e meteu-se na rua. Não ficou preocupado com o que faria para entrar de novo em casa, porque ali havia muitos inquilinos e a porta ficava entreaberta a noite toda.

Impelido pela ambição louvável de estudar a arte e o mistério do autêntico ofício do pai, o pequeno Jerry manteve-se próximo da fachada, das paredes e das portas tanto quanto o olho direito se aproxima do esquerdo e não tirou os olhos de seu honrado pai. O honrado pai, que caminhava em direção norte, ainda não tinha ido muito longe quando encontrou outro discípulo de Izaak Walton[12], e os dois seguiram o caminho juntos.

Meia hora depois, já tinham deixado para trás os piscantes lampiões e os vigias que piscavam ainda mais, e se atiravam em uma estrada solitária. Mais um pescador uniu-se aos dois e de um modo tão sorrateiro que, se o pequeno Jerry fosse supersticioso, poderia acreditar que o segundo adepto da delicada arte, de repente se dividira em dois, resultando naquela aparição.

E assim seguiram adiante os três, e o pequeno Jerry foi atrás deles, até o grupo parar debaixo de um dique que tinha vista para a estrada. Na parte mais suspensa do dique havia um muro pequeno de tijolos, encimado por uma grade de ferro. À sombra do dique e da mureta, os três saíram da estrada e entraram em um beco escuro, do qual a mureta, que ali tinha entre dois e três metros de altura, cobria um dos lados. Agachado em um canto, espreitando o beco, a próxima coisa que o pequeno Jerry viu foi a sombra do honrado pai, bem definida contra o reflexo nebuloso da lua, escalando com habilidade um portão de ferro. Em pouquíssimo tempo estava do outro lado, e na sequência, o segundo e o terceiro homem fizeram o mesmo. Todos os três pousaram os pés no chão do outro lado sem alarde e por ali permaneceram um tempo, em silêncio, prestando atenção, talvez. Depois, com as mãos e os joelhos apoiados no chão, começaram a se arrastar.

Agora, chegara a hora do pequeno Jerry aproximar-se do portão, e assim ele o fez, prendendo a respiração. Mais uma vez agachado em um canto, e espiando dentro do portão, ele viu os três pescadores rastejando pela grama alta e todas as lápides no cemitério da igreja (porque aquele era um cemitério grande de uma igreja), pareciam fantasmas e a torre da igreja em si parecia o fantasma de um monstro gigante. Não avançaram muito, logo pararam e levantaram. E começaram a pescar.

A princípio, pescaram com uma pá. Na sequência, o honrado pai parecia ajustar algum tipo de instrumento parecido com um saca-rolhas grande. Quaisquer que fossem as ferramentas utilizadas, requeriam muito esforço, até que uma badalada pavorosa do relógio da igreja assustou o pequeno Jerry de tal modo que ele deu no pé, com o cabelo tão arrepiado quanto o do pai.

Contudo, o desejo que alimentava há muito, de matar a curiosidade sobre esses assuntos não só o deteve em sua fuga como o fez voltar ao lugar. Os três continuavam a pescar quando o pequeno Jerry espreitou-se pelo portão pela segunda vez, mas agora, pareciam ter fisgado algo. Ouviu-se um ruído áspero e uns resmungos lá embaixo, e

---

12 Izaak Walton foi um escritor inglês que escreveu o livro *The Compleat Angler* (um famoso manual de pesca). (N.E.)

os três curvavam-se, como se tivessem puxando um peso. Aos poucos, o peso emergiu da água e foi posto em terra firme. O pequeno Jerry sabia muito bem do que se tratava aquele peso; porém, ao ver a cena e testemunhar o honrado pai prestes a arrombá-lo, ficou tão assustado por nunca ter visto aquilo com os próprios olhos que fugiu mais uma vez, e só parou depois de correr um quilômetro e meio ou mais.

E não teria parado não fosse para recuperar o fôlego durante aquela corrida espectral que disputava e cuja linha de chegada estava obstinado a atravessar. Tinha a plena convicção de que o caixão que vira corria atrás dele e o imaginava de pé, sustentando o próprio peso na extremidade mais estreita, perseguindo-o, quiçá agarrando-lhe o braço. Enfim, o tipo de perseguição que se deve evitar. Era um demônio tresloucado e onipresente também, pois tornara aquela noite a mais assustadora de todas, e o pequeno Jerry avançava estrada adentro para evitar os becos escuros, com medo de vê-lo saltar das trevas feito uma pipa que inchou e esticou, perdendo a rabiola e as asas, e virando um caixão voador. Também se escondia na entrada das casas, esfregando seus ombros terríveis contra as portas, suspendendo-as pelas pontas, como se rissem. Embrenhava-se nas sombras da estrada e, matreiro, deitava-se de barriga para cima para fazê-lo tropeçar. E durante todo esse tempo saltitava, correndo atrás do pequeno Jerry para alcançá-lo, tanto que, quando o menino chegou à porta da própria casa, teve motivos para achar que estava meio vivo, meio morto. E mesmo assim, não o deixou em paz, pelo contrário; o acompanhou até o andar de cima, provocando um baque a cada degrau que avançava, deitou-se na cama com ele e desabou, morto e pesado, em cima do peito do menino quando ele adormeceu.

De seu perturbado sono no cubículo que tinha como quarto, o pequeno Jerry foi despertado ainda pela madrugada com a presença do pai na sala de estar. Algo de errado sucedera, ou pelo menos assim o pequeno Jerry concluiu ao ver o pai segurando a mãe pelas orelhas e batendo a parte de trás de sua cabeça contra a cabeceira da cama.

– Eu lhe avisei que a castigaria – disse o senhor Cruncher –, e a castigarei.

– Jerry, Jerry, Jerry! – implorou a esposa.

– Você torce contra o lucro do negócio – resmungou Jerry Pai –, e eu e meus camaradas sofremos as consequências. Você deveria honrar e obedecer seu esposo, por que diabos não faz isso?

– Eu tento ser uma boa esposa, Jerry – protestou a pobre mulher, às lagrimas. – Por acaso ser uma boa esposa significa torcer contra o negócio do marido? Por acaso honrar o seu marido significa desonrar os negócios dele? Por acaso obedecer o seu marido significa discordar de uma questão sobre os seus negócios? Quando jurei lhe obedecer, você não praticava um negócio tão pavoroso, Jerry.

– É suficiente para você – retrucou o senhor Cruncher –, ser a esposa de um comerciante honesto e não ocupar a sua mente feminina com suposições sobre o trabalho do marido. Uma esposa honrada e obediente não meteria o nariz nos negócios do marido. Você se considera uma mulher religiosa? Se de fato é, não sei o que é uma mulher sem religião! Você tem tanta noção do que é o dever quanto o leito do rio Tâmisa tem do que é a viga que sustenta uma ponte; essa comparação deve fazer com que você aprenda.

O bate-boca se deu em voz baixa e terminou com o honesto comerciante arrancando as botas sujas de barro com a força dos próprios pés e estirando-se no chão. Depois de espiar o pai deitado com as mãos enferrujadas atrás da cabeça, apoiando-a feito um travesseiro, o filho também se deitou e voltou a cair no sono.

Não havia peixe para o café da manhã, nem praticamente nada. O senhor Cruncher, irritado e mal-humorado, mantinha a seu lado uma tampa de panela que lhe servia de projétil para arremessar contra a senhora Cruncher, caso ele percebesse qualquer sinal das rezas dela. Na hora de sempre, banhara-se e escovara-se e partiu junto do filho para o cumprimento de seu outro ofício.

O pequeno Jerry, caminhando com o banco debaixo do braço, ao lado do pai pela ensolarada e movimentada Fleet Street, era um garoto muito diferente daquele da noite anterior, fugindo de seu medonho perseguidor pela escuridão das ruas. A astúcia renovara-se com o romper do dia e seus receios desapareceram com a noite, situação essa, provavelmente, similar à de outras pessoas que circulavam pela Fleet Street e pelo centro de Londres naquela bela manhã.

– Pai – chamou o pequeno Jerry enquanto os dois caminhavam, tomando o devido cuidado de manter-se a um braço de distância do pai, separados pelo banquinho. – O que é ressurreicionista[13]?

O senhor Cruncher interrompeu o passo de repente e, alguns segundos depois, respondeu:

– E como é que vou saber?

– Eu achei que o senhor sabia de tudo, pai – respondeu o ingênuo garoto.

– É! Pois bem... – disse o senhor Cruncher, retomando o passo, tirando o chapéu para libertar os fios espetados. – É um comerciante.

– E o que ele vende, pai? – perguntou o ligeiro rapazinho.

– Ele vende... – explicou o senhor Cruncher depois de matutar um pouco. – É um ramo de produtos científicos.

---

13 Adaptado do termo *Resurrection-Man*. Refere-se a um ladrão de corpos (em geral, homens condenados à morte) que os vendia para as faculdades de medicina nos séculos XVIII/XIX. (N.E.)

– O corpo de gente, não é, pai? – indagou o vivaz menino.

– Creio que seja algo desse tipo.

– Ah, pai, acho que quero ser ressurreicionista quando crescer!

O senhor Cruncher ficou aliviado, mas balançou a cabeça em um gesto moralista e hesitante.

– Isso dependerá de como você desenvolve os seus talentos. Preste atenção a isso e nunca diga mais do que deve a ninguém. Por enquanto, é cedo demais para dizer o que vai ou não se tornar. – O pequeno Jerry, entusiasmado com os dizeres do pai, adiantou um pouco o passo para plantar o banquinho à sombra de Temple Bar e o senhor Cruncher disse consigo:

– Jerry, seu comerciante honesto, há esperanças de que este moleque lhe saia uma verdadeira bênção e o recompense por aturar a mãe dele!

TRICOTANDO

Na taberna do senhor Defarge, a bebedeira começou mais cedo do que o habitual. Logo às seis da manhã, por entre as grades das janelas, rostos amarelos espreitavam outros rostos lá dentro, debruçados sobre cálices de vinho. Se mesmo nas melhores épocas *monsieur* Defarge vendia um vinho ralo, o daquele dia era excepcionalmente ordinário. Um vinho azedo, ou em processo de fermentação, e que deixava os que o bebiam igualmente azedos e melancólicos. Nenhuma chama dionisíaca brotava das uvas prensadas de *monsieur* Defarge, mas nas trevas recônditas da borra do vinho jaziam labaredas ardentes.

Aquela era a terceira manhã consecutiva em que o vinho começava a ser servido cedo na taberna do senhor Defarge; começou na segunda e aquela era uma quarta-feira. A bem da verdade, a clientela aparecia por ali mais para meditar do que para beber, pois muitos homens tinham ouvido e cochichado e espiado desde a abertura da taberna, homens que sequer podiam colocar uma mísera moeda em cima do balcão, nem que fosse para salvar a própria vida, mas ainda assim pairavam sobre o estabelecimento como se pudessem pedir barris inteiros de vinho; deslizavam de um banco ao outro, de um canto ao outro, gastando saliva com conversa em vez de vinho e com olhares sedentos.

Apesar do movimento incomum da taberna, não se via o dono do estabelecimento, mas ninguém lhe deu por falta, pois ninguém que cruzava a porta vinha à sua procura, ninguém perguntava por ele, ninguém percebia que atrás do balcão havia apenas a madame Defarge, supervisionando a distribuição do vinho, e com uma tigela de moedinhas à sua frente, tão desfiguradas e rotas quanto a pequena geração da humanidade de cujos bolsos, igualmente maltrapilhos, elas haviam saído.

Uma falta de interesse e uma prevalente distração talvez fossem notadas pelos bisbilhoteiros que espiavam a taberna, assim como o faziam com todos os lugares, percorrendo cada canto, de cima a baixo, do palácio do rei ao cárcere dos criminosos. Jogos de cartas arrastavam-se, jogadores de dominó construíam torres com as peças, clientes desenhavam números na mesa com gotas de vinho derramadas e a própria madame Defarge, com um palito de dente, reproduzia no balcão o desenho da manga de sua blusa, vendo e escutando coisas distantes que a freguesia não via e não escutava.

E assim transcorreu a manhã em Saint-Antoine, em uma atmosfera vinosa até o meio-dia. Pouco tempo depois, dois homens cobertos de poeira passaram pela rua debaixo dos lampiões balançantes: um deles era Defarge e o outro o calceteiro que andava de barrete azul. Empoeirados e sedentos, os dois entraram na taberna. A chegada dos dois acendeu uma espécie de fogueira no coração de Saint-Antoine e as chamas espalhavam-se rapidamente, crepitando e tremulando na maioria dos rostos por trás daquelas portas e janelas. No entanto, ninguém seguira os dois, e ninguém disse uma palavra sequer quando ambos entraram na taberna, embora todos os olhos tenham se voltado a eles.

– Bom dia, senhores! – disse *monsieur* Defarge.

E talvez o cumprimento tenha sido um sinal para soltarem a língua, pois provocou como resposta um uníssono:

– Bom dia!

– O tempo está muito ruim, cavalheiros – anunciou Defarge, fazendo que não com a cabeça.

Ao escutarem isso, cada um dos ali presentes olhou para o companheiro ao lado, e então, todos abaixaram a cabeça e fizeram silêncio. Com exceção de um, que se levantou e saiu.

– Minha esposa – disse Defarge em voz alta, dirigindo-se à madame Defarge –, viajei algumas léguas com esse companheiro calceteiro, que se chama Jacques. Eu o conheci por acaso, depois de um dia e meio de viagem rumo a Paris. É um bom sujeito, esse homem, chamado Jacques. Dê-lhe de beber, esposa minha!

Outro homem levantou-se e saiu da taberna. A madame Defarge encheu um cálice de vinho e o colocou diante do calceteiro chamado Jacques, que tirou o barrete azul em saudação aos companheiros e tomou a bebida. No bolso da camisa, carregava um pão preto e duro, que comia um pedaço entre uma golada e outra, e ali ficou, comendo e bebendo perto do balcão onde estava madame Defarge. Um terceiro homem levantou-se e foi embora.

Defarge refrescou-se com um gole de vinho, mas bebeu menos do que foi oferecido ao convidado, a bebida para ele não era coisa rara; então ficou de pé, aguardando o conterrâneo terminar o seu café da manhã. Ele não olhou para nenhum dos ali presentes e nenhum dos ali presentes olhou para ele, nem sequer a madame Defarge, concentrada no tricô.

– Terminou o desjejum, amigo? – perguntou o taberneiro no momento apropriado.

– Sim, obrigado.

– Então venha! Vou lhe mostrar o apartamento que está livre. Vai lhe cair como uma luva.

Saíram da taberna e deram para a rua, da rua caminharam até o pátio, do pátio para uma escadaria íngreme, da escadaria íngreme para o sotão; o mesmo sotão no qual já havia morado um homem de cabelo branco, sentado em um banquinho, com o tronco curvado à frente, muito absorto confeccionando sapatos.

Agora, não havia nenhum homem de cabelo branco ali, mas estavam os três homens que tinham saído, um por um, da taberna minutos antes. E entre eles e o homem de cabelo branco, que não estava mais ali, havia uma pequena ligação: o trio, certa vez, espiara o homem grisalho através das fendas da parede.

Defarge fechou a porta com cuidado e, em voz baixa, disse:

– Jacques Primeiro, Jacques Segundo, Jacques Terceiro! Essa é a testemunha encontrada por mim, Jacques Quarto. Ele vai lhes contar tudo. Diga, Jacques Quinto!

Com o barrete azul, o calceteiro enxugou o suor da testa escura e disse:

– Por onde devo começar, senhor?

– Comece pelo começo – respondeu Defarge, sem pensar muito.

– Eu o vi naquela época, *messieurs* – começou a contar o calceteiro –, neste verão completa um ano, debaixo da carruagem do marquês, pendurado por uma corrente. Exatamente como vou lhes contar. Eu tinha terminado o trabalho na estrada, o sol começava a ir embora, e a carruagem do marquês subia a colina, com ele pendurado debaixo, pela corrente... Desse jeito.

Mais uma vez, o calceteiro reproduzia a interpretação que, àquela altura, já devia executar com perfeição, posto que o "número" fora um recurso infalível e uma distração indispensável para a aldeia durante todo o ano que se passara.

Jacques Primeiro interrompeu a encenação para perguntar se o calceteiro vira o homem antes.

– Nunca – respondeu, retomando a posição perpendicular.

Jacques Terceiro perguntou, então, como o calceteiro o reconhecera.

– Porque era um homem alto – respondeu com a voz branda e com o dedo no nariz. – Quando o monsenhor marquês me perguntou naquela noite como o homem era, eu respondi que era alto feito uma sombra.

– Você deveria ter dito que era pequeno feito um anão – sugeriu Jacques Segundo.

– Mas como eu poderia saber? A coisa ainda não tinha sido feita, nem ele confiou em mim. Preste atenção! Nem mesmo naquelas circunstâncias, eu ofereci meu testemunho. Eu estava parado e perto da nossa pequena fonte, quando monsenhor marquês aponta o dedo para mim e diz: "Tragam aquele calhorda aqui!". Juro-lhes, senhores, não tinha nada a oferecer.

– Ele tem razão, Jacques – murmurou Defarge para o que havia interrompido o relato. – Continue!

– Ótimo! – disse o calceteiro com um ar de mistério. – O homem alto sumiu e está sendo procurado... há quantos meses? Nove, dez, onze?

– Não importa quanto – ponderou Defarge. – Está bem escondido, mas uma hora terá o azar de ser encontrado. Continue!

– Bem, estou eu novamente trabalhando na colina, e o sol está prestes a ir embora. Recolho minhas ferramentas para descer até minha casa, na aldeia, onde já escureceu; quando ergo o rosto, vejo seis soldados subindo a colina. No meio deles, vejo um homem alto e com os braços amarrados às laterais do corpo... assim!

Com a ajuda de seu indispensável barrete, ele reproduziu um homem com os cotovelos bem amarrados aos quadris, presos com cordas cujos nós foram feitos nas costas do capturado.

– Fiquei em um canto, senhores, escondido atrás de umas pedras para ver os soldados e o prisioneiro passarem... é uma estrada tão solitária que qualquer espetáculo merece ser assistido... E, a princípio, enquanto se aproximavam, não vi nada além de seis soldados com um homem alto e amarrado, e à minha vista quase pareceram negros, exceto pelo lado em que o sol se punha, onde eles tinham uns contornos avermelhados. Além disso, vi também que as sombras deles no vale, do outro lado da estrada, e no morro acima do vale, eram feito sombras de gigantes. Também vi que estavam todos cobertos de poeira e que o pó avançava com os pés deles, marchando, marchando! Mas quando chegaram bem perto de mim, reconheci o homem alto e ele me reconheceu. Ah, como aquele sujeito teria ficado contente se pudesse descer a encosta mais uma vez, como fizemos na noite em que nos conhecemos, perto daquele mesmo lugar!

O calceteiro descrevia a cena como se estivesse lá, e era evidente que a rememorava vividamente. Talvez ele não tivesse vivenciado muitas coisas nessa vida.

– Eu não demonstro aos soldados que reconheço o homem alto e ele não demonstra aos soldados que me reconhece, mas pelo olhar sabemos que reconhecemos um ao outro. "Andem logo!", diz o líder dos soldados, apontando para a aldeia, "tragam-no depressa para o túmulo!" e os soldados acatam a ordem e apressam o passo. Eu os sigo. De tão apertado pela corda, os braços do homem estão inchados, seus sapatos de madeira eram tão grandes e desajeitados, e ele é manco. E por ser manco, e consequentemente mais devagar, eles o apressam com as armas... assim!

Ele imita o gesto dos soldados ao empurrarem o prisioneiro com a coronha dos mosquetes.

– Enquanto descem a colina feito um bando de loucos apostando corrida, o prisioneiro cai. Os soldados riem e o agarram de novo. O rosto do homem sangra e está coberto de poeira, mas ele não tem como tocar a própria face, então, os soldados riem mais uma vez. Eles o levam para a aldeia e todos por lá correm para ver. Eles passam pelo moinho e seguem em direção à prisão. Todos os moradores dali veem o portão da prisão abrir-se e engoli-lo em meio à escuridão, assim!

O homem abre a boca o máximo que consegue e a fecha com um estalido das mandíbulas. Defarge, percebendo que o calceteiro não quer abri-la para não estragar o efeito da cena, diz:

– Prossiga, Jacques!

– A aldeia inteira – continuou o calceteiro, na ponta dos pés e com a voz baixa. – A aldeia inteira fica aos cochichos ao pé da fonte. A aldeia inteira dorme. A aldeia inteira sonha com aquele infeliz detrás das grades na prisão, no penhasco, e que nunca poderá sair de lá, a não ser para encontrar a própria morte. De manhã, com as minhas ferramentas nos ombros, mastigando meu pão preto no caminho para o trabalho, sigo em direção à prisão. Lá o vejo, no alto, detrás das elevadas grades da jaula de ferro, sangrando e empoeirado desde a noite anterior, olhando por entre as barras. Não podia acenar para mim, pois estava com as mãos amarradas. Não me atrevo a chamá-lo. Ele me olha feito um homem morto.

Defarge e os outros três entreolham-se. O olhar de todos eles era sombrio, raivoso e de desejo de vingança, conforme ouviam a história contada pelo calceteiro; o comportamento de todos eles, embora não expressassem tanto, era autoritário e os três pareciam formar um rudimentar tribunal: Jacques Primeiro e Jacques Segundo sentados no catre, cada um com o queixo apoiado na mão e os olhos grudados no calceteiro; Jacques Terceiro, não menos concentrado e atrás deles, estava ajoelhado sobre uma das pernas, e com as mãos inquietas não parava de cutucar a região da boca e do nariz; Defarge, de pé entre eles e o narrador, que estava bem perto da luz da janela, ora olhava para ele, ora para os outros três ouvintes.

– Continue, Jacques – pediu Defarge.

– Ele continua lá em cima, naquela jaula de ferro. Os moradores da aldeia o espreitam de longe, pois têm medo, mas sempre o olham. À tardezinha, quando termina o expediente e o povo se reúne na fonte para cochichar, todos os olhares se voltam para a prisão. Antes, ninguém desgrudava os olhos da estalagem, agora, não os tiram da prisão. Eles cochichavam na fonte que, embora ele esteja condenado à morte, não será executado. Dizem que foram apresentadas petições em Paris, declarando que ele estava enfurecido e muito abalado com a morte do filho. Também dizem que a petição foi entregue nas mãos do próprio rei. E o que posso dizer? É verdade? Talvez sim, talvez não.

– Ouça, então, Jacques – interveio de modo firme Jacques Primeiro. – Saiba que uma petição foi apresentada ao rei e à rainha. Todos os aqui presentes, com exceção do senhor, viram o rei, em sua carruagem pegá-la enquanto passava pela rua, ao lado da rainha. Foi Defarge aqui presente, que arriscou a própria vida e atirou-se na frente dos cavalos, com a petição em mãos.

– E escute mais uma vez, Jacques! – disse Jacques Terceiro, o ajoelhado, claramente agitado e com os dedos das mãos inquietos, percorrendo de um lado a outro, como se estivesse com fome, mas nem comida tampouco bebida, o saciaria. – Os guardas, a cavalo e a pé, cercaram o peticionário e o agrediram. Escutou?

– Escutei, sim, senhor.

– Continue, então – pediu Defarge.

– Voltando às conversas da fonte – retomou o calceteiro –, outros cochichavam por lá que ele fora trazido ao nosso país para ser executado no mesmo local do crime, e que, certamente, não escaparia. Comentavam também que, por ter assassinado monsenhor e por monsenhor ser o pai de seus inquilinos... ou criados, sabe-se lá... Ele seria executado como parricida. Um velho comentava na fonte que a mão direita do sujeito, armada com uma faca, seria queimada com ele vivo e, nas feridas que abririam em seus braços, peito e pernas, derramariam óleo fervente, chumbo derretido, resina quente, cera e enxofre. Por fim, seria esquartejado por quatro cavalos fortes. O velho contava que tudo isso já havia sido feito com um prisioneiro que atentou contra a vida do falecido rei Luís XV. Mas como posso saber se ele está mentindo, se não sou homem letrado?

– Escute mais uma vez, Jacques! – disse o homem com a mão inquieta e semblante agitado. – Esse prisioneiro chamava-se Damiens, e fizeram tudo à luz do dia, nas ruas de Paris, e nada chamou mais a atenção do público que assistia a tudo do que uma multidão de senhoras distintas, afoitas pelo *grand finale*... que foi prolongado, Jacques, até o anoitecer, quando já tinham lhe arrancado as duas pernas e um braço e ele ainda respirava! Espere, quantos anos o senhor tem?

– Trinta e cinco – respondeu o calceteiro, que aparentava ter sessenta.

– Tinha mais de dez anos quando isso aconteceu... O senhor deve ter assistido.

– Já chega! – ordenou Defarge, impaciente e enraivecido. – Para o diabo essa história de idade. Prossiga!

– Bem! Uns diziam uma coisa, outros contavam outra, o fato é que não se falava de outro assunto. Até a água da fonte parecia ter entrado nesse engodo. Por fim, em um domingo à noite, quando toda a aldeia ainda dormia, apareceram os soldados, descendo da prisão, as armas ressoando ao serem arrastadas pelas pedras da ruazinha. Trabalhadores cavaram, operários martelaram, soldados riram e cantaram. De manhã, junto à fonte, ergueram uma forca com mais de doze metros de altura, envenenando-lhe a água.

O calceteiro olhou para o teto do sótão, mas enxergou para além dele, e apontou para cima como se pudesse ver a forca em algum lugar do céu.

– Todo o trabalho foi interrompido, todos ficaram reunidos ali, ninguém levou as vacas para o pasto e elas ficaram ali, reunidas com as pessoas. Ao meio-dia, os tambores rufaram. Os soldados invadiram a prisão durante a noite e o prisioneiro foi cercado por vários deles. Estava amarrado como antes e amarram-lhe também a boca com uma mordaça, tão bem apertada que dava a impressão de o prisioneiro estar rindo. – O calceteiro reproduziu esta última parte com um gesto, elevando com os polegares os dois cantos da boca até as orelhas. – No alto da forca, havia um punhal, com a lâmina virada para cima e a ponta para o ar. Ele foi enforcado a doze metros de altura, e lá ficou dependurado, envenenando a água.

Todos os outros quatro entreolharam-se enquanto o calceteiro enxugava o rosto com o barrete azul, pois transpirava dado o esforço da encenação.

– É assustador, senhores. Como podem as mulheres e as crianças tirarem água da fonte? E quem pode passar o fim de tarde cochilando debaixo daquela sombra? Da sombra do enforcado, compreendem? Quando saí da aldeia, na segunda-feira de tardezinha, o sol começava a se pôr e, do alto da colina, olhei para trás e lá estava a sombra sobre a igreja, o moinho, a prisão... ela parecia encobrir a terra inteira, *messieurs*, até onde o céu a reveste!

O homem faminto roía um dos dedos enquanto olhava para os outros três, e o dedo tremulava, reverberando a agitação que o consumia.

– Isso é tudo, senhores. Saí com o pôr do sol, como me foi ordenado, e caminhei a noite inteira e metade do dia seguinte, até encontrar, como haviam me dito que aconteceria, este camarada. Cheguei até aqui na companhia dele, ora caminhando, ora cavalgando, durante o resto do dia de ontem e a noite passada. E aqui estou!

Depois de um instante de silêncio perturbador, Jacques Primeiro disse:

– Muito bom! O senhor representou e relatou de maneira fidedigna. Pode fazer a gentileza de nos aguardar um pouquinho do lado de fora?

– De muito bom grado – disse o calceteiro; Defarge o acompanhou até o topo da escada e, depois de deixá-lo lá, sentado e aguardando, retornou ao grupo.

Ao voltar para o sotão, viu que os três tinham se levantado e estavam bem juntos um do outro, conversando.

– O que achou, Jacques? – perguntou Jacques Primeiro. – Para que fique registrado?

– Para que fique registrado, condenado à destruição – respondeu Defarge.

– Magnífico! – respondeu o ansioso com a voz rouca.

– O castelo e a raça toda? – perguntou o primeiro.

– O castelo e a raça toda – confirmou Defarge. – Extermínio.

O homem faminto, com um murmúrio entusiasmado, disse:

– Magnífico!

E começou a roer outro dedo.

– Tem certeza – inquiriu Jacques Segundo, dirigindo-se a Defarge –, que o modo como vamos manter o nosso registro não vai nos causar nenhum constrangimento? É evidente que é seguro, porque ninguém além de nós pode decifrá-lo, mas será que sempre saberemos decifrá-lo? Ou, será que, me permitam perguntar, ela conseguirá decifrá-lo?

– Jacques – respondeu Defarge, levantando-se –, se a madame, minha esposa, se comprometesse a guardar esse registro tão somente na memória, ainda assim, ela não perderia nem uma sílaba sequer. Cravados no tricô com os pontos e símbolos que só ela conhece, para a minha esposa a mensagem sempre será tão clara quanto o sol. Confiem na madame Defarge. Seria mais fácil o mais medroso dos covardes acabar com a própria vida do que apagar do registro tricotado pela minha esposa uma letra sequer do nome desse tal covarde ou dos crimes que ele cometeu.

Os três trocaram um murmúrio de confiança e aprovação, e o homem faminto perguntou:

– Devemos mandar esse camponês de volta para casa logo? Espero que sim. É muito ingênuo, não pode ser um tanto perigoso?

– Ele não sabe de nada – comentou Defarge. – Pelo menos nada além do que o levaria a ser sacrificado em uma forca da mesma altura que aquela. Deixem-no comigo, eu cuido dessa questão. Ele vai ficar comigo e amanhã o coloco de volta na estrada. Ele quer conhecer o rei, a rainha, a corte, vai conhecê-los no domingo.

– O quê? – exclamou o faminto, encarando Defarge. – E seria um bom sinal, o fato de ele desejar conhecer a realeza e a nobreza?

– Jacques, se quer provocar a sede em um gato, mostre-lhe o leite – aconselhou Defarge. – Se quer que o cachorro corra atrás da presa, coloque-a diante dele.

Nada mais disseram e, quanto ao calceteiro, encontraram-no cochilando no topo da escada e lhe sugeriram que fosse descansar na cama de palha. Ele acatou a sugestão sem titubear e em pouco tempo adormeceu.

Em Paris, tinham alojamentos piores que a taberna de Defarge para um escravo provinciano como aquele. Salvo o misterioso pavor que sentia da madame que o assombrava o tempo todo, a nova vida muito o agradava. No entanto, madame ficava sentada o dia inteiro atrás do balcão, tão visivelmente indiferente à presença dele e tão determinada a não notar que aquela presença tinha alguma relação com algo escondido abaixo da superfície, fazia com que ele tremesse em seus sapatos de madeira toda vez que o olhar cruzava o dela. A causa do medo, sobre a qual refletia apenas consigo mesmo, era a impossibilidade de prever o próximo disfarce daquela senhora, pois tinha certeza de que, se ocorresse àquela cabeça toda enfeitada a brilhante ideia de fingir tê-lo visto matar e esquartejar uma vítima, ela a poria em prática sem titubear e iria até as últimas consequências.

Assim, quando chegou o domingo, o calceteiro não ficou satisfeito (embora tenha afirmado o contrário) ao descobrir que a madame acompanharia ao marido e a ele até Versalhes. E, igualmente desconcertante, foi percorrer o caminho com a senhora tricotando sem parar, em meio ao transporte público; e, ainda mais desconcertante, ver que a madame, em meio à multidão, em plena tarde, permanecia tricotando enquanto todos ali aguardavam para ver a carruagem com o rei e a rainha.

– A senhora trabalha bastante – disse um homem próximo a ela.

– Sim – respondeu a madame Defarge. – Tenho muita coisa pra fazer.

– O que a senhora faz?

– Muita coisa.

– Por exemplo?

– Por exemplo – respondeu a madame com compostura –, mortalhas.

Assim que teve a oportunidade, o homem afastou-se o máximo que pôde e o calceteiro começou a abanar-se com o barrete azul, sentindo o ar muito quente e abafado. Se para recuperar-se precisava de um rei e de uma rainha, teve a sorte de ter o remédio à mão; pois, logo em seguida, o rei de rosto grande e a rainha de rosto belo apareceram em sua carruagem dourada, escoltados pelo reluzente "Olho de boi" da corte, uma multidão cintilante de damas sorridentes e de cavalheiros requintados; e nas joias, e no pó facial, e nas esplendorosas, e elegantes, e belas e desdenhosas faces de ambos os sexos, o calceteiro embeveceu-se tanto que a embriaguez momentânea o fez bradar: "Vida longa ao Rei! Vida longa à Rainha! Vida longa a tudo e a todos!", como se nunca tivesse conhecido os três Jacques. Depois, vieram mais jardins, pátios, terraços, fontes, áreas verdes, mais rei e rainha, mais "Olho de boi", mais cavalheiros e damas requintados, mais "Vida longa a todos!" até o ponto em que o calceteiro não conseguiu conter a emoção e foi às lágrimas. Ao longo de toda a cena, que durou cerca de três horas, muitos gritos, lágrimas e emoção dos que estavam ao redor e acompanhavam o calceteiro; em um dado momento, Defarge o segurou pela gola para impedi-lo de, em um rompante de adoração, voar sobre os objetos e quebrá-los aos pedaços.

– Bravo! – exclamou Defarge, dando-lhe um tapinha nas costas feito um mentor quando o desfile acabou. – Bom garoto!

O calceteiro começara a recobrar a razão e desconfiou que talvez tivesse cometido algum exagero em suas últimas demonstrações, mas estava enganado.

– Você é o camarada que queríamos – disse Defarge no ouvido do calceteiro. – Faz com que esses idiotas acreditem que isso vai durar para sempre. Assim, eles se tornam ainda mais insolentes e a insolência deles está muito perto do fim.

– Ei! – berrou o calceteiro ao refletir. – É verdade isso que o senhor diz.

– Esses idiotas não sabem de nada. Enquanto ignoram o ar que você respira, e o impediriam para sempre de respirá-lo, e não só seriam capazes de fazer isso com você, como também com uma centena de gente igual a você, coisa que nunca fariam com os próprios cavalos ou cachorros, eles só conhecem o que o ar que você respira é capaz de causar. Deixem-nos iludidos assim, um pouco mais. Será por pouco tempo.

A madame Defarge lançou um olhar presunçoso para o freguês e assentiu, reiterando a fala do marido.

– Quanto a você – disse ela –, seria capaz de gritar e de chorar por qualquer coisa enfeitada e barulhenta, não é mesmo? Diga a verdade!

– Para lhe ser sincero, senhora, creio que sim. No momento.

– Se lhe entregassem uma pilha de bonecas e lhe pedissem para despojá-las e despedaçá-las com o objetivo de o senhor obter alguma vantagem, escolheria a mais bonita e enfeitada, não é? Diga!

– De fato, escolheria, sim, senhora.

– Sim. E se lhe dessem um bando de aves que não podem voar e, para sua própria vantagem, lhe pedissem para depená-las, o senhor escolheria as de penas mais bonitas, não é? Diga!

– De fato, escolheria, sim, senhora.

– Pois o que o senhor viu aqui hoje são bonecas e pássaros – afirmou a senhora Defarge, apontando em direção ao lugar onde o desfile real acabara de passar. – Agora, vá pra casa!

PROSSEGUE O TRICÔ DE MADAME DEFARGE

Madame Defarge e seu marido retornaram em um clima amistoso a Saint-Antoine, enquanto um pontinho em um barrete azul avançava penetrando a escuridão e, em meio à poeira e à beira da estrada descia os exaustivos quilômetros de avenida, aproximando-se pouco a pouco do ponto da bússola onde se situava o castelo de monsenhor marquês, que agora, em seu túmulo, ouvia o farfalhar das árvores. Agora, os rostos pétreos tinham tanto tempo livre para ouvir as árvores e a fonte, que os poucos espantalhos da aldeia, à procura de ervas para comer e de esparsos gravetos para queimarem, se perderam pelo caminho, acabaram no pátio de pedra e na escadaria do terraço, e, aos delírios por conta da fome, tiveram a impressão de que os rostos haviam mudado. Na aldeia, tão escassa e vazia, tal como seus moradores, começava a circular o boato de que, quando a vítima foi golpeada pela faca, os rostos de pedra mudaram sua expressão de orgulho para um semblante de raiva e dor, e também corria o rumor de que quando aquele prisioneiro foi dependurado na forca a mais de doze metros de altura na região da fonte, os rostos tornaram a mudar, esboçando uma expressão de vingança que agora perduraria para sempre. No rosto pétreo sobre a grade da janela do cômodo onde o crime foi perpetrado, viam-se dois sinais bem definidos e esculpidos um em cada narina, marcas reconhecidas por todos e nunca antes vistas. E nas raras ocasiões em que dois ou três camponeses maltrapilhos afastavam-se da multidão para espiar monsenhor marquês petrificado, nem um dedo magricelo atrevia-se a apontar por nem um segundo sequer antes que absolutamente todos começassem a bandear para o musgo e as folhas, feito as lebres mais afortunadas que conseguiam sobreviver por lá.

Castelo e cabana, rosto pétreo e boneco dependurado, mancha vermelha no chão de pedra, a água pura do poço da aldeia, milhares de acres de terra, uma província inteira da França, e a França como um todo repousavam sob o céu da noite, adensados em uma linha tênue e desbotada. Assim como o mundo inteiro, com todas as suas grandezas e miudezas, repousa em uma estrela tremeluzente. E assim como o simples conhecimento humano pode partir um raio de luz e analisar sua estrutura, as inteligências mais sublimes são capazes de decifrar, na esmaecida luz desta nossa Terra, cada pensamento e cada ato, cada vício e cada virtude concebidos por toda e qualquer criatura.

Os Defarge, marido e esposa, sob a luz das estrelas sacolejavam a bordo do transporte público rumo ao portão de Paris, destino inerente àquele percurso. Fizeram a costumeira parada na casa de guarda da fronteira e as costumeiras lanternas foram apontadas para a devida inspeção e averiguação. *Monsieur* Defarge desceu, conhecia um ou dois soldados que estavam ali, e um dos policiais; com este último tinha muita intimidade e o cumprimentou com um abraço afetuoso.

Quando Saint-Antoine mais uma vez envolveu os Defarge com suas asas umbrosas, e eles, tendo finalmente desembarcado, caminhavam pela lama escura e pelos rebotalhos da rua, a madame Defarge disse ao marido:

– Diga, meu amigo, o que o Jacques da polícia lhe disse?

– Esta noite bem pouco, mas tudo o que sabia. Há outro espião encarregado para o nosso bairro. Ele acha que há muitos outros, pelo que chegou a seus ouvidos, mas só tem certeza de um.

– Ah, bem! – disse a madame Defarge, erguendo a sobrancelha com ar de frieza de quem está tratando de negócios. – É preciso registrá-lo. Como se chama esse homem?

– Ele é inglês.

– Melhor assim. Qual é o nome dele?

– Barsad – respondeu Defarge com um sotaque francês, e preocupou-se tanto com a pronúncia correta que acabou soletrando-o com perfeição.

– Barsad – repetiu a madame. – Bom. Nome de batismo?

– John.

– John Barsad – repetiu a madame, depois de murmurar o nome consigo primeiro. – Ótimo. Sabem como é de aparência?

– Quarenta anos, um e setenta e cinco de altura, cabelo preto, pele morena, de modo geral, dizem que é sujeito bonito, olho escuro, rosto fino, comprido e pálido, nariz aquilino, mas não reto, com uma certa inclinação para a bochecha esquerda. Portanto, uma fisionomia sinistra.

– Deus me acuda! É um verdadeiro retrato – disse a madame, rindo. – Será registrado amanhã.

Entraram na taberna, que estava fechada, pois já era meia-noite, e madame Defarge imediatamente assumiu seu posto atrás do balcão, contou as moedinhas que foram recebidas em sua ausência, examinou o estoque, conferiu o livro-caixa, as anotações feitas no livro e fez as suas próprias, interrogou o garçom de todas as maneiras possíveis e finalmente o dispensou para ir dormir. Depois, despejou no balcão o dinheiro da tigela mais uma vez e começou a amarrá-lo em seu lenço, em uma corrente de nós separados para mantê-lo bem protegido durante a noite. Enquanto isso, Defarge, com o cachimbo na boca, andou de um lado para o outro, admirando-a com complacência e sem nunca interferir; em tal condição, aliás, tanto nos negócios quanto nos assuntos domésticos, ele passou a vida inteira: andando de um lado para o outro.

Fazia muito calor naquela noite e a taberna, fechada e cercada por uma vizinhança tão asquerosa, cheirava mal. O olfato de Defarge não era nem um pouco aguçado, mas o estoque de vinho nunca cheirara tão forte, assim como o de rum, conhaque e anis. Com uma baforada depois de tragar o pito, espantou o cheiro ruim e deixou o cachimbo de lado.

– Você está fatigado – disse a madame, por um instante desviando o olhar do dinheiro. – É o mesmo cheiro de sempre.

– Estou um pouco cansado – admitiu o marido.

– E um pouco deprimido também – comentou madame, cujos olhos ligeiros nunca estiveram tão atentos às contas, mas de vez em quando pousavam sobre o marido. – Ah, esses homens, esses homens!

– Mas, minha querida! – disse Defarge.

– Mas, meu querido! – repetiu a madame, fazendo que sim com um gesto firme. – Mas, meu querido! Está muito medroso, hoje, meu querido!

– Pois bem... – comentou Defarge, como se um pensamento tivesse irrompido em seu peito. – Está demorando demais.

– Está demorando demais – repetiu a esposa. – E quando é que não demora demais? Vingança e recompensa requerem muito tempo, é a regra.

– Não demora nada para um raio limar a vida de um homem – argumentou Defarge.

– Quanto tempo é preciso para a formação da tempestade e do raio? Diga.

Defarge, pensativo, ergueu a cabeça, como se aquela pergunta merecesse reflexão.

– Não demora muito tempo – disse a esposa – para um terremoto engolir uma cidade. Pois bem, me diga, quanto tempo leva a formação de um terremoto?

– Bastante tempo, imagino – disse Defarge.

– Mas quando está pronto, chega com tudo e mói em pedacinhos o que estiver pela frente. Antes de ficar pronto, no entanto, a preparação é demorada e constante, embora não seja vista nem ouvida. Que isso lhe sirva de consolo.

Com um olhar cintilante, ela deu mais um nó no lenço, como se tivesse acabado de estrangular um inimigo.

– Eu lhe digo – disse madame, estendendo a mão direita em um gesto enfático –, que embora a estrada seja longa, a largada já começou e o percurso está perto do fim. E uma vez dada a largada, ela nunca retrocede e nunca é interrompida. A linha de chegada está cada vez mais próxima. Olhe à nossa volta, pense em todas as vidas que conhecemos neste mundo, pense nos rostos que conhecemos, pense na raiva e na insatisfação trazidas pela *Jacquerie*[14], que só fazem aumentar a cada hora que passa. Acha que uma situação como essa pode durar muito tempo? Argh! Deixe de ser tolo, homem!

– Minha valente esposa – retrucou Defarge, de pé diante dela e com a cabeça pendendo um pouco para o lado e as mãos cruzadas nas costas, feito um aluno dócil e atento ante seu catequista. – Não duvido de nada disso. Mas já se passou muito tempo e é possível... você sabe muito bem, minha esposa, é possível... que não estejamos mais vivos quando a hora chegar.

– Ora! E daí? – perguntou a madame, dando mais um nó no lenço, como se estrangulasse outro inimigo.

– Bem! – exclamou Defarge, encolhendo os ombros: meio se desculpando, meio se lastimando. – E daí que não testemunharemos a vitória.

– Mas teremos nossa participação nela – redarguiu madame, com a mão estendida e bastante enérgica. – Nada que fizermos terá sido em vão. Acredito, com toda minha alma, que testemunharemos a vitória. E mesmo que não a presenciemos, mesmo se eu tivesse a certeza de que ela não viria, mostre-me o pescoço de um aristocrata tirano, que eu ainda...

A madame, com os dentes cerrados, deu um nó apertadíssimo.

– Espere! – exclamou Defarge, com as bochechas meio coradas como se tivesse acabado de ser acusado de covarde. – Eu também, minha querida, não pararia por nada.

– Sim! Mas às vezes você precisa ver sua vítima e sua oportunidade para manter-se firme, essa é uma fraqueza sua. Mantenha-se firme sem isso. Quando chegar a hora,

---

14 Revoltas camponesas, ocorridas na França em 1358, que ficaram conhecidas como *jacqueries* ou "Revolta dos Jacques". O uso desse termo tinha origem na expressão *Jacques bon homme*, termo dirigido aos camponeses que significava "Jacques, o simples". (N.E.)

liberte o tigre e o demônio, mas espere pela hora certa com o tigre e o demônio acorrentados e escondidos, sempre prontos para o ataque.

A madame reforçou o conselho batendo no balcão com o lenço cheio de dinheiro e com tanta força como se pudesse lhe arrancar os miolos. Depois, de um modo muito sereno, colocou o lenço pesado debaixo do braço e viu que era hora de ir para a cama.

A manhã seguinte deparou-se com a admirável mulher em seu habitual posto na taberna, tricotando sem parar. Uma rosa jazia ao lado dela, e de vez em quando ela a olhava, o fazia sem a menor distração e com o costumeiro olhar absorto. Havia alguns fregueses no estabelecimento, uns bebendo, outros não; alguns em pé, outros sentados, espalhados pela taberna. Era um dia muito quente, e as nuvens de mosquitos, em suas inquisitivas e aventurosas buscas em torno dos copinhos pegajosos ao redor da madame, caíam mortos no fundo do vidro. A morte repentina não impressionou os outros mosquitos que vagavam por ali e olhavam para os cadáveres com toda a frieza (como se eles próprios fossem elefantes ou algo totalmente apartado de sua espécie), até encontrarem o mesmo destino. Curioso pensar o quanto os mosquitos são seres negligentes! Talvez eles pensassem como muitos na corte naquele dia ensolarado de verão.

Uma figura atravessou a porta, projetando sua sombra desconhecida sobre a madame Defarge. Ela deixou o tricô de lado e prendeu a rosa no lenço em torno da cabeça antes de olhar para o recém-chegado.

Tal situação era estranha. No momento em que madame Defarge pegou a rosa, os fregueses pararam de conversar e começaram pouco a pouco a sair da taberna.

– Bom dia, madame – cumprimentou o indivíduo.

– Bom dia, senhor – cumprimentou-o em voz alta, mas por dentro, retomando o tricô, acrescentou consigo mesma: "Rá! Bom dia, quarenta anos, um e setenta e cinco de altura, cabelo preto, pele morena, sujeito bonito, olho escuro, rosto fino, comprido e pálido, nariz aquilino, mas não reto, com uma certa inclinação para a bochecha esquerda, fisionomia sinistra! Bom dia, todo mundo!".

– Tenha a bondade de servir-me um copinho de conhaque e um gole de água fresca, madame.

A madame acatou o pedido com polidez.

– Esse conhaque é maravilhoso, madame!

Era a primeira vez que aquela bebida recebia elogio e madame Defarge conhecia bem os motivos para tal gesto. No entanto, replicou dizendo que o conhaque estava lisonjeado, pegou suas agulhas e o novelo de lã e voltou a tricotar. Por alguns instantes, o visitante observou os dedos da senhora e aproveitou o ensejo para espiar ao redor do ambiente.

– É muito hábil no tricô, madame.

– Estou acostumada.

– E que belo desenho!

– O *senhor* acha? – perguntou, olhando para ele com um sorriso.

– Com toda certeza. Permita-me perguntar para que servirá a peça?

– Passatempo – respondeu a madame, ainda olhando para o sujeito e ainda sorrindo enquanto movia os dedos com agilidade.

– Não vai ser usado por ninguém?

– Depende. Pode ser que algum dia eu encontre alguma utilidade. Se eu encontrar... – disse madame, respirando fundo e assentindo em um típico gesto de vaidade – vou usá-lo!

Tal fato era surpreendente. O sabor de Saint-Antoine definitivamente contrapunha-se à rosa na cabeça de madame Defarge. Dois homens, separadamente, haviam entrado na taberna e estavam a ponto de pedir o que beber quando, ao notarem a presença daquele estranho, vacilaram e fingiram procurar ao redor um amigo que naturalmente não estava ali. E, com isso, foram embora. Dos que estavam ali quando o homem entrou, não restou nenhum. Todos foram embora. O espião mantivera os olhos bem abertos, mas não conseguiu detectar nada de suspeito. Os dois tiveram o cuidado de agir com naturalidade, entraram de modo acidental e saíram de modo despropositado.

"John", pensou a madame, averiguando os pontos do tricô enquanto seus dedos se movimentavam e seus olhos relanceavam o estranho. "Fique um pouco mais para que haja tempo de eu tricotar 'Barsad' antes de o senhor ir embora".

– É casada, senhora?

– Sou, sim.

– Tem filhos?

– Nenhum.

– Os negócios vão mal?

– Os negócios vão muito mal. O povo é muito pobre.

– Ah, pobre e miserável povo! Tão oprimido, como diz a senhora.

– Como diz *o senhor* – retorquiu a madame, corrigindo-o, e com maestria acrescentando com o tricô algo no nome do sujeito que não lhe pressagiava coisa boa.

– Perdoe-me. Decerto fui eu quem disse isso, mas a senhora naturalmente pensa como eu. Claro.

– Penso? – inquiriu com a voz elevada. – Eu e meu esposo temos o suficiente para manter essa taberna aberta. Não temos tempo para pensar, a única coisa que fazemos é sobreviver. É somente nisso que pensamos, o que nos ocupa o pensamento de manhã até à noite, não nos preocupamos com a vida alheia. Então, *eu*, pensar pelos outros? Não, não. De jeito nenhum.

O espião, que estava ali para fisgar qualquer migalha que encontrasse ou cavasse, conteve a frustração e não a esboçou em seu semblante sinistro; porém, com um ar de fofoqueiro cavalheiresco, apoiou o cotovelo no pequeno balcão de madame Defarge, dando pequenos goles no conhaque.

– Que tristeza foi, madame, a execução de Gaspar. Ah! Pobre Gaspar! – disse com um suspiro condoído.

– Ora, essa! – resmungou a madame, com frieza e indiferença. – Se uma pessoa pega uma faca para esse fim, tem de pagar pelo que fez. Ele conhecia bem o preço, mesmo assim deu-se ao luxo. Portanto, tinha de pagar mesmo.

– Eu creio... – disse o espião, com um tom que induzia à confidência e expressava ofendida suscetibilidade revolucionária em cada músculo de seu rosto perverso. – Creio que há muita compaixão e raiva nesta vizinhança em relação ao que houve com esse pobre rapaz, a senhora não acha? Cá entre nós.

– Há? – inquiriu a madame inexpressiva.

– Não há?

– ... Aí vem o meu marido! – anunciou a madame Defarge.

Logo que o taberneiro cruzou a porta, o espião o cumprimentou tocando o próprio chapéu e, com um sorriso bastante simpático, disse:

– Bom dia, Jacques!

Defarge interrompeu o passo e olhou para o sujeito.

– Bom dia, Jacques! – repetiu o espião, dessa vez com menos confiança e com um sorriso mais discreto ao ser observado.

– O senhor está enganado, senhor – declarou o taberneiro. – Deve ter me confundido. Este não é meu nome. Chamo-me Ernest Defarge.

– Dá na mesma – disse o espião em um tom amistoso, mas também desconcertado. – Bom dia!

– Bom dia! – respondeu Defarge, com frieza.

– Estava aqui dizendo para a madame, com quem tive o prazer de conversar antes de o senhor entrar, que ouvi dizer que em Saint Antoine há, e não é de se estranhar!... Muita compaixão e raiva no que tange ao infeliz destino do pobre Gaspard.

– Aos meus ouvidos, não chegou nada – disse Defarge, negando com a cabeça. – Não estou sabendo de nada.

Isso posto, ele passou para o lado detrás do balcão e apoiou a mão no encosto da cadeira da esposa, perscrutando por sobre essa barreira a pessoa a quem ambos se opunham, na qual qualquer um dos dois teria atirado com a maior satisfação.

O espião, experiente em seu ofício, manteve a mesma atitude, bebeu todo o restante do conhaque, tomou um gole de água fresca e pediu outro copo de conhaque. Madame Defarge o serviu, voltou a tricotar e começou a murmurar uma canção, sem abrir boca.

– O senhor parece conhecer a vizinhança melhor do que eu, imagino? – comentou Defarge.

– De modo algum, mas espero conhecer mais. Tenho especial interesse pelos seus miseráveis moradores.

– Ah! – murmurou Defarge.

– O prazer dessa conversa com o senhor, Defarge, me faz lembrar – prosseguiu o espião –, que tive a honra de fazer algumas associações interessantes com o seu nome.

– É mesmo? – inquiriu Defarge com muita indiferença.

– É, sim. Quando o doutor Manette foi solto, o senhor, como antigo criado dele, foi quem cuidou do doutor. Ele foi entregue aos seus cuidados. O senhor percebe como estou informado dos fatos?

– Isso é verdade – confirmou Defarge. Ele fora orientado, pela cotovelada acidental da esposa enquanto ela tricotava, que o melhor a fazer seria responder às perguntas, mas sempre com brevidade.

– E foi o senhor – acrescentou o espião – que a filha dele procurou; sob os seus cuidados ela encontrou o pai e o levou, acompanhada por um cavalheiro distinto e de terno marrom, qual é mesmo o nome dele? O de peruquinha... Lorry! Do banco Tellson e Cia. E seguiram viagem para a Inglaterra.

– Isso é verdade – repetiu Defarge.

– Que recordações interessantíssimas! – disse o espião. – Conheci o doutor Manette e a filha na Inglaterra.

– É mesmo? – perguntou Defarge.

– Não tem recebido notícias dos dois, não é? – perguntou o espião.

– Não.

– Na verdade – interveio madame Defarge, tirando os olhos do tricô e interrompendo a canção murmurada por um instante –, nunca mais tivemos notícias deles. Apenas soubemos que chegaram com segurança a Londres, depois chegou uma ou duas cartas; desde então passaram a cuidar da vida deles e nós da nossa. E não tivemos mais notícias.

– Perfeitamente, madame – disse o espião. – Ela vai se casar.

– Vai? – inquiriu madame. – É uma moça muito bonita, já deveria ter casado há muito tempo. Vocês, ingleses, são muito frios, ao que me parece.

– Ah! A senhora sabe que sou inglês.

– Percebi pelo seu sotaque – afirmou madame. – E a língua revela o que o homem é, suponho.

Ele não tomou o comentário como um elogio, mas tentou reagir da melhor maneira possível e caiu na gargalhada. Depois de entornar o segundo copo de conhaque, acrescentou:

– Sim, a senhorita Manette vai se casar. Mas não com um inglês. O noivo, tal como ela, é francês de nascimento. E falando em Gaspard... Oh! Pobre Gaspard. Que coisa cruel, cruel! O curioso é que ela vai se casar com o sobrinho de monsenhor marquês, homem pelo qual Gaspard foi alçado a uma forca com muitos metros de altura, ou, em outras palavras, ela vai se casar com o atual marquês. Mas, na Inglaterra, o rapaz é um desconhecido, não usa nenhum título, chama-se apenas Charles Darnay. D'Aulnais é o sobrenome de sua família materna.

Madame Defarge prosseguia firme no tricô, mas a notícia causara um efeito visível no marido dela. Não importava o que fizesse atrás do balcão, como riscar um fósforo e acender o cachimbo, estava incomodado e sem ter confiança nas próprias mãos. O espião não faria jus ao próprio título se não tivesse percebido e registrado na mente a reação do taberneiro.

Depois de obter ao menos essa conquista, que viria ou não a ter alguma serventia, e sem nenhum outro cliente além dele por ali para ajudá-lo a conseguir algo mais, o senhor Barsad pagou pelas bebidas e despediu-se do casal, não sem antes afirmar que esperava ter o prazer de reencontrar o casal Defarge. Por alguns minutos, após ele atravessar a porta e dispersar-se pelas ruas de Saint Antoine, marido e esposa permaneceram exatamente no mesmo lugar, pois temiam que o homem pudesse voltar.

– Será que é verdade o que ele disse sobre a senhorita Manette? – perguntou Defarge em voz baixa, olhando para a esposa, ainda com uma mão apoiada no encosto da cadeira da esposa e a outra segurando o cachimbo aceso.

– Pelo modo como ele contou... – comentou a madame, erguendo um pouco as sobrancelhas –, é provável que seja mentira. Mas pode ser verdade.

– E se for verdade... – disse Defarge, mas hesitou.

– E se for verdade... – repetiu a esposa.

– ... E se de fato chegar a vitória a tempo de a testemunharmos... Espero, pelo bem da senhorita Manette, que o destino mantenha o marido dela longe da França.

– O destino do marido dela o levará aonde deve ir e trará o fim que para ele está reservado. Isso é tudo que sei – retrucou madame Defarge, com a costumeira compostura.

– Mas é muito estranho... embora talvez não seja tão estranho assim... – refletiu Defarge, parecendo mais suplicar à esposa do que induzi-la a admitir –, que depois de todo o cuidado que tivemos com doutor Manette, pai dela, e com a própria moça, que o nome do marido dela seja condenado neste exato momento pelas mãos dele, ao lado do nome desse diabo que acabou de sair daqui?

– Coisas mais estranhas que essa acontecerão quando chegar a hora – respondeu madame. – Tenho os dois aqui, isso é certeza; estão aqui por merecimento próprio. Isso basta.

Tendo dito essas palavras, ela enrolou a peça de tricô e tirou a rosa do lenço enrolado na cabeça. Talvez Saint Antoine tivesse pressentido que o enfeite fora desprezado; ou Saint Antoine estava à espreita, aguardando seu desaparecimento. Qualquer que fosse a possibilidade, o bairro por fim recobrou a coragem necessária para relaxar e, pouco tempo depois, a taberna voltou a ter o mesmo aspecto de sempre.

Ao anoitecer, período em que Saint Antoine virava-se do avesso e todos os moradores sentavam à soleira das portas e apareciam no peitoril das janelas, e saíam à procura de ar puro nas esquinas das ruas e vielas pútridas, madame Defarge, com o tricô na mão, costumava circular de um lugar a outro, de grupo a grupo: uma verdadeira missionária, e havia muitos como ela, como o mundo jamais voltará a abrigar, se tiver essa sorte. Todas as mulheres tricotavam. Tricotavam coisas inúteis, mas o trabalho mecânico era o substituto natural da fome e da sede; as mãos faziam os movimentos da mandíbula e do aparato digestivo. Se os dedos esqueléticos parassem, o estômago vazio se manifestaria.

No entanto, à medida que os dedos se movimentavam, assim também se moviam os olhos e os pensamentos. E enquanto madame Defarge circulava de grupo em grupo, as três partes moviam-se com mais rapidez e ferocidade entre cada um dos nozinhos das mulheres com quem ela conversara e deixara para trás.

O marido ficava na porta, fumando e contemplando a esposa:

– Uma grande mulher. Uma mulher forte, grandiosa, assustadoramente grandiosa! – exclamou ele.

A noite se aproximou e com ela vieram as badaladas dos sinos da igreja e o rufar longínquo dos tambores militares no Pátio do Palácio, enquanto as mulheres continuavam sentadas, tricotando, tricotando. A escuridão as envolvera. Outra escuridão aproximava-se, quando os sinos da igreja, que ressonavam melodias agradáveis pelos numerosos e altaneiros campanários da França, fundir-se-iam em canhões trovejantes; quando os tambores militares percutiriam para abafar a voz de um miserável, que naquela noite seria tão potente quanto a voz do poder e da abundância, da liberdade e da vida. Tanta coisa avizinhava aquelas mulheres sentadas tricotando, tricotando, que elas próprias fechavam-se em torno de uma estrutura ainda em construção, onde estavam sentadas tricotando, tricotando, contando as cabeças decepadas.

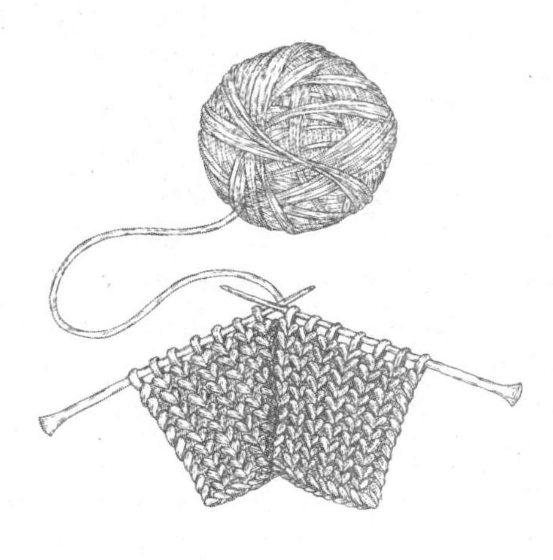

UMA NOITE

Nunca o sol se pusera com um resplendor tão radiante quanto naquele inesquecível entardecer na pacata esquina do Soho, em que o médico e sua filha sentaram-se juntos debaixo do plátano. Nunca a lua emergira com um brilho tão suave sobre a distinta Londres, quanto naquela noite quando encontrou pai e filha ainda sentados debaixo da árvore e iluminou o rosto dos dois por entre as folhagens.

O casamento de Lucie estava marcado para o dia seguinte. Ela reservara esta última noite para aproveitar a companhia do pai e os dois ficaram sozinhos, sentados sob a árvore.

– Está feliz, meu querido pai?

– Muito, minha filha.

Conversaram pouco, embora tenham passado um bom tempo ali. Quando o dia ainda estava claro o suficiente para ler e trabalhar, Lucie nem se ocupou com suas tarefas habituais e tampouco leu para o pai, atividades que fizera muitas e muitas vezes ali, debaixo daquela mesma árvore e ao lado do pai. Mas aquele não era um dia como os outros e nada poderia fazê-lo ser.

– Estou muito feliz esta noite, querido pai. Estou profundamente feliz pelo amor com que os céus me abençoaram, meu amor por Charles, e o amor de Charles por mim. Mas, se minha vida ainda não fosse consagrada ao senhor, ou se o meu casamento de algum modo pudesse nos separar, mesmo que pela curta distância de algumas ruas, eu seria a pessoa mais infeliz e desonrada de que a minha própria capacidade me permite descrever. Mesmo do modo como...

Mesmo do modo como era, a voz vacilou e a impediu de prosseguir.

Sob o melancólico luar, ela envolveu o pai em um abraço e descansou a cabeça em seu peito. Sob o luar, o qual é sempre entristecido tanto quanto a luz do sol; assim como a chama da vida humana, com suas idas e vindas.

– Ah, meu querido, meu querido pai! Por favor, diga-me, pela última vez, que o senhor está convencido de que nenhuma afeição nova, nenhum novo dever meu jamais se interporá entre nós dois? Eu estou convicta disso, e quanto ao senhor? Do fundo do seu coração, sente o mesmo?

O pai de Lucie, com a mais convincente e aprazível das convicções de que conseguiu lançar mão, respondeu:

– Com certeza, minha querida! Mais do que isso, certeza absoluta – afirmou, enquanto a beijava carinhosamente. – Com o seu casamento, Lucie, meu futuro é muito mais promissor do que poderia ter sido, ou melhor, do que já foi um dia.

– Se eu pudesse ter a certeza *disso*, meu pai...

– Acredite, meu amor. É a mais pura verdade. Pense na simples e natural consequência desse acontecimento, minha querida, e assim será. Você, como filha tão dedicada e tão jovem, não é capaz de compreender a apreensão que senti ante a possibilidade de ver a sua vida inteira desperdiçada...

Ela levou as mãos à boca do pai para interrompê-lo, mas ele a pegou e repetiu a palavra.

– ... Desperdiçada, minha filha... ela não deve ser desperdiçada, desviando-se da ordem natural das coisas por minha causa. O seu altruísmo não lhe permite compreender inteiramente o quanto essa possibilidade me atormenta. Mas, eu lhe peço, pergunte a si mesma, como poderia a minha felicidade ser perfeita se a sua estiver incompleta?

– Se eu nunca tivesse conhecido Charles, meu pai, seria muito feliz ao lado do senhor.

O médico, sorrindo diante da inconsciente admissão da filha de que, depois de ter conhecido Charles, seria uma pessoa infeliz sem ele, disse:

– Minha filha, você o conheceu e o nome dele é Charles. Se não fosse ele, teria sido outro. Ou, se não fosse outro, a minha aparição teria sido o motivo, e a parte obscura de minha vida teria lançado sombras além de mim, recaindo sobre você.

Era a primeira vez, à exceção do julgamento de Charles, que ela ouvira o pai referir-se a seu período de sofrimento. Quando as palavras lhe atravessaram os ouvidos, ela teve uma estranha e inaudita sensação; ela se lembrou disso durante muito tempo.

– Veja! – disse o doutor de Beauvais, erguendo a mão para o alto e apontando para a lua. – Já olhei para ela através da janela da prisão, quando nem sequer poderia suportar nenhum tipo de luz. Já olhei para a lua quando me era uma verdadeira tortura imaginá-la iluminando tudo que eu havia perdido, tanto que eu batia a cabeça contra as paredes da cadeia. Já olhei para a lua me sentindo tão entediado e letárgico que não conseguia pensar em mais nada a não ser quantas linhas horizontais eu poderia desenhar dentro dela quando cheia, e com quantas linhas perpendiculares eu poderia cruzá-la – acrescentou em um tom ponderado e introspectivo, enquanto olhava para a lua. – Eram vinte no total, eu me lembro, e a vigésima era a mais difícil de encaixar porque o espaço ficava apertado.

A estranha sensação que ela sentia ao ver o pai voltar àquele tempo intensificava-se à medida que o silêncio dele se prolongava; contudo, nada a chocava tanto quanto o modo como ele fazia o seu relato. Ele parecia comparar a felicidade e o contentamento do momento presente com o sofrimento descomunal que findara.

– Eu olhei para ela, pensando inúmeras vezes na criança ainda na barriga e da qual eu havia sido separado. Se estava vivo. Se tinha nascido ou se não resistiu ao choque que a mãe sofrera. Se era um filho que algum dia vingaria o sofrimento do pai. Sim... houve um período do meu encarceramento que o desejo de vingança era insuportável... Se era um filho que jamais conheceria a história do pai; o qual poderia cogitar a possibilidade de o pai ter desaparecido por vontade própria. Ou se seria uma filha que um dia se tornaria uma mulher.

Lucie aproximou-se do pai e beijou-lhe o rosto e a mão.

– Imaginei minha filha como alguém que me esqueceria totalmente, ou pior, que jamais saberia de minha existência. Visualizava-a crescendo, ano após ano. Via-a casando com um homem que desconhecia a minha sina. Apagaram-me completamente da lembrança dos vivos e as futuras gerações sequer conheceriam o lugar que um dia ocupei.

– Meu pai! Só de ouvir os pensamentos que lhe aquietavam sobre uma filha que nunca existiu, sinto uma dor no peito como se eu mesma fosse essa criança.

– Você, Lucie? O consolo e o renascimento que sua presença me trouxe nada têm a ver com essas lembranças que surgiram e passam entre nós e a lua nesta última noite.... O que eu estava dizendo mesmo?

– Que ela não sabia sobre o senhor. Que não se importava.

– Ah, sim! Mas em outras noites de lua cheia, quando a tristeza e o silêncio me tocavam de um modo diferente... trazendo uma triste sensação de paz, como o faria qualquer sentimento fundamentado na dor, eu a imaginava vindo até mim na minha cela e levando-me de volta à liberdade. Muitas vezes vi a imagem dela no luar, como vejo você agora, mas nunca a segurei em meus braços, ela ficava entre o portão e a janela da grade. Entende, agora, que não era dessa criança que eu falava?

– A imagem não era... a... a... imagem, uma ilusão?

– Não. Isso foi outra coisa. Ela ficava parada, de pé, eu a via com a vista turva, ela nunca se movia. O fantasma que a minha mente perseguia era o de outra criança, uma criança mais real. Em relação aos seus traços físicos, a única coisa que eu sabia era que se parecia com a mãe. A outra também era parecida... assim como você é, mas não era igual. Consegue entender o que estou dizendo, Lucie? Creio que seja algo difícil, não é? Penso que talvez só um prisioneiro solitário possa compreender essas complexas distinções.

A serenidade e a compostura do doutor não impediram o sangue que corria nas veias de Lucie gelar enquanto o pai dissecava as próprias memórias.

– Quando eu estava mais tranquilo, a imaginava sob o luar, caminhando até mim, já casada, e me levando para conhecer sua casa cheia de recordações afáveis do pai que perdera. Em seu quarto, mantinha um retrato meu e me guardava em suas orações. Levava uma vida ativa, alegre, útil, mas minha história triste impregnava tudo.

– Eu era aquela criança, meu pai, não tenho nem metade dessas virtudes, mas tenho todo esse amor pelo senhor.

– E ela me mostrava seus filhos, e eles sabiam que tinham um avô e tinham aprendido a se compadecerem de mim. Quando passavam em frente a uma prisão do Estado, afastavam-se de seus muros sinistros, erguiam os olhos para olhar as grades e conversavam sussurrando. Ela nunca conseguia me libertar totalmente. Eu a imaginava me trazendo de volta para a prisão depois de me mostrar essas coisas. Mas então, aliviado pela bênção das lágrimas, eu caía de joelhos e abençoava a minha filha.

– Espero que essa filha seja eu, meu pai. Ah, meu querido papai, o senhor vai me conceder sua bênção amanhã com o mesmo fervor?

– Lucie, recordo-me dessas dificuldades porque tenho esta noite para amá-la mais do que as palavras podem permitir e para agradecer a Deus pela minha imensa felicidade. Nem em meus mais audaciosos devaneios me aproximei da felicidade que passei a conhecer ao seu lado e que agora temos pela frente.

Ele a abraçou, louvando-a com toda a devoção aos céus e com humildade deu graças a Deus por tê-la concebido. Pouco tempo depois, entraram em casa.

O único convidado para o casamento foi o senhor Lorry. Tampouco haveria dama de honra, a não ser a magricela senhorita Pross. O casal moraria na mesma casa dos Manette, que fora ampliada e os noivos ocupariam os aposentos superiores, antes ocupados por um ilegítimo e invisível inquilino; eles não desejavam nada além disso.

O doutor Manette estava muito contente durante a ceia. Havia apenas três à mesa, sendo que a senhorita Pross era a terceira. Lamentou apenas o fato de Charles não participar da refeição, mas censurando a certo ponto a pequena conspiração amorosa que justificava sua ausência, ofereceu-lhe um brinde para homenageá-lo.

Assim chegou o momento de desejar boa-noite e pai e filha separam-se. No entanto, na calada das três horas da manhã, Lucie desceu as escadas e entrou no quarto do pai, acometida por um medo impreciso.

Mas tudo se encontrava na mais perfeita ordem e silêncio. E o doutor dormia, com o cabelo grisalho e pitoresco repousando no travesseiro asseado, e com as mãos descansando na coberta. Lucie deixou o seu dispensável castiçal em um canto distante do quarto, caminhou na ponta dos pés até a cama, colocou seus lábios nos lábios do pai; então, debruçou-se sobre ele e o observou.

As águas amargas do cárcere haviam secado e cravado suas marcas no belo rosto dele, mas ele cobriu os seus rastros com tamanha determinação que detinha o domínio sobre eles, mesmo durante o sono. Em todas as profundezas pertencentes ao sono dele naquela noite, não havia, em sua batalha tranquila, resoluta e cauta, rosto mais expressivo do que aquele.

Com cuidado, Lucie pousou a mão sobre o peito dele e fez uma prece, suplicando que pudesse ser fiel ao pai tanto quanto o amor que sentia por ele aspirava ser, e tanto quanto o coração de um ser tão sofrido merecia. Em seguida, afastou a mão, beijou os lábios do pai uma vez mais, e saiu. Então, o sol nasceu e as folhas do plátano projetaram suas sombras sobre o rosto dele com a mesma delicadeza que os lábios de Lucie ao rezar pelo pai.

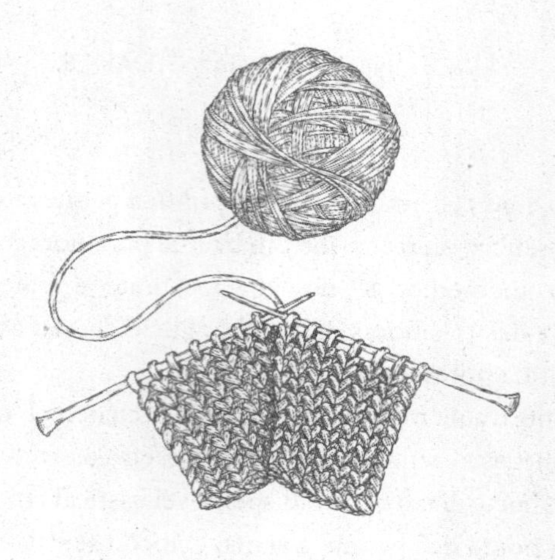

NOVE DIAS

O dia do casamento amanhecera claro e límpido, e eles estavam a postos e de frente para a porta do escritório do doutor Manette, onde ele conversava com Charles Darnay. Estavam prontos para ir para a igreja: a bela noiva, o senhor Lorry e a senhorita Pross, para quem o evento, depois de um moroso e gradual processo de aceitação do inevitável, teria sido motivo de plena felicidade, a não ser pelo fato de ela ainda achar que seu irmão Solomon é quem deveria ser o noivo.

– E então – disse o senhor Lorry, que não cansava de admirar a noiva, dando voltas ao seu redor para observar todos os mínimos detalhes de seu belíssimo vestido. – E então, foi para isso, minha querida e meiga Lucie, que eu a trouxe nos braços durante a travessia do canal! E era uma bebezinha! Deus meu! Eu não tinha a menor ideia do que estava fazendo! Eu mal sabia o compromisso que confiaria às mãos de meu amigo, o senhor Charles!

– O senhor não fez por mal – ponderou a senhorita Pross –, e, além do mais, como poderia saber? Não seja tolo!

– Acha mesmo? Bem, a senhorita não precisa chorar... – disse o gentil senhor Lorry.

– Não estou chorando – redarguiu a senhorita Pross. – O *senhor* está.

– Eu, minha Pross? – inquiriu o senhor Lorry, que agora atrevia-se a gracejar com ela, de vez em quando.

– Estava sim, agorinha mesmo. Eu vi com os meus olhos e não me admiro. Só a prataria que o senhor lhes deu de presente basta para fazer qualquer um chorar. Não há nem um garfo nem uma colher no conjunto – resmungou a senhorita Pross – que não me tenha feito chorar ontem à noite, quando a caixa chegou. Chorei a ponto de não conseguir mais enxergá-los.

– Sinto-me muito agradecido – afirmou Lorry – embora, juro-lhe pela minha palavra, não tenha sido minha intenção transmitir aqueles artigos insignificantes de lembrança invisível para ninguém. Por Deus! É em ocasiões como essa que um homem reflete sobre tudo o que perdeu. Santo Deus, santo Deus! Em pensar que ao longo desses quase cinquenta anos poderia haver uma senhora Lorry!

– De modo nenhum! – exclamou a senhorita Pross.

– A senhorita acha que nunca deveria ter havido uma senhora Lorry? – inquiriu o homem de mesmo sobrenome.

– Arre! – redarguiu a senhorita Pross. – O senhor é solteirão de berço.

– Bem... – observou o senhor Lorry com um sorriso, ajustando a pequena peruca. – Essa é uma forte probabilidade, de fato.

– E o senhor foi talhado para ser solteirão – insistiu a senhorita Pross – antes de ir para o berço.

– Então, eu acho que me passaram para trás, porque creio que deveria ter sido consultado quanto ao molde com que seria talhado. Basta! – retrucou o senhor Lorry. – Minha querida Lucie – chamou-a, envolvendo a cintura da moça com um braço –, ouço vozes e passos no cômodo vizinho, e a senhorita Pross e eu, como duas pessoas de negócios, não queremos perder a última oportunidade de lhe dizer algo que a senhorita queira ouvir. Minha querida, a senhorita deixa seu pai em mãos tão cuidadosas e comprometidas quanto as suas. Ele receberá todo o cuidado e zelo que merece. Durante a próxima quinzena, em que a senhorita estará por Warwickshire e região, até o Tellson declarará falência, em uma força de expressão, claro, antes que aconteça algo de mal a seu pai. E ao final desse período, quando ele vier a juntar-se à senhorita e a seu marido, para a viagem de quinze dias pelo país de Gales, a senhorita verá com os próprios olhos que o enviamos em pleno estado de saúde e felicidade. Bem, ouço passos se aproximando da porta. Permita-me beijar a minha querida menina e dar-lhe a bênção à moda antiga de um solteirão, antes que alguém venha reivindicar sua joia.

Por um momento, ele segurou o belo e inesquecível rosto da jovem para contemplá-lo, depois apoiou os fios dourados contra sua peruca castanha, em um gesto de tão genuína ternura e delicadeza que, se tais maneiras eram antiquadas, decerto remontavam aos tempos de Adão.

A porta do escritório do médico abriu-se e ele saiu acompanhado de Charles Darnay. O doutor Manette estava tão pálido, coisa que não se notou quando os dois entraram juntos; era como se todo o sangue do rosto dele tivesse se esvaído. No entanto, quanto à compostura parecia o mesmo, a não ser pelo olhar astucioso do senhor Lorry que desvelou uma sombria indicação de que aquele velho e conhecido ar de pavor e fuga acometera o doutor como um vento frio.

O doutor Manette ofereceu o braço à filha e a levou ao andar de baixo, onde a aguardava uma carruagem alugada pelo senhor Lorry especialmente para aquele dia. Os demais seguiram em outra carruagem e dali a pouco tempo, em uma igreja das redondezas e sem a presença de nenhum olhar desconhecido, Charles Darnay e Lucie Manette estavam casados e felizes.

Ao término da cerimônia, além das lágrimas que cintilavam e alternavam com os sorrisos do pequeno grupo que a assistira, alguns diamantes, igualmente cintilantes, reluziam agora na mão da noiva, depois de emergirem das profundezas obscuras do bolso do senhor Lorry. Retornaram à casa para o café da manhã, tudo correu bem e no devido decurso das coisas, os cabelos dourados que se misturaram às madeixas brancas do pobre sapateiro naquele casebre em Paris, voltaram a se misturar com eles à luz do sol matutino, no limiar da porta, no momento da despedida.

Foi um momento difícil, apesar de os dois saberem que em breve voltariam a se encontrar. O pai tentou animá-la e, por fim, soltando-se com toda a delicadeza dos braços que o envolviam, disse:

– Leve-a, Charles! Ela é sua!

Lucie acenou para eles da janela da carruagem e partiu.

Estando a esquina em um canto pouco movimentado e distante de olhos curiosos, e como os preparativos foram simples e modestos, o doutor, o senhor Lorry e a senhorita Pross ficaram completamente sozinhos. Foi no momento em que os três voltaram à providencial e refrescante sombra do salão que o senhor Lorry notou uma mudança substancial no comportamento do doutor Manette, como se o braço dourado[15] tivesse se erguido ali e lhe dado um golpe mortal.

Era natural que tivesse reprimido suas emoções e esperava-se que muitas delas viessem à tona no momento em que ele não precisasse mais contê-las. No entanto, o que preocupava o senhor Lorry era aquele famigerado olhar perdido e assustado; a maneira dispersa com que o doutor apertou a cabeça e subiu a escada em direção ao quarto fez o senhor Lorry lembrar de Defarge, o taberneiro, e da viagem sob a luz das estrelas.

– Eu acho... – sussurrou ele para a senhorita Pross, aflito depois de refletir. – Acho que é melhor não conversarmos com ele nem o incomodar. Preciso resolver algumas

15 Braço de Ouro é um conto popular, uma história que aparece em várias culturas por meio da tradição oral e do folclore, mais famosa por Mark Twain e também usada por ele para instruir outras pessoas sobre como contar uma história. A história começa com uma vítima falecida recentemente que tem um membro artificial, em geral um braço feito de ouro, e volta dos mortos para buscá-lo. (N.T.)

coisas no Tellson, vou até lá e volto logo. Quando chegar, vamos levá-lo para fazer um passeio pelo campo, jantaremos por lá e tudo ficará bem.

Era mais fácil para o senhor Lorry passar no Tellson do que sair dele. O trabalho o reteve por duas horas. Ao voltar, subiu sozinho a velha escadaria, sem fazer nenhuma pergunta à criada. Aproximando-se dos aposentos do médico, hesitou ao escutar o baixo som de batidas.

– Valha-me Deus! – exclamou atônito. – O que é isso?

A senhorita Pross, com o semblante apavorado, estava ao lado dele.

– Ah, meu Deus! Ah, meu Deus! Está tudo perdido! – lastimou, torcendo e retorcendo as próprias mãos. – O que vou dizer à minha menininha? Ele não me reconhece, voltou a fazer sapatos!

O senhor Lorry disse o que podia para acalmá-la e foi até o quarto do médico. O banco estava virado para a luz, na mesma posição em que o vira quando encontrou o sapateiro, e o médico mantinha a cabeça baixa, absorto.

– Doutor Manette. Meu caro amigo, doutor Manette!

Por um instante, o médico olhou para o senhor Lorry; meio curioso, meio como se ele estivesse enraivecido por ter sido interrompido, e tornou a curvar-se.

Despira-se do casaco e do colete. A gola da camisa fora aberta, exatamente como ele usava quando era sapateiro; até o aspecto abatido e envelhecido retornou ao semblante dele. E trabalhava duro, com pressa e impaciência, como se tivesse se ressentido pela interrupção.

O senhor Lorry espiou o que o doutor tinha em mãos e viu ser aquele um sapato de tamanho e formato antigos. Pegou o outro que estava ao lado do médico e lhe perguntou o que era.

– Um sapato feminino – murmurou, sem tirar os olhos do trabalho. – Já era para ter sido entregue há muito tempo. Deixe-me terminar.

– Mas, doutor Manette! Olhe para mim!

Ele obedeceu, à maneira antiga e mecânica, sem interromper o trabalho.

– Reconhece-me, meu caro amigo? Tente se lembrar. Este não é seu verdadeiro ofício. Pense, meu caro amigo!

Nada, porém, o faria falar. Vez ou outra erguia os olhos, quando lhe pediam para fazê-lo, mas não havia argumento capaz de lhe arrancar sequer uma palavra da boca. Ele trabalhava, e trabalhava, e trabalhava, em silêncio; as palavras o atingiam com o mesmo efeito que causariam a uma parede sem eco ou como se se perdessem pelo ar. A única centelha de esperança que o senhor Lorry enxergou foram as poucas vezes em que o doutor Manette erguia o rosto, vagamente, e sem que lhe fosse solicitado. Nesses momentos, parecia haver ligeira curiosidade ou espanto no semblante dele, como se estivesse tentando sanar algumas dúvidas que lhe perturbavam a mente.

De imediato, duas coisas ficaram bem claras para o senhor Lorry, como as mais importantes entre todo o resto: primeiro, Lucie não poderia saber o que se passara; segundo, ninguém que conhecia o doutor poderia saber do acontecido. Com o auxílio da senhorita Pross, ele tomou todas as medidas necessárias para garantir a última precaução e espalhou a informação de que o doutor não andava muito bem de saúde e, por isso, afastara-se alguns dias para descansar. Para guardar segredo da filha sobre o ocorrido, a senhorita Pross lhe escreveria, contando que o doutor Manette viajara para atender um paciente, referindo-se a uma suposta carta de duas ou três linhas que o médico escrevera de próprio punho, às pressas, e lhe enviara na mesma data.

Essas medidas, de todo modo recomendáveis em circunstância como aquela, foram tomadas pelo senhor Lorry na esperança de o médico voltar a si. Se isso acontecesse logo, ele manteria outro caminho na reserva, que consistia em buscar a opinião que julgava ser a melhor para aquele caso do doutor.

Assim, na esperança do rápido restabelecimento do médico, e de prosseguir com o curso de seu plano, se ele assim se mostrasse viável, o senhor Lorry decidiu acompanhá-lo de perto, da maneira mais discreta possível. Tendo assim decidido, tomou as medidas necessárias para ausentar-se do Tellson pela primeira vez na vida, e assumiu seu posto ao pé da janela do quarto do dr. Manette.

Não tardou a descobrir que era totalmente inútil insistir em dirigir-lhe a palavra, pois, ao ser pressionado, o médico parecia ainda mais perturbado. Logo no primeiro dia, o senhor Lorry desistiu da ideia e decidiu simplesmente manter-se diante dele, em silêncio, como um sinal de protesto contra a ilusão em que caíra ou em que estava caindo. Portanto, assim permaneceu, sentado perto da janela, lendo e escrevendo e valendo-se de todas as formas agradáveis e naturais em que conseguia pensar para expressar que aquele era um lugar livre.

O doutor Manette aceitava o que lhe ofereciam para comer e beber, e trabalhou, naquele primeiro dia, até ficar demasiado escuro a ponto de não enxergar mais, e ainda assim continuou mais um pouco, interrompendo a atividade meia hora depois que o senhor Lorry já não conseguia ver mais nada, tampouco ler ou escrever. Quando o médico deixou as ferramentas de lado, inúteis, até o raiar do dia seguinte, o senhor Lorry levantou e disse-lhe:

– O senhor vai sair?

Ele olhou para o chão, primeiro para um lado, depois para o outro como fazia nos anos passados e com a voz baixa repetiu:

– Sair?

– Sim. Para dar uma volta comigo. Por que não?

O médico não fez o menor esforço para justificar a recusa, e não disse nenhuma outra palavra. Contudo, o senhor Lorry teve a impressão de ter visto, enquanto ele inclinava o corpo à frente no banquinho, com os cotovelos apoiados no joelho e a cabeça entre as mãos, que de algum modo confuso, ele se perguntava: "Por que não?". A perspicácia do homem de negócios percebeu nessa lacuna uma vantagem e decidiu aproveitá-la.

A senhorita Pross e ele dividiram os turnos durante a noite e usaram o quarto ao lado para observá-lo de tempos em tempos. O doutor caminhou de um lado ao outro por um bom tempo antes de ir para a cama, mas, quando por fim deitou-se, adormeceu no mesmo instante. Na manhã seguinte, despertou cedo, foi direto para o banquinho e começou a trabalhar.

No segundo dia, o senhor Lorry, com entusiasmo, o saudou pelo nome e falou-lhe sobre assuntos comuns aos dois nos últimos tempos. Ele não respondia, mas era evidente que ouvia o que era dito e que pensava a respeito, embora de modo confuso. Isso encorajou o senhor Lorry a chamar a senhorita Pross várias vezes durante o dia, e ela aparecia no quarto para seus afazeres rotineiros; nesses momentos, com tranquilidade os dois falavam sobre Lucie e sobre o pai dela, então presente, e conversavam com naturalidade, como se não houvesse nada de errado. Tudo era feito com discrição, sem nada além das palavras, por um curto período, ou esporadicamente, para não o perturbar. A estratégia alegrara o coração terno do senhor Lorry e lhe fazia acreditar que o médico erguera os olhos mais vezes e parecera impactado por algum tipo de percepção das incoerências que o cercavam.

Quando voltou a anoitecer, tal como o fez no dia anterior, o senhor Lorry perguntou:

– Caro doutor, o senhor vai sair?

E tal como no dia anterior, o médico repetiu:

– Sair?

– Sim. Para dar uma volta comigo. Por que não?

Desta vez, como não obteve resposta, o senhor Lorry fingiu sair e, depois de ausentar-se por uma hora, voltou. Nesse meio-tempo, o doutor fora sentar-se na poltrona ao lado da janela e ali permanecera, olhando para o plátano. Todavia, com o retorno do senhor Lorry, voltou para o banquinho de sapateiro.

O tempo passou muito devagar e a centelha de esperança do senhor Lorry diminuía cada vez mais, e a angústia apertava-lhe o peito, a cada dia mais e mais. Veio o terceiro dia e a terceira noite, o quarto, o quinto. Cinco dias, seis dias, sete dias, oito dias, nove dias.

Com a esperança cada vez menor e o coração cada vez mais pesado, o senhor Lorry atravessava esses dias angustiantes. O segredo fora bem guardado; Lucie, sem saber da desventura do pai, estava feliz. Contudo, algo que ele não pôde deixar de notar foi que o sapateiro, cujas mãos a princípio trabalhavam meio desajeitadas, tornavam-se terrivelmente habilidosas e ele nunca estivera tão concentrado no ofício; e que suas mãos nunca foram tão produtivas quanto no anoitecer do nono dia.

UMA OPINIÃO

Exausto pela contínua vigilância, o senhor Lorry caiu no sono em seu posto. Na décima manhã de angústia, surpreendeu-se com a luz do sol iluminando dentro do quarto onde o sono pesado o dominara na escuridão da noite.

Esfregou os olhos e levantou-se, mas, ainda assim, duvidou ter acordado. Ao ir ao quarto do doutor e espiar pela porta, percebeu que o banquinho e as ferramentas de sapateiro foram postas de lado mais uma vez, e que o médico estava sentado à janela, lendo. Vestia as roupas que costumava usar pela manhã, e seu rosto, o qual o senhor Lorry pôde ver com clareza, embora ainda bastante empalidecido, estava calmo e concentrado.

Mesmo depois de se certificar que estava acordado, o senhor Lorry por alguns instantes refletiu se o último episódio do sapateiro não fora fruto de algum pesadelo do sono pesado, pois o que havia ali bem diante de seus olhos era o amigo com a roupa e aparência de sempre, e com o comportamento e os hábitos de sempre. E havia algum vestígio de que a mudança que tanto o impressionara de fato ocorrera?

As lucubrações não passavam de uma reação ao estado de confusão e espanto, pois as respostas eram óbvias. Se as dúvidas não fossem baseadas em uma causa real e suficiente, o que ele, Jarvis Lorry, estaria fazendo ali? E qual seria o motivo de ele ter adormecido, com a roupa que estava, no sofá do consultório do doutor Manette, e de estar ali, naquele momento, se debatendo com essas questões de frente para a porta do quarto do médico, àquela hora da manhã?

Dali a poucos minutos, a senhorita Pross sussurrou ao seu ouvido. Se lhe restara alguma dúvida quanto ao ocorrido, as palavras dela findariam a questão, mas àquela altura ele já estava lúcido e não tinha mais nenhuma dúvida. Ele aconselhou que não fizessem nada até a hora habitual do café da manhã, quando então iriam ao encontro do doutor e agiriam como se nada de incomum tivesse acontecido. Se ele aparentasse comportamento normal, o senhor Lorry, com muita cautela, pediria a opinião que seu âmago aflito ansiava por obter.

Junto à senhorita Pross, que aceitara seguir as orientações dele, a estratégia foi elaborada com muito cuidado. Dispondo do tempo necessário para a rotineira e metódica toalete matinal, o senhor Lorry apresentou-se para o café da manhã com sua habitual camisa branca de linho e as impecáveis meias. O médico fora chamado como de costume naquele horário e apresentara-se para o café da manhã.

Receoso quanto aos limites para sondar o doutor Manette sem ultrapassar aquelas fronteiras sensíveis e delicadas, neste primeiro momento, o senhor Lorry considerou que para o médico o casamento da filha se passara na véspera daquele dia. Uma alusão proposital ao dia da semana e do mês provocou alguma reflexão no doutor, que ficou pensativo, reflexivo e visivelmente desconfortável. Em todos os outros aspectos, no entanto, era a compostura em pessoa, tanto que o senhor Lorry tomou a decisão de solicitar a ajuda pela qual tanto ansiara. E quem o ajudaria seria o próprio doutor Manette.

Desse modo, terminado o café da manhã e arrumada a mesa, quando os dois ficaram a sós, o senhor Lorry, em uma abordagem bastante ponderada, disse:

– Meu caro Manette, estou ansioso para saber a sua opinião sobre um caso muito curioso em que estou deveras interessado e lhe peço segredo. Bem, trocando em miúdos, é muito intrigante para mim, mas talvez, ao senhor não pareça tanto.

Olhando para as próprias mãos, um tanto calejadas por conta do trabalho recente, o médico parecia apreensivo, mas ouvia atentamente. Na ocasião, já olhara para as próprias mãos outras vezes.

– Doutor Manette – disse o senhor Lorry, tocando-lhe o braço com gentileza. – O caso em questão refere-se a um estimado amigo meu. Eu lhe peço conselhos para que eu possa orientá-lo, pelo bem dele... e, sobretudo, pelo bem de sua filha... a filha desse meu amigo, meu caro Manette.

– Se compreendo bem, se trata de algum colapso mental? – indagou o médico com a voz baixa e tranquila.

– Sim!

– Seja explícito – pediu o doutor. – Não poupe nenhum detalhe.

O senhor Lorry percebeu que estavam se entendendo e prosseguiu:

– Meu caro Manette, trata-se de um antigo e prolongado colapso, um distúrbio de profunda acuidade e severidade aos afetos, aos sentimentos, a... a... como o senhor diz, a mente. A mente. Pois é um caso no qual o doente sofreu muito, e não se sabe exatamente por quanto tempo, porque creio que ele próprio não saiba calculá-lo, e não encontro outro meio de obter essa informação. É o caso de um colapso do qual o doente recuperou-se por meio de um processo que ele próprio não consegue compreender... como certa vez o vi declarar, de modo muito comovente, em público. E meu amigo recuperou-se totalmente de tal distúrbio, tanto que se revelou um homem inteligentíssimo, capaz de executar complexas tarefas que envolvam a mente ou o corpo e sem cessar de acrescer mais e mais conhecimento à sua bagagem cultural e intelectual, que já era muito ampla. Porém, por um golpe de azar... – Ele fez uma pausa, respirou fundo e acrescentou: – teve uma ligeira recaída.

O médico, com a voz baixa, perguntou:

– E quanto tempo durou essa recaída?

– Nove dias e nove noites.

– E como se deu? Presumo – afirmou, voltando a olhar para as próprias mãos –, que o seu amigo tenha retomado alguma atividade antiga... relacionada ao colapso.

– Exatamente, doutor.

– Mas, alguma vez, o senhor o viu – perguntou o médico em um tom firme e resoluto, apesar de manter a voz baixa –, executando essa atividade antes dessa recaída?

– Uma vez.

– E quando ele teve essa recaída, seu comportamento, em algum aspecto, ou talvez em todos os aspectos, condiz com a atividade executada por ele antes?

– Penso que em todos os aspectos, sim.

– O senhor mencionou que ele tem uma filha. Ela sabe dessa recaída?

– Não. Não lhe contaram o ocorrido e espero que ela nunca saiba o que se passou. Eu e outra pessoa de muita confiança somos os únicos que sabemos dessa recaída.

O médico apertou a mão do senhor Lorry e murmurou:

– Que gentileza de sua parte! E quanto apreço e consideração nesse gesto! – O senhor Lorry retribuiu apertando-lhe a mão do mesmo modo e por um tempo nenhum dos dois disse uma palavra sequer.

– Agora, meu caro Manette – disse por fim o senhor Lorry, rompendo o silêncio e com a voz mais atenciosa e afetuosa possível. – Sou um simples homem de negócios, portanto, incapaz de lidar com questões tão complexas e difíceis. Não disponho do tipo de informação necessária. Não disponho desse tipo de inteligência, estou à procura de orientação. E não há nenhum outro homem de confiança neste mundo a quem eu poderia pedir essa orientação senão o senhor. Conte-me, como acontece esse tipo de recaída? Há o risco de ocorrerem outras? É possível evitar que o episódio se repita? E caso não seja possível, como podemos tratar a repetição do quadro? Qual é a causa de crises como essa? O que posso fazer pelo meu amigo? Nenhum homem pode carregar no coração o desejo tão sincero de ajudar um amigo como é o meu caso, se eu soubesse como fazê-lo. Contudo, não sei como agir em uma circunstância como essa. Se a sua sagacidade, conhecimento e experiência puderem me mostrar a rota certa desse caminho, talvez eu possa fazer muito. Desinformado e desorientado, não posso fazer muito. Rogo-lhe que discuta o caso comigo, que me ajude a enxergar a questão de forma mais clara e que me oriente sobre como posso me fazer mais útil ao meu amigo.

O doutor Manette ficou em silêncio, refletindo sobre as palavras sinceras que acabara de ouvir e o senhor Lorry respeitou o momento e não pressionou o médico.

– Creio que provavelmente a recaída descrita pelo senhor fora de algum modo prevista pelo seu amigo, meu caro – opinou o doutor Manette, rompendo o silêncio com esforço.

– Ele a receava? – senhor Lorry arriscou-se a perguntar.

– Muito, muito – respondeu o doutor Manette com um tremor involuntário. – O senhor não imagina o quanto esse temor pesa para a mente desse doente e o quanto é difícil para ele... quase impossível... pronunciar sequer uma palavra sobre esse mal que o acomete.

– Será que ele não se sentiria mais aliviado caso eu conseguisse convencê-lo a partilhar esse sofrimento com alguém, quando se sentisse afligido por ele? – perguntou o senhor Lorry.

– Creio que sim. Mas, como lhe disse, é quase impossível para ele. Acredito até que... em alguns casos... seja de fato impossível.

– Pois lhe pergunto, doutor Manette – prosseguiu o senhor Lorry, tocando mais uma vez com gentileza o braço do médico, depois de um mútuo silêncio –, a que o senhor atribuiria essas crises?

– Acredito que houve uma forte e extraordinária revivescência da linha de pensamentos e lembranças que dispararam o gatilho da primeira crise. Acredito que algumas associações intensas e de natureza altamente angustiante foram revividas. É provável que há muito e com grande pavor ele temia essa revivescência, temia a possibilidade de essas associações virem à tona a qualquer momento... sob certas circunstâncias... ou em uma circunstância em particular. Tentou preparar-se em vão. Talvez, o esforço dispendido nesse preparo só tenha tornado as coisas mais difíceis de suportar.

– E acha que ele pode se lembrar do que aconteceu durante essa recaída? – indagou o senhor Lorry, hesitante diante da situação.

De um jeito vago, o doutor olhou ao redor, fez que não com a cabeça e com a voz baixa, respondeu:

– Não, não vai se lembrar de absolutamente nada.

– Agora, quanto ao futuro...

– Quanto ao futuro – interrompeu o doutor Manette, voltando a falar com a voz firme –, eu diria que há muita esperança. Já que Deus, em sua infinita misericórdia, compadeceu-se do doente e lhe permitiu restabelecer-se tão depressa, eu teria muitas esperanças. Mesmo tendo sucumbido à pressão de uma circunstância tão difícil, há muito temida e prevista, e contra a qual lutava, ele enfrentou e sobreviveu à nuvem que trouxe a tormenta, então, estimo que o pior tenha passado.

– Pois bem, que assim seja! Sinto-me confortado e aliviado com suas palavras. Eu lhe agradeço muitíssimo! – disse o senhor Lorry.

– Eu lhe agradeço muitíssimo! – repetiu o médico, abaixando a cabeça com reverência.

– Há outras duas questões sobre as quais gostaria de lhe pedir orientação. Permite-me partilhá-las? – perguntou o senhor Lorry.

– Não há bem maior que você possa fazer ao seu amigo neste momento – respondeu o doutor, estendendo-lhe a mão.

– Pois bem, vamos à primeira. Meu amigo é sujeito estudioso e muito ativo. Dedica-se com muito ardor à ampliação de seus conhecimentos profissionais, à condução de experimentos e a muitas outras coisas. Pergunto, isso pode fazer mal a ele?

– Creio que não. Trata-se apenas de um traço específico de sua mente, a necessidade constante de ocupar-se. Em parte, esse comportamento pode ser da natureza de uma mente como essa, como também pode ser resultado de sua aflição. Quanto menos ocupada com pensamentos saudáveis, maior o risco de seguir pelo caminho errado. Talvez ele tenha feito uma autoavaliação e descoberto esse funcionamento.

– Tem certeza de que esse excesso de atividades não lhe causa nenhum mal?

– Tenho plena certeza disso.

– Meu caro Manette, e se ele estivesse trabalhando além da conta...

– Meu caro Lorry, não creio nessa possibilidade. Houve uma pressão muito violenta por um lado e a mente dele precisa de um contrapeso.

– Perdoe-me pela insistência de um homem de negócios. Supondo, por um instante, que ele *estivesse* de fato sobrecarregado. Sua mente não pode provocar uma nova recaída?

– Não creio nessa possibilidade – respondeu o doutor Manette com a firmeza da autoconvicção – Penso que nada além do conjunto de pensamentos que disparam o gatilho poderia provocar a recaída. Penso que, de agora em diante, nada além da extraordinária ativação dessa corda dissonante poderia provocar uma nova crise. Depois do que aconteceu ao seu amigo, e do modo como se recuperou, acho improvável que um acorde tão perturbador volte a soar. Confio e quase posso afirmar que as chances de as circunstâncias que produziram esse distúrbio tão violento voltarem a ocorrer são praticamente nulas.

O doutor Manette falou com o receio de um homem que conhecia bem a fragilidade da mente humana, e ao mesmo tempo com a confiança de um homem que conquistou a segurança por meio do sofrimento e da resiliência. Não cabia ao senhor Lorry subestimar essa confiança. Em vez disso, ele mostrou-se ainda mais aliviado e otimista do que de fato estava e tocou na segunda e última questão daquela conversa. Sentia que era a mais difícil de todas, mas, recordando a conversa que tivera com a senhorita Pross no domingo pela manhã, bem como tudo que vira nos últimos nove dias, resolveu que era o momento de enfrentar tal questão.

– Digamos que a atividade retomada por esse meu amigo, sob a pressão desse distúrbio passageiro do qual, felizmente, recuperou-se – disse o senhor Lorry, pigarreando –, era de um ferreiro. E, digamos, a título de ilustração, que durante o período de grande sofrimento de sua vida, que ele trabalhava em uma pequena forja. E agora imaginemos que ele fora encontrado, nessa circunstância da crise e de modo inesperado, trabalhando na forja. Não é preocupante que ele a mantenha dentro de casa?

O médico cobriu a testa com as mãos e bateu o pé no assoalho, em um gesto enraivecido.

– Ele sempre guardou essa forja consigo – insistiu o senhor Lorry, fitando com os olhos aflitos o doutor Manette. – Eu lhe pergunto, não seria melhor que ele se livrasse dela?

Novamente o médico, ainda com as mãos na testa, bateu o pé no chão, mostrando aborrecimento.

– Considera difícil aconselhar-me quanto a essa questão? – inquiriu o senhor Lorry. – Compreendo que seja uma pergunta capciosa. Ainda assim, acho... – titubeou, fazendo que não com a cabeça e não disse mais nada.

– O senhor percebe – disse o doutor Manette, virando-se para o senhor Lorry depois de um perturbador momento de silêncio –, como é difícil explicar de maneira consistente as batalhas travadas nas profundezas da mente desse homem? Em certa circunstância de sua vida, ansiou tanto por essa ocupação que a recebeu de braços abertos quando lhe foi concedida. Não resta dúvida de que essa atividade lhe aliviou imensamente a dor ao substituir a perplexidade da mente pela perplexidade dos dedos, e quanto mais ele a praticava, substituía a tortura mental pela habilidade das mãos, tanto que sequer suportou a possibilidade de livrar-se totalmente dela. Mesmo agora, que ele se sente mais esperançoso do que jamais esteve em relação ao próprio futuro, creio eu, e até fala sobre si mesmo com certa confiança, a ideia de que pode precisar recorrer àquela antiga atividade e não encontrá-la, lhe causa uma sensação de pavor, semelhante à que aflige uma criança que se perdeu da mãe.

Ao erguer os olhos para o rosto do senhor Lorry, o doutor Manette parecia a síntese do que acabara de dizer.

– Mas será que... Veja bem! Peço-lhe essa orientação como um homem de negócios, acostumado a lidar exclusivamente com objetos materiais como guinéus, xelins e promissórias... Será que a retenção das ferramentas não resultaria na retenção da ideia? Se a ferramenta desaparecesse, meu caro Manette, o medo não desaparecia também por consequência? Em suma, o senhor não acha que guardar a forja é um meio de concessão ao medo?

Outro momento de silêncio.

– Agora, veja o senhor também... – respondeu o doutor com a voz trêmula. – Esta forja é uma companheira muito antiga.

– Eu não guardaria a forja nem as outras ferramentas – opinou Lorry, fazendo que não com a cabeça, pois sentia-se mais seguro à medida em que a inquietação do médico ficava mais evidente. – Eu o aconselharia a sacrificá-las. Quero apenas a sua autorização. Tenho certeza de que essas ferramentas não fazem bem nenhum. Por favor! Conceda-me sua autorização, como bom homem que é. Pelo bem da filha dele, meu caro Manette!

Foi muito estranho testemunhar a luta que o médico travava dentro de si!

– Pelo bem dela, então, que seja feito. Eu autorizo. Mas eu não sumiria com as ferramentas na presença dele. Livre-se delas quando ele não estiver por perto. Deixe que sinta a falta das antigas companheiras somente depois que se forem.

No mesmo instante, o senhor Lorry comprometeu-se a fazê-lo e assim terminaram a conversa. Passaram o dia no campo e o médico recuperou-se quase que totalmente. Nos três dias seguintes, continuou perfeitamente bem, e no décimo quarto, viajou para encontrar Lucie e o marido. O senhor Lorry explicara a ele a medida de precaução que fora tomada para justificar seu silêncio, assim o doutor escreveu uma carta para Lucie para endossar o suposto ocorrido; ela não suspeitou de nada.

Na noite em que o doutor Manette partiu para a viagem, o senhor Lorry entrou no quarto munido de machadinha, serra, cinzel e martelo; acompanhado da senhorita Pross, que trazia uma vela. Lá, com a porta fechada e com certo ar de mistério e culpa, o senhor Lorry serrou em pedaços o banquinho de sapateiro, enquanto a senhorita Pross segurava a vela como se fosse a cúmplice de um assassinato – e, como figura bastante amargurada, em nada desdizia da cena. A incineração do corpo (cortado aos pedaços para tal propósito) deu-se no forno da cozinha; as ferramentas, os sapatos e o couro foram enterrados no jardim. Tão perversa a destruição e o sigilo parecem às almas honestas, que o senhor Lorry e a senhorita Pross, enquanto envolvidos na execução daquele ato e na ocultação de seus rastros, quase sentiram-se, e quase pareceram, cúmplices de um crime hediondo.

UM APELO

Quando os recém-casados chegaram em sua residência, a primeira pessoa que apareceu para felicitá-los foi Sydney Carton. Fazia poucas horas que o casal estava em casa, quando Sydney apareceu. Não melhorara em nada quanto aos seus hábitos, aparência e modos, mas havia um certo ar de devoção em seu comportamento, coisa que Charles Darnay nunca antes observara nele.

Carton aguardou o momento oportuno, levou Darnay até a janela e começou a lhe falar sem que ninguém mais ouvisse.

– Senhor Darnay, gostaria que fôssemos amigos – disse Carton.

– Já somos amigos, não somos?

– Gentileza de sua parte dizer isso, mas não me refiro às palavras. Na verdade, quando digo que gostaria de sua amizade, também me valho de palavras, mas o que quero é mais do que isso.

Charles Darnay, como era de se esperar, em um tom amistoso e bem-humorado perguntou ao rapaz, então, o que ele quis dizer.

– Toda a minha vida – disse Carton, sorrindo –, sempre achei mais fácil compreender do que explicar. Todavia, permita-me tentar. Lembra-se de uma certa ocasião em que bebi... bebi além da conta?

– Lembro-me de certa ocasião em que me obrigou a declarar que o senhor estava embriagado.

– Eu me lembro disso também. A maldição de ocasiões como essas pesa sobre mim, tanto que não consigo me esquecer delas. Espero que isso seja levado em consideração quando chegar o meu último dia, que sei estar próximo! Não se assuste, não é minha intenção pregar sermão nenhum.

– Não estou nem um pouco assustado. A sinceridade do senhor pode me parecer tudo, menos assustadora.

– Ah! – disse Carton, brandindo ligeiramente a mão no ar, como em um gesto de indiferença. – Naquela ocasião em particular, em que bebi além da conta... além de toda a conta, como o senhor bem sabe... Exagerei naquela conversa sobre gostar ou não do senhor. Gostaria que se esquecesse daquele episódio.

– Já o esqueci há tempos.

– Gentileza de sua parte, novamente! No entanto, senhor Darnay, o esquecimento não é algo tão fácil para mim, quanto parece ser para o senhor. Jamais me esquecerei daquilo e uma resposta evasiva como a do senhor em nada me ajudará nesse intento.

– Peço-lhe perdão se minha resposta soou evasiva. Minha intenção era a de dar pouca importância para uma coisa tola, a qual, para a minha surpresa, o incomodou mais do que a mim. Dou-lhe a minha palavra de cavalheiro que há muito tempo apaguei de minha memória aquela circunstância. Bondoso Deus, como eu poderia apegar-me a um incidente tão insignificante quando o senhor, naquele mesmo dia, me prestou um grande serviço?

– Quanto ao grande serviço a que o senhor faz menção, sinto-me no dever de confessar, quando o vejo falar sobre ele dessa maneira, que não passou de uma artimanha profissional. Não me importava com o que viria a acontecer com o senhor quando fiz aquilo. Veja bem! Eu disse que não me *importava*. Isso foi no passado.

– O senhor minimiza a gratidão que lhe devo, mas vou me incomodar com a *gentileza* de sua parte – rebateu Darnay.

– É a mais pura verdade, senhor Darnay! Acredite em mim! Mas estamos nos desviando do assunto. Eu falava sobre sermos amigos. Pois veja, o senhor me conhece, sabe que sou incapaz dos maiores e mais belos voos que os homens podem alçar. Se o senhor duvida, pergunte a Stryver e ele lhe confirmará.

– Prefiro formar minha opinião por conta própria, sem a ajuda dele.

– Muito bem! De todo modo, o senhor sabe que sou um cachorro libertino, que nunca fez nada de bom e nunca fará.

– Não posso afirmar que nunca fará.

– Mas eu posso e o senhor deve acreditar em minha palavra. Bem! Se o senhor suportar que um sujeito imprestável e de má reputação apareça vez em quando à sua casa para visitá-lo, lhe peço permissão para assim desfrutar desse privilégio, mesmo que seja visto como um traste inútil; apesar da notável semelhança física que noto entre o senhor, uma mobília nobre e vistosa, e eu, um sarrafo despercebido e tolerado em consideração à sua antiga serventia. Duvido que eu venha abusar de tal permissão. Eu diria que a chance de eu me desfrutar dessa permissão quatro vezes no ano é de cem contra um. Seria uma grande satisfação para mim, atrevo-me a dizer, saber que a obtive.

– O senhor quer tentar?

– Essa é outra maneira de dizer que meu pedido foi aceito. Agradeço-lhe, Darnay. Posso tomar a liberdade de chamá-lo assim?

– A essa altura, Carton, claro que sim.

Os dois trocaram um aperto de mãos e Sydney virou-se. Um minuto depois, recobrara o habitual comportamento, tão irrelevante quanto sempre fora.

Depois que ele foi embora, e no decorrer da noite que passou em companhia da senhorita Pross, do médico e do senhor Lorry, sem mencionar detalhes, Charles Darnay fez uma menção à conversa e referiu-se a Sydney Carton como um problema de descuido e negligência. Em suma, referiu-se a ele sem rancor e tampouco amargura, mas como qualquer pessoa que o via tal como ele se mostrava.

Ele não fazia a menor ideia de que aquelas palavras pairavam na mente de sua bela e jovem esposa; porém, quando a encontrou mais tarde, nos aposentos do casal, viu-a esperando por ele com aquela antiga e formosa marca na testa.

– Estamos muito pensativos esta noite! – comentou Darnay, envolvendo-a em um abraço.

– Sim, Charles, meu amor – concordou, apoiando as mãos no peito do marido e fitando-o com a expressão atenta. – Estamos mesmo muito pensativos, pois algo ronda a nossa mente.

– E do que se trata, minha Lucie?

– Promete não insistir quando eu não quiser responder alguma pergunta, se esse for o meu pedido?

– Se prometo? O que eu não prometeria ao amor da minha vida?

O que, de fato, não poderia prometer àquele ser, de quem com uma mão afastava os fios dourados da bochecha e, com a outra, sentia o toque daquele coração que por ele batia?

– Eu acho, Charles, que o pobre senhor Carton merece mais consideração e respeito do que demonstrou por ele esta noite.

– É mesmo, meu bem? Por quê?

– Essa é uma das perguntas que não deve me fazer. Mas eu acho... eu sei... que ele merece.

– Nesse caso, já é o suficiente. O que quer que eu faça, minha vida?

– Gostaria de lhe pedir, querido, que seja sempre muito generoso na presença do senhor Carton e indulgente quanto aos seus defeitos quando ele não estiver por perto.

Eu lhe peço que acredite no que vou lhe dizer. Ele tem um coração que muito raramente se revela, mas que guarda feridas profundas. Querido, já o vi sangrar.

– Para mim, é doloroso pensar – disse Charles Darnay, espantado –, que eu possa ter causado algum mal a ele. Nunca o enxerguei desse modo.

– Meu esposo, pois é essa a verdade. Temo não haver salvação para ele, quase não restam esperanças de que seu caráter ou sua sorte possam ser reparados. Mas tenho certeza de que é capaz de boas ações, de atitudes gentis e até altruístas.

A pureza da crença de Lucie em relação àquele homem perdido a embelezava de tal forma que o marido teria passado horas admirando a esposa.

– Ah, meu amado! – exclamou, abraçando-o ainda mais apertado, apoiando a cabeça no peito dele e erguendo os olhos para ele. – Lembre-se quão forte somos em nossa felicidade e quão fraco ele é em seu sofrimento!

O apelo tocou o coração do marido.

– Lembrarei sempre disso, coração meu! Lembrarei por todos os dias enquanto eu viver.

Ele inclinou o pescoço, aproximando o rosto da cabeça dourada, pressionou os lábios rosados dela ao seus, e a acomodou em seus braços. Se algum transeunte desamparado estivesse por ali, perambulando pelas ruas escuras, e escutasse essa revelação inocente e visse as lágrimas piedosas daqueles ternos olhos azuis enxugadas pelos beijos do marido, certamente ele teria chorado a noite inteira... e não era a primeira vez que tais palavras saíam dos lábios da senhorita Manette:

– Deus a abençoe por tão doce compaixão!

PASSOS ECOANTES

Lugar maravilhoso para ecos, como já observado, era aquela esquina onde o doutor morava. Sempre ocupada envolvendo aquele fio dourado que unia o marido, o pai e ela própria, e sua antiga governanta e companheira, na vida discreta e feliz, Lucie permanecia naquela casa tranquila, naquela esquina sossegada, ouvindo os ecoantes passos dos anos.

No começo, apesar de ela ser uma esposa jovem e perfeitamente feliz, houve momentos em que o trabalho lhe escorregava aos poucos das mãos e sua vista ficava turva, pois algo acompanhava aqueles ecos, aproximando-se aos poucos, algo leve, ainda distante e quase inaudível, mas que lhe angustiava muitíssimo o coração. Esperanças e dúvidas oscilantes... Esperança de vivenciar um amor que ainda não experimentara; dúvidas quanto à própria permanência na terra para desfrutar desse novo deleite dividiam-lhe as profundezas do coração. Então, entre os ecos, surgiria o ruído de passos de sua precoce sepultura, e pensamentos a respeito do marido que ficaria tão desolado, e que lastimaria tanto a perda da esposa, cresciam diante dos olhos dela e se quebravam feito ondas.

O tempo passou; e uma pequena Lucie descansava em seu peito. Então, entre o avanço dos ecos, havia o som de pezinhos e de palavras balbuciadas. Por mais que os ecos maiores ressoassem mais forte, a jovem mãe ao lado do berço sempre ouviria aqueles passinhos se aproximando. Eles chegaram, e a casa sempre coberta pelas sombras iluminou-se com a risada de uma criança, e o Amigo Divino das crianças, a quem, em seus momentos de angústia, Lucie confiara a própria filha, parecia segurar a criança nos braços, do mesmo modo como Ele carregara as crianças de outros tempos, tornando-a uma verdadeira dádiva do sagrado para ela.

Sempre ocupada enrolando o fio dourado que os unia, entrelaçando o benefício de sua influência no tecido de todas aquelas vidas, sem fazê-la evidente em nenhum lugar; aos ouvidos de Lucie, os ecos dos anos que passavam soavam amigáveis e calmantes. Os passos do marido soavam fortes e prósperos entre eles, e os do pai, firmes e regulares. Já os passos da senhorita Pross, com seus arreios de corda despertando os ecos, eram como um cavalo de batalha arisco, contido com o chicote, relinchando e escavando a terra debaixo do plátano do jardim!

Mesmo quando se ouvia sons queixosos entre os demais, não eram grosseiros nem cruéis. Mesmo quando os cabelos dourados, iguais aos dela, repousavam feito uma auréola sobre o travesseiro, circundando o rosto abatido do garotinho, e enquanto ele, com um sorriso radiante, dizia: "Queridos papai e mamãe, sinto muito ter de abandonar os dois e minha irmãzinha, mas fui chamado e preciso partir!", aquelas não eram lágrimas de total agonia que molharam o rosto da jovem mãe no momento em que aquele ser se afastava dos braços aos quais lhe foi confiado. Sofra pelos seus filhos e não os proíba de partir. Eles verão o rosto de meu Pai. Ó Pai, abençoadas sejam vossas palavras!

Assim, o farfalhar das asas de um anjo misturou-se aos outros ecos, que já não eram tão somente terrenos, pois passaram a incorporar um sopro do Céu. Os suspiros do vento que sopravam a pequena sepultura também se uniram a eles, e Lucie podia escutar ambos, como um murmúrio quase inaudível, feito a respiração do mar adormecido de verão tocando a areia da praia. A pequena Lucie também podia escutá-los, graciosamente compenetrada nas tarefas matinais, ou vestindo uma boneca no tamborete da mãe, tagarelando nas línguas das duas cidades que estavam misturadas em sua vida.

Os ecos quase nunca correspondiam aos passos reais de Sydney Carton. Por mais ou menos seis vezes por ano, quando muito, ele desfrutava do privilégio de aparecer sem ser convidado, e sentava junto da família, fazendo-lhes companhia entre o fim da tarde e meados da noite, como antes costumava fazer com frequência. Nessas ocasiões, nunca aparecia embriagado. E os ecos sussurravam outra coisa a respeito dele, a qual tem sido sussurrada por todos os confiáveis ecos ao longo de todas as eras.

Nenhum homem jamais amou uma mulher, perdeu-a e viu-a, com um amor irrepreensível e inabalável, tornar-se esposa e mãe; os filhos dela nutriam uma estranha simpatia por ele, uma delicadeza instintiva resultante da pena que sentiam por ele. Que sutis e ocultas sensibilidades são acessadas, em casos como esse, nenhum eco pode revelar; mas é assim que funciona, e foi esse o caso aqui. Carton foi o primeiro estranho a quem a pequena Lucie estendeu seus braços rechonchudos, e ele manteve o seu lugar no coração da menina mesmo enquanto ela crescia. Foi uma das últimas pessoas sobre quem o garotinho falara, antes de seu último suspiro. "Pobre Carton! Digam que lhe mandei um beijo!"

O senhor Stryver forçava a abertura do caminho das leis, feito uma engrenagem a todo vapor em plenas águas turbulentas, arrastando consigo o útil amigo no seu rastro, como um barco levado a reboque. Como o barco mais desejado geralmente encontra-se em situação difícil, e na maioria das vezes submerso, assim também Sydney estava à beira do naufrágio. Contudo, um hábito tão natural e forte, infelizmente muito mais natural e forte dentro dele do que qualquer senso de deserção ou desgraça, fez daquela a vida que ele escolhera levar. E ele não considerava mais a possibilidade de abandonar a posição de chacal do leão, não mais do que qualquer chacal de verdade pensaria em se tornar um leão. Stryver era rico. Casara-se com uma viúva ostentosa e detentora de propriedades e de três filhos, que não tinham nada de especial a não ser o cabelo liso e escorrido sobre a cabeça gorda.

A esses três jovens cavalheiros, o senhor Stryver, exalando paternalismo do tipo mais ofensivo por entre os poros, fez caminhar à sua frente feito três ovelhas até a esquina tranquila do Soho, oferecendo-os como pupilos ao marido de Lucie, com toda a delicadeza: "Veja só! Aqui estão suas três broas com queijo para o seu piquenique matrimonial, Darnay!" A polida recusa da oferta das três broas com queijo provocara a indignação do senhor Stryver, que mais tarde a usou em sua vantagem na educação dos três garotos, recomendando-lhes cuidado com o orgulho dos pedintes, como o era o tal professor. Também adquirira o costume de relatar à senhora Stryver, entre uma taça e outra de vinho encorpado, as artimanhas de que a senhora Darnay se valera para "laçar o marido", e também contava sobre os artifícios de que ele próprio, como diamante que deve ser lapidado por diamante, lançara mão para não "ser laçado". Alguns dos colegas do tribunal superior, com quem vez ou outra compartilhava a mentira e taças de vinho encorpadas, o desculpavam pela primeira, alegando que Stryver a contava com tanta frequência que ele próprio passara a acreditar nela – o que certamente é um grande incorrigível agravante de uma ofensa essencialmente má, que poderia justificar a retenção do ofensor, sua condução a lugar apropriado e seu consequente enforcamento.

Esses estavam entre os ecos aos quais Lucie escutava no canto ecoante, e sobre os quais às vezes refletia e em outras ria, até sua filhinha completar seis anos de idade. Quão perto de seu coração ecoavam os passos de sua filha, e os do estimado pai, sempre ativos e confiantes, e os do querido marido, não é preciso dizer. Tampouco é preciso mencionar como o eco suave do lar unido, conduzido por ela própria com tão sábia e refinada parcimônia mais abundante do que qualquer desperdício, lhe soava aos ouvidos como música. Nem quantos ecos soavam ao redor dela, produzindo notas doces, nas numerosas vezes em que o pai lhe dissera que ela se dedicava ainda mais a ele (como se possível fosse) depois do casamento, e nas diversas ocasiões em que o marido lhe dissera que nenhuma ocupação ou dever parecia distanciá-la do amor e da atenção que dedicava a ele, e lhe perguntava: "Qual é o segredo, minha querida, para dedicar-se tanto a todos nós, como se fôssemos apenas um, sem nunca aparentar pressa ou preocupação com todos esses afazeres?".

Contudo, ocorriam outros ecos, distantes, que rugiam notas ameaçadoras naquela esquina ao longo de todo esse período. E era agora, durante o sexto aniversário da pequena Lucie, que eles começavam a ressoar, provocando um ruído terrível, como o de uma grande tempestade na França com um terrível mar revoltoso.

Em uma certa noite dos idos de julho de 1789, o senhor Lorry, vindo do Tellson, chegou atrasado e sentou-se ao lado de Lucie e do marido, junto à janela. Era uma noite quente e agitada, e os três lembraram-se de um longínquo domingo à noite, quando ali, no mesmo lugar, contemplavam os raios e relâmpagos.

– Cheguei a pensar – contou o senhor Lorry, puxando a peruca castanha para trás –, que teria de passar a noite no Tellson. Passamos o dia inteiro tão atarefados, que não sabíamos o que fazer primeiro, para aonde deveríamos correr. Paira uma inquietação tão grande em Paris que é como se depositassem toda a confiança da cidade em nossas mãos, literalmente. Nossos clientes de lá parecem não estar dispostos a confiar seus bens para nós com a rapidez necessária. É evidente que alguns estão obcecados para mandá-los para a Inglaterra.

– Isso é um presságio... – opinou Darnay.

– Um mau presságio, meu caro Darnay? Sim, mas não sabemos quais são os motivos disso. As pessoas estão totalmente fora de si! Alguns de nós lá no Tellson estamos envelhecendo, e a bem da verdade é que não podemos nos afobar sem um motivo plausível.

– Mesmo assim, o senhor sabe o quanto o céu está sombrio e ameaçador – disse Darnay.

– Pois se sei, e como sei – retrucou o senhor Lorry, tentando se convencer de que o seu quase sempre bom humor havia azedado e por isso resmungava. – Mas estou decidido a bancar o resmungão depois de um longo dia de trabalho. Onde está o Manette?

– Bem aqui – respondeu o doutor, entrando na sala escura no exato momento.

– Fico contente de vê-lo em casa. Depois de todo o alvoroço e os rumores que passei o dia inteiro escutando, sinto-me aflito sem motivo. Espero que não pretenda sair...

– Não. Vou jogar gamão com o senhor, se quiser – respondeu o médico.

– Acho que não quero, se me permite ser sincero. Não me sinto preparado para competir com o senhor esta noite. A bandeja de chá ainda está ali, Lucie? Não a vejo.

– Claro, está ali por sua causa.

– Muito agradecido, minha querida. Nossa querida princesinha está segura, na cama?

– E dormindo feito um anjo.

– Ótimo! Todos bem e a salvo! Não sei por que as coisas não estariam bem e a salvo aqui, valha-me Deus! Mas passei o dia inteiro atarantado com tantos afazeres, e compreendam, não sou mais nenhum menino! Meu chá, querida! Obrigado. Agora, venha e ocupe seu lugar no círculo, e fiquemos todos aqui, em silêncio, escutando os ecos sobre os quais você compartilhou uma curiosa teoria.

– Não é uma teoria, mas uma fantasia.

– Que seja então, minha sábia amiga – disse o senhor Lorry, dando uns tapinhas de leve na mão dela. – Mas são numerosos e retumbantes, não são? Ouçam!

Passos apressados, ensandecidos e perigosos abriam caminho à força na vida de alguém, passos que não voltariam a ficar limpos, uma vez manchados de vermelho; eram os passos que se enfureciam em Saint-Antoine, distante dali, enquanto o pequeno grupo observava pela janela sombria de Londres.

Saint-Antoine, naquela manhã, se transformara em uma ampla e escura massa de espantalhos que andavam de um lado para o outro, com frequentes raios de luz relampejando sobre suas cabeças agitadas, onde lâminas de aço e baionetas reluziam ao sol. Um tremendo rugido irrompia da garganta de Saint-Antoine e uma floresta de braços nus erguia-se pelos ares feito os galhos de árvore ressequidos pela ventania do inverno; todos os dedos agarravam com o máximo de força cada arma ou qualquer objeto que lhe servisse como tal e que emergiam das profundezas, não importando qual a distância.

Quem as fornecera, de onde vinham, onde foram fabricadas, a mando de quem tremulavam e brotavam aos montes sobre a cabeça da multidão feito um tipo de raio, isso nenhum olho entre aquele exército de gente saberia dizer, mas algo era evidente: mosquetes eram distribuídos, bem como cartuchos, pólvora, e balas, barras de ferro e pedaços de madeira, facas, machados, piques e toda espécie de arma que a desacorçoada engenhosidade pudesse encontrar ou forjar. Aqueles que não conseguiam nenhum outro tipo de munição, com as mãos ensanguentadas punham-se a arrancar pedras e tijolos das paredes. Não havia um coração e um pulso sequer em Saint-Antoine que não batesse alto e febril. Cada ser vivo dali não atribuía nenhum valor sequer à vida e fora contagiado pela irrefreável disposição de sacrificá-la a qualquer custo.

Assim como as águas ferventes de um redemoinho giram em torno de um ponto central, todo esse furor rondava a taberna de Defarge, e cada gota humana do caldeirão tendia a ser sugada por um vórtice, no qual o próprio Defarge, já banhado pelo suor e pelas cinzas da pólvora, emitia ordens, distribuía armas, empurrava um homem para trás, arrastava outro para a frente, desarmava um para armar outro, labutava e debatia-se no mais espantoso dos tumultos.

– Fique perto de mim, Jacques Terceiro – gritou Defarge –, e vocês, Jacques Primeiro e Segundo, separem-se e assumam a liderança do maior número possível de patriotas. Onde está minha esposa?

– Ei, bem! Eu estou aqui! – disse a madame, composta como de costume, mas sem o tricô; em vez dele e de seus instrumentos delicados, trazia na resoluta mão direita um machado, e no cinto uma pistola e uma faca potente o suficiente para executar muitas crueldades.

– Aonde vai, minha esposa?

– Por enquanto, acompanho meu marido – respondeu ela. – Depois, me verá na liderança das mulheres.

– Então venha! – exclamou Defarge com a voz retumbante. – Patriotas e amigos, estamos prontos! À Bastilha!

Com um rugido que soou como se todo o ar inspirado pela França tivesse sido comprimido na forma daquela desprezível palavra, o mar de gente viva emergiu, onda por onda, profundeza por profundeza, invadiu e inundou a cidade naquele momento. Sinais de alerta disparavam, tambores rufavam, o mar revolto trovejava em sua nova praia e dava-se início ao ataque.

Fossos profundos, ponte levadiça dupla, muralhas maciças de pedra, oito torres altas, canhões, mosquetes, fogo e fumaça. Entre o fogo e a fumaça, sim, entre o fogo e a fumaça, pois o mar de gente o lançou contra um canhão, obrigando-o a assumir a posição de artilheiro, Defarge da taberna lutava havia duas extensas horas como um soldado varonil.

Fosso profundo, uma única ponte levadiça, muralhas maciças de pedra, oito torres altas, canhões, mosquetes, fogo e fumaça. Cai uma ponte levadiça!

– Lutem, camaradas, lutem! Lutem, Jacques Primeiro, Jacques Segundo, Jacques Centésimo, Jacques Milésimo, Jacques Milionésimo, em nome de todos os anjos e demônios, como bem preferirem... lutem! – Assim comandou Defarge da taberna ainda sob o comando de sua arma, que há muito esquentara.

– Venham a mim, mulheres! – bradou a madame, sua esposa. – Ouçam! Poderemos matar tanto quanto os homens, depois que tomarmos o lugar! – E em direção a ela, com um grito estridente e sedento, uma tropa de mulheres caminhou, armando-se com diferentes tipos de armas, mas todas munidas de sede de vingança.

Canhão, mosquetes, fogo e fumaça, mas ainda o fosso profundo, a ponte levadiça, as muralhas maciças de pedra e as oito torres altas. Um discreto deslocamento do mar revolto, produzido pelos feridos caídos. Armas lampejantes, tochas flamejantes, carroças fumegantes e cheias de feno úmido, trabalho árduo para erguer barricadas pelas redondezas, por todo o canto guinchos, saraivadas, imprecações, bravura desmedida, colisões, pancadas e o ruído furioso do mar vivo; no entanto, ainda o fosso profundo, a ponte levadiça, a muralha maciça de pedra, as oito torres altas, bem como Defarge da taberna no comando de sua artilharia duplamente aquecida depois de quatro horas de ardoroso trabalho.

Uma bandeira branca dentro da fortaleza e uma discussão, esta pouco perceptível por entre a tempestade furiosa e totalmente inaudível; de repente, o mar agigantou-se em uma onda ainda maior e muito mais extensa, arrastando Defarge da taberna sobre a ponte rebaixada, ultrapassando as muralhas maciças de pedra e avançando para dentro das oito torres altas, por fim, rendidas!

Tamanha era a força do oceano que o impulsionava, que tomar fôlego e virar a cabeça para o lado era tão impossível quanto se ele estivesse tentando se debater nas ondas dos Mares do Sul, até que o aportaram no pátio externo da Bastilha. Lá, apoiado em um canto da muralha, fez um esforço para conseguir olhar à sua volta. Jacques Terceiro estava quase a seu lado, a madame Defarge, que ele via a pouca distância dali, continuava comandando as mulheres e com uma faca na mão. Por todas as direções via-se tumulto, júbilo, um alvoroço ensurdecedor e alucinado, um barulho espantoso e uma demonstração de estupidez atroz.

– Os prisioneiros!

– Os arquivos!

– As celas secretas!

– Os instrumentos de tortura!

– Os prisioneiros!

Entre todos esses gritos e dez mil incoerências, "Os prisioneiros" era o que mais se ouvia entre o mar de gente, como se houvesse uma eternidade de pessoas, bem como de tempo e de espaço. Quando as primeiras ondas revoltosas passaram, levando consigo os guardas da prisão e ameaçando-os de morte caso algum canto secreto não fosse revelado, Defarge apoiou a mão no peito de um desses homens, um de cabelo grisalho e que segurava uma tocha acesa na mão, empurrou-o, isolando-o dos demais e o colocou entre si e a muralha.

– Mostre-me a Torre Norte! – ordenou Defarge. – Rápido!

– Eu o farei de bom grado – disse o homem –, se o senhor vier comigo. Mas não há ninguém lá.

– O que significa "Cento e Cinco, Torre Norte"? – perguntou Defarge. – Depressa!

– O que significa, senhor?

– É o código de algum prisioneiro ou de alguma cela? Ou terei de matar o senhor para descobrir?

– Mate-o! – grasnou Jacques Terceiro, que se aproximara.

– É a cela, senhor.

– Mostre-me onde é!

– Por aqui, então.

Jacques Terceiro, movido pela avidez de sempre e visivelmente aborrecido com o rumo que a conversa tomava, o qual aparentemente não acabaria em derramamento de sangue, segurou o braço de Defarge, que por sua vez segurava o braço do carcereiro. A cabeça dos três permaneceram juntas durante essa breve conversa, e foi tudo que conseguiram fazer para ouvirem um ao outro, tão tremendo era o barulho do oceano vivo durante a irrupção na fortaleza e a inundação de pátios, corredores e escadarias. Do lado de fora, era a mesma coisa, o oceano de gente batia-se contra as paredes com um rugido rouco e profundo, entre o qual vez ou outra emergiam do tumulto gritos e serpenteavam pelo ar feito a espuma das ondas.

Por entre sinistras abóbadas onde a luz do dia nunca brilhou, portas horripilantes de covis e jaulas escuras, descendo cavernosos degraus e subindo escarpadas rampas de pedra e tijolo, que pareciam mais cachoeiras secas do que escadarias, Defarge, o carcereiro e Jacques Terceiro, um com a mão e o braço entrelaçados no outro, avançaram o mais rápido que podiam. Aqui e ali, principalmente no início, a inundação aproximava-se deles e os levava juntos, mas quando terminaram a descida, viraram e começaram a subir a torre, estavam sozinhos. Espremidos pela espessura maciça das paredes e dos arcos, ouviam a tempestade dentro e fora da fortaleza chegando a seus ouvidos feito um som abafado e longínquo, como se o alvoroço do qual tinham se afastado quase lhes tivesse destruído a audição.

O carcereiro parou em frente a uma porta baixa, colocou a chave na barulhenta fechadura, empurrou a porta devagar para abri-la e, enquanto todos abaixavam a cabeça e a atravessava, disse:

– Cento e cinco, Torre Norte!

No alto da parede, havia uma janela pequena, protegida por muitas grades, sem vidraça e com uma tela de pedra bem de frente, de forma que o céu só poderia ser visto dali abaixando-se e olhando para cima. A poucos metros de distância, havia também uma pequena chaminé, hermeticamente fechada; dentro da ladeira, uma pilha de cinzas de madeira; um banquinho, uma mesa e uma cama de palha. E quatro paredes escurecidas de tanta sujeira, com uma argola enferrujada dependurada em uma delas.

– Passe a tocha devagar pelas paredes, para que eu possa vê-las – disse Defarge ao carcereiro.

O homem obedeceu e os olhos de Defarge acompanharam a luz atentamente e de perto.

– Pare! Olhe aqui, Jacques!

– Um "A" e um "M" – resmungou Jacques Terceiro, lendo com muita avidez.

– Alexandre Manette – murmurou-lhe Defarge no ouvido, seguindo as letras com o dedo indicador, escuro e impregnado de pólvora. E aqui ele escreveu "um pobre médico". E foi ele, sem dúvida, que entalhou um calendário nesta pedra. O que é isso na sua mão? Um pé de cabra? Dê-me aqui!

Ainda segurava o bota-fogo de sua arma. Rapidamente, trocou de ferramentas e, virando-se para o banquinho e a mesa de madeira corroídos por traças, estraçalhou-os em pedaços.

– Erga a tocha! – ordenou enraivecido ao carcereiro. – Procure bem entre esses fragmentos, Jacques. Tome! Pegue minha faca – disse, arremessando-a na direção dele. – Rasgue o colchão e procure entre a palha. E segure direito essa tocha!

Com um olhar ameaçador para o carcereiro, ele rastejou até a entrada da chaminé, espiou lá em cima, bateu e forçou suas paredes com o pé de cabra e tentou arrancar a grade de ferro que havia nela. Em poucos minutos, argamassa e poeira começaram a cair e ele virou o rosto para proteger os olhos; tateou as cinzas devagar e com cuidado, bem como a fenda na qual o pé de cabra se enfiara.

– Nada na madeira nem na palha, Jacques?

– Nada.

– Vamos juntar tudo no meio da cela. Você, meta a tocha neles!

E assim o carcereiro ateou fogo na pilha, que formou uma labareda alta e ardente. Curvando-se para atravessarem a porta novamente, deixaram o fogo para trás e retornaram para o pátio, e ali tiveram a sensação de recobrar a audição enquanto desciam, até depararem-se com a enchente furiosa mais uma vez.

E encontraram-na revolta, à procura de Defarge. Saint-Antoine reivindicava a presença de seu taberneiro na linha de frente da guarda montada para enfrentar o diretor da Bastilha, que a defendera atirando no povo. Caso contrário, o diretor não seria levado ao Hotel de Ville para ser julgado. Caso contrário, o diretor escaparia e o sangue do povo (que, de repente, depois de muitos anos de inutilidade, ganhara seu devido valor) não seria vingado.

No universo uivante de paixões e rivalidade em que parecia orbitar esse velho e nefasto comandante, notável em sua casaca cinza e enfeitada de vermelho, havia apenas uma figura muito resoluta e tratava-se de uma mulher.

– Vejam! Aquele é o meu marido! – exclamou, apontando para ele. – Vejam Defarge! – Ela permaneceu firme perto do velho e nefasto comandante, permaneceu firme quando esteve ainda mais ao lado dele; permaneceu firme quando caminhava junto dele pelas ruas, enquanto Defarge e os demais o levavam; permaneceu firme quando se aproximaram de seu destino e começaram a golpeá-lo por trás; permaneceu firme quando a tão esperada chuva de pancadas e pauladas atingiu pesadamente o homem; estava tão perto dele quando caiu morto que, tomada por um súbito ânimo, enfiou-lhe o pé no pescoço e com sua tirânica faca... há muito tempo afiada... arrancou-lhe a cabeça.

Chegara a hora em que Saint-Antoine poria em prática a horripilante ideia de içar pessoas feito lâmpadas para mostrar do que era capaz. Saint-Antoine jorrava sangue pelos poros e o sangue da tirania e da dominação pela mão de ferro escorria... escorria na escadaria do Hotel de Ville onde jazia o corpo do diretor da Bastilha, sob a sola do sapato de madame Defarge, com a qual pisoteava o cadáver a fim de prepará-lo para a mutilação.

– Baixem o lampião! – bradava Saint-Antoine, vasculhando com os olhos ao redor em busca de meios de matar. – Aqui está um dos soldados dele para ficar de guarda!

O sentinela, pendendo de um lado para o outro, foi colocado em seu posto e o mar seguiu seu curso.

O mar de águas escuras e ameaçadoras, de destrutivo potencial de ondas sobre ondas, cujas profundezas ainda eram insondáveis e cujas forças ainda eram desconhecidas. O mar impiedoso, de formas turbulentas, carregado de brados de vingança e de rostos tão empedernidos nas fornalhas de sofrimento que nenhuma brasa de compaixão poderia marcá-los.

No entanto, nesse oceano de rostos em que cada expressão feroz e colérica era de pura vivacidade, havia dois grupos, com sete membros em cada, tão diferentes dos demais que jamais houve ondas que arrastaram destroços mais memoráveis do que aqueles. Sete rostos de prisioneiros, repentinamente libertados pela tempestade que os arrancara da tumba, foram carregados nos ombros: todos assustados, todos perdidos, todos admirados e espantados, como se o dia do Juízo Final tivesse chegado e aquela multidão ao redor deles fosse de espíritos perdidos. Outros setes rostos também eram carregados nos ombros, ainda mais alto, sete rostos mortos e cujas pálpebras caídas e olhos semiabertos também aguardavam o dia do Juízo Final. Rostos impassíveis, e com uma expressão suspensa, não abolida; rostos que pareciam em um estado de transe temporário, como se a qualquer momento suas pálpebras pudessem abrir e seus lábios exangues exclamassem: "VÓS FIZESTES ISTO!".

Sete prisioneiros libertados, sete cabeças ensanguentadas na ponta das lanças, as chaves da maldita fortaleza de oito torres, algumas cartas descobertas e outras lembranças de prisioneiros que por ali passaram; há muito tempo mortos pela angústia.

Tudo isso e outros fatos semelhantes aos passos ecoantes de Saint-Antoine atravessavam as ruas de Paris nos idos de julho de 1789. Agora, que os céus ponham fim aos presságios de Lucie Darnay e mantenham esses passos bem longe de sua vida! Pois eles são apressados, ensandecidos e perigosos; e esses passos manchados de vermelho em uma época tão longínqua, quando um barril de vinho se partiu na porta da taberna de Defarge, não são fáceis de serem apagados.

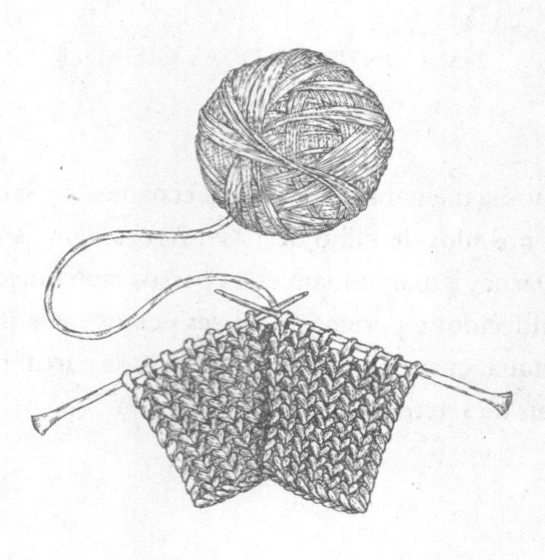

O MAR AINDA REVOLTO

O tormentoso Saint-Antoine tivera apenas uma semana de exultação para suavizar tanto quanto pôde, com abraços fraternos e felicitações, a módica fatia de pão dura e amarga, quando a madame Defarge por fim reassumiu seu posto habitual, atrás do balcão, supervisionando os clientes. Não usava nenhuma rosa na cabeça, pois a grande irmandade de espiões tornara-se, mesmo no curto espaço de uma semana, bastante relutante à ideia de confiar-se à benevolência de um santo. Ademais, para ela, os lampiões das ruas pareciam balançar de um jeito sombrio.

Madame Defarge, com os braços cruzados, sentou-se à luz e ao calor matinal, contemplando a taberna e a rua. Em ambas, viam-se grupos de andarilhos, esquálidos e miseráveis, mas agora uma visível sensação de empoderamento coroando suas aflições. O mais surrado dos barretes, cobrindo parcialmente a mais desvalida cabeça, carregava consigo uma mácula: "Eu sei o quanto ficou mais difícil para mim, que carrego este barrete, suportar a minha vida. Mas você sabe o quanto ficou mais fácil para mim, que carrego este barrete, destruir a sua?" Cada braço nu e esquálido que nunca se ocupara com trabalho, agora sempre tinha algo por fazer, que consistia em atacar alguém. Os dedos das mulheres que tricotavam tornaram-se brutais depois de descobrirem as tramas que podiam tecer. A aparência de Saint-Antoine mudara, uma viagem que por centenas de anos vinha sendo forjada, mas que graças às últimas e derradeiras marteladas fora poderosamente tracejada.

Madame Defarge permanecia sentada, observando tudo com um discreto ar de aprovação, aconselhável atitude para uma líder das mulheres de Saint-Antoine. Uma de suas camaradas tricotava ao lado dela. Figura baixinha e roliça, esposa de um merceeiro faminto e mãe de duas crianças, essa tenente já conquistara a respeitosa alcunha de "Vingança" na tropa de madame Defarge.

– Escute! – disse a Vingança. – Que falatório é esse?

Como se um rastilho de pólvora fora colocado no mais oculto canto de Saint--Antoine, espalhado até a porta da taberna e inflamado de repente, um burburinho se alastrava.

– É Defarge! – declarou a senhora. – Silêncio, patriotas!

Defarge apareceu resfolgante, arrancou da cabeça o barrete vermelho que usava e olhou ao redor.

– Ouçam todos! – disse a madame mais uma vez. – Prestem atenção ao que ele tem a dizer!

Defarge ficou parado, ofegante, contra um pano de fundo abarrotado de olhos ansiosos e rostos boquiabertos, formado do lado de fora da porta. Todos os que estavam dentro da taberna se puseram de pé.

– Diga, meu esposo. O que houve?

– Notícias do outro mundo!

– Como assim – indagou a esposa com desdém –, "do outro mundo"?

– Todos aqui se lembram do velho Foulon, que mandou os famintos comerem capim, que morressem e fossem para o inferno?

– Sim! – responderam.

– Pois, então, a notícia é a seu respeito. Está entre nós.

– Entre nós! – disseram em uníssono mais uma vez. – E morto?

– Morto, não! Ficou com tanto medo de nós, e com razão, que se passou de morto e forjou o próprio funeral. Mas foi encontrado vivo, escondido no campo e trazido pra cá. Acabo de vê-lo a caminho do Hotel de Ville, como prisioneiro. Eu disse que ele tinha razão para ter medo de nós. Todo mundo! Ele tinha razão?

Pecador miserável, velho com mais de sessenta anos! Se ele ainda não soubesse disso, e se estivesse ali naquele momento e ouvisse o grito em resposta à pergunta de Defarge, não lhe restaria nem a mais ligeira dúvida.

Um momento de profundo silêncio sucedeu o grito. Defarge e a esposa entreolhavam-se fixamente. Vingança curvou-se e a batida do tambor foi ouvida enquanto ela mexia os pés detrás do balcão.

– Patriotas! – chamou Defarge com a voz determinada. – Estão prontos? – No mesmo instante, madame Defarge embainhou sua faca na cintura. O tambor ressoava nas ruas, como se ele e o percussionista por algum truque de mágica tivessem alçado voo até ali. Vingança, emitindo gritos apavorantes e erguendo os braços ao ar, como quem encarnou as quarenta Fúrias de uma vez, passava de casa em casa, convocando as mulheres.

Os homens, com o sangue enraivecido brotando dos olhos com que fitavam as janelas, causavam verdadeiro terror. Muniram-se com o que viam pela frente e saíam rasgando pelas ruas, mas nada atemorizava mais do que as mulheres. Abandonando as tarefas domésticas que lhes impunha a situação de extrema pobreza, os filhos, os pais idosos e os enfermos da família que nus e esfaimados arrastavam-se pelo chão, atravessavam a porta rua afora com os cabelos esvoaçados ao vento, incitando umas às outras e a si mesmas, aos berros e atitudes selvagens: "Prenderam o velho Foulon, irmã! O velho Foulon foi preso, minha mãe! O canalha do Foulon foi pego, minha filha!". Então, uma multidão de outras mulheres unia-se a essas, batendo no próprio peito, puxando o próprio cabelo e gritando: "Foulon está vivo! Foulon, que mandou os famintos comerem capim! Foulon, que disse ao meu pai para comer capim, quando eu não tinha pão para lhe dar! Foulon, que me mandou oferecer capim para o meu bebê chupar, quando meu leite secou! Ó mãe de Deus, aquele Foulon! Ó céus, o quanto sofremos! Ouçam, meu bebezinho morto e meu definhado pai: Juro, de joelhos nessas pedras, que vou me vingar de Foulon por vocês dois! Maridos, irmãos e rapazes, entreguem-nos o sangue de Foulon, entreguem-nos a cabeça de Foulon, entreguem-nos o coração de Foulon, entreguem-nos o corpo e a alma de Foulon, partam Foulon em pedaços e enterrem-no para que dele brote capim!" Com esses brados, hordas de mulheres, embevecidas de um frenesi cego, rodopiavam, acertando e rasgando as próprias amigas, que desfaleciam passionalmente no chão e pelos braços de seus homens escapavam de serem pisoteadas.

No entanto, não perderam nem um momento, nem um segundo sequer! O tal Foulon estava no Hotel de Ville e poderia ser solto a qualquer momento. Isso, jamais! Pois Saint-Antoine conhecia bem o sofrimento, as ofensas e injustiça que enfrentara! Homens e mulheres armados e reunidos deixaram o bairro a toda pressa, arrastando consigo toda a porção mais miserável da sociedade com tamanha força de sucção, que em um quarto de hora não restara nenhuma criatura humana no coração de Saint-Antoine, salvo uma ou outra anciã encarquilhada e crianças aos prantos.

Não. Àquela altura a multidão entupia a sala do interrogatório onde estava esse velho feio e perverso, e transbordava as ruas e os espaços adjacentes. Os Defarge, marido e mulher, Vingança e Jacques Terceiro faziam a linha de frente, não muito longe da sala.

– Olhem! – exclamou a madame, apontando com uma faca em certa direção. – O velho desgraçado amarrado com cordas. Que ideia boa amarrarem um chumaço de capim nas costas dele. Rá, rá, rá! Que bela ideia. Deem-lhe capim pra comer, agora!

– A madame guardou a faca debaixo do braço e começou a aplaudir, como quem está assistindo a uma peça.

O grupo logo atrás de madame Defarge explicou o motivo dos aplausos para a fileira de trás, que por sua vez repassou a informação para trás, e esses explicaram aos outros de trás, e assim por diante, até o ponto em que os aplausos ressoavam por toda a vizinhança. De maneira semelhante, durante as duas ou três horas de fala arrastada e da peneiração de muitos alqueires de palavras, as frequentes caretas de madame Defarge expressando impaciência eram reproduzidas em uma velocidade vertiginosa e nos cantos mais distantes, graças a alguns homens que com agilidade ímpar escalaram a fachada do prédio para espiar as janelas e, esses mesmos homens, conhecendo a madame tão bem, agiam como uma espécie de telégrafo entre ela e a multidão reunida do lado de fora.

Passado muito tempo, em um gesto de bondade, o sol ergueu-se tão alto que lançou um raio de esperança ou proteção bem na cabeça do velho prisioneiro. A benesse era grande demais para se suportar. Em um instante, a nuvem de poeira e escárnio que por tanto tempo, sabe-se lá como, mantivera-se ainda a certa distância, avançou, e Saint-Antoine agarrou o prisioneiro!

A notícia se espalhou rapidamente, chegando aos confins mais distantes da multidão. Defarge saltara a balaustrada e a mesa e agarrou o infeliz com um abraço mortal; madame Defarge veio logo em seguida e agarrou uma das cordas que prendia o homem; Vingança e Jacques Terceiro ainda não tinham se unido a eles, e os homens nas janelas ainda não tinham invadido a sala, permaneciam em seus postos feito aves de rapina empoleiradas quando um grito irrompeu pelos ares e se espalhou por toda a cidade: "Tragam-no para fora! Tragam-no para o lampião!".

Para baixo, para cima, de cabeça nos degraus da escadaria, ora de joelhos, ora em pé, depois de costas, arrastado, espancado e sufocado com maços e maços de capim e de palha que centenas de mãos lhe atiravam e enterravam no rosto. Dilacerado, ferido, ofegante e sangrando, mas sempre suplicando e implorando por misericórdia, debatia-se vez ou outra em agonia e no ímpeto de reagir durante os diminutos intervalos em que alguns recuavam e chamavam outros para vê-lo. Agora, um galho podre era arrastado por entre uma floresta de pernas; levaram-no até a esquina mais próxima onde um dos lampiões mortais balançavam e ali madame Defarge o largou, como um gato teria feito com um rato; ficou em silêncio, observando com muita serenidade os preparativos, enquanto o moribundo lhe suplicava, as mulheres berravam fervorosamente sem cessar, e os homens bradavam para que fosse asfixiado com capim até a morte. Içaram-no uma vez e a corda rompeu; pegaram-no e ele guinchava; tentaram uma segunda vez, e a corda rompeu de novo e eles tornaram a pegá-lo, aos gritos; na terceira, a corda teve a misericórdia de segurá-lo e estrangulá-lo. Dali a pouco, a cabeça do velho foi espetada em uma lança, com a boca tão cheia de capim que não houve um sequer em Saint--Antoine que não dançasse ao vê-lo.

E a tarefa malévola do dia ainda não havia terminado, pois Saint-Antoine dançou e bradou tanto com seu sangue raivoso que ele tornou a ferver quando souberam, ao fim do dia, que o genro do executado, outro inimigo e ofensor do povo, estava a caminho de Paris, escoltado por quinhentos soldados, contando-se apenas a cavalaria. Saint-Antoine registrou seus crimes em tremeluzentes folhas de papel, capturou-o – tê-lo-iam arrancado da mais alta proteção do Exército, se preciso fosse, para fazer companhia a Foulon –, espetaram-lhe a cabeça e o coração com a lança e saíram desfilando pelas ruas, feito uma alcateia que carrega seus três troféus.

Só quando anoiteceu homens e mulheres voltaram para as suas crianças chorosas e famintas. Dali a pouco, extensas filas cercavam as depauperadas padarias, pessoas aguardando pacientemente para comprar pão ruim. E, enquanto esperavam com o estômago fraco e vazio, matavam o tempo trocando abraços e felicitações pelos acontecimentos do dia, rememorando-os por meio das conversas. Aos poucos, a fila de esfarrapados diminuía e desaparecia, e luzes fracas começavam a se acender nas janelas altas. Singelas fogueiras eram acesas nas ruas, estas partilhadas entre os vizinhos para cozinharem e depois jantarem à porta de suas casas.

Jantares escassos e insuficientes, desprovidos de carne, assim como de qualquer tipo de molho que pudesse amaciar o pão duro. Mesmo assim, a comunhão humana infundia um pouco de alimento à refeição pétrea e conseguia arrancar dela algumas faíscas de alegria. Pais e mães que tinham manchado suas mãos durante os piores eventos do dia, com gentileza brincavam com os filhos esquálidos, e os amantes, com um mundo como esse ao seu redor e diante de seus olhos, amavam e alimentavam suas esperanças.

Quase havia amanhecido quando os últimos clientes da taberna de Defarge deixaram o estabelecimento e senhor Defarge, com a voz rouca e enquanto fechava a porta, disse à madame, sua esposa:

– Enfim, chegou, minha querida!

– É... – retrucou ela. – Quase.

Saint-Antoine adormeceu, assim como os Defarge. Até Vingança adormeceu com seu merceeiro faminto, e o tambor descansava; a voz do instrumento era a única de Saint-Antoine que o sangue e a fúria não haviam modificado. Vingança, como guardiã do tambor, poderia tê-lo acordado e lhe arrancado a mesma voz anterior à queda da Bastilha, ou à captura do velho Foulon; o mesmo não seria possível com as vozes roucas dos homens e mulheres que habitavam Saint-Antoine.

O FOGO INCENDEIA

Houve uma mudança na vila onde a água da fonte caía e de onde o calceteiro saía todos os dias para extrair das marteladas nas pedras da estrada as migalhas de pão que poderiam servir como remendo para manter unidos sua pobre alma ignorante e seu corpo magro e abatido. A prisão no penhasco já era tão aviltante quanto outrora. Ainda havia vigilância, mas era feita por poucos soldados; havia comandantes para vigiar os soldados, mas nenhum deles sabia do que seus homens seriam capazes, e mais do que isso: não tinham ideia de que provavelmente contrariariam suas ordens.

Em um lugar afastado, havia um campo amplo e arruinado que nada produzia além de desolação. Cada folha de grama ou cada grão de cereal eram tão murchos e miseráveis quanto a população que ali residia. Tudo estava retorcido, ressequido, quebrado. Casas, cercas, animais domesticados, homens, mulheres, crianças e o solo que lhes servia de sustento, tudo devastado.

Monsenhor (pessoa digna, de modo geral) era uma bênção nacional, conferia um tom cavalheiresco às coisas, era um exemplo cortês de uma vida suntuosa e ilustre e de outras coisas do gênero. No entanto, ele, como pertencente a determinada classe social, tinha, de um modo ou de outro, alçado tal posição. Coisa estranha aquela criação, projetada especialmente para servir monsenhor, tão rapidamente espremida e esmagada! Deve haver algum problema de visão nos desígnios eternos, ah, se deve! Mas assim as coisas eram; extraída a última gota de sangue da pederneira e tendo o último parafuso sido girado tantas vezes que espanou, e agora girava em falso, monsenhor começou a fugir de um fenômeno tão repulsivo quanto inexplicável.

Todavia, não foi essa a mudança no vilarejo, tampouco nos tantos outros vilarejos semelhantes a ele. Por anos a fio, monsenhor espremeu-o e torceu-o e, raras vezes, exceto pelo prazer da caça, agraciou-o com sua presença, ora caçando gente, ora animais, e para essa prática mandava preservar amplos espaços incultos e improdutivos. Não. A mudança consistia no aparecimento de rostos desconhecidos de baixa casta, não no desaparecimento dos de alta casta, esculpidos e embelezados por monsenhor, bem como embelezadores deste.

Pois, nesses tempos, enquanto o calceteiro trabalhava sozinho, acompanhado apenas de poeira, quase nunca preocupado em refletir que do pó veio e ao pó voltaria, e quase sempre muito preocupado ao pensar no quanto comeria pouco no jantar e no quanto mais comeria se assim pudesse... Nesses tempos, quando por um momento desviava o olhar de seu trabalho solitário e fitava a paisagem, via uma figura bruta aproximando-se a pé, o tipo muito raro de se ver por aquelas redondezas, mas agora quase sempre presente. À medida que avançava, o calceteiro constatava sem nenhuma surpresa tratar-se de um homem de cabelo desgrenhado, aparência quase bárbara, alto, sapatos de madeira (que até aos olhos de um calceteiro pareciam rústicos demais), sinistro, sisudo, moreno, todo enlameado e coberto pela poeira das estradas, molhado por conta da umidade de tantos pântanos atravessados, coberto de espinhos, folhas e do musgo das trilhas por onde passou.

Um homem assim descrito veio falar com o calceteiro feito um fantasma, no começo de uma tarde de julho, quando o trabalhador estava sentado em um montinho de pedras, tentando abrigar-se o quanto podia de uma chuva de granizo.

O homem o olhou, depois observou a paisagem ao redor, fitou o moinho, a prisão e o penhasco. Depois de processar tudo o que vira com a mente ignorante que tinha, em um dialeto suficientemente inteligível, disse:

– Como vai, Jacques?

– Ah, bem, Jacques.

– Toque aqui, então.

E assim trocaram um aperto de mão e o homem sentou no montinho de pedras.

– Não vai almoçar?

– Comida agora, só no jantar – respondeu o calceteiro com a fome estampada no rosto.

– É moda agora – rosnou o homem. – Não encontro comida em lugar nenhum.

Pegou um cachimbo empoeirado, encheu-o, acendeu-o com pederneira e aço e tragou-o até uma chama brilhante irromper do fornilho. De repente, afastou o cachimbo e segurando algo entre o indicador e o polegar, deixou-o cair dentro do cachimbo, provocando uma nova chama que se transformou em uma nuvem de fumaça.

– Toque aqui. – Dessa vez, foi o calceteiro quem sugeriu o aperto de mão, depois de observar esses gestos. Mais uma vez, eles se cumprimentaram.

– Hoje à noite? – perguntou o calceteiro.

– Hoje à noite – respondeu o homem, levando o cachimbo à boca.

– Onde?

– Aqui.

Ele e o calceteiro sentaram no montinho de pedras e ficaram calados, se entreolhando, o granizo atravessando-lhes a visão feito um discreto tiroteio de baionetas, até o céu começar a clarear o vilarejo.

– Mostre-me! – disse o viajante, subindo em direção ao topo da colina.

– Olhe! – respondeu o calceteiro, com o dedo esticado. – Desça por ali, siga reto pela rua, passe pela fonte...

– Para o diabo! – interrompeu o outro, revirando os olhos, fazendo uma careta. – Não passo por rua nenhuma nem por fonte. Então?

– Bom... Terá de caminhar umas duas léguas depois que chegar ao topo daquela colina do outro lado do vilarejo.

– Ótimo. Quando larga o serviço?

– À tardezinha.

– Pode me acordar antes de ir embora? Faz duas noites que estou andando e não parei para dormir. Deixe-me terminar meu cachimbo e vou dormir feito um bebê. Pode me acordar?

– Claro.

O viajante fumou o cachimbo, guardou-o no bolso, arrancou os sapatos pesados de madeira e deitou-se de barriga para cima no montinho de pedras. Caiu no sono quase que imediatamente.

Enquanto o calceteiro prosseguia com o cumprimento de seu empoeirado afazer, e as nuvens de granizo deslizavam pelo céu, revelando faixas e listras resplandecentes no céu, criando chispas prateadas na paisagem, o homenzinho (que agora usava um barrete vermelho na cabeça em vez do azul) parecia encantado com a figura adormecida no montinho de pedras. Desviava tanto o olhar para ele, que manuseava as ferramentas de modo mecânico, e, quem o visse diria, que até com negligência. O rosto bronzeado, a barba e o cabelo pretos e desgrenhados, o mal-acabado barrete vermelho de lã, a veste mediana, feita com uma mistura de retalhos e pelos de animais, o porte robusto atenuado pela vida parca, e a compressão dos lábios durante o sono, revelando um misto de desespero e carranca, instigavam o fascínio do calceteiro. O viajante vinha de longe, os pés estavam calejados, os tornozelos esfolados e sangrentos; os sapatos enormes, cobertos de folhas e mato, pareciam sentir o peso das numerosas léguas percorridas e as roupas estampavam tantos furos quanto as feridas que ele carregava. Debruçando-se sobre o homem, o calceteiro espiou para tentar descobrir se trazia alguma arma no peito, mas foi inútil, pois o desconhecido dormia de braços cruzados e tão imóvel quanto seus lábios comprimidos. Cidades fortificadas com suas paliçadas, quartéis, portões, trincheiras e pontes levadiças, aos olhos do calceteiro, pareciam uma discreta rajada de vento em comparação com essa criatura. Ao erguer os olhos e observar a linha do horizonte e os arredores, em seus pequenos devaneios avistou outras figuras semelhantes, diante das quais não havia nenhum obstáculo, caminhando em direção a diferentes regiões da França.

O viajante continuava dormindo, indiferente à chuva de granizo intervalada por alguns raios de luz, à luz do sol e à sombra que lhe atingiam o rosto, aos fragmentos de gelo fosco e aos diamantes em que se transformavam em contato com o sol, até que este começou a se pôr a oeste e um esplendor diferente cobriu o céu. Então, depois de guardar suas ferramentas e organizar tudo o que precisava para voltar ao vilarejo, acordou o homem.

– Ótimo! – disse o adormecido, apoiando-se sobre os cotovelos. – Duas léguas depois do topo daquela colina?

– Por aí.

– Por aí. Ótimo.

O calceteiro foi para casa, com a poeira assumindo a dianteira conforme a direção do vento, e logo chegou à fonte. Espremeu-se entre as vacas magras trazidas ali para matarem a sede, e parecia sussurrar-lhes ao pé do ouvido enquanto sussurrava para o vilarejo inteiro. Quando o vilarejo terminou a escassa refeição, não foi direto para a cama como era o hábito, mas saiu pela porta e ali permaneceu. Um curioso burburinho espalhava-se por ali e, entre os que estavam na escuridão ao pé da fonte, outro curioso hábito se alastrava: o de fitar o mesmo ponto do céu em um tipo de expectativa coletiva. O senhor Gabelle, comandante geral da região, inquietou-se e, sozinho, subiu ao telhado da própria casa e olhou na mesma direção; escondido atrás das chaminés, espreitou os rostos sombreados e aglomerados em torno da fonte e mandou uma mensagem ao sacristão que guardava as chaves da igreja, alertando-o que talvez fosse necessário tocar o alarme.

A noite avançava. As árvores que ladeavam o castelo, isolando-o e afastando-o de tudo, eram açoitadas pela ventania, como se no breu ameaçassem a construção maciça e enorme. A chuva castigava os dois lances de escadaria que dava para o terraço e ricocheteava a porta principal feito um mensageiro desesperado que precisa acordar os que estão dentro de casa. Rajadas violentas de ar atravessaram o salão das lanças e facas antigas, às lástimas subiram os degraus acima e sacolejaram as cortinas do aposento onde o marquês tivera seu último sono. Leste, Oeste, Norte e Sul, por entre as florestas, quatro figuras corpulentas marchavam a passos firmes, esmagando a grama alta e quebrando galhos, calculando seus movimentos para chegarem juntas ao pátio. Quatro luzes acenderam-se ali e afastaram-se em diferentes direções, quando tudo voltou a escurecer totalmente.

Mas não por muito tempo. O castelo começou a ficar visível com uma luz própria, como se incandescesse por dentro. Na sequência, um raio bruxuleou por trás da arquitetura da fachada, destacando pontos translúcidos, apontando onde estavam as balaustradas, os arcos e as janelas. Depois, ergueu-se, tornou-se maior e mais brilhante. Dali a pouco, das amplas janelas irromperam chamas e os rostos pétreos despertaram e contemplaram o fogo.

Ouviu-se um murmúrio fraco entre os poucos que permaneceram em torno do castelo, alguém selando um cavalo e partindo às pressas. Também surgiu o barulho das esporas, de água sendo chapinhada e das rédeas sendo puxadas na região próxima à fonte. O cavalo, com a boca espumando, parou em frente à porta de *monsieur* Gabelle.

– Socorro, Gabelle! Socorro!

O sino de alarme tocava sem parar, mas nenhuma ajuda (se é que houve alguma) apareceu. O calceteiro e outros duzentos e cinquenta camaradas dele permaneceram em pé e de braços cruzados, de frente para a fonte e observando a coluna de fogo no céu.

– Deve ter uns doze metros de altura – comentaram com a voz macabra, mas sem dar um passo sequer.

O cavaleiro do castelo e o cavalo com a boca espumando saíram em disparada pelo vilarejo e subiram a galope a colina íngreme em direção à prisão no penhasco. No portão, um grupo de comandantes observava o fogo e, distante deles, um grupo de soldados fazia o mesmo.

– Socorro, cavalheiros... comandantes! O castelo está em chamas, objetos valiosos podem escapar do fogo com a ajuda oportuna! Socorro! Socorro! – Os comandantes olharam para os soldados, e estes olharam para o fogo; nenhuma ordem foi dada. Dando de ombros e mordendo os lábios, disseram: – O fogo deve consumi-lo por inteiro.

Quando o cavaleiro desceu a colina e passou pela rua, o vilarejo estava iluminado. O calceteiro e os outros duzentos e cinquenta amigos dele, almejando tornarem-se apenas um pela ideia de iluminar, entraram em suas casas e colocaram velas acesas em cada vidraça da janela. A escassez generalizada os obrigava, de maneira explícita, a tomar as velas emprestadas de *monsieur* Gabelle e, em um momento de relutância e hesitação deste, o calceteiro, outrora tão submisso à autoridade, pontuou que as suas carruagens seriam boas para fazer fogueiras e que os cavalos das diligências virariam churrasco.

Assim, o castelo foi entregue à própria sorte, que consistia em fogo e chamas. Na crepitação e furor da conflagração, uma ventania incandescente e bafejada pelas profundezas infernais parecia soprar o edifício e só arrefeceria quando o transformasse em pó. Com a elevação e a queda das chamas, os rostos pétreos pareciam atormentados. Quando grandes toras de pedra e madeira caíram, o rosto com duas marcas no nariz obscureceu, mas se debatia para livrar-se do fogo e da fumaça, como se fosse a própria face do tirano marquês ardendo em chamas e lutando para safar-se.

O castelo inflamava. As árvores da redondeza, presas pelas garras do fogaréu, queimavam e definhavam; outras mais distantes, incendiadas por quatro figuras vorazes, cercavam o edifício formando uma nova floresta de fumaça. O ferro e o chumbo derretidos ebuliam na bacia de mármore da fonte; a água secou, os cumes em formato de extintor das torres desapareceram feito gelo no calor e escorriam, formando dois mananciais de chamas. Fendas e rachaduras formavam-se e cristalizavam-se nas paredes maciças; pássaros estupefatos sobrevoavam e caíam na fornalha; quatro figuras vorazes rumavam para Leste, Oeste, Norte e Sul, andando nas ruas amortalhadas com as trevas, guiadas pela luz que tinham acendido, em direção ao próximo destino. O vilarejo iluminado se apropriara do sino de alarme e, tendo arrancado o sineiro oficial, substituíra os toques alarmantes por deleitantes badaladas.

E não parou por aí. O vilarejo, atordoado pela fome, pelo fogo e pelas badaladas, e relembrando que *monsieur* Gabelle tinha seu papel na coleta de impostos e rendas – apesar de pequena a quantia de impostos e de ele não ter obtido absolutamente nenhuma renda nos últimos dias –, afoito para ter uma conversa com ele, cercou-lhe a casa e convidou-lhe para uma conferência pessoal do lado de fora. Ao escutar aquilo, *monsieur* Gabelle trancou bem a porta e recolheu-se para uma conferência com ele próprio. Dessa conversa, o resultado foi a decisão de retirar-se para o telhado da casa novamente, e esconder-se atrás da pilha de chaminés mas, desta vez, com uma diferença: caso arrombassem a porta (era um homenzinho sulista de temperamento vingativo), se atiraria de cabeça do parapeito e esmagaria um, senão dois homens lá embaixo.

É provável que aquela fora uma noite longa para *monsieur* Gabelle, com o castelo lhe servindo como lareira e candeeiro, e as batidas à sua porta, misturadas às badaladas de alegria, como música; sem falar no agourento lampião dependurado do outro lado da rua, bem de frente para o portão de sua estalagem, o qual o vilarejo mostrava exímia disposição para substituí-lo por *monsieur* em pessoa. Que suspense aterrador passar uma noite inteira de verão à beira do oceano negro, pronto para mergulhar nele, como decidira o próprio *monsieur* Gabelle! Porém, a ansiada aurora por fim emergiu, as velas diminutas do vilarejo derreteram por completo, as pessoas, contentes, começaram a se dispersar e *monsieur* Gabelle desceu, trazendo consigo a própria vida, pelo menos por ora.

A mais de cento e cinquenta quilômetros dali, e à luz de outros incêndios, outros funcionários não tiveram a mesma sorte naquela noite e em tantas outras, e com o alvorecer eram encontrados dependurados pelas ruas outrora pacíficas, as mesmas onde nasceram e cresceram. E outros habitantes e residentes menos afortunados que o calceteiro e seus amigos, os quais os funcionários e soldados conseguiam render, acabavam igualmente pendurados nos postes. No entanto, as figuras vorazes seguiam avançando para Leste, Oeste, Norte e Sul, qualquer que fossem as circunstâncias. E qualquer que fosse o dependurado, era consumido pelo fogo. A altitude necessária para que as forcas se transformassem em água e contivessem as chamas, nenhum funcionário, por mais habilidoso que fosse com a matemática, pôde calcular com precisão.

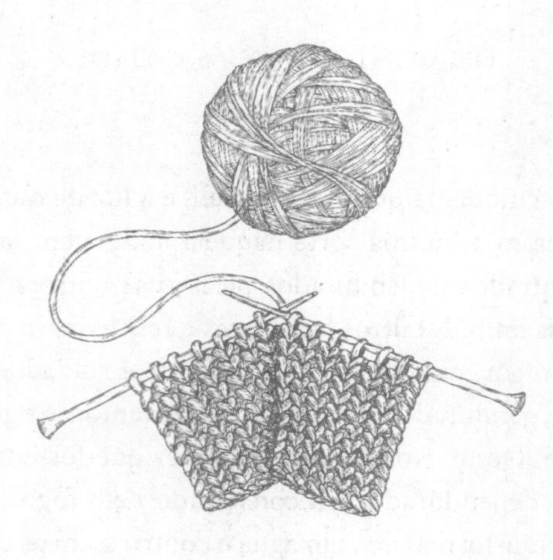

ATRAÍDO PELO ABISMO

Nessa ascensão do fogo e do mar, a terra firme chacoalhada por um oceano revolto que não tinha maré baixa e vivia em constante turbulência, com ondas cada vez maiores, para temor e perplexidade daqueles que o observavam da costa, três anos se passaram. Outros três aniversários da pequena Lucie foram tecidos nas tramas pacíficas do fio dourado de seu lar.

Por muitas noites e muitos dias, os moradores daquela esquina escutavam os ecos e o coração parecia parar toda vez que ouviam os passos tumultuados, pois estes lhes soavam como passos de gente, um povo revolto de bandeira vermelha à mão, declarando o risco que seu país corria, povo esse transfigurado em verdadeiras feras, acometido por um tenebroso encanto que persistia havia muito.

Como representante de certa classe, monsenhor desvencilhara-se do fenômeno de ser persona tão malquista, presença tão inoportuna na França que corria o risco de ser excomungado do país e da vida que mantinham juntos. Tal como o camponês daquela fábula que depois de muito trabalho conseguira invocar o demônio e ficou tão aterrorizado diante de sua presença que fugiu sem nem sequer conseguir formular uma pergunta ao Inimigo; assim também monsenhor, depois de atrever-se a ler o pai-nosso de trás para frente por tantos anos, e de usufruir de muitos feitiços potentes para invocar o diabo, tão logo o viu, saiu correndo com os seus pés nobres.

O "Olho de boi" brilhante da corte desaparecera, do contrário, teria sido alvejado por uma chuva de balas patrióticas. Nunca fora um olho bom da vista, pois há muito fora contaminado pelo cisco do orgulho de Lúcifer, pela luxúria de Sardanápalo[16] e

16 "A luxúria de Sardanápalo" refere-se ao último rei da Assíria (século 7 a. C), famoso por sua sensualidade e generosidade material. (N.E.)

pela cegueira de uma toupeira; enfim, fora dispensado e desapareceu. Toda a corte, daquele círculo fechado e íntimo ao anel podre da intriga, corrupção e dissimulação, também desaparecera. E o mesmo acontecera à realeza, que fora cercada em seu palácio e "suspensa" quando as últimas ondas a atingiram.

O agosto do ano de 1792 chegara e àquela altura monsenhor já estaria bem fora de alcance.

Naturalmente, o banco Tellson, em Londres, era o quartel-general e a grandiosa sala de reuniões de monsenhor. Acredita-se que os espíritos supostamente assombram os lugares que seus corpos costumavam frequentar, e monsenhor, agora sem um guinéu no bolso, assombrava o local onde costumava guardar seu montante. Além disso, era ali também o lugar mais seguro e mais rápido para se receber notícias da França. Mais uma vez: o Tellson era uma casa magnífica e que oferecia muita liberdade a clientes antigos que desceram de suas elevadas posições. Mais uma vez: aqueles nobres que enxergaram a tempo a iminente tempestade, anteviram a pilhagem e o confisco, e fizeram a providencial transferência de seus bens ao Tellson, eram sempre mencionados no banco pelos seus irmãos necessitados. E não se pode deixar de mencionar que todo recém-chegado da França procurava o Tellson para apresentar-se e trazer informações, quase como uma etapa natural no curso da viagem. Por todos esses variados motivos, o Tellson, naquela época, no que tangia às novidades da França, funcionava como uma espécie de Banco Central e isso era tão evidente ao público, e tão frequentes eram as perguntas, que por vezes o banco soltava uma nota de uma ou duas linhas com as últimas notícias e as pregava nas janelas do estabelecimento, assim todos os que passavam por Temple Bar poderiam se informar.

Em uma tarde abafada e úmida, o senhor Lorry estava em sua mesa de trabalho e Charles Darnay estava de pé, com os cotovelos apoiados sobre ela, conversando em voz baixa. Aquele antro penitencial, antes reservado para entrevistas com a Casa, agora era uma espécie de departamento de notícias e vivia cheio de gente. Dali a mais ou menos meia hora o estabelecimento fecharia.

– Embora o senhor seja o homem mais vigoroso que já existiu – disse Darnay com certa hesitação –, devo lhe sugerir...

– Compreendo. Que sou velho demais? – indagou o senhor Lorry.

– Clima instável, jornada longa, meios de transporte incertos, um país desorganizado, uma cidade onde talvez não possa nem mesmo sentir-se seguro.

– Meu caro Charles – redarguiu o senhor Lorry com confiança e ânimo –, está me mostrando os motivos para minha ida, não para me manter longe. Não corro riscos. Ninguém se importará com um velho de quase oitenta anos quando há tanta mais gente com que se preocupar. E quanto à desorganização, se não estivessem em tal situação, não haveria motivos para mandarem alguém da Casa daqui para a Casa de lá, alguém que conhece a cidade e os negócios, um homem das antigas e de confiança do Tellson. Em relação aos meios de transporte incertos, à jornada longa e ao clima de inverno, se não estivesse preparado para lidar com algumas inconveniências em nome do Tellson, depois de todos esses anos, quem estaria?

– Eu gostaria tanto de poder ir – comentou Charles Darnay um tanto inquieto e como quem pensa em voz alta.

– Pois veja só! E vem aqui me aconselhar a não ir! – retrucou o senhor Lorry. – Queria mesmo ir? E é um francês de berço? É mesmo um sábio conselheiro!

– Meu caro senhor Lorry, é justamente por ser um francês de berço que a ideia... que, aliás, não era minha pretensão trazer para essa conversa... tem passado tanto pela minha cabeça. Tendo certa empatia por esse povo miserável e tendo lhes deixado algo para trás, é impossível não pensar nessa possibilidade – declarou com o mesmo ar pensativo de antes. – É impossível não pensar que talvez eu seja alguém a quem poderiam ouvir, alguém que possa ter o poder de convencê-los a se conter. Ontem à noite, depois que o senhor foi embora, quando eu estava conversando com Lucie...

– Quando você estava conversando com Lucie – repetiu o senhor Lorry. – Impressiona-me não sentir vergonha de mencionar o nome de Lucie ao mesmo tempo em que confessa sua vontade de ir para a França!

– No entanto, não irei – comentou Charles Darnay com um sorriso. – Ao contrário do senhor.

– E vou, com toda certeza. Na verdade, meu caro Darnay... – O senhor Lorry espiou de longe o representante do banco e, com a voz baixa, disse: – Não tem ideia da dificuldade que envolve nossas transações e do risco que correm nossos livros e documentos nessas terras longínquas. Só Deus sabe as graves consequências que inúmeras pessoas sofreriam se algum documento do banco fosse confiscado ou destruído. E isso pode acontecer a qualquer momento, você sabe, pois quem pode assegurar que não incendiarão Paris hoje ou que não a saquearão amanhã? Pois veja, quem mais, além de mim, poderia em um curto período selecionar criteriosamente esses papéis e enterrá-los, ou talvez trazê-los para cá e guardá-los em local seguro? E devo recusar-me a aceitar essa incumbência que me foi dada e reconhecida pelo Tellson... O Tellson que há sessenta anos me tem garantido o pão... apenas porque minhas juntas estão um pouco enferrujadas? Ora, sou um garotinho, senhor, perto da meia dúzia de velhos que trabalham comigo!

– Como admiro a bravura de seu espírito jovial, senhor Lorry.

– Tsc! Não diga bobagem, homem!... E, meu caro Charles – disse Lorry, espreitando o representante mais uma vez –, deve se lembrar que é praticamente impossível tirar o que quer que seja de Paris neste exato momento. Documentos e pertences preciosos nos foram trazidos hoje mesmo... E lhe conto isso sob o mais absoluto sigilo, uma confidência como essa não deveria ser feita jamais, nem mesmo para você... Enfim, foram trazidos pelos portadores mais estranhos que se pode imaginar, todos escapando por pouco da decapitação ao atravessar a fronteira. Fosse em outras épocas, nossos clientes chegariam e sairiam sem a menor dificuldade, como era na Inglaterra de antigamente. Agora, tudo fica retido.

– E o senhor parte hoje à noite mesmo?

– Vou hoje à noite mesmo, pois o caso é urgente e não admite mais delongas.

– E ninguém o acompanhará?

– Ofereceram-me todo tipo de companhia, mas não teria nada para conversar com nenhum deles. Pretendo levar Jerry comigo. Há muito tempo Jerry tem sido meu guarda-costas nas noites de domingo e estou acostumado com ele. Ninguém suspeitará que Jerry seja algo além de um buldogue inglês ou que esteja tramando algo além de voar no pescoço daquele que se atrever a importunar seu patrão.

– Devo repetir que admiro muitíssimo sua bravura e seu espírito jovial.

– Devo repetir, bobagem, bobagem! Depois de cumprir essa pequena incumbência, talvez eu aceite a proposta do Tellson de me aposentar e viver em paz. A partir de então terei bastante tempo para pensar em envelhecer.

Essa conversa ocorreu na mesa onde o senhor Lorry trabalhava todos os dias, com monsenhor na ocasião a poucos passos dali, vociferando seu plano de vingança contra aquele povo maldito. Era típico de monsenhor, em seus revezes de refugiado, assim como era típico da ortodoxia britânica, falar dessa terrível Revolução como se fosse a única colheita, desde que o mundo se fez mundo, que não fora semeada... como se nunca tivessem feito nada ou deixado de fazer algo que levasse a isso... como se os observadores dos milhões de miseráveis da França, e dos recursos mal utilizados e desviados que deveriam ter tornado a nação próspera, não tivessem previsto, anos antes, tal situação e não tivessem registrado com palavras claras tudo o que viram. Essa bravata, somada às tramas extravagantes de monsenhor para restaurar uma ordem daquilo que já havia exaurido e que igualmente exauriu céus e terra, era intragável para qualquer homem sensato e conhecedor da verdade. E era essa mesma bravata que lhe sussurrava no ouvido, como se o próprio sangue circulasse de um jeito errado pela cabeça, somando-se a isso o constante e latente desconforto da mente, que já há algum tempo vinha perturbando Charles Darnay.

Entre os que falavam estava Stryver, advogado do tribunal superior, prestes a ser promovido e que, por isso, sempre se pronunciava em voz alta, conversando com monsenhor sobre seus planos para fazer o povo explodir e sumir da face da terra, pois não fariam falta alguma, e sobre estratégias de natureza similar, como a de extinguir águias ao despejar sal em suas caudas. A ele, Darnay escutava com particular objeção e ficou em dúvida se deveria partir e poupar-se de ouvir coisas daquele tipo, ou ficar e contestar o que diziam, quando o que havia de acontecer, aconteceu de fato.

O representante do banco aproximou-se do senhor Lorry e, ao colocar uma carta suja e ainda lacrada em sua mesa, perguntou se já havia descoberto algum rastro da pessoa a quem ela fora endereçada. O envelope foi posto tão próximo a Darnay que ele pôde ler o nome do destinatário, o leu mais depressa ao ver que se tratava dele próprio. No campo destinatário, a mensagem traduzida do francês para o inglês, dizia:

"Urgentíssimo. Ao senhor outrora marquês de St. Evrémonde da França, aos cuidados dos senhores banqueiros do Tellson e Co., Londres, Inglaterra".

Na manhã do casamento, o doutor Manette fizera Charles Darnay prometer que seu verdadeiro nome fosse mantido sob sigilo, a menos que ele, doutor Manette, lhe desobrigasse do trato. Ninguém além dos dois saberia a verdadeira identidade de Charles Darnay; sua esposa, Lucie, não desconfiava de nada, tampouco o senhor Lorry.

– Não – respondeu o senhor Lorry ao representante. – Perguntei a todos aqui, e ninguém sabe me dizer onde este cavalheiro pode ser encontrado.

Como os ponteiros do relógio aproximavam-se do horário de fechamento do banco, grupos de gente falando começaram a passar em frente à mesa do senhor Lorry e ele, com uma fisionomia interrogativa, mostrava o envelope aos que apareciam: monsenhor olhou a carta com ares de refugiado maquinador e indignado, e Este, depois Aquele, e o Outro, todos lançando comentários depreciativos, fosse em francês ou inglês, sobre o marquês que não encontravam.

– Sobrinho, creio eu... mas de qualquer modo, sucessor degenerado... do requintado marquês assassinado – comentou um deles. – Felizmente nunca o vi.

– Um covarde – acrescentou mais alguém, um monsenhor que partira de Paris com as pernas para o ar e quase sufocado por uma carga de feno –, que abandonou seu posto há alguns anos.

– Contagiado pelas doutrinas novas – opinou um terceiro, espiando a carta por entre os óculos enquanto passava em frente à mesa –, revoltou-se contra o último marquês, abandonou as propriedades que herdou e as deixou para um bando de rufiões. Vão recompensá-lo agora, como merece. Assim espero.

– Ei! – exclamou o espalhafatoso Stryver. – É verdade que fez isso? É sujeito que faz esse tipo de coisa? Deixe-me ver o nome desse facínora. Que o diabo se encarregue dele!

Darnay, sem conseguir se conter por mais tempo, tocou o ombro do senhor Stryver e disse:

– Eu conheço o sujeito.

– Por Júpiter! Conhece? – indagou Stryver. – Meus pêsames.

– Por quê?

– Por que, senhor Darnay? Não ouviu o que ele fez? Em tempos como esses, é bom não perguntar o porquê.

– Mas pergunto. Por quê?

– Nesse caso, repito, meus pêsames, senhor Darnay. Lamento ouvir perguntas tão extraordinárias de sua parte. Trata-se de um sujeito que, contagiado pelo mais pestilento e blasfemo código de diabrura de que se tem notícia neste mundo, abandonou sua propriedade e entregou-a à gentalha mais vil, capaz de assassinar aos montes, e o senhor me pergunta por que lastimo que um homem educador da nossa juventude o conheça? Pois bem, eu lhe responderei. Lastimo porque acredito que um calhorda como esse é capaz de contaminar aqueles que se aproximam dele. É esse o motivo dos meus pêsames.

Reticente e zeloso do segredo que guardava, Darnay, controlando-se com dificuldade, disse:

– Talvez o senhor não tenha compreendido o tal cavalheiro.

– O que compreendo é que devo colocar o senhor contra a parede, senhor Darnay – retrucou o taurino Stryver. – E assim o farei. Se esse sujeito é mesmo um cavalheiro, de fato *não* o compreendo. Fique à vontade para dizer isso a ele, e mande meus cumprimentos. Diga-lhe também que, de minha parte, depois de ele abandonar seus bens e sua posição e deixá-los entregues àquela gentalha carniceira, me pergunto se ele não seria o líder dessa corja. Mas não senhores – acrescentou, olhando ao redor e estalando os dedos. – Conheço um pouco da natureza humana, e digo-lhes que nunca encontrarão um sujeito como esse, é o tipo que nunca se entrega e fica à mercê de seus preciosos *protégés*. Não, cavalheiros. Sempre que uma batalha começa, ele é o primeiro a dar no pé e fugir.

Isso posto, e com um último estalar de dedos, o senhor Stryver partiu, abrindo o caminho à força e entrou na Fleet Street, sob a aprovação geral de seus ouvintes. O senhor Lorry e Charles Darnay ficaram sozinhos em torno da mesa depois que o banco foi praticamente evacuado.

– Pode se encarregar da carta? – perguntou o senhor Lorry. – Sabe onde deve entregá-la?

– Sim.

– Você se compromete a explicar que possivelmente ela tenha sido enviada para cá por acreditarem que saberíamos a quem entregá-la, e que já está aqui há algum tempo?

– Assim o farei. O senhor segue viagem para Paris logo que sair daqui?

– Sim, saio daqui e sigo viagem. Às oito.

– Voltarei para me despedir do senhor.

Desconfortável consigo mesmo, com Stryver e com a maioria dos outros homens, Darnay aproveitou a quietude de Temple, abriu e leu a carta, que dizia:

"Prisão de Abadia, Paris.

21 de junho de 1792.

"Caro Monsenhor, outrora, Marquês,

"Depois de ter passado muito tempo sob o risco de morrer nas mãos dos moradores do vilarejo, fui capturado, com grande violência e crueldade e trazido a pé para Paris, uma longa jornada. Durante o percurso, sofri muito. E isso não é tudo. Demoliram a minha casa, nada foi poupado, nem mesmo os alicerces.

"O crime do qual me acusam, Monsenhor, outrora Marquês, e pelo qual serei julgado perante o tribunal, sob o risco de perder a vida (caso não conte com sua generosa ajuda) é, pelo que eu soube, a traição contra a majestade do povo, por ter agido contra seus interesses e em favor de um emigrante. Em vão argumentei, dizendo que agi a favor deles e não contra, conforme suas orientações. Em vão argumentei, afirmando que antes do confisco da propriedade do emigrante, anulei os impostos que haviam deixado de pagar, que não recolhi nenhuma renda e que jamais recorri a nenhum processo contra os supostos devedores. A única resposta que me ofereceram é que agi a favor de um emigrante e onde está esse emigrante?

"Ah, digníssimo, Monsenhor, outrora Marquês, onde está esse emigrante? Meu sono é banhado pelas lágrimas, pois enquanto durmo, me pergunto: Onde ele está? Rogo aos céus, será que ele não aparecerá para me libertar? Não obtenho resposta. Ah, digníssimo, Monsenhor, outrora Marquês, envio-lhe meu grito desesperado além-mar, na esperança que chegue aos seus ouvidos por meio do banco Tilson[17], tão conhecido em Paris!

"Pelo amor de Deus, da justiça, da generosidade, da honra de seu nobre nome, suplico-lhe, Monsenhor, outrora Marquês, que venha ao meu socorro e liberte-me. Meu erro foi ter-lhe sido fiel. Ó, Monsenhor, outrora Marquês, rezo para que o senhor também seja leal comigo.

17 De acordo com o texto original, erro de grafia proposital. (N.T.)

"Dos horrores desta prisão, de onde me aproximo cada vez mais e mais do meu fim, envio-lhe, Monsenhor, outrora Marquês, a garantia de meus dolorosos e infelizes préstimos.

Seu aflito,
Gabelle"

A latente perturbação que acompanhava Darnay tornou-se ainda mais vigorosa depois da leitura da carta. Saber do risco que corria um bondoso e velho criado, cujo único crime cometido fora a lealdade a si mesmo e à própria família, o constrangeu de tal modo que, enquanto caminhava de um lado para o outro em Temple, pensando no que fazer, quase chegou a esconder seu rosto dos transeuntes.

Sabia muito bem que, no horror que sentia pelo ato que culminou em terríveis atitudes e na má reputação de sua família de origem, e nas suspeitas ressentidas em relação ao tio, e na aversão com que sua consciência considerava a estrutura em ruínas que ele supostamente deveria preservar, não agira de modo correto. Sabia muito bem que em seu amor por Lucie, a renúncia à própria posição social, embora não lhe fosse nenhuma novidade para a mente e o espírito, fora apressada e incompleta. Sabia que deveria ter acompanhado sistematicamente e supervisionado o processo, e que de fato traçara esse plano, sem nunca o ter executado.

A felicidade do lar inglês, que ele próprio escolhera, a necessidade de manter-se em constante atividade, as rápidas mudanças e os problemas daqueles tempos sucederam-se tão celeremente que os acontecimentos desta semana suplantaram os planos traçados na semana anterior, e os acontecimentos da semana seguinte mais uma vez renovavam tudo. Sabia muito bem que, por força das circunstâncias, sucumbira, não sem inquietar-se, mas sem uma resistência contínua e progressiva; que observara o tempo passar, aguardando o momento certo de agir, mas que eles tinham mudado e lutado até que o momento passou, e a nobreza saía às pressas da França, deslocando-se por rodovias e atalhos, enquanto suas propriedades eram confiscadas e destruídas, e seus nomes eram atirados na lama, sim, ele sabia disso tão bem quanto o saberia qualquer autoridade nova da França que teria o poder de acusá-lo.

No entanto, não oprimira nenhum homem, não aprisionara nenhum homem, nunca, jamais exigira o pagamento dos impostos que lhe deviam, tanto que renunciou a eles por vontade própria, atirou-se ao mundo sem pedir favor algum, conquistou seu lugar nele por mérito próprio e ganhava o pão com seus esforços. *Monsieur* Gabelle mantivera a depauperada e endividada propriedade conforme instruções escritas, para poupar o povo e doar-lhes o pouco que havia para doar: todo o combustível que os credores lhes permitissem ter no inverno e toda a produção agrícola que escapasse das garras do verão, e sem dúvida, por sua própria segurança, tomara as providências cabíveis para registrar os fatos, para que viessem à tona no momento oportuno.

A carta favorecera a resolução desesperada em que Charles Darnay já havia pensado, a de viajar para Paris.

Sim, como o marinheiro daquela antiga história, os ventos e as correntezas o impulsionaram em direção à pedra-ímã[18], ela o atraía e ele precisava partir. Cada pensamento que lhe ocorria o arrastava mais e mais, e com mais e mais força, para o mesmo ponto. O motivo dessa inquietação pungente era o fato de que maus instrumentos eram utilizados em sua infeliz terra natal, e, por ser ele o qual não podia deixar de saber que estava melhor do que eles, não estava lá, tentando fazer algo para estancar o derramamento de sangue e comprovar as súplicas por misericórdia e benevolência. E com essa inquietação que em partes o sufocava e em partes o censurava, chegara ao ponto de comparar a si mesmo com o corajoso cavalheiro para quem o dever sempre falava mais alto e, tal comparação (deveras prejudicial), fora imediatamente sucedida pelos comentários sarcásticos de monsenhor, que lhe recaíram com um sabor amargo, e os de Stryver, que soaram grosseiros e irritantes pelos motivos de sempre. Além disso, recebera a carta de Gabelle, com o apelo de um prisioneiro inocente cuja vida, honra e idoneidade corriam risco, pedindo que a justiça fosse feita.

A decisão fora tomada. Viajaria para Paris.

Sim, a pedra-ímã o atraía, e as águas o levariam até ela, causando a colisão. Ele não percebeu nenhuma pedra; ele mal previu qualquer risco. A intenção com que fizera tudo aquilo, apesar de não ter concluído a tarefa, mostrara-se a ele como algo digno de gratidão por parte de seus compatriotas franceses, que imbuídos de tal sentimento o receberiam quando ele se apresentasse à França. Então, nesse glorioso vislumbre, que é uma miragem tão otimista e típica dos espíritos bons, chegou até a imaginar que poderia exercer algum tipo de liderança nessa Revolução tão raivosa que a cada segundo tornava-se mais e mais selvagem.

Enquanto caminhava de um lado para o outro, tendo tomando essa decisão, resolveu que Lucie e o pai dela só saberiam da notícia depois que ele partisse. A esposa deveria ser poupada da dor da separação; e o sogro, que sempre corria o risco de

---

18 O termo *Loadstone Rock* (no título deste capítulo, "Atraído pelo abismo", e em referências posteriores ao capítulo) faz alusão a uma carga específica no livro *Arabian Nights*. Na história chamada "O Terceiro Calendário", Ajib, um príncipe e um calendário (um calendário é um dervixe mendigo persa ou turco) descreve uma viagem de descoberta em que seu navio foi atraído irresistivelmente para uma enorme pedra-ímã. (N.T.)

rememorar os temíveis acontecimentos dos velhos tempos, tomaria conhecimento dos passos apenas conforme fossem dados, sem nunca pisar com os próprios pés em um solo tão arenoso e instável. Quanto mais a incompletude de sua situação era atribuída ao pai de Lucie, por conta da dolorosa angústia em evitar reviver antigas associações relacionadas à França, Darnay preferiu não pensar a respeito. Mas é inegável que tal fato influenciara, em partes, o desenrolar dos acontecimentos.

Andou de um lado para o outro, com a mente inquieta, até chegar o momento de retornar ao Tellson e despedir-se do senhor Lorry. Assim que chegasse a Paris procuraria o velho amigo, mas não poderia lhe revelar suas intenções por ora.

Uma carruagem com cavalos de posta aguardava à frente do Tellson e Jerry, de botas e equipado para a viagem, aguardava.

– Entreguei a carta – contou Charles Darnay ao senhor Lorry. – Não lhe pediria para entregar uma resposta por escrito, quero poupá-lo de responsabilidade como essa, mas talvez o senhor concorde em transmiti-la oralmente?

– Concordo, sim e o faço de bom grado – declarou Lorry. – Se não for perigoso.

– Não corre risco nenhum. Embora seja para um prisioneiro na Abadia.

– E como se chama? – perguntou o senhor Lorry, com a caderneta de anotações na mão.

– Gabelle.

– Gabelle. E que mensagem devo transmitir ao desafortunado prisioneiro Gabelle?

– Diga-lhe simplesmente que "recebeu a carta e virá".

– Foi mencionado quando?

– Partirá em viagem amanhã à noite.

– Devo mencionar o nome de alguém?

– Não.

E, com isso, ajudou o senhor Lorry a cobrir-se com vários casacos e mantas e junto dele saiu do ambiente aquecido do velho banco Telsson para o ar enevoado da Fleet Street.

– Mande lembranças minhas à Lucie e à pequena Lucie – pediu o senhor Lorry no momento da partida. – E cuide muito bem das duas durante a minha ausência. – Charles Darnay balançou a cabeça e sorriu, titubeante, enquanto a carruagem partia.

Naquela noite, a décima quarta de agosto, ficou acordado até tarde e escreveu duas comoventes cartas, uma para Lucie, explicando as razões da forte obrigação que o fizera viajar para Paris e relatando, em detalhes, os motivos para sentir-se seguro de que não correria nenhum risco; outra para o doutor, confiando Lucie e sua amada filha aos cuidados dele; destacando as mesmas razões, mas com garantias mais fortes. Para ambos, escreveu que enviaria cartas como prova de sua segurança tão logo chegasse.

Foi um dia difícil aquele que passou com eles; pela primeira vez, desde o início da vida em comum, tendo de lhes esconder algo. Não foi tarefa fácil guardar segredo sobre algo de que nenhum dos dois jamais suspeitaria. No entanto, um olhar carinhoso para a esposa, tão ocupada e feliz, confirmou sua decisão de não lhe contar o que estava prestes a acontecer (chegou a pensar em fazê-lo, tamanha a estranheza que sentia por agir sem sua ajuda); o dia passou rápido. Entre o fim da tarde e começo da noite, ele abraçou a esposa e a querida filha, fingindo que voltaria logo (um compromisso que forjara, tendo deixado pronta uma mala com suas roupas) e assim adentrou o denso nevoeiro das densas ruas, com o coração ainda mais denso.

A força invisível o arrastava ainda mais rápido agora, e todas as marés e os ventos o impeliam em direção a ela. Deixou as duas cartas com um portador de sua confiança, e lhe incumbiu de entregá-las meia hora antes da meia-noite, jamais antes disso. Alugou um cavalo até Dover. E começou a sua jornada.

"Pelo amor de Deus, da justiça, da generosidade, da honra de seu nobre nome!", fora a súplica do prisioneiro e que lhe fortalecia o denso coração, ao deixar para trás tudo que mais estimava neste mundo, deixando-se levar pela pedra-ímã.

TERCEIRA PARTE

O RASTRO DE UMA TEMPESTADE

EM SEGREDO

O viajante seguia sua jornada devagar, deslocando-se da Inglaterra para Paris no outono de 1792. Ainda que o desditoso e deposto rei da França reinasse com toda a sua glória, estradas ruins, equipamentos ruins e cavalos ruins, ele teria encontrado para atrasá-lo. Mas os novos tempos traziam consigo outros tantos obstáculos como esse. Todos os portões das cidades e coletorias de impostos estavam abarrotados de patriotas-cidadãos, que com seus mosquetes nacionalistas em verdadeiro ponto de bala, detinham todo aquele que entrava ou saía, e cada um era interrogado, tinha os documentos averiguados, o nome procurado em suas listas, era ordenado a seguir viagem ou voltar, interceptado e retido de acordo com o que a imaginação ou juízo imprevisíveis considerasse melhor para a nascente República Una e Indivisível, de Liberdade, Igualdade, Fraternidade ou Morte[19].

Charles Darnay percorrera poucas léguas de sua jornada quando começou a perceber que não havia esperança de retornar para aquelas estradas rurais antes de ser declarado um bom cidadão em Paris. O que quer que acontecesse dali em diante, ele deveria completar sua jornada até o final. Não havia um desvalido vilarejo que se fechasse atrás dele, nem uma barreira sequer caída na estrada pela qual ele passasse que não se impunha como mais um dos tantos portões de ferro cravados entre ele e a Inglaterra. A vigilância universal[20] o circundava de tal modo que, se ele tivesse sido

---

19 Esta "República Una e Indivisível..." nascente é a República Francesa decretada em 22 de setembro de 1792 (após o encarceramento do rei em agosto daquele ano e anterior à sua execução em janeiro do ano seguinte). Foi esta república que substituiu oficialmente a monarquia na França. (N.E.)

20 Na França revolucionária, eram necessários passaportes para viagens, mesmo entre lugares dentro da França. O país, ameaçado pela invasão estrangeira e desconfiado de emigrantes (muitos dos quais, além de membros da nobreza caluniada, uniram forças com invasores estrangeiros), estava alerta. (N.E.)

capturado em uma rede ou estivesse sendo levado para o seu destino em uma jaula, ainda assim não sentiria sua liberdade tão tolhida.

Essa vigilância universal não só o retinha vinte vezes a cada trecho do percurso, como também retardava a chegada a seu destino vinte vezes ao dia, seguindo-o a cavalo, mandando-o de volta, colocando-se à sua frente e interceptando-o mais adiante, cavalgando junto dele e mantendo-o sob custódia. Completara dias de uma viagem solitária, quando por fim parou para descansar em uma cidadezinha à beira da estrada, ainda muito distante de Paris.

Nada, senão a carta do angustiado Gabelle enviada da prisão de Abadia, o teria levado tão longe. Tamanha fora a dificuldade encontrada no quartel de guarda do local, que Darnay sentiu ser aquele um ponto crítico da viagem. E por esse motivo pouco se surpreendeu ao ser despertado no meio da noite, na estalagem a qual estava hospedado para descansar até o raiar do dia seguinte.

Foi acordado por um funcionário acanhado e três patriotas armados, de barrete vermelho na cabeça e cachimbo na boca, que se sentaram na cama.

– Emigrante, vou enviá-lo a Paris sob escolta – afirmou o funcionário.

– Cidadão, não desejo nada além de chegar a Paris, no entanto, eu poderia dispensar a escolta.

– Silêncio! – rosnou um dos de barrete vermelho, cutucando o colchão com a ponta de seu mosquete. – Paz, aristocrata!

– É como disse o bom patriota – observou o funcionário acanhado. – O senhor é um aristocrata, deve ser escoltado... e precisa pagar por isso.

– Não tenho escolha – disse Charles Darnay.

– Escolha! Escutem só! – gritou o mesmo barrete vermelho enfurecido. – Como se não lhe prestássemos favor ao protegê-lo para não acabar dependurado no lugar de um lampião!

– É como sempre diz o bom patriota – acrescentou o funcionário. – Levante-se e vista-se, emigrante.

Darnay obedeceu e foi levado de volta ao quartel de guarda onde outros patriotas de barretes vermelhos fumavam, bebiam e dormiam perto de uma fogueira. Ali pagou um alto preço por sua escolta; às três da manhã seguiram viagem pelas estradas encharcadas.

A escolta era formada por dois patriotas de barrete vermelho e roseta tricolor, armados com seus mosquetes e sabres patrióticos; um se mantinha à direita e o outro à esquerda de Darnay. O escoltado guiava o próprio cavalo, mas um cordão fora atrelado à rédea, cuja ponta um dos patriotas envolvera no punho. Seguiram nesse trecho da estrada sob uma chuva forte que lhes fustigava o rosto, retinindo em um trote pesado no pavimento irregular da cidade, adentrando as estradas lamacentas. E sem outras mudanças, com exceção dos cavalos e da velocidade, atravessaram todas as léguas enlameadas que estavam entre eles e a capital.

Viajaram a noite toda, parando uma ou duas horas depois do amanhecer e descansaram até o crepúsculo. Os acompanhantes, de tão maltrapilhos, usavam palha para cobrir e proteger as pernas e os ombros da chuva e da umidade. Salvo o desconforto de ser acompanhado pela escolta e o risco pelo fato de um dos patriotas estar totalmente embriagado e portando o mosquete de modo bastante imprudente, Charles Darnay não permitiu que tais condicionantes lhe despertassem no peito nenhum medo expressivo; pois, refletiu consigo, era impossível que aquela abordagem tivesse alguma relação com os méritos de um caso individual que ainda não havia sido revelado; tampouco com declarações, endossadas pelo prisioneiro na Abadia, que ainda não haviam sido feitas.

No entanto, quando chegaram à cidade de Beauvais, no início do anoitecer e com um movimento grande de pessoas nas ruas, não conseguiu mais ludibriar-se quanto à gravidade da situação. Uma multidão agourenta reuniu-se ao vê-lo desmontar do cavalo no pátio da estalagem e gritava:

– Acabem com o emigrante!

Não terminou de apear-se e, retornando ao posto que lhe parecia mais seguro, disse:

– Emigrante, meus amigos! Pois não me veem aqui, na França, por minha livre e espontânea vontade?

– Você é um emigrante desgraçado! – gritou um ferrador, irrompendo furioso na multidão e com um martelo na mão. – E um maldito aristocrata!

O encarregado da estalagem interpôs-se entre o homem furioso e a rédea do cavalo (que o enfurecido evidentemente pretendia agarrar), e tentando apaziguar a situação, disse:

– Deixem-no, deixem-no! Será julgado em Paris.

– Julgado! – repetiu o ferrador, brandindo o martelo. – É! E condenado como traidor. – E com isso, a multidão concordou aos brados.

Detendo o encarregado da estalagem, que virava o cavalo em direção ao pátio (o patriota bêbado sentou composto em sua sela assistindo a tudo, com o cordão preso no pulso), Darnay disse, assim que conseguiu fazer sua voz ser ouvida:

– Amigos, os senhores estão equivocados ou foram enganados. Não sou nenhum traidor.

– Mentiroso! – exclamou o ferrador. – É um traidor desde o decreto. Sua vida será confiscada pelo povo. Essa maldita vida não lhe pertence!

No momento em que Darnay viu o olhar enfurecido da multidão, que no instante seguinte avançaria sobre ele, o encarregado da estalagem virou o cavalo em direção ao pátio, a escolta aproximou-se e ele fechou e trancou o portão duplo. O ferrador martelou o portão e a multidão grunhiu, mas não fizeram mais nada.

– Que decreto é este mencionado pelo ferrador? – Darnay perguntou ao encarregado, depois de agradecer-lhe e de já ter se apeado.

– Na verdade, trata-se de um decreto para que as propriedades dos emigrantes sejam vendidas.

– E foi aprovado quando?

– No dia quatorze.

– Mesmo dia em que parti da Inglaterra!

– Dizem que é apenas o primeiro de uma sequência... e virão outros, se é que já não existem... banindo os emigrantes e condenando à morte todos os que regressam. Foi a isso que ele se referiu ao dizer que a sua vida não lhe pertence.

– Mas esses decretos ainda não entraram em vigor, certo?

– Sabe Deus! – respondeu o encarregado da estalagem, dando de ombros. – Talvez tenham, talvez não, ou talvez ainda possam entrar. É indiferente. O que poderia o senhor fazer?

Descansaram em um monte de palha até o meio da noite e retomaram a viagem enquanto a cidade dormia. Entre as muitas violentas mudanças observáveis em coisas familiares, as quais tornavam esta espantosa jornada algo irreal, estava a aparente privação de sono. Depois de um percurso longo e solitário por estradas sombrias, chegaram a um aglomerado de cabanas às ruínas, não mergulhadas na escuridão, mas todas brilhando com suas luzes, e encontraram as pessoas, em um gesto fantasmagórico, enrodilhando uma ressequida árvore da Liberdade, entrelaçando as mãos na calada da noite, ou simplesmente reunidas entoando uma canção de Liberdade. Felizmente, contudo, houve sono naquela noite em Beauvais para ajudá-los a seguir adiante; e eles mergulharam uma vez mais na solidão e isolamento: retinindo na chuva e no frio inoportunos, entre os campos ressequidos que não deram frutos naquele ano, diversificado pelas cinzas de casas queimadas, e pela necessidade repentina de mudança de direção por conta das emboscadas das patrulhas patriotas, controlando o caminho deles, na sua vigilância em todas as estradas.

Por fim, a luz do dia os encontrou frente à muralha de Paris. A barreira estava fechada e fortemente protegida quando se aproximaram.

– Onde estão os documentos desse prisioneiro? – inquiriu um homem de fisionomia e comportamento autoritários, o qual era o chefe chamado pelo guarda.

Embasbacado ao ouvir a palavra desagradável, Charles Darnay solicitou ao pronunciante que atentasse para o fato de ele ser um viajante livre e cidadão francês, sob a custódia de uma escolta que lhe fora imposta pelas condições conturbadas de seu país e pela qual ele havia pago do próprio bolso.

– Onde – repetiu a mesma figura, sem prestar-lhe a menor atenção –, estão os documentos do prisioneiro?

O patriota embriagado os guardara no barrete vermelho e os apresentou. Ao correr os olhos sobre a carta de Gabelle, a mesma figura autoritária pareceu surpresa e confusa e observou Darnay atentamente. Sem dizer uma palavra sequer, virou as costas, deixou escolta e escoltado ali e foi até a sala de guarda. Enquanto isso, os viajantes aguardavam montados, do lado de fora do portão. Nesse estado de suspense, Charles Darnay olhou ao redor e notou que a vigilância do portão era feita por uma guarda mista de soldados e patriotas, sendo que em matéria de números, os últimos superavam muito os primeiros, e que embora a carroça dos lavradores com suprimentos e produtos do gênero entrassem na cidade com muita facilidade, a saída, mesmo para os mais humildes, era muito complicada. Uma numerosa miscelânea de homens e mulheres, sem falar nos animais e veículos de todos os tipos, aguardava para entrar na cidade, mas a identificação prévia era tão rigorosa que a passagem pelo filtro da barreira tornava-se muito lenta. Ciente do quanto teriam de esperar pela sua vez, alguns até deitavam no chão para dormir ou fumar, enquanto outros conversavam ou perambulavam por ali. O barrete vermelho e a roseta tricolor eram peças unânimes tanto em homens quanto em mulheres.

Passada meia-hora de espera montado no cavalo, Darnay, observando tudo isso, novamente foi confrontado pelo homem no papel de chefia e que fez sinal para o guarda liberar a passagem. Em seguida, entregou aos da escolta, ao bêbado e ao embriagado, um recibo do escoltado e mandou-o apear-se. Assim ele obedeceu, e os dois patriotas, conduzindo o cavalo cansado que servira ao escoltado, deram meia-volta e foram embora, sem entrar na cidade.

Darnay acompanhou seu condutor à sala de guarda, que cheirava a vinho e tabaco baratos, onde certos soldados e patriotas, adormecidos e acordados, embriagados e sóbrios, e entre diversos estágios neutros entre a sonolência e a embriaguez, estavam de pé ou deitados em algum canto. A luz da sala de guarda, em parte efeito das lâmpadas a óleo que acendiam à noite e em parte proveniente do dia anuviado, mostrava-se em igual condição de incerteza. Em cima de uma mesa, havia alguns livros de registro abertos e, sentado atrás dela e debruçado sobre eles, um oficial de aparência sinistra e grosseira.

– Cidadão Defarge – disse ele ao homem que trouxera Darnay enquanto pegava um papel para escrever. – É este o emigrante de Evrémonde?

– Ele próprio.

– Sua idade, Evrémonde?

– Trinta e sete.

– Casado, Evrémonde?

– Sim.

– Onde casou-se?

– Na Inglaterra.

– Sem dúvida. Onde está a sua esposa, Evrémonde?

– Na Inglaterra.

– Sem dúvida. Você foi entregue, senhor Evrémonde, à prisão de La Force.

– Valha-me Deus! – exclamou Darnay. – Por qual crime e de acordo com qual lei?

O oficial desviou o olhar da folha de papel por um momento.

– Temos novas leis, Evrémonde, e novos crimes, desde que o senhor foi embora daqui – respondeu com um sorriso austero e continuou escrevendo.

– Suplico-lhe que observe que regressei voluntariamente, para atender ao apelo que recebi por escrito do compatriota e que está aí em suas mãos. Não lhe peço nada mais que a oportunidade de o ajudar sem demora. Não é meu direito fazer isso?

– Emigrantes não têm direito, Evrémonde – afirmou em um tom impassível. O oficial terminou de escrever suas anotações, releu consigo mesmo o que havia escrito, com areia limpou o excesso de tinta e entregou o papel a Defarge, com as palavras "Em segredo".

Defarge fez um sinal para que o prisioneiro o acompanhasse. O prisioneiro assim o obedeceu, e uma guarda de dois patriotas armados o acompanhou.

– Foi o senhor – disse Defarge em voz baixa enquanto desciam os degraus da casa de guarda e entravam em Paris –, quem casou com a filha do doutor Manette, ex--prisioneiro da Bastilha, que não existe mais?

– Sim – confirmou Darnay com um olhar de surpresa.

– Chamo-me Defarge e tenho uma taberna no Quartier Saint-Antoine. É provável que já tenha ouvido falar de mim.

– Minha esposa foi à casa do senhor resgatar o pai? Sim!

A palavra "esposa" pareceu soar como um lembrete sombrio a Defarge, que com repentina impaciência, disse:

– Em nome dessa recém-nascida afiada chamada *La Guillotine*[21], por que o senhor voltou para a França?

– O senhor me ouviu dizer o porquê, um minuto atrás. Não acredita ser verdade?

– Uma péssima verdade para o senhor – redarguiu Defarge com o cenho franzido e o olhar compenetrado em um ponto mais à frente.

– De fato, sinto-me perdido aqui. É tudo tão diferente, tão transformado, tão repentino e injusto que me sinto absolutamente perdido. Será que o senhor poderia me oferecer uma ajudinha?

– Nenhuma – respondeu Defarge, ainda compenetrado e olhando mais à frente.

– Poderia, então, responder-me uma única pergunta?

– Talvez. Depende da natureza da pergunta. O senhor pode falar.

– Nesta prisão para onde vão me levar injustamente, terei liberdade para me comunicar com o mundo aqui fora?

– O senhor verá.

– Não serei enterrado e julgado sem exercer o meu direito de defesa, não é?

– O senhor verá. Mas, e se assim for? Em outros tempos, outras pessoas já foram enterradas do mesmo modo e em prisões piores.

– Mas nunca por mim, cidadão Defarge.

Defarge desviou o olhar pela primeira vez, com um ar sombrio encarou Darnay e continuou caminhando, calado e com um passo firme. Quanto mais fundo eles mergulhavam nesse silêncio, menores eram as esperanças (ou assim Darnay refletia) de o homem amolecer, nem que fosse um pouco. Assim, apressou-se para dizer:

– É da maior importância para mim... o senhor, como cidadão, sabe disso melhor do que eu... o quanto é importante que eu consiga comunicar ao senhor Lorry do Banco Tellson, um cavalheiro inglês que está em Paris neste momento, o simples fato, sem quaisquer comentários, de que estou sendo levado para a prisão de La Force. O senhor pode fazer isso por mim?

– Não farei nada pelo senhor – retrucou Defarge sem titubear. – Meu dever é defender o meu país e o meu povo. Sou um servo declarado de ambos contra o senhor.

Charles Darnay percebeu que seria inútil insistir e que o orgulho impediria o homem de atender a seu pedido. Enquanto caminhavam em silêncio, não passou despercebido a ele o modo como as pessoas estavam acostumadas com o espetáculo dos prisioneiros passando pelas ruas. Mesmo as crianças sequer o notavam. Alguns

---

21 A guilhotina, em homenagem ao seu inventor (Dr. Joseph Ignace Guillotin), é o famoso instrumento de execução usado pela República Francesa; foi especialmente ativo durante o reinado do terror. (N.E.)

transeuntes viravam a cabeça e alguns lhe apontavam o dedo, acusando-o de aristocrata. Ademais, o fato de um homem bem-vestido estar a caminho da prisão era algo tão corriqueiro quanto a ida de um operário comum ao trabalho. Em uma rua estreita, escura e suja pela qual passaram, um orador com seu discurso inflamado e montado em um banquinho, falava a uma plateia entusiasmada sobre os crimes cometidos contra o povo, o rei e a família real. Entre as poucas palavras que ele conseguiu captar dos lábios do homem, Darnay conseguiu entender que o rei estava preso e que todos os embaixadores estrangeiros haviam deixado Paris. Enquanto estava na estrada (exceto em Beauvais), não escutara absolutamente nada. A escolta e a vigilância universal o isolaram completamente.

Que a vinda a Paris o submetera a riscos muito maiores que os previstos, não lhe restava nenhuma dúvida agora. E que esses riscos aumentavam em uma velocidade vertiginosa, e que o cerco ficava cada vez menor, também lhe era muito evidente. Não pôde deixar de admitir consigo que talvez não devesse ter empreendido essa viagem, se pudesse prever os acontecimentos recentes. Todavia, considerando à luz dos acontecimentos posteriores, seus receios não eram tão atemorizantes quanto aparentavam. Por mais turbulento que parecesse o futuro, era um futuro desconhecido, e nessa obscuridade residia uma ingênua esperança. O terrível massacre, que durava dias e noites a fio, e que com algumas voltas no relógio deixaria uma gigantesca marca de sangue sobre o abençoado tempo da colheita, era-lhe tão inimaginável quanto qualquer outro fato sucedido dali a cem mil anos. A "recém-nascida afiada chamada La Guillotine" era-lhe uma quase desconhecida, assim como o era para a maioria das pessoas, pelo nome. As repugnantes ações que em breve seriam perpetradas, naquela época provavelmente sequer cogitavam povoar a mente de seus autores. Como poderiam orbitar as concepções obscuras de um espírito pacífico?

Que receberia tratamento injusto na prisão e que sofreria com a cruel separação da esposa e da filha, previu a possibilidade ou a certeza; porém, além desses, não aparentava nenhum outro temor. Com isso em mente, que já era o suficiente para adentrar um medonho pátio da prisão, ele chegou à La Force.

Um homem com o rosto inchado abriu a espessa portinhola, para quem Defarge o apresentou:

– O emigrante de Evrémonde.

– Que Diabos! Quantos mais?! – indagou o homem de rosto inchado.

Defarge pegou seu recibo sem dar importância à exclamação, deu meia-volta e partiu com seus dois compatriotas.

– Que Diabos, repito eu! – exclamou o carcereiro, que estava acompanhado de sua esposa. – Quantos mais?

A esposa do carcereiro, que não tinha resposta para a pergunta, simplesmente disse:

– É preciso paciência, meu querido!

Três guardas que entraram atendendo ao chamado da sineta ecoaram o mesmo sentimento e um deles acrescentou:

– Pelo amor à Liberdade. – Naquele local, a frase soou inapropriada.

A prisão de La Force era lúgubre, escura e suja; exalava um fétido odor. É extraordinário como o fétido odor de algo aprisionado se alastra em todos os lugares malcuidados!

– Em segredo também! – resmungou o carcereiro, olhando para a folha com as anotações. – Como se isso aqui já não estivesse a ponto de transbordar!

Irritado, ele enfiou a folha em um arquivo e Charles Darnay passou meia hora ao bel-prazer do homem; ora andava de um lado para o outro da sala, ora sentava em um banco de pedra. Qualquer que fosse o caso, fora mantido detido ali para ficar impresso na memória do chefe e de seus subalternos.

– Venha! – disse o chefe, que por fim pegou as chaves. – Venha comigo, emigrante.

Sob a luz do crepúsculo vespertino da prisão, seu novo encarregado o acompanhou pelos corredores e a escada, deixando para trás várias portas que batiam e eram trancadas, até chegarem a uma sala ampla de teto baixo e abobadado, cheia de prisioneiros de ambos os sexos. As mulheres estavam sentadas a uma mesa comprida, lendo, escrevendo, tricotando, costurando e bordando; os homens, em sua maior parte, estavam de pé atrás de suas cadeiras ou perambulavam de um lado para o outro na sala.

Em um gesto instintivo resultante da associação de prisioneiros a crimes vexaminosos e a desgraças, o recém-chegado recuou. Mas, para coroar a surrealidade dessa extensa jornada surreal, todos ao mesmo tempo levantaram-se para recebê-lo, com todos os modos requintados da época e com todas as cativantes graças e cortesias da vida.

Esses modos eram tão estranhamente obscurecidos pela tristeza e melancolia da prisão, eles tornavam-se tão espectrais na imundice e na desgraça inapropriadas através das quais eram vistos, que Charles Darnay parecia estar na companhia dos mortos. Todos eram fantasmas! O fantasma da beleza, o fantasma da altivez, o fantasma da elegância, o fantasma do orgulho, o fantasma da frivolidade, o fantasma da perspicácia, o fantasma da juventude, o fantasma da velhice, todos aguardando seu derradeiro fim naquela desolada margem, todos observando-o com o olhar lúgubre que fora transformado pela morte que os recebera desde o momento em que entraram ali.

Ficou paralisado. O carcereiro parado ao seu lado, e os outros carcereiros que perambulavam por ali e cuja aparência consonava com o corriqueiro exercício de suas funções, formavam um cenário tão grosseiro em contraste com as mães e filhas angustiadas ali presentes (com o surgimento do coquetismo, da beleza da juventude e da mulher madura criada com toda delicadeza), que a inversão de toda a experiência e probabilidade representadas nesse cenário ensombrecido atingia seu mais alto grau. Sem dúvida, eram todos fantasmas. Sem dúvida, a doença que o acometera durante esse percurso extenso e surreal avançara, trazendo-o a essas profundezas lúgubres!

– Em nome de todos os companheiros aqui reunidos em desventura – declarou um cavalheiro de aparência e modos corteses, aproximando-se –, tenho a honra de dar-lhe as boas-vindas a La Force e de condoer-me da desgraça que o trouxe à nossa companhia. Que finde logo e bem! Seria impertinência de minha parte em outro lugar, mas não aqui, perguntar-lhe seu nome e condição?

Charles Darnay levantou-se e forneceu as informações necessárias com as palavras mais adequadas que conseguiu encontrar.

– Mas espero – disse o cavalheiro, acompanhando com os olhos o movimento do carcereiro chefe que atravessava a sala –, que não esteja aqui "em segredo".

– Não compreendo o significado disso, mas assim escutei a meu respeito.

– Ah, que pena! Lamentamos muito pelo senhor! Mas não desanime, vários membros da sociedade ficaram "em segredo" a princípio, mas por pouco tempo. – Com a voz mais alta, ele acrescentou: – Com pesar informo a sociedade... "em segredo".

Houve um murmúrio de comiseração quando Charles Darnay atravessou a sala em direção a uma porta gradeada onde o carcereiro o aguardava, e muitas vozes, entre elas a conspícua, compassiva e suave voz das mulheres, desejavam-lhe boa sorte e coragem. Ele virou-se para agradecer de todo o coração; sob a mão do carcereiro a porta se fechou e os fantasmas desapareceram de sua vista para sempre.

A porta levava a uma escadaria de pedra. Depois de subirem quarenta degraus (que há meia hora o prisioneiro já contara), o carcereiro abriu uma porta preta e rebaixada, por onde os dois passaram e chegaram a uma cela solitária. Apesar de fria e úmida, não estava escura.

– É toda sua – disse o carcereiro.

– Por que estou preso aqui sozinho?

– E como posso saber?

– Posso comprar pena, tinta e papel?

– Não recebi ordens para isso. Receberá visita e então poderá perguntar-lhe. Por enquanto, pode comprar sua comida, nada mais.

Na cela, havia apenas uma mesa, uma cadeira e um colchão de palha. Enquanto o carcereiro inspecionava cada peça da mobília, assim como as quatro paredes do lugar antes de partir, um pensamento ocorreu ao prisioneiro recostado na parede à frente dele: que aquele carcereiro, de tão inchado, dos pés à cabeça, parecia um homem que se afogara e ficara intumescido de água. Quando o carcereiro saiu, outro pensamento vago lhe ocorreu: "Enterraram-me aqui como se eu tivesse morrido". Neste mesmo instante, abaixou a cabeça para olhar o colchão e, tomado por uma súbita náusea, recuou e pensou: "E, aqui, com essas criaturas rastejantes, jaz a primeira transformação do corpo após a morte".

"Cinco passos por quatro e meio, cinco passos por quatro e meio, cinco passos por quatro e meio", conversava o prisioneiro consigo, andando de um lado para o outro, medindo a cela, e o rugido da cidade irrompeu feito o som abafado de tambores misturado a uma onda de vozes selvagens. "Ele fazia sapatos, ele fazia sapatos, ele fazia sapatos". O prisioneiro tirou as medidas mais uma vez, dessa vez caminhando de um lado para o outro mais rápido, para infundir na mente esta última repetição.

"Os fantasmas sumiram depois que a porta fechou. Entre eles havia uma dama vestida de preto, encostada na seteira da janela, e seu cabelo resplandecia uma luz suave e dourada, e ela se parecia... Deixe-nos cavalgar outra vez, pelo amor de Deus, pelos vilarejos iluminados e com as pessoas acordadas!... Ele fazia sapatos, ele fazia sapatos, ele fazia sapatos... Cinco passos por quatro e meio". Com essas lucubrações fragmentadas irrompendo das profundezas de sua mente, o prisioneiro acelerava cada vez mais o passo, contando e recontando de modo obstinado, e o rugido da cidade transformava-se na medida em que, misturando-se ao abafado dos tambores, surgia o lamento de vozes que ele conhecia, abafadas pelo volume que se elevava acima deles.

A PEDRA DE AMOLAR

O banco Tellson, localizado no Quartier Saint-Germain de Paris, ocupava a ala de uma casa grande, próximo a um pátio e afastado da rua por um muro alto e um portão maciço. A casa pertencera a um notável membro da nobreza que vivera ali até fugir dos problemas, disfarçado com as roupas de seu cozinheiro, atravessando a fronteira. Embora fosse um simples animal fugindo de seus caçadores, ele ainda era, em sua metempsicose, ninguém menos que o monsenhor, o mesmo cuja preparação do chocolate que levava aos lábios requisitava três homens robustos além do já mencionado cozinheiro.

Tendo monsenhor partido e estando absolvidos os três homens robustos por terem aceitado seus salários altíssimos, depois de se declararem prontamente dispostos a cortar o pescoço do patrão no altar da nascente República Una e Indivisível da Liberdade, Igualdade, Fraternidade, ou Morte, a casa de monsenhor primeiro fora sequestrada e em seguida confiscada. Visto que as coisas mudavam tão depressa, e um decreto após o outro era expedido com tamanha velocidade que, na terceira noite do outono de setembro, os patriotas emissários da lei apoderam-se da casa de monsenhor, imprimiram-lhe a marca tricolor e bebiam conhaque em seus aposentos.

Um estabelecimento localizado em Londres e semelhante à sede do Tellson em Paris em breve faria a Casa perder a cabeça e ter o seu nome estampado na *Gazette*[22]. Afinal, o que diriam a responsabilidade e a respeitabilidade britânicas das laranjeiras

22 *The Gazette* é o *London Gazette*, no qual as falências deveriam ser anunciadas. É um periódico oficial, emitido por uma autoridade duas vezes por semana e contendo listas de compromissos e promoções governamentais, nomes de falidos e outros avisos públicos. (N.E.)

plantadas no jardim do banco e do Cupido que havia no balcão? Pois essas coisas estavam lá. O Tellson mascarara o Cupido, mas ele ainda podia ser visto no teto, com o semblante e o corpo empalidecidos, fitando (como sempre fez) o dinheiro do amanhecer ao anoitecer. A falência inevitavelmente adviria desse jovem Pagão, na Lombard Street, em Londres, e também da alcova acortinada que havia por trás do menino imortal, e de um espelho embutido na parede, e de funcionários que nada tinham de velhos e que à menor provocação dançavam em público. No entanto, o Tellson francês prosseguia lidando muitíssimo bem com tudo isso, e enquanto os tempos continuavam os mesmos, nenhum cliente se incomodara com aquilo e sacara seu dinheiro.

Qual dinheiro seria sacado do Tellson dali em diante, e qual permaneceria ali perdido e esquecido; quais pratarias e joias perderiam o brilho nos cofres do banco enquanto seus depositantes enferrujavam ou talvez perecessem da pior forma na prisão; quantas contas do Tellson jamais contabilizadas neste mundo seriam transferidas para outro; nenhum homem, além do senhor Jarvis Lorry, seria capaz de responder tudo isso naquela noite, embora ele não parasse de pensar na resposta a tais questões. Sentado próximo a uma lareira recém-acesa (o frio chegara antes do previsto naquele ano agourento e infrutífero), em seu semblante sincero e corajoso havia uma sombra mais escura do que a lamparina pendente poderia projetar ou que qualquer objeto do ambiente conseguiria refletir, ainda que distorcidamente: a sombra do horror.

Ele ocupava as dependências do banco com a fidelidade de uma hera forte que finca suas raízes no solo. Por uma obra do acaso foram poupados e protegidos da ocupação patriótica do prédio principal, mas o velho cavalheiro de coração sincero jamais cogitara a possibilidade de um acontecimento como esse. Todas essas circunstâncias eram-lhe indiferentes, desde que pudesse cumprir o seu dever. Do lado oposto do pátio, sob uma colunata, havia uma cocheira ampla para carruagens onde, com efeito, ainda restavam algumas carruagens de monsenhor. Em dois pilares estavam amarradas duas tochas grandes e notavelmente flamejantes e iluminada por elas, ao ar livre, havia uma pedra de amolar grande: montada de forma amadora e que aparentava ter sido trazida às pressas de alguma ferraria ou oficina de ferreiro das redondezas. Levantando-se e observando da janela para esses objetos inofensivos, o senhor Lorry estremeceu e voltou a sentar-se perto da lareira. Ele abrira não só o vidro da janela como também a veneziana do lado de fora, mas fechou as duas, sentindo o frio percorrer-lhe o corpo todo.

Para além do muro alto e do portão resistente, das ruas vinha o costumeiro zumbido noturno da cidade, vez ou outra intercalado por um ruído indescritível, estranho e sobrenatural, como se algum som insólito da temível natureza ascendesse aos céus.

– Graças a Deus – disse o senhor Lorry, unindo as mãos –, não tenho nenhuma pessoa próxima e querida em minha companhia nesta cidade temerosa. Que Deus se compadeça de todos os que estão em perigo!

Dali a pouco, a sineta do portão enorme ressoou e ele pensou "Eles voltaram!", sentou e ficou em silêncio, prestando atenção ao barulho. Mas, ao contrário do que esperava, não escutou um barulho alto no pátio, apenas o portão voltando a se fechar e nenhum outro barulho mais.

O nervosismo e o pavor que o assolavam causavam uma vaga inquietação em torno do banco, o que não era de se estranhar, dadas as circunstâncias. Mas o banco estava bem guardado; então, ele se levantou para ir falar com as pessoas de confiança, encarregadas da vigilância, quando, de repente, a porta se abriu e duas figuras entraram apressadas. Tamanha foi a perplexidade ao ver quem era que ele recuou e deixou o corpo cair sobre o assento.

Lucie e o pai! Ela esticou os braços em direção a ele, com aquele costumeiro olhar sério, compenetrado e intenso, que parecia estampar-lhe o rosto especialmente para lhe dar força e poder naquele momento de sua vida.

– Mas como é possível? – exclamou o senhor Lorry, resfolegante e confuso. – O que aconteceu? Lucie! Manette! O que aconteceu? O que os trouxe até Paris? O que houve?

Com os olhos fixos nele, empalidecida e desesperada, ela lançou-se aos braços dele, implorando:

– Ó, meu querido amigo! Meu marido!

– Seu marido, Lucie?

– Charles.

– O que há com ele?

– Está aqui.

– Aqui, em Paris?

– Sim, há alguns dias... três ou quatro... Não sei quantos ao certo... Não consigo pensar direito. Um ímpeto de generosidade o fez viajar até aqui, sem que soubéssemos. Foi detido na barreira e o prenderam.

O velho soltou um grito irrefreável. Quase no mesmo instante, a sineta do portão voltou a tocar e ouviram o ruído alto de passos e vozes adentrando o pátio.

– Que barulho é esse? – indagou o médico, virando para olhar pela janela.

– Não olhe! – advertiu o senhor Lorry. – Não olhe lá fora! Manette, pela sua própria vida, não toque na veneziana!

O médico virou-se e, com a mão apoiada no ferrolho da janela, e um sorriso frio e determinado estampado no rosto, disse:

– Meu caro amigo, tive uma vida encantadora nesta cidade. Fui prisioneiro da Bastilha. Não há patriota em Paris... Paris? Em toda a França... Não há patriota na França que, sabendo ter sido eu prisioneiro da Bastilha, ousaria levantar-me um só dedo, a não ser para me encher de abraços ou erguer-me feito um troféu. O sofrimento que enfrentei deu-me o poder necessário para nos permitir atravessar a barreira, ajudou-nos a conseguir notícias de Charles e trouxe-nos até aqui. Eu sabia que seria assim. Sabia que poderia salvar Charles de qualquer situação de risco. Disse tudo isso à Lucie... Que barulho foi esse? – perguntou, levando a mão à janela mais uma vez.

– Não olhe! – gritou o senhor Lorry em total desespero. – Não, Lucie, minha querida, você também não! – Ele a envolveu com o braço e puxou-a para perto. – Não se desespere, meu amor. Juro a você que não chegou ao meu conhecimento nenhum malsucedido a Charles e que eu nem sequer suspeitava que ele estaria aqui neste lugar fatal. Para aonde o levaram?

– La Force!

– La Force! Lucie, minha menina, se alguma vez em sua vida foi prestativa e corajosa... E sei que foi ambas as coisas... terá agora a força necessária para fazer exatamente o que eu lhe pedir, pois muito dependerá disso agora, muito mais do que possa imaginar ou que eu possa lhe dizer. Nesta noite, não há nada que possa fazer para ajudar, você não pode sair daqui. Digo isso porque, o que preciso lhe pedir, para o bem de Charles, é a coisa mais difícil de se fazer. Deve manter-se obediente e calma. Deve deixar-me acomodá-la em um quarto ao fundo desta casa. Tem de deixar seu pai e eu sozinhos por dois minutos, e com a mesma certeza de que há vida e morte neste mundo, peço que não demore a fazê-lo.

– Eu obedecerei a todas as suas orientações. Vejo em seu rosto que o senhor sabe que não há mais nada que eu possa fazer além disso. Sei de sua sinceridade.

O senhor beijou-a, levou-a às pressas para o quarto mencionado e com uma chave trancou a porta. Voltou depressa ao doutor, abriu a janela e uma fresta da veneziana, depois pôs a mão no braço dele e os dois olharam o pátio lá fora.

Viram um grupo de homens e mulheres, não suficientemente grande para ocupar todo o pátio, mas totalizavam entre quarenta e cinquenta pessoas. Os que tinham se apossado da casa os deixaram atravessar o portão e todos corriam em direção à pedra de amolar; ficou claro que a puseram ali com aquele propósito, já que se tratava de um lugar conveniente e isolado.

Mas que trabalhadores terríveis e que terrível ofício aquele!

A pedra de amolar tinha uma manivela dupla, e havia dois homens girando-a freneticamente. Com o movimento, seus cabelos compridos voavam para trás, os rostos desses homens ficavam visíveis e revelavam-se os mais terríveis e cruéis, mais do que os semblantes atrozes dos selvagens com seus disfarces mais bárbaros. Tinham sobrancelhas e bigodes falsos colados no rosto, a feição coberta de suor e sangue, retorcida pelos uivos que soltavam, os olhos esbugalhados e avermelhados tanto pelo arrebatamento bestial quanto pela privação de sono. Enquanto esses rufiões giravam e giravam, as mechas do cabelo ora lhes encobria os olhos, ora o pescoço, e algumas mulheres lhes serviam vinho à boca; isso somado ao derramamento de gotas de sangue e de vinho, e à explosão de faíscas que a pedra emanava formava uma atmosfera de sangue coagulado e fogo. Os olhos não detectavam nenhuma criatura sequer do grupo sem manchas de sangue. Esbarrando uns nos outros para se aproximarem da pedra de amolar, havia homens com o peito nu, o corpo e os membros sujos de sangue, homens com todo o tipo de roupa esfarrapada e ensanguentada, homens ostentando com perversidade fragmentos de rendas, sedas e fitas femininas, e com manchas de sangue cobrindo o tecido de um lado ao outro. Machadinhas, facas, baionetas, espadas, todos trazidos para serem afiados ali e todos banhados de sangue. Algumas das espadas estavam amarradas com tiras de linho e pedaços de vestido ao pulso dos que as carregavam: ataduras das mais diversas, mas todas tingidas da mesma cor. E quando os ensandecidos manejadores dessas armas as arrebatavam da torrente de faíscas e saíam em disparada pelas ruas, o mesmo tom avermelhado lhes tingia o branco dos olhos impetuosos... Olhos que qualquer observador pacífico ofereceria vinte anos de sua vida para petrificar com um tiro certeiro.

Tudo isso foi absorvido em um instante, como a visão de um homem se afogando ou de qualquer criatura humana em um momento de transe, que nesse ínterim seria capaz de ver um mundo sob os seus olhos. Os dois recuaram da janela e o doutor olhou para a expressão acinzentada do amigo, à procura de uma explicação para aquilo.

– Eles estão... – sussurrou o senhor Lorry, com um olhar amedrontado para a porta trancada. – ... assassinando os prisioneiros. Se tem mesmo certeza do que disse, se realmente tem o poder que acha ter, como de fato creio que tenha, apresente-se a esses demônios e peça-lhes que o levem a La Force. Talvez seja tarde demais, não sei, mas que não esperemos nem um minuto a mais!

O doutor Manette apertou-lhe a mão, saiu depressa da sala e já estava no pátio quando o senhor Lorry tornou a abrir a veneziana.

O cabelo grisalho, a fisionomia tão singular e a impetuosa confiança com que passou por entre as armas, afastando-as como se fossem água, em um instante chegou ao grupo reunido em torno da pedra. Por um momento, houve uma pausa, seguida de uma inquietação, um murmúrio e o som inteligível de sua voz. Então, o senhor Lorry o avistou, cercado pelo grupo, e no meio de uma fileira de vinte homens, todos unidos ombro com ombro, e mão com ombro, apressados e bradando: "Viva o prisioneiro da

Bastilha! Ajudem o parente do prisioneiro da Bastilha em La Force! Abram espaço para o prisioneiro da Bastilha! Salvem o prisioneiro Evrémonde em La Force!", e outros milhares de gritos semelhantes.

Ele fechou a veneziana com o coração palpitando, fechou a janela e a cortina e apressou-se até o quarto de Lucie. Lá, contou-lhe que o pai, com a ajuda do povo, saíra à procura do genro. A filha e a senhorita Pross estavam junto dela, mas só um tempo depois, quando as observava em meio ao sossego que só a noite conhecia, ele se deu conta da inusitada presença das duas.

Àquela altura, Lucie já se atirara a seus pés e agarrara sua mão, tamanho o torpor que sentira. A senhorita Pross, por conta própria encarregou-se de levar a criança para a cama e pouco a pouco deitara a cabeça no travesseiro ao lado de sua estimada menininha. Ó noite, noite longa, com os gemidos de uma pobre esposa! E, ó longa, longa noite, sem o retorno do pai dela e nenhuma notícia!

A sineta do portão soou outras duas vezes, o aglomerado de gente reapareceu e a pedra de amolar girou e cuspiu suas faíscas.

– O que é isso? – gritou Lucie assustada.

– Shhhh! É ali que os soldados afiam suas espadas – explicou o senhor Lorry. – O lugar é uma propriedade nacional agora e usado como uma espécie de armaria, meu amor.

Mais duas vezes no total, mas a última rodada de trabalho foi irregular e menos intensa. Pouco depois, o dia começou a clarear. Com delicadeza, ele soltou a mão que o segurava e, com cautela, voltou a espiar lá fora. Um homem, que de tão emporcalhado poderia muito bem ser um soldado ferido rastejando no chão enquanto tenta recobrar os sentidos depois de uma batalha, começou a se levantar, bem ao lado da pedra de amolar, e com o olhar vago observou ao redor. Dali a pouco, esse assassino exaurido avistou sob a luz fraca uma das carruagens de monsenhor e, cambaleando em direção ao belo veículo, abriu a porta, embarcou e acomodou-se para descansar nas confortáveis almofadas.

A grande pedra de amolar, a Terra, girara mais um pouco quando o senhor Lorry voltou a espiar pela janela mais uma vez, e a luz do sol avermelhava o entorno do pátio. No entanto, a pedra menor permanecia isolada na tranquila brisa matinal, com uma vermelhidão que o sol nunca lhe dera e que jamais lhe retiraria.

A SOMBRA

Uma das primeiras considerações que acometeram a mente do senhor Lorry homem de negócios quando teve início o horário do expediente foi a seguinte: que ele não tinha o direito de pôr em risco o Tellson ao abrigar sob o teto do banco a esposa de um prisioneiro emigrante. Fossem seus próprios bens, segurança, e até mesmo a própria vida, ele arriscaria por Lucie e sua filha, sem titubear, mas o lugar que estava sob sua custódia não lhe pertencia e, sob esse aspecto, era um rigoroso homem de negócios.

A princípio, cogitou recorrer a Defarge, e na possibilidade de ir à taberna e pedir a orientação de algum local de residência seguro em meio ao caos que a cidade atravessava. Contudo, a mesma consideração que o levou a cogitar essa possibilidade a rechaçou; Defarge morava no bairro mais violento da cidade, sem dúvida exercia influências por ali e estava envolvido em perigosas atividades.

Aproximava-se o meio-dia, o médico não retornara e receoso de que cada minuto a mais pudesse comprometer o Tellson, o senhor Lorry aconselhou-se com Lucie. Ela lhe contou que o pai falara sobre alugarem uma casa por um curto período, naquele mesmo bairro, perto da sede do banco. Como não havia nenhuma objeção a isso, e como ele supunha que mesmo que tudo corresse bem com Charles e ele fosse libertado, sua saída da cidade não seria permitida; então, o senhor Lorry saiu à procura dessa residência e encontrou uma apropriada, bem ao fim de uma rua isolada, cujas persianas cerradas de todas as outras janelas de um nobre quarteirão melancólico de prédios indicavam serem aquelas residências abandonadas.

Ele imediatamente levou Lucie, a filha e a senhorita Pross para essa localidade, oferecendo-lhes todo o conforto possível e muito maior que o dele próprio. Deixou

Jerry junto delas, figura capaz de suportar infindáveis golpes na cabeça, e retornou ao cumprimento de seus afazeres profissionais. Sua mente perturbada e lúgubre encarregou-se deles e o dia lento e pesado se arrastou, levando-o junto.

E neste rastejamento, o anoitecer aproximou-se e o banco fechou. Novamente, o senhor Lorry encontrava-se sozinho no mesmo quarto da noite anterior, pensando quais seriam suas próximas ações quando escutou o barulho de passos na escada. Em poucos instantes, viu-se frente a frente com um homem que com um olhar atento chamou-o pelo nome.

– Seu criado – disse o senhor Lorry. – O senhor me conhece?

Era um homem forte, de cabelo escuro e encaracolado, entre quarenta e cinco e cinquenta anos. Em resposta à pergunta, e exatamente com o mesmo tom, ele repetiu:

– O senhor me conhece?

– Já o vi em algum lugar.

– Na taberna, talvez?

Curioso e agitado, o senhor Lorry perguntou:

– Veio a mando do doutor Manette?

– Sim. Venho em nome do doutor Manette.

– E qual é a mensagem? O que ele me mandou?

Na mão trêmula e ansiosa do senhor Lorry, Defarge depositou um pedaço de papel aberto. Nele, com a caligrafia do doutor estava escrito:

"Charles está a salvo, mas ainda não posso sair com segurança deste lugar. Consegui do portador deste bilhete, o favor de entregar um recado de Charles à Lucie. Leve o portador até ela".

O bilhete fora escrito de La Force, há apenas uma hora.

– O senhor pode fazer a gentileza de me acompanhar até a residência da esposa dele? – perguntou Lorry, contente e aliviado depois de ler a mensagem em voz alta.

– Sim – respondeu Defarge.

Ainda sem perceber o tom reservado e mecânico com que Defarge falava, o senhor Lorry colocou o chapéu e os dois desceram até o pátio. Lá, encontraram duas mulheres, uma delas tricotava.

– Madame Defarge, por certo! – exclamou o senhor Lorry, que a deixara fazendo exatamente a mesma atividade dezessete anos atrás.

– Ela mesma – confirmou o marido.

– A madame irá conosco? – indagou o senhor Lorry, percebendo o movimento da senhora Defarge enquanto seguiam caminho.

– Sim. Para que possa reconhecer rostos e saber quem é quem. É para a segurança delas.

Começando a incomodar-se com as maneiras de Defarge, o senhor Lorry o olhou com ares de desconfiança e continuou levando-os ao caminho. Ambas as mulheres os acompanharam, sendo a segunda entre eles a conhecida "Vingança".

Atravessaram as ruas o mais rápido que puderam, subiram as escadas da residência, foram recebidos por Jerry e encontraram Lucie sozinha, chorando. Foi arrebatada pelo regozijo com as notícias a respeito do marido, trazidas pelo senhor Lorry e apertou a mão que lhe trouxe o bilhete, sem suspeitar o que ela havia feito naquela noite e o que poderia ter feito contra o remetente da mensagem, não fosse a providência do acaso.

"Querida, tenha coragem. Estou bem e o seu pai tem grande influência a meu favor. Você não pode responder este recado. Dê um beijo em nossa filha por mim".

Isso era tudo o que dizia a mensagem. Era, porém, tão significativa para Lucie, que ela passou de Defarge para a esposa dele e beijou-lhe uma das mãos que tricotavam. Apesar do gesto inflamado, carinhoso, grato e feminino, a mão não fez menção a nenhuma reação, simplesmente recaiu fria e pesada e tornou ao tricô.

No entanto, esse contato despertou algo em Lucie. Ao levar o bilhete ao peito para guardá-lo, ela de repente interrompeu o gesto e, com as mãos ainda junto ao pescoço, apavorada olhou para a madame Defarge que, por sua vez, retribuiu com as sobrancelhas erguidas e um olhar frio e impassível.

– Minha querida – disse Lorry, intervindo para explicar. – Há frequentes insurreições nas ruas e, embora não seja provável que a incomodem, a madame Defarge deseja ver aqueles a quem ela tem o poder de proteger em momentos como esses, para que possa reconhecê-los e identificá-los. Creio – prosseguiu o senhor Lorry, quase interrompendo seu discurso reconfortante, cada vez mais desconfortável com o comportamento pétreo dos três –, ser esse o caso, não é verdade, Cidadão Defarge?

Defarge lançou um olhar sombrio à esposa e não forneceu outra resposta além de um resmungo de anuência.

– É melhor, Lucie – disse o senhor Lorry, esforçando-se ao máximo para manter o tom e o comportamento conciliadores –, trazer aqui a criança e nossa bondosa Pross. Nossa bondosa Pross, Defarge, é uma dama inglesa e não entende nada de francês.

A senhora em questão (a quem a convicção arraigada de que era tanto ou mais páreo que qualquer estrangeira não seria abalada pela situação angustiante e perigosa) apareceu de braços cruzados e disse em inglês a Vingança, primeira pessoa que viu:

– Ora, ora, cara de pau! Espero que a senhora esteja muito bem! – Depois, deu uma tossida para madame Defarge; porém, nenhuma das duas lhe deu muita atenção.

– Essa é a filha dele? – perguntou madame Defarge, interrompendo o tricô pela primeira vez, apontando para a pequena Lucie, como se aquele fosse o dedo do Destino.

– Sim, madame – respondeu o senhor Lorry. – Esta é a filha do nosso pobre prisioneiro, e é filha única.

A sombra que ladeava madame Defarge e sua comitiva parecia cair tão ameaçadora e sombriamente na criança, que sua mãe, em um gesto instintivo, ajoelhou-se no chão ao lado dela e trouxe-a para perto do peito. Então, a mesma sombra que ladeava a madame Defarge e sua comitiva parecia cair tão ameaçadora e sombriamente em ambas: mãe e filha.

– É o suficiente, meu marido – disse a madame Defarge. – Já as vi. Podemos ir embora.

No entanto, desse modo contido exalavam tantas ameaças, não visíveis e explícitas, mas indistintas e sonegadas, que Lucie apavorou-se e entendeu aquele como um sinal. Tocando com uma mão suplicante o vestido de madame Defarge, rogou-lhe:

– Seja compassiva com meu pobre marido. Não lhe faça nenhum mal. A senhora poderá ajudar-me a encontrá-lo, se assim for possível?

– Seu marido não é problema meu – respondeu madame Defarge, olhando-a com a mesma perfeita compostura. – É a filha de seu pai o motivo de minha vinda até aqui.

– Por mim, então, tenha misericórdia do meu marido. Pelo amor da minha filha! Ela lhe suplicará com as mãos em prece pela sua misericórdia. Temos mais medo da senhora do que dos outros.

Madame Defarge compreendeu aquilo como um elogio e olhou para o marido. Defarge, que inquieto roía a unha do polegar e a observava, recompôs-se e adotou um semblante mais rígido.

– O que seu marido diz naquela cartinha? – perguntou madame Defarge, com uma risadinha. – Influência. Ele menciona algo sobre influência?

– Que o meu pai – disse Lucie, retirando apressadamente a folha de papel que guardara junto ao peito, mas com o olhar apavorado concentrado na inquiridora, não no bilhete –, tem grande influência em favor dele.

– Certamente essa influência será o suficiente para libertá-lo! – disse madame Defarge. – Pois que assim seja.

– Como esposa e mãe – exclamou Lucie, dessa vez em um tom mais sério –, eu lhe imploro que tenha piedade e que não usufrua de nenhum poder que a senhora possa ter contra o meu inocente marido, mas sim a favor dele. Ó, mulher-irmã, pense em mim. Como esposa e mãe!

Madame Defarge a olhou com a frieza habitual e, voltando-se para a amiga Vingança, declarou:

– As esposas e mães que estamos acostumadas a ver, desde quando éramos tão pequenas quanto essa criança, quando não menor, não têm sido levadas em grande consideração? Nós não temos observado seus maridos e pais trancafiados nas prisões e afastados delas tantas vezes o bastante ? Durante toda a nossa vida, não vimos nossas mulheres-irmãs sofrerem, por si mesmas e pelos filhos, com a pobreza, a falta do que vestir, do que comer, beber, com doenças, miséria, opressão e negligências de todos os tipos?

– Foi só o que vimos esse tempo todo – respondeu Vingança.

– Suportamos tudo isso há muito tempo – acrescentou madame Defarge, voltando o olhar para Lucie. – Agora, julgue você mesma! Acredita mesmo que o problema de uma única esposa e mãe nos abalaria neste momento?

E, com isso, voltou a tricotar e partiu. Vingança saiu logo atrás. Defarge foi o último a sair e fechou a porta.

– Coragem, minha querida Lucie! – afirmou o senhor Lorry, enquanto a ajudava a se levantar. – Coragem, coragem! Por enquanto, tudo tem transcorrido bem conosco... muito, muito melhor do que tem sido ultimamente para inúmeras pobres almas. Anime-se e encha o coração de gratidão.

– Eu não quero ser ingrata, mas essa mulher apavorante parece lançar uma sombra sobre mim e todas as minhas esperanças.

– Tsc... tsc... – disse o senhor Lorry. – Que desânimo é esse nesse peito cheio de bravura? Uma sombra, de fato, nada substancial, Lucie!

Todavia, a sombra do comportamento dos Defarge pairava obscura também sobre ele; por tudo isso, e no segredo de seus pensamentos, o perturbava muitíssimo.

CALMARIA NA TEMPESTADE

O doutor Manette somente retornou quatro dias após a sua partida. Muito do que se passara naqueles dias assombrosos e fora muitíssimo bem escondido de Lucie, tanto que apenas muito tempo depois, quando já havia uma grande distância entre ela e a França, Lucie soube que mil e cem prisioneiros indefesos, de ambos os sexos e de todas as idades foram assassinados pela população; que quatro dias e quatro noites foram ensombrecidos por essa ação de horror e que o ar em torno dele fora contaminado pela carnificina. Soube apenas que houve um ataque às prisões, que todos os presos políticos correram perigo e que alguns foram arrastados pela multidão e assassinados.

Ao senhor Lorry, o médico comunicou sob condição de total sigilo e da desobrigação de fornecer-lhe detalhes, que a multidão o transportara por um cenário de matança até a prisão de La Force. E que, na prisão, encontrara um autoproclamado tribunal, diante do qual os prisioneiros eram trazidos um por vez e ali mesmo decidia-se pelo seu assassinato, liberdade ou (em alguns casos), retorno às suas celas. Que, apresentado por seus condutores a este tribunal, comunicou-lhes seu nome e profissão e identificou-se como prisioneiro da Bastilha, tendo permanecido dezoito anos em cárcere sem nenhuma acusação contra sua pessoa e que um dos membros do tribunal levantou-se e declarou reconhecê-lo, sendo tal homem Defarge. Que, logo depois, nos registros sobre a mesa, averiguaram estar entre os prisioneiros seu genro, e que suplicara ao tribunal – onde alguns membros dormiam e outros estavam acordados, alguns sujos por conta dos assassinatos, outros limpos, alguns sóbrios e outros embriagados – pela vida e liberdade dele. Que, durante as primeiras saudações frenéticas dirigidas a ele, tendo sido reconhecido como uma vítima de um sistema já derrubado, fora-lhe concedido que Charles Darnay fosse trazido à corte sem lei e examinado. Que a maré, depois de ele aparentemente estar prestes à liberdade, sofrera um revés inexplicável (ininteligível para o médico), que levou o tribunal a trocar algumas palavras em conferência secreta. Que, o homem no posto de presidente informara ao doutor Manette que o prisioneiro deveria permanecer sob custódia, mas que, em consideração ao doutor, permaneceria inviolável em seu cárcere. Que, no mesmo instante, depois de um sinal, o prisioneiro fora levado à cela novamente, mas que ele, doutor Manette, implorara tanto por permissão para assegurar-se de que o genro, por malícia ou infortúnio, não fosse levado aos portões onde os gritos assassinos com frequência abafavam as decisões dos processos; que ele obtivera tal permissão e permanecera naquela sala de sangue até não haver mais riscos.

As cenas que presenciara ali, com pouquíssimas refeições e raros intervalos de sono, não serão descritas. O verdadeiro regozijo dos prisioneiros que escapavam da morte o surpreendera muito menos que a atrocidade desenfreada contra aqueles que foram esquartejados. Havia um prisioneiro ali, ele contou, que fora absolvido da sentença de morte, mas a quem um selvagem golpeou enquanto este atravessava os portões rumo à suposta liberdade. Indo ao socorro do ferido, como lhe pediram, o doutor Manette atravessara o mesmo portão e o encontrara nos braços de um grupo de Samaritanos que estavam sentados em cima dos corpos de suas vítimas. Em um gesto tão contraditório e monstruoso quanto toda e qualquer parte daquele pavoroso pesadelo, eles o ajudaram a cuidar do ferido com a mais gentil solicitude (tendo preparado uma maca e o carregado para longe dali) e, logo em seguida, tornaram a pegar suas armas e mergulharam em uma carnificina tão assombrosa que o doutor teve de tapar os olhos, chegando a desfalecer em meio àquele cenário de terror.

Enquanto Lorry escutava esses relatos, observando o semblante do amigo de sessenta e dois anos, ocorreu-lhe o medo de que aquelas experiências brutais reavivassem o perigo do passado. Contudo, ele nunca vira o amigo em seu aspecto atual: ele nunca o percebera, de modo algum, em seu temperamento atual. Pela primeira vez, o doutor sentia que seu sofrimento era força e poder. Pela primeira vez ele sentia que, nesse fogo incandescente, ele havia aos poucos forjado o ferro que poderia romper as grades da prisão do marido de sua filha, libertando-o.

– Não há mal que não acabe por bem, meu filho. A desgraça não foi em vão. Tal como a minha amada filha resgatou-me, assim também lhe serei útil para resgatar a parte mais estimada dela própria. Com a ajuda do divino, assim será! – E assim declarou o doutor Manette.

E quando Jarvis Lorry viu a chama (e ao mesmo tempo a calma) acesa naquele olhar, o semblante resoluto e a compostura do homem cuja vida sempre lhe pareceu ter sido interrompida por anos a fio, feito um relógio que para repentinamente e volta a funcionar a pleno vapor, com a energia que permanecera adormecida durante todo esse período, acreditou naquelas palavras.

Questões maiores do que as que o médico tivera de enfrentar teriam sucumbido ante a sua perseverança. Enquanto mantinha sua posição como médico, de quem o ofício implicava todo o tipo de ser humano, bondoso e livre, rico e pobre, bom e mau, usufruiu tão sabiamente da própria influência que, em pouco tempo, tornou-se o médico supervisor de três prisões, entre elas, La Force. Agora, podia assegurar a Lucie que o marido não estava confinado sozinho, mas junto aos demais prisioneiros. Via o genro toda semana e trazia à filha mensagens direto dos lábios do marido. Às vezes, o marido lhe enviava cartas (embora nunca chegassem pelas mãos do médico), mas ela não tinha autorização para respondê-las, pois entre as muitas aberrantes suspeitas que pairavam sobre as prisões, a mais absurda de todas envolvia os emigrantes, sobre os quais corria o boato de se corresponderem com amigos e conhecidos no exterior.

Essa nova vida do médico era angustiante, sem dúvida nenhuma. Mesmo assim, o sagaz senhor Lorry notou haver nela um orgulho que servia de sustentáculo ao amigo. E não havia nada de errado com esse sentimento, era algo natural e meritório, mas Lorry o observava com curiosidade. O médico sabia, até aquele momento, que na mente da filha e do amigo, sua prisão fora associada a angústia, privação e fraqueza pessoais. Agora que isso mudara, e ele se sentia fortalecido pelo terror do passado, força essa que lhe conferia o poder necessário para libertar Charles, algo com que ambos concordavam, o doutor sentia-se tão encorajado que assumira o controle e o rumo da situação, e pediu a eles, os enfraquecidos da circunstância, para confiarem nele como o mais forte. Os papéis outrora exercidos por ele e Lucie inverteram-se, apenas porque as mais genuínas gratidão e afeição assim o permitiam, pois não teria do que se orgulhar não fosse a serventia que lhe prestaria em retribuição à que ela tanto lhe oferecera. "Coisa curiosa de se ver, mas tão natural e correta. Então, assuma a linha de frente, meu amigo, e mantenha essa posição, que não poderia estar em mãos melhores", pensou o senhor Lorry com sua astuciosa perspicácia.

Contudo, ainda que o doutor tenha tentado ao máximo e nunca (jamais) cessado as tentativas de libertar Charles Darnay ou de ao menos levá-lo a julgamento, a corrente popular daquela época virou-se de maneira forte e veloz contra ele. A nova era começou, o rei fora julgado, condenado e decapitado. A república da Liberdade, Igualdade, Fraternidade ou Morte declarara-se pela vitória ou morte contra o mundo das armas. A bandeira preta tremulava dia e noite no alto das imponentes torres de Notre-Dame. Trezentos mil homens, intimados a erguerem-se contra os tiranos da terra, surgiam por todos os cantos da França, como se por toda a parte tivessem semeado os dentes do dragão e deles tivessem brotado frutos também nas montanhas, rochedos, planícies, cascalho e na lama aluvial, sob o céu resplandecente do Sul e sob as nuvens do Norte, nos montes e nas florestas, nos vinhedos e olivais e entre a grama aparada e o restolho do trigo, ao longo das margens férteis de rios largos e da areia da praia. Que inquietação pessoal poderia sobrepor o dilúvio do Ano Um da Liberdade; o mesmo dilúvio irrompendo das profundezas, não caindo das alturas, e com as janelas do céu fechadas, em vez de abertas!

Não houve pausa, piedade, paz, nenhum intervalo sequer para descanso, tampouco medida do tempo. Embora os dias e as noites girassem com a mesma regularidade de quando o tempo era jovem, e a noite se sucedia à manhã do primeiro dia, não havia qualquer outra forma de contabilizar o tempo. A noção de tempo perdera-se na fúria febril da nação, como ocorre a um enfermo no mesmo estado. Agora, quebrando o silêncio incomum de uma cidade inteira, o carrasco exibia a cabeça do rei; e agora, aparentemente quase ao mesmo tempo, a cabeça de sua bela esposa, cujos oito árduos meses de viuvez tornaram os cabelos grisalhos.

E, no entanto, cumpridor da estranha lei da contradição que prevalece em casos como esse, o tempo era longo e moroso. Um tribunal revolucionário na capital e quarenta ou cinquenta mil comitês revolucionários por todo o país; uma lei dos Suspeitos, que atacando com todas as forças o direito à liberdade e à vida, entregava qualquer bondosa e inocente alma às mãos dos perversos e sanguinários; prisões abarrotadas de pessoas que não haviam cometido crime algum e tampouco contavam com o direito de ir a julgamento, tudo isso se tornara uma norma estabelecida e a ordem natural dos fatos, e pareciam datar de épocas passadas quando, na verdade, completara apenas algumas semanas. Mais do que todas, uma figura medonha tornara-se tão familiar como se sua existência remontasse à fundação do mundo: a figura da lâmina feminina chamada *La Guillotine*.

Era o tema preferido das troças: o melhor remédio para as dores de cabeça, o antídoto infalível para evitar os cabelos brancos, conferia delicadeza peculiar à tez, era a Navalha Nacional que proporcionava um corte bem rente; aquele que era beijado por *La Guillotine* espreitava pela janelinha e espirrava no saco. Era o sinal da regeneração da raça humana. Substituiu a cruz. Miniaturas dela substituíam o lugar antes ocupado pela cruz, estampando peitos, e era diante dela que as pessoas se prostravam enquanto a cruz era renegada.

Decepou tantas cabeças que tingira ela própria e o chão com o mais putrefato vermelho. Desmontavam-na em pedaços, feito um quebra-cabeças para um jovem diabo, e a remontavam conforme a ocasião demandava. Silenciava o eloquente, derrubava os poderosos, abatia os belos e bondosos. Vinte e dois amigos de prestígio público, vinte e um ainda em vida e um já morto, foram decapitados em uma manhã, nessa mesma quantidade de minutos. O nome de um homem forte do Velho Testamento foi atribuído ao chefe que a operava; porém, tão bem armado quanto estava, era mais forte que seu homônimo, e também mais cego, e arrancou os portões do templo de Deus todos os dias.

Entre essa sequência de horrores e a ninhada que lhe pertencia, o doutor andava de cabeça erguida: confiante do poder que tinha, perseverante e cauteloso em seu desígnio e sem nunca duvidar que libertaria o marido de Lucie. No entanto, a correnteza do tempo transcorreu forte e intensa, arrastando com tamanha atrocidade cada precioso segundo que já se passara um ano e três meses desde a prisão de Charles, mas o doutor mantinha-se firme e confiante. Naquele dezembro, a revolução tornara-se tão mais perversa e caótica que os rios do Sul abarrotaram-se de corpos que eram violentamente afogados durante a noite, e prisioneiros eram fuzilados em filas e blocos debaixo do sol invernal do Sul. Ainda assim, o doutor prosseguia caminhando por entre todo o horror com a cabeça erguida. Na Paris daqueles tempos, não havia homem mais conhecido do que ele e nenhum homem em situação mais estranha. Discreto, humano, presença indispensável nos hospitais e prisões, exercendo a arte de seu ofício tanto a favor de assassinos quanto de vítimas, era de fato um homem à parte. E, no cumprimento desse dever, a aparência e a história do cativo da Bastilha o diferenciavam de todos os outros homens. Ninguém suspeitava dele ou o questionava mais do que o fariam se de fato tivesse sido chamado à vida dezoito anos antes ou se fosse um espírito vagando entre os mortos.

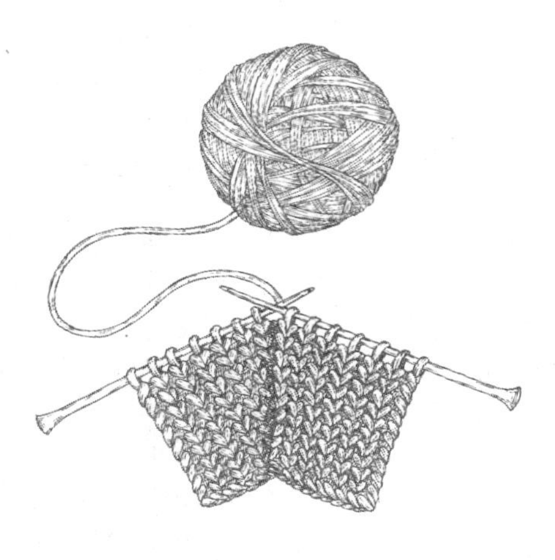

O LENHADOR

Um ano e três meses. Durante todo esse tempo, hora após hora Lucie afligia-se com a possibilidade de o marido ser decapitado pela *Guillotine* no dia seguinte. Todos os dias, pelas ruas pedregosas sacolejavam as carroças carregadas com condenados. Meninas encantadoras, mulheres brilhantes, cabelos castanhos, negros e grisalhos; jovens, homens robustos e idosos; filhos da nobreza e da miséria, todo o vinho tinto para *La Guillotine*, todos diariamente trazidos dos porões escuros e abomináveis à luz, e carregados pelas ruas para saciarem sua sede aterradora. Liberdade, Igualdade, Fraternidade ou Morte, sendo esta última a mais fácil de se conceder, ó *Guillotine*!

Se a repentinidade de sua desgraça e as rodas do tempo que não cessavam de girar tivessem perturbado a filha do doutor a ponto de fazê-la aguardar o desfecho em ocioso estado de desespero, ela teria tido o mesmo fim que muitas. Contudo, desde o momento em que embalara no peito jovem a cabeça grisalha do pai, naquele casebre em Saint-Antoine, fora fiel ao cumprimento de seus deveres. E era ainda mais fiel naquele momento de provação, como sempre o faz todos os que são leais e bons.

Logo que se acomodaram na nova residência, e o pai assumira uma rotina de compromissos, ela ajeitava a casa exatamente como se o marido estivesse lá. A tudo atribuíra um lugar e um momento certos. A pequena Lucie recebia lições com regularidade, como se estivessem todos reunidos em seu lar inglês. As singelas práticas com as quais traía a si mesma alimentando a crença de que em breve estariam reunidos; pequenos preparativos para o rápido retorno do marido, a disposição da cadeira dele e de seus livros, tudo isso, somado à noturna e solene oração por um querido e especial prisioneiro, entre as muitas almas infelizes na prisão e à sombra da morte, eram praticamente os únicos reconfortos verbalizados oferecidos à sua mente inquieta.

Em relação à aparência física, não mudara muito. Os vestidos pretos e simples, semelhantes aos trajes de luto, que ela e a filha usavam, eram sempre muito limpos e bem-cuidados quanto as vestes dos dias mais felizes. Seu semblante perdera a cor e a antiga fisionomia de preocupação era uma constante. De resto, permanecia a mesma mulher bonita e graciosa. Às vezes, à noite, quando ia beijar o pai, a dor que abafava o dia inteiro irrompia do peito e dizia que o pai era a única esperança que lhe restava sob o céu. Em um tom resoluto, o médico sempre respondia: "Nada pode acontecer a ele sem o meu conhecimento e eu sei que posso salvá-lo, Lucie".

Não se passaram muitas semanas desde que suas vidas foram transformadas quando o pai, chegando em casa certa noite, lhe disse:

– Minha querida, há uma janela no alto da prisão à qual Charles às vezes tem acesso, às três da tarde. Quando ele estiver ali, o que depende de muitas incertezas e circunstâncias, ele acha que poderá vê-la na rua, se estiver em um certo lugar que posso lhe mostrar. Mas você não conseguirá vê-lo, minha pobre filha, e mesmo que pudesse, seria arriscado para você fazer um sinal de reconhecimento.

– Ah, meu pai, mostre-me este lugar e eu irei lá todos os dias.

A partir de então, fizesse chuva ou sol, calor ou frio, ela aguardava no lugar designado por duas horas. Posicionava-se às duas da tarde e não ia embora antes das quatro, quando partia resignada. Quando não chovia e nem fazia muito calor ou frio para a filha acompanhá-la, levava consigo a menina. Nas outras vezes, ia sozinha, mas não deixou de comparecer ao local nem um dia sequer.

O local era uma esquina escura e suja de uma viela sinuosa. A cabana de um lenhador, que cortava a madeira no tamanho adequado para a queima, era a única casa daquelas redondezas; tudo o mais era parede. No terceiro dia que ela estivera lá, ele reparou em Lucie.

– Bom dia, cidadã.

– Bom dia, cidadão.

Esse modo de tratamento fora estabelecido por decreto. Há algum tempo, já havia sido adotado voluntariamente entre os patriotas mais fervorosos; porém, agora transformara-se em lei.

– Caminhando por essas bandas de novo, cidadã?

– Como vês, cidadão!

O lenhador, um homenzinho de gestos repetitivos (outrora calceteiro) olhou e apontou em direção à prisão, depois levou os dez dedos à frente do rosto simulando grades, por entre as quais espreitou com ar jocoso.

– Mas isso não é da minha conta – disse ele. E continuou a serrar a madeira.

No dia seguinte, estava aguardando por ela e abordou-a logo que ela apareceu.

– O quê? Por aqui novamente, cidadã?

– Sim, cidadão.

– Ah! E uma criança também! É sua mãe, não é, minha pequena cidadã?

– Respondo que sim, mamãe? – sussurrou a pequena Lucie, aproximando-se mais dela.

– Sim, minha querida.

– Sim, cidadão.

– Ah, mas isso não é da minha conta. Devo me preocupar é com o meu trabalho. Veja meu serrote! Eu o chamo de minha pequena *Guillotine*. La, la, la... La, la, la! Lá se vai a cabeça dele!

O pedaço de lenha caiu enquanto o homem falava e ele o atirou em uma cesta.

– Eu chamo a mim mesmo o Sansão da guilhotina de lenha. Vejam de novo! Pã, pã, pã... Pã, pã, pã! E lá se vai a cabeça *dela*! Agora, uma criança. Crique, crique... Teque, teque! E lá se vai mais a cabeça da *criança*! A família inteira!

Lucie estremeceu ao vê-lo atirar mais dois pedaços de madeira no cesto, mas era impossível ficar ali enquanto o lenhador trabalhava sem que ele se desse conta de sua presença. Dali em diante, para garantir sua boa vontade, ela sempre o cumprimentava logo ao chegar e muitas vezes lhe dava dinheiro para beber, que ele aceitava no mesmo instante e de muito bom grado. Era um sujeito indiscreto e, às vezes, quando se esquecia totalmente dele enquanto olhava para cima tentando enxergar as grades da prisão, e erguia o coração em direção ao marido, deparava o homem de joelhos no banco, observando-a, com a serra na mão e o trabalho interrompido. "Mas isso não é da minha conta!", era o que ele costumava dizer nessas horas e tornava ao trabalho no mesmo instante.

Na neve e na geada do inverno, em meio à ventania brusca da primavera, sob o sol quente de verão ou das chuvas do outono, depois novamente na neve e na geada de inverno, todos os dias Lucie passava duas horas naquele mesmo lugar, e todos os dias, quando partia, beijava o muro da prisão. O marido a via (como ela soube por intermédio do pai) provavelmente uma em cada cinco ou seis vezes, ou talvez duas ou três vezes seguidas, e por vezes ficara uma semana ou aproximadamente quinze dias sem vê-la. Bastava que ele a visse quando as circunstâncias assim permitissem, e ante essa possibilidade, ela seria capaz de permanecer ali o dia inteiro, sete vezes por semana.

E com essas ocupações seguiu adiante até dezembro, enquanto o pai continuava a andar de cabeça erguida por entre o cenário de terror. Em uma tarde de neve branda, chegou à costumeira esquina. Era um dia de muitas celebrações e regozijo geral. Pelo caminho vira as casas decoradas com pequenas lanças e com pequenos barretes vermelhos espetados em suas pontas, e vira também rosetas tricolores e a já consagrada frase escrita com as preferidas cores tricolores: República Una e Indivisível. Liberdade, Igualdade, Fraternidade ou Morte.

De tão pequena, na fachada da precária oficina do lenhador mal restara um espaço para o bordão. No entanto, conseguira alguém que escrevesse um para ele, e com a mais inapropriada dificuldade, conseguiram que a palavra "morte" ficasse apertada na frase. No topo da casa, fincara a lança e o barrete, dever de um bom cidadão como ele, e na janela posicionara seu serrote onde havia escrito "Pequena Santa Guillotine", pois àquela época, a afiada figura feminina já fora popularmente canonizada. O estabelecimento estava fechado e o lenhador ausente, trazendo a Lucie o alívio de poder ficar ali sozinha.

Mas o homem não tinha ido para muito longe dali, pois logo ela escutou uma estranha movimentação e uma gritaria e ficou apavorada. No instante seguinte, uma multidão apareceu na esquina, junto à muralha da prisão, e no meio do povo estava o lenhador, de mãos dadas com Vingança. Não havia menos de quinhentas pessoas no grupo e dançavam feito cinco mil demônios. E a única música que tocava era a própria cantoria da multidão. Dançavam entoando uma canção popular revolucionária em uníssono e em um ritmo tão feroz quanto um ranger coletivo de dentes. À medida que o acaso os unia, formavam-se os pares: homens e mulheres, dançando juntos, mulheres dançando juntas, homens dançando juntos. A princípio, formavam uma mera tempestade de barretes vermelhos e farrapos de lã; porém, à medida que preenchiam os espaços e interrompiam o passo para dançar ao redor de Lucie, uma horripilante e encolerizada sombra dançante surgiu entre eles. Avançaram, recuaram, trocavam apertos de mão, agarravam-se um à cabeça do outro, rodopiavam sozinhos, puxavam-se pelos braços e giravam aos pares até o ponto de muitos virem ao chão. Enquanto uns caíam, os que se mantinham de pé davam as mãos e giravam juntos, até a roda partir-se e, em duplas ou grupos de quatro formavam outras rodas, rodopiando, rodopiando até pararem todos de uma só vez; recomeçaram, agarrando-se, rasgando--se, girando em sentido contrário agora. De repente, pararam mais uma vez, e assim ficaram por um tempo, recuperaram o fôlego, formaram fileiras da mesma largura da rua e, com a cabeça baixa e as mãos para o alto, foram aos gritos. Nenhuma batalha travada surtiria efeito tão temível quanto essa dança. Era uma brincadeira tão sádica, algo outrora tão inocente, um saudável passatempo transformado em um meio de fervilhar o sangue, perturbar os sentidos e empedernir o coração. A graciosidade dessa brincadeira tornava-a ainda mais feia, evidenciando como todas as coisas boas por natureza distorceram-se e perverteram-se. O seio virginal que se desnudava diante disso, a bela cabeça infantil corrompida, os pés delicados que afundavam naquele lamaçal de sangue e sujeira eram exemplos dessa época desatinada.

Essa era a Carmanhola[23]. Enquanto desfilavam, deixando Lucie assustada e perplexa na frente da oficina do lenhador, flocos sutis de neve caíam silenciosamente, fazendo uma camada branca e macia no solo, como se nada tivesse acontecido ali.

– Ó, meu pai! – exclamou, pois o pai estava bem à sua frente quando ela tirou a mão dos olhos que cobrira por um instante. – Que coisa mais terrível, mais cruel.

– Eu sei, minha querida, eu sei. Vi isso muitas vezes. Não tenha medo! Ninguém lhe fará nenhum mal.

– Não temo por mim, meu pai. Mas quando penso em meu marido e na misericórdia dessas pessoas...

– Em breve ele não estará mais à mercê da misericórdia delas. Quando deixei a prisão, ele saiu em direção à janela, e vim lhe contar. Não há ninguém além de nós aqui. Você poderá mandar um beijo para aquela parte mais alta do edifício.

– Farei isso, meu pai, e junto envio também a minha alma!

– Não consegue vê-lo, minha pobre filha?

– Não, pai – respondeu Lucie, aflita e chorosa enquanto beijava a própria mão. – Não.

Um passo na neve. Madame Defarge.

– Saudações, cidadã – cumprimentou o doutor.

– Saudações, cidadão – disse ao passar. E nada mais.

E assim partiu madame Defarge feito uma sombra escura no chão revestido de branco.

– Dê-me seu braço, meu amor. Caminhe com passos de alegria e coragem, pelo bem dele. Isso, muito bem. – Os dois tinham saído do lugar que servia como uma espécie de ponto de encontro. – Nada será em vão. Convocaram Charles para amanhã.

– Para amanhã!

– Não há tempo a perder. Estou bem preparado, mas há medidas de precaução que só poderiam ser tomadas depois que ele de fato fosse convocado perante o tribunal. Ele ainda não recebeu a notícia, mas sei que será intimado amanhã e levado para a Conciergerie[24]. Recebi a informação a tempo. Está com medo?

Mal conseguindo falar, ela respondeu:

---

23 No original *Carmagnole*, uma dança patriótica popular entre os revolucionários franceses de 1793; referia-se, originalmente, a um tipo de vestido muito usado na França durante a Revolução de Marselha em 1789. (N.E.)

24 A prisão mais antiga de Paris, fica ao lado do Palácio da Justiça, na Île de la Cité (o berço da cidade de Paris). Durante a Revolução, foi a prisão para a qual os suspeitos eram removidos pouco antes do julgamento, portanto, a convocação de Darnay à Conciergerie significa que seu julgamento é iminente. (N.E.)

– Confio no senhor.

– Pois confie cegamente. Sua angústia está perto do fim, minha querida. Daqui a algumas horas seu marido estará a seu lado. Eu o cerquei com todo o tipo de proteção. Preciso falar com o senhor Lorry.

Ele hesitou. Escutaram o ruído forte de rodas girando. Ambos sabiam muito bem de onde vinha. Um. Dois. Três. Três carroças passando, carregando uma carga terrível pela neve silenciosa.

– Preciso falar com o senhor Lorry – repetiu o doutor, virando em direção ao outro lado.

O velho e leal cavalheiro continuava em seu posto, nunca o abandonara. Com frequência ele e seus livros, propriedade nacional e confiscada, eram requisitados. O que conseguia proteger a seus donos, protegia. Ninguém além dele executava esse dever com tanto esmero, guardando todos os bens que o Tellson mantinha sob custódia e assegurando total tranquilidade.

O céu amarelo e vermelho-escuro e uma névoa crescente exalada pelo Sena anunciavam a aproximação das trevas. Era quase noite quando chegaram ao banco. A propriedade outrora pomposa de monsenhor estava completamente destruída e deserta. Em cima do amontoado de poeira e cinzas do pátio, liam-se as palavras: Propriedade Nacional. República Una e Indivisível. Liberdade, Igualdade, Fraternidade ou Morte!

Quem poderia estar com o senhor Lorry? Quem era o dono do casaco de montaria pendurado na cadeira, quem era esse que não podia ser visto? De que recém-chegado ele se apartou, agitado e surpreso, para receber sua predileta em um abraço? A quem ele aparentemente havia repetido em um sussurro as palavras hesitantes dela quando, elevando a voz e virando a cabeça em direção à porta do quarto de onde tais palavras haviam saído, ele disse:

– Levado para a Conciergerie e convocado para amanhã?

TRIUNFO

O temeroso tribunal de cinco juízes, promotor público e júri assertivo reunia-se todos os dias. Emitiam listas todas as noites, que em diferentes prisões e em voz alta eram lidas por carcereiros aos encarcerados. A piada pronta dos carcereiros era: "Atenção, ouvintes encarcerados! Ouçam o jornal da noite!".

– Charles Evrémonde, conhecido como Darnay.

E foi com este nome que em La Force o noticiário daquela noite iniciou.

Quando anunciavam um nome, seu dono dirigia-se a um local reservado àqueles cravados na memória da fatalidade. Charles Evrémonde, conhecido como Darnay, tinha motivos para reconhecer aquela prática, pois vira centenas desaparecerem depois daquele chamado.

O carcereiro inchado, que lera o anúncio com a ajuda dos óculos, ergueu os olhos por cima das lentes para certificar-se de que o prisioneiro assumira sua posição e prosseguiu com a leitura da lista, fazendo uma pausa similar entre cada um dos nomes. Vinte e três nomes foram chamados, mas apenas vinte responderam, pois um dos convocados morrera na prisão e fora esquecido e o outros dois foram guilhotinados e igualmente esquecidos. A lista fora lida no mesmo salão abobadado no qual Darnay vira aqueles prisioneiros na noite em que chegou. Todos os daquele grupo, sem exceção, morreram no massacre; cada criatura humana a quem se afeiçoara e de que se apartara, desde então, fora executada no cadafalso.

Trocaram algumas palavras apressadas de gentileza e despedida, mas tudo acontecia muito rápido. Era um acontecimento diário e para aquela noite a sociedade de La Force empenhava-se na preparação de alguns jogos de prendas e de um pequeno concerto. Havia gente amontoada nas grades, às lágrimas, mas vinte lugares dos passatempos prediletos precisavam ser distribuídos e o tempo era no mínimo curto até a hora do fechamento, quando as salas comunitárias e os corredores seriam entregues aos cachorros grandes que vigiavam o espaço durante a noite. Os encarcerados nada tinham de insensíveis ou indiferentes. Seu comportamento derivava das circunstâncias daquela época. Do mesmo modo, com uma sutil diferença, uma espécie de fervor ou entorpecimento, tidos, sem sombra de dúvida, como responsável por ter levado alguns a desafiar a guilhotina sem necessidade e encontrar nela a morte, não era mera arrogância, mas uma epidemia selvagem que contaminava a acometida mentalidade pública. Em tempos de pestilência, alguns de nós sentiremos uma atração secreta pela doença, o terrível desejo de ser contagiado e sucumbir a ela. E no recôndito da existência todos guardamos nossos segredos, sendo necessário apenas que se faça a ocasião para revelá-los.

A passagem para a Conciergerie era curta e escura; a noite, com suas celas empesteadas de insetos, foi longa e fria. No dia seguinte, quinze prisioneiros foram a julgamento antes de Charles Darnay ser convocado. Todos os quinze foram condenados, tendo esses julgamentos juntos totalizado apenas uma hora e meia.

– Charles Evrémonde, conhecido como Darnay – convocaram-no por fim.

Os juízes estavam na tribuna com chapéus emplumados, mas o traje prevalecente era o barrete vermelho rudimentar e a roseta tricolor. Ao olhar para o júri e para a plateia alvoroçada, talvez ele pudesse pensar que a ordem natural das coisas fora invertida, que os criminosos julgavam os homens honestos. O populacho mais baixo, cruel e vil da cidade, ao qual nunca faltara baixeza, crueldade e vilania era o espírito diretor da cena: comentavam em voz alta, aplaudiam, desaprovavam, previam e apressavam a sentença sem o menor critério. A maioria dos homens estava armada; quanto às mulheres, algumas estavam munidas de facas, punhais, outras comiam e bebiam enquanto assistiam e muitas tricotavam. Entre essas últimas, uma mantinha uma parte da malha debaixo do braço enquanto tricotava. Ela estava na primeira fileira, ao lado de um homem que Darnay não via desde a passagem pela barreira, mas a quem logo reconheceu como sr. Defarge. Percebeu que uma ou duas vezes ela sussurrou algo ao pé do ouvido dele e que a mulher aparentava ser sua esposa. No entanto, o que mais lhe chamou atenção foi o fato de que, embora as duas figuras estivessem muito próximas a ele, nunca o olhavam diretamente; pareciam aguardar por algo com obstinada determinação e olhavam tão somente para o júri, e ninguém mais. Abaixo do presidente, estava o doutor Manette, com o costumeiro traje discreto. Até onde o prisioneiro pôde ver, ele e o senhor Lorry eram os únicos homens ali sem nenhuma relação com o tribunal, que vestiam seus trajes habituais, não tendo aderido à Carmanhola.

Charles Evrémonde, conhecido como Darnay, foi acusado pelo promotor público de emigrante, cuja vida fora confiscada pela República, sob o decreto que bania todos os emigrantes, entregando-os à pena de morte. De nada importava que o decreto fora expedido após seu retorno à França. Lá estava ele e lá estava o decreto. Prenderam-no na França e reivindicavam sua cabeça.

– Cortem-lhe a cabeça! – berrava a plateia. – Inimigo da República!

O presidente fez soar a sineta para silenciar os mais alvoroçados e perguntou ao prisioneiro se não era verdade que ele vivera por muitos anos na Inglaterra.

Sem dúvida, era verdade.

Não era emigrante, então? Como se intitulava?

Não um emigrante, assim esperava ele, dentro do sentido e do espírito da lei.

– Por que não? – o presidente quis saber.

Por ter voluntariamente renunciado a um título que lhe era repugnante e a uma posição social que lhe indignava, e deixara o seu país, antes de o termo "emigrante" receber a presente acepção adotada pelo tribunal, para viver de seu próprio trabalho na Inglaterra em vez de sobreviver à custa do trabalho do povo sobrecarregado.

E que provas tinha disto?

Citou-lhe o nome de duas testemunhas: Théophile Gabelle e Alexandre Manette.

Mas casou-se na Inglaterra? – lembrou-lhe o presidente.

Sim, mas não com uma inglesa.

Uma cidadã francesa?

Sim. Nascida na França.

E qual o nome dela e da família?

– Lucie Manette, filha única do doutor Manette, o bondoso médico sentado ali.

Essa resposta provocou alegria na plateia. Gritos de exaltação do conhecido e bondoso doutor irromperam pelo tribunal. Tamanha foi a comoção que instantaneamente lágrimas começaram a rolar de numerosos olhares ferozes, os mesmos que há um instante encaravam furiosos o prisioneiro, como se estivessem afoitos para atirá-lo na rua e matá-lo.

No princípio desse arriscado trajeto, Charles Darnay dera os passos seguindo as reiteradas orientações do doutor Manette. Os mesmos cautelosos conselhos guiavam cada milímetro dos metros a serem percorridos à frente.

O presidente perguntou por que ele regressara à França naquela ocasião e não antes.

Não regressara à França antes, respondeu ele, simplesmente porque não tinha meios para sustentar-se, além daqueles aos quais havia renunciado. Na Inglaterra, vivia com o que ganhava lecionando língua e literatura francesas. Regressara naquela ocasião atendendo à premente súplica de um cidadão francês que lhe escrevera dizendo estar sob risco de morte e por isso rogava para que voltasse. E assim ele fizera, regressando para salvar a vida desse cidadão e prestar testemunho a seu favor, qualquer que fosse o perigo pessoal envolvido, em prol da verdade. Seria isso, aos olhos da República, considerado crime?

O populacho gritou entusiasticamente "Não!" e o presidente tocou a sineta para acalmar os ânimos. O que não surtiu efeito, pois continuaram a berrar "não!" até desistirem por conta própria.

O presidente exigiu o nome do referido cidadão. O acusado lhe explicou que se tratava de sua primeira testemunha. Também referiu-se com confiança à carta do cidadão que lhe fora tomada na barreira, mas que certamente seria encontrada entre os documentos que o presidente tinha em mãos.

O doutor tomara as devidas providências para assegurar que a carta constasse da papelada e garantiu a Darnay que estaria lá. Assim, àquela altura do julgamento ela foi apresentada e lida. O cidadão Gabelle fora chamado para confirmar a procedência da carta e assim o fez. Com incomensuráveis delicadeza e polidez, deu a entender que, por conta da pressão imposta ao tribunal no julgamento de casos ante a multiplicação dos inimigos da República, ele fora negligenciado na prisão na abadia – na verdade, desvanecera da patriótica memória do tribunal – até três dias antes, quando fora convocado a apresentar-se, sendo posto em liberdade por terem os membros do júri declarado-se satisfeitos ante o fato de sua acusação ser respondida com a prisão do cidadão Evrémonde, conhecido como Darnay.

O doutor Manette foi o próximo a ser interrogado. A alta popularidade e a clareza de suas respostas causaram grande impressão. No entanto, à medida que prosseguia com seu testemunho, contando que o acusado fora seu primeiro amigo após o longo período de cárcere; que ele, o acusado, permanecera na Inglaterra, sempre fiel e dedicado à filha e a ele mesmo, doutor Manette, no exílio; que longe de ser a favor do governo aristocrata que lá governava, fora jurado de morte como inimigo da Inglaterra e amigo dos Estados Unidos; enfim, à medida que trazia essas circunstâncias à tona, com a mais aguda discrição e a mais emblemática força da verdade e da sinceridade, o júri e o populacho tornavam-se apenas um. Por fim, quando apelou para o nome de senhor Lorry, cavalheiro inglês ali presente que, como ele próprio fora testemunha daquele julgamento inglês e poderia corroborar com seu testemunho, o júri declarou ter ouvido o suficiente e estar à disposição do presidente para votar, caso assim estivesse pronto a ouvi-lo.

A cada voto (os jurados votavam em voz alta e individualmente), a plateia emitia um grito de aprovação. Todas as vozes mostraram-se a favor do prisioneiro e o presidente declarou-o livre.

Na sequência, teve início uma dessas cenas extraordinárias com as quais o populacho às vezes gratificava a própria inconstância, ou os melhores impulsos de generosidade e misericórdia, ou o que quer que considerassem como meio para esvaziar um pouco o transbordante recipiente em que depositavam sua fúria e crueldade. Nenhum homem seria capaz de discernir agora de qual dessas opções resultava tais cenas extraordinárias; é provável que o motivo fora uma mistura das três, com uma prevalência da segunda. Logo que anunciaram a absolvição, lágrimas escorreram com a mesma abundância do sangue de ocasiões anteriores, e tantos abraços fraternos envolveram o prisioneiro quanto o número de gente de ambos os sexos que conseguiu correr até ele, ao ponto de o encarcerado de outrora, depois de um longo e insalubre período de confinamento, correr o risco de desmaiar ali mesmo, tamanha a exaustão. Não obstante, sabia ele muito bem que essas mesmas pessoas, trazidas por outra corrente, viriam ao encontro dele com a mesma intensidade, mas para cortá-lo em pedacinhos e atirá-lo pelas ruas.

Sua remoção, para abrir espaço aos demais prisioneiros que seriam julgados naquele mesmo dia, o poupou por um momento dessas demonstrações de carinho. Na sequência, outros cinco seriam julgados juntos como inimigos da República, pois não a serviram nem com palavras nem com atos. Tamanha era a rapidez do tribunal para recompensar a si próprio e a nação pela chance perdida, que os cinco encarcerados chegaram a Darnay antes mesmo de ele se retirar e foram condenados a morrer dentro de vinte e quatro horas. Foi o primeiro deles que contou sobre a sentença, levantando um dedo, sinal utilizado no cárcere para simbolizar a morte, e todos, agora com palavras, acrescentaram: "Viva a República!".

Os cinco não contaram, é verdade, com nenhuma plateia que lhes prolongaria o julgamento, pois quando ele e o doutor Manette atravessaram o portão, uma multidão os aguardava e entre os rostos ali presentes parecia haver todos os que assistiram ao julgamento, salvo dois, pelos quais Darnay procurou em vão. Na saída, voltou a ser cercado por abraços, cumprimentos, lágrimas, gritos ora alternados, ora uníssonos, até o ponto em que o próprio fluxo do rio em cuja margem aquela cena ensandecida se passava, pareceu enlouquecer tal como a multidão ali presente.

Colocaram-no em uma cadeira grande que havia por ali e que fora trazida da própria corte ou de alguma de suas salas ou corredores. Na cadeira, haviam jogado uma bandeira vermelha e no espaldar do móvel fora presa uma lança com um barrete vermelho pendurado na ponta. Nesse transporte triunfal, nem mesmo os pedidos do doutor teriam impedido o absolvido de ser levado até sua casa nos ombros dos homens, com um verdadeiro mar revolto de barretes vermelhos oscilando à sua volta, trazendo das profundezas tempestuosas o que restara daqueles rostos, e nesta crista por mais de uma vez temeu estar com a mente confusa e dentro de uma carroça a caminho da guilhotina.

Nessa procissão selvagem que abraçava quem encontrava pelo caminho e apontava para ele, continuaram a carregá-lo. Avermelhando com a cor prevalecente da República as ruas tomadas pela neve, serpenteando e preenchendo-as do mesmo modo que as tingiram com um vermelho mais profundo, carregaram-no até o pátio do edifício onde Lucie estabelecera residência. O pai dela chegara antes para prepará-la, e quando o marido foi posto no chão, ela correu para abraçá-lo.

Enquanto segurava a cabeça dela contra o peito e a ajeitava entre o próprio rosto e a multidão alvoroçada, para que a lágrimas dele e os lábios dela se fundissem sem que ninguém visse, alguns entre os que os cercavam começaram a dançar. De imediato, todos os demais entraram na dança e o pátio foi tomado pela Carmanhola. Depois, na cadeira vazia ergueram uma jovem e começaram a carregá-la como a deusa da liberdade; inflando as ruas e espalhando-se pelas adjacências, pelas margens do rio e sobre a ponte, a Carmanhola absorveu e arrebatou a multidão, levando-a para longe.

Depois de apertar a mão do doutor, estando este com a vitória e o orgulho estampados no rosto; depois de apertar a mão do senhor Lorry, que chegou resfolgante depois de se embrenhar e de lutar contra a correnteza da carmanhola; depois de beijar a pequena Lucie, que foi erguida e envolveu o pescoço do pai com um abraço; depois de abraçar a sempre fiel e zelosa Pross, que erguera a criança; ele envolveu a esposa nos braços e a levou para seus aposentos.

– Lucie! Minha querida! Estou salvo.

– Ah, meu amado Charles. Deixe-me agradecer a Deus de joelhos por esse pedido que tanto lhe supliquei.

Todos curvaram a cabeça e o coração em sinal de agradecimento. Novamente envolvida nos braços do marido, Darnay disse-lhe:

– E agora, fale com o seu pai, minha querida. Nenhum homem em toda a França teria feito por mim o que ele fez.

Ela deitou a cabeça no peito do pai, tal como deitara a dele no próprio peito certa vez, há muito, muito tempo. Ele sentia-se contente por retribuir-lhe o gesto, ele sentia-se recompensado pelo próprio sofrimento e ele sentia-se orgulhoso da própria força.

– Você não deve ser fraca, minha querida – aconselhou –, então, não esmoreça. Eu o salvei.

UMA BATIDA NA PORTA

– Eu o salvei. – Não era apenas mais um sonho dos quais tantas vezes despertara. Darnay estava mesmo ali. No entanto, sua esposa continuava a tremer e um pavor sem causa aparente, porém intenso, a afligia.

O ar que os envolvia era denso e lúgubre, as pessoas eram tão fervorosamente vingativas e volúveis, os inocentes eram mortos por suspeitas vagas e por mera malícia, sendo impossível esquecer que tantos inocentes como o seu marido, tão amados por alguém quanto ele era por ela, todos os dias partilhavam do destino do qual Charles acabara de safar-se, que o peso de seu coração não aliviara tanto quanto ela esperara. As sombras das tardes invernais começavam a cair e mesmo àquela hora as temerosas carroças continuavam circulando pelas ruas. Sua mente as acompanhava, procurando-o entre os condenados; ela, então, agarrou-se com mais força a ele e sentiu o corpo ainda mais trêmulo.

O pai, tentando animar a filha, demonstrou compassiva superioridade ante aquela fraqueza feminina que era algo maravilhoso de se ver. Nenhum casebre, nem sapato, nem Cento e Cinco, Torre Norte, nada disso! Ele tinha cumprido a tarefa que traçara para si, a sua promessa tinha compensado, ele salvara Charles. Que agora todos pudessem apoiar-se nele.

Mantinham a rotina doméstica exemplarmente frugal, não apenas porque esse era o estilo de vida mais seguro, porque implicava o mínimo possível de ofensa ao povo, mas também porque não eram uma família abastada e porque Charles, durante o período de encarceramento, tivera de pagar caro pela péssima comida que lhe serviam, pela sua própria segurança, além de contribuir com as despesas dos prisioneiros mais pobres. Por conta dessas razões e também para evitar um espião dentro da própria casa, não tinham criados, o cidadão e a cidadã que zelavam pelo portão do pátio lhes prestavam serviço ocasionalmente e, Jerry (praticamente transferido para a casa da família por instrução do senhor Lorry) tornara-se o criado deles durante o dia e contava com uma cama ali para dormir à noite.

Estabelecida a lei pela República Una e Indivisível da Liberdade, Igualdade, Fraternidade ou Morte, em toda porta ou batente de cada casa deveria haver gravado o nome de todos os seus moradores, com letras legíveis, de certo tamanho e a certa distância do chão. Sendo assim, o nome do senhor Jerry Cruncher adornava a porta daquela casa como o último da lista e, à medida que as sombras do entardecer adensavam, o dono deste referido nome apareceu, depois de inspecionar o pintor que o doutor Manette contratara para acrescentar à lista, o nome de Charles Evrémonde, conhecido como Darnay.

Com o medo e a desconfiança universais que ensombravam os tempos, todos os inofensivos e habituais meios de vida haviam mudado. Na singela casa do médico, assim como em muitas outras, os suprimentos de consumo diário eram comprados sempre à noite, em pequenas quantidades e em lojas diferentes. Evitar chamar a atenção e manter-se o máximo possível distante de conversa fiada e inveja era o desejo de todos.

A senhorita Pross e o senhor Cruncher há alguns meses ficaram encarregados das compras; ela levava o dinheiro, ele a cesta. Toda tarde, mais ou menos no horário em que os lampiões da rua eram acesos, os dois saíam para cumprirem sua tarefa, compravam e traziam apenas o suficiente. Embora a senhorita Pross, pela longa convivência com a família francesa, pudesse conhecer o idioma deles quase tanto quanto o próprio, se assim se dispusesse a fazê-lo, não tinha essa intenção. Assim, sabia tanto daquela "tolice" (como ela própria assim designava a língua) quanto o senhor Cruncher. Então, sua estratégia para fazer compras consistia em, sem o uso de nenhum artigo, atirar um substantivo na cabeça do comerciante; se por acaso o substantivo não correspondesse ao que ela desejava comprar, olhava ao redor da loja à procura do item, agarrava-o e continuava de posse dele até o fim da barganha. Sempre barganhava antes de comprar, erguendo o produto, exigindo um preço justo e mostrando um dedo a menos que o do comerciante, qualquer que fosse o valor cobrado.

– Senhor Cruncher – disse a senhorita Pross com os olhos vermelhos de tanta felicidade. – Se estiver pronto, podemos ir.

Jerry, com sua voz rouca, respondeu estar às ordens da senhorita Pross. Havia muito ele livrara-se da ferrugem, mas nada neste mundo lhe podia baixar os fios espetados da cabeça.

– Precisamos de coisas de comida e bebida de todo tipo – anunciou a senhorita Pross. – E vamos nos divertir bastante nessas compras. Precisamos de vinho, além das outras coisas. Vai ser motivo de belo brinde para esses barretes vermelhos, onde quer que o compremos.

– Acho, senhorita, que tanto fará – retrucou Jerry –, se brindarem à sua saúde ou à do velho. Dá na mesma.

– Que velho?

O senhor Cruncher, com certo acanhamento, explicou que o termo referia-se ao diabo.

– Ah! Não é preciso muita inteligência para adivinhar o que se passa na cabeça dessas criaturas. Só pensam em sair na calada da noite matando e fazendo maldades por aí.

– Shhh! Cala-te, senhorita! Reze, reze, seja cuidadosa! – retorquiu Lucie.

– Sim, sim, sim! Serei cuidadosa – afirmou a senhorita Pross. – Mas cá entre nós, torço para não encontrar por aí nenhum bafo de cebola e fumo distribuindo abraços pelas ruas. Pois bem, minha menininha, não tire os olhos daquele fogo até eu voltar! Cuide bem do marido que lhe trouxeram de volta e não tire essa cabecinha linda do ombro dele até eu voltar! Posso lhe fazer uma pergunta, doutor Manette, antes de partir?

– Acho que lhe concedo essa *liberdade* – respondeu o médico, sorrindo.

– Pelo amor de Deus, não repita esta palavra. Já chega desse assunto – disse a senhorita Pross.

– Shhhh! Querida! De novo? – repreendeu-a Lucie.

– Bem, meu docinho – disse a senhorita Pross, assentindo enfaticamente. – Sem mais delongas, sou serva de Sua Graciosa Majestade, o Rei George III – acrescentou, fazendo uma mesura ao mencionar o nome. – E, como tal, minha máxima é a seguinte: Confunda-lhes a política, frustre seus truques perversos, a ele entregamos as nossas esperanças e Deus salve o Rei!

O senhor Cruncher, em um rompante de lealdade, repetiu as palavras da senhorita Pross na sequência, murmurando como se faz na igreja.

– Muito me alegra ver que o senhor é um verdadeiro cidadão inglês, embora preferisse escutá-lo sem esse tom de frieza na voz – afirmou a senhorita Pross, aprovando o gesto. – Mas, doutor Manette, voltemos à pergunta: – Há alguma... – Este era o modo de uma criatura bondosa atenuar qualquer que fosse a ansiedade que afligia a todos ali e tocar no assunto como se fosse algo de ordem natural. – Há alguma perspectiva de sairmos deste lugar?

– Receio que ainda não. Seria muito arriscado para Charles, por enquanto.

– Aham! – disse a senhorita Pross, contendo com alegria um suspiro enquanto olhava para os cabelos dourados de sua menininha resplandecendo à luz do fogo. – Pois então, precisamos ter paciência e esperar: que assim seja. Precisamos erguer a cabeça para o alto e encarar o inimigo por baixo, como costumava dizer meu irmão Solomon. Andemos, senhor Cruncher! Não se mova, minha menina!

Os dois saíram, deixando Lucie, o marido, o pai e a filha dela ao pé da lareira crepitante. A visita do senhor Lorry era aguardada tão logo encerrasse o expediente na casa bancária. A senhorita Pross acendera o lampião, mas o deixara de lado para que aproveitassem melhor a luz da lareira. A pequena Lucie sentou-se ao lado do avô, entrelaçando o braço no dele e, ele, com a voz que não passava de um sussurro, começou a contar-lhe a história de uma importante e poderosa fada que abrira os portões da prisão para libertar um cativo que certa vez lhe prestara um favor. Tudo estava calmo e silencioso e Lucie sentia-se mais à vontade do que antes.

– O que foi isso? – gritou ela de repente.

– Minha querida! – exclamou o pai, interrompendo a história, apoiando suas mãos nas dela. – Controle-se. Como está atordoada! Assusta-se por qualquer coisa... por nada! Justo você, sendo a filha de seu pai!

– Tive a impressão, meu pai – contou Lucie, desculpando-se com o rosto pálido e a voz vacilante – de escutar passos estranhos na escada.

– Meu amor, a escada está tão silenciosa quanto a morte.

Enquanto dizia a frase, ouviram uma batida na porta.

– Ó, meu pai, meu pai! Quem pode ser? Esconda Charles. Proteja-o!

– Minha filha – disse o doutor, levantando-se e apoiando a mão em seu ombro –; eu o salvei. Que fraqueza é essa, minha querida! Deixe-me abrir a porta.

Ele pegou o lampião, atravessou os dois cômodos que levava até a porta e abriu-a. Um barulho de passos brutos no assoalho e quatro homens de barretes vermelhos, armados com sabres e pistolas, adentraram o espaço.

– Cidadão Evrémonde, conhecido como Darnay – disse o primeiro.

– Quem o procura? – perguntou Darnay.

– Eu. Nós o procuramos. Eu o conheço, Evrémonde. Eu o vi no tribunal hoje. O senhor é novamente prisioneiro da República.

Os quatro homens o cercaram, enquanto a esposa e a filha agarravam-se aos seus braços.

– Diga-me por que e como sou novamente prisioneiro!

– Basta saber que deve retornar para a Conciergerie, saberá do resto amanhã. Foi convocado para o julgamento de amanhã.

O doutor Manette, que com esta visita petrificara-se segurando o lampião, como se fosse uma estátua esculpida para servir a esse propósito, tornou a mexer-se depois que essas palavras foram ditas, deixou o lampião de lado, confrontou o orador e segurando-o com certo cuidado pela gola frouxa da camisa de lã vermelha, disse:

– Você o conhece, como bem disse. E a mim, conhece?

– Sim, conheço-o, cidadão doutor.

– Todos o conhecemos, cidadão doutor – disseram os outros três.

Olhando distraidamente entre um e outro, após um momento de silêncio, o doutor, com a voz baixa, perguntou:

– Então, podem me responder uma pergunta. Como isso aconteceu?

– Cidadão doutor – respondeu o primeiro contra a própria vontade –, ele foi denunciado à seção de Saint-Antoine. Este cidadão – acrescentou, apontando para o segundo que entrara na sala – é de Saint-Antoine.

O cidadão para o qual o primeiro apontara confirmou com a cabeça e acrescentou:

– Foi acusado por Saint-Antoine.

– Acusado de quê? – inquiriu o doutor.

– Cidadão doutor – disse o primeiro, ainda contra a própria vontade. – Não faça mais perguntas. Se a República lhe exige sacrifícios, o senhor como bom patriota certamente os cumprirá com satisfação. A República está sempre em primeiro lugar. O povo é soberano. Evrémonde, temos pressa.

– Mais uma palavra – requereu o médico. – Podem me dizer quem o denunciou?

– Isso infringe as normas – respondeu o primeiro. – Mas o senhor pode perguntar a este homem aqui, de Saint-Antoine.

O doutor voltou os olhos para o homem indicado que, irrequieto e sem conseguir parar de mexer os pés, esfregou um pouco a barba e disse, por fim:

– Bem, de fato é contra as normas. Mas foi feita uma denúncia... uma grave denúncia contra ele... pelo cidadão e a cidadã Defarge. E por um outro.

– Quem é esse outro?

– É o senhor quem deseja saber, cidadão doutor?

– Sim.

– Bem – disse o de Saint-Antoine com um olhar estranho. – Amanhã o senhor saberá. Até lá, me faço de mudo.

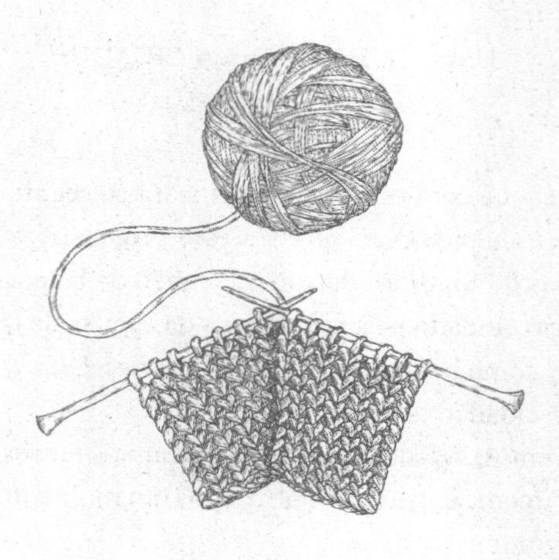

UM JOGO DE CARTAS

Felizmente alheia à nova calamidade que se abatera em casa, a senhorita Pross seguiu caminho pelas ruas estreitas e atravessou o rio pela Pont Neuf[25], repassando mentalmente a quantidade de itens indispensáveis que tinha de comprar. O senhor Cruncher caminhava ao lado dela, com a cesta na mão. Ambos olhavam à esquerda e à direita de todas as lojas por onde passavam, e mantinham o olhar atento a todo agrupamento comunitário de gente, desviando sempre que necessário para evitar aglomerações onde havia falatório mais acalorado. Era o princípio de uma noite fria, e o rio enevoado, que embaçava a visão por conta do reflexo das luzes e confundia os ouvidos pelo ruído contínuo de vozes roucas, mostrava onde estavam as barcaças em que os ferreiros trabalhavam, produzindo armas para o Exército da República. Ai do homem que pregasse alguma peça contra aquele Exército ou obtivesse nele alguma promoção imerecida! Melhor seria que nunca lhe crescesse a barba, pois a Navalha Nacional trataria de afeitá-la bem rente.

Depois de comprar alguns artigos de mercearia e certa quantidade de óleo para o lampião, a senhorita Pross matutou para decidir o tipo de vinho de que gostariam. Depois de espiar diferentes tabernas, parou em frente à fachada de Brutus, o Bom

25 A construção da Pont Neuf, que liga a Île de la Cité (a ilha na qual Notre-Dame, o Palais de Justice e a Conciergerie se encontram) às margens do Sena, foi iniciada em 1578, mas só foi concluída no início do século XVII. (N.E.)

Republicano da Antiguidade[26], não muito distante do Palácio Nacional, que uma vez (ou talvez duas), fora o Palácio das Tulherias, e cuja aparência a agradara muito. Tinha um ambiente mais calmo do que qualquer outro estabelecimento similar pelos quais haviam passado e, embora por ali houvesse barretes patrióticos, o vermelho predominava menos em relação aos demais. Depois de consultar a opinião do senhor Cruncher e tendo os dois concordado, a senhorita Pross entrou no Brutus, o Bom Republicano da Antiguidade, na companhia de seu protetor.

Discretamente atentos às luzes esfumaçadas, às pessoas de cachimbo na boca, jogando com cartas velhas e gastas e peças de dominó amareladas; ao trabalhador com o torso e os braços nus, pele toda coberta de fuligem, lendo um jornal em voz alta e com outros ao seu redor, ouvindo com atenção; às armas próximas ao corpo ou deixadas de lado, mas prontas para uso a qualquer momento; a dois ou três fregueses adormecidos, com a cabeça apoiada nas mesas, e que com o casaco preto felpudo (popular na época), curto e com ombreiras, mais pareciam um urso ou um cão sonolento; então, os dois clientes forasteiros aproximaram-se do balcão e mostraram o que desejavam comprar.

Enquanto a dose de vinho era separada, um homem no canto despediu-se de outro e levantou-se para ir embora. No caminho até a porta, teve de passar pela senhorita Pross. Mal a olhara quando a referida senhorita soltou um grito e começou a bater palmas.

Em um instante, a freguesia inteira colocara-se de pé. Que alguém fora assassinado por outrem ao expressar opinião diferente da sua, era a mais provável das possibilidades. Todos olharam ao redor à procura de um corpo caído, mas não viram nada mais que um homem e uma mulher encarando um ao outro; ele aparentava ser francês e convicto republicano; ela evidentemente era inglesa.

O que foi dito neste frustrante anticlímax pelos discípulos de Brutus, o Bom Republicano da Antiguidade, apesar de claramente audível e loquaz, soou como hebraico ou caldeu para a senhorita Pross e seu protetor. Embora os dois estivessem de ouvidos bem atentos, naquele estado de perplexidade, não escutavam mais nada. Pois, que fique registrado, não apenas a senhorita Pross ficou atordoada e espantada, como também o senhor Cruncher, por mais que disfarçasse e tentasse manter a costumeira discrição de quem só cuida dos próprios interesses, estava deveras atônito.

– O que houve? – perguntou o homem que fora a causa do grito da senhorita Pross, falando em um tom irritado e bruto, apesar da voz baixa, e em inglês.

---

26 Embora seja possível que o "Brutus, o Bom Republicano da Antiguidade" seja Marcus Junius Brutus, que assassinou Júlio César, é mais provável que o Brutus comemorado em nome da loja parisiense seja Lucius Junius Brutus. Este último Brutus rebelou-se contra o rei Tarquin (o último rei romano) e ajudou a estabelecer a República Romana. Como uma figura republicana – revolucionária e antimonárquica – ele tornou-se uma espécie de modelo clássico para os revolucionários franceses. (N.E.)

– Ah, Solomon, querido Solomon! – exclamou a senhorita Pross, batendo palmas mais uma vez. – Depois de tanto tempo sem vê-lo e sem receber nenhuma notícia sua, o encontro bem aqui!

– Não me chame de Solomon. Quer que me matem? – inquiriu o homem com a expressão furtiva e assustada.

– Irmão, irmão! – exclamou a senhorita Pross, chorando. – Diga-me que mal lhe fiz para merecer uma pergunta tão cruel como essa?

– Pois segure a língua dentro da boca e saia da taberna se quiser falar-me. Pague a conta e venha. Quem é este homem? – indagou Solomon.

A senhorita Pross, balançando a cabeça de um lado para o outro em um gesto terno e ao mesmo tempo frustrado ante a indiferença do irmão, entre lágrimas respondeu:

– É o senhor Cruncher.

– Traga-o com você – disse Solomon. – Ele está achando que sou um fantasma?

Pelos seus gestos e comportamento, o senhor Cruncher estava achando sim. No entanto, não disse nenhuma palavra e a senhorita Pross, escarafunchando a bolsa, entre lágrimas e com dificuldade, encontrou o dinheiro para pagar o vinho. Enquanto o fazia, Solomon voltou-se para os discípulos de Brutus, o Bom Republicano da Antiguidade, com algumas palavras em francês lhes concedeu uma explicação, e logo depois todos tornaram a seus lugares e atividades.

– Agora – disse Solomon, parando na esquina da rua escura. – Diga-me o que quer.

– Que coisa terrível ser tratada assim por um irmão a quem sempre amei tanto! – esbravejou a senhorita Pross. – Como pode cumprimentar-me e tratar-me feito uma desconhecida?

– Que diabos! Pronto, pronto – afirmou Solomon, tocando levemente os lábios da irmã com os seus. – Está satisfeita agora?

A senhorita Pross fez que não com a cabeça e ficou calada, ainda aos prantos.

– Se esperava alguma surpresa de minha parte, enganou-se. Não estou nem um pouco surpreso. Eu sabia que estava aqui. Conheço a maioria das pessoas que estão aqui. Se não quiser colocar a minha vida em risco, o que eu acredito ser sua vontade, siga seu caminho o mais breve possível e deixe-me seguir o meu. Estou ocupado. Sou oficial.

– Meu irmão inglês, Solomon – murmurou a senhorita Pross, erguendo os olhos banhados em lágrimas –, que tinha tudo para ser um dos melhores e notáveis homens de seu país natal, agora é oficial desses estrangeiros e que estrangeiros! Preferia ver o meu menininho deitado em seu...

– Eu não disse?! – retrucou o irmão, interrompendo-a. – Eu sabia. Você deseja a minha morte. Posso me tornar suspeito por conta da minha própria irmã. Justo agora que as coisas caminham tão bem!

– Que o bondoso e misericordioso Deus não permita! – redarguiu a senhorita Pross. – Antes nunca voltasse a vê-lo, querido Solomon, embora sempre tenha o amado de todo o coração e sempre o amarei. Basta que me diga uma palavra carinhosa e que não há nenhuma raiva nem ressentimento entre nós, e o deixarei livre e em paz.

Bondoso coração o da senhorita Pross! Como se o distanciamento entre os dois fora culpa dela. Como se o senhor Lorry não tivesse percebido, anos atrás, naquela pacata esquina do Soho, que esse estimado irmão gastara todo o dinheiro da senhorita Pross e a abandonara!

No entanto, Solomon dizia a palavra carinhosa com um ar condescendente e protetor que ele teria demonstrado se os méritos e posições dos dois estivessem invertidos (o que é sempre o caso neste mundo), quando o senhor Cruncher, tocando-lhe o ombro, interveio com sua rouca e inesperada voz, lançando uma pergunta peculiar:

– Ora, posso lhe fazer uma pergunta? Seu nome é John Solomon ou Solomon John?

Com repentina desconfiança, o oficial virou-se para ele. Até então, o senhor Cruncher mantivera-se calado.

– Ora, diga! – insistiu o senhor Cruncher. – Responda com sinceridade – acrescentou, o que, a propósito, nem ele próprio poderia fazer. – É John Solomon ou Solomon John? Ela o chama de Solomon, e deve saber o que diz, por ser sua irmã. E eu sei que se chama John. Qual dos dois vem primeiro? E em relação a esse sobrenome Pross? Este também não é o nome que usa do outro lado do oceano.

– O que o senhor quer dizer?

– Bem, não sei ao certo, pois não consigo lembrar qual era o seu nome lá do outro lado.

– Não?

– Não. Mas posso lhe jurar que era um nome de duas sílabas.

– É mesmo?

– Sim. Eu o conheço. Você era o espião que testemunhou em Old Bailey. Em nome do Pai das Mentiras, ou seja, seu próprio pai, qual era mesmo o seu nome naquela época?

– Barsad – respondeu outra voz, intrometendo-se na conversa.

– Por mil libras, era esse o nome! – exclamou Jerry.

O que se intrometera era Sydney Carton, que mantinha as mãos cruzadas junto às costas, apoiadas na aba do casaco de montaria, parado bem ao lado do senhor Cruncher, com a habitual postura negligente que mantinha em Old Bailey.

– Não se assuste, cara senhorita Pross. Cheguei à casa do senhor Lorry, para surpresa do próprio, ontem à noite. Concordamos que eu não apareceria em nenhum lugar até que tudo estivesse bem, ou caso minha presença tivesse alguma serventia.

Apresento-me aqui para rogar ao seu irmão um minutinho de atenção. Como eu gostaria que a senhorita tivesse um irmão com um ofício melhor do que este tem. Pelo seu bem, como eu gostaria que o senhor Barsad não fosse um carneiro das prisões.

À época, "carneiro" era a gíria utilizada para referir-se a um espião que se disfarçava de carcereiro. O espião, que àquela altura já empalidecera, ficou ainda mais pálido e perguntou como ele se atrevia a...

– Vou lhe explicar – acrescentou Sydney. – Eu o vi, senhor Barsad, saindo da prisão de Conciergerie enquanto eu contemplava os muros do edifício, há uma hora ou talvez um pouco mais. Sua fisionomia é inconfundível e sou bom de memorizar rostos. Intrigado ao vê-lo ali, e tendo minhas razões, as quais o senhor conhece muito bem, para associar sua pessoa aos infortúnios de um amigo agora muito infeliz, caminhei em sua direção. Entrei nesta taberna, aproximei-me e sentei-me perto do senhor. Ante a sua conversa indiscreta e o burburinho que circulava entre os seus admiradores, não tive dificuldade para deduzir a natureza de seu ofício. E, aos poucos, o que fiz aleatoriamente, parece ter tomado a forma de uma proposta, senhor Barsad.

– Que proposta? – perguntou o espião.

– Seria complicado e até mesmo perigoso explicar-lhe aqui na rua. Será que, sob sigilo, o senhor me concederia alguns minutos de sua atenção... no escritório do banco Tellson, por exemplo?

– Isso é uma ameaça?

– Oh! Eu disse isso?

– Se não fosse, por que eu deveria ir até lá?

– Francamente, senhor Barsad. Se o senhor não sabe dizer, muito menos saberei eu.

– Isso significa que o senhor não me responderá? – questionou o espião hesitante.

– O senhor me compreendeu muito bem, senhor Barsad. Não, não responderei.

O comportamento desleixado e negligente de Carton, somado à sua ligeireza e habilidade, conferiram-lhe imenso poder para executar o propósito guardado em segredo consigo e que envolvia o homem que teria de enfrentar. O olhar calejado enxergara a oportunidade e aproveitara ao máximo.

– Pois bem, eu lhe avisei – pontuou o espião, lançando um olhar acusativo para a irmã. – Se eu me encrencar, a culpa será sua.

– Vamos, venha senhor Barsad! – exclamou Sydney. – Não seja ingrato. No entanto, não fosse o grande respeito que tenho por sua irmã, talvez eu não me contentasse em lhe fazer uma pequena proposta, que será de seu conhecimento, para nossa satisfação mútua. O senhor fará a gentileza de me acompanhar até o banco?

– Ouvirei o que o senhor tem a dizer. Portanto, sim, vou acompanhá-lo.

– Sugiro antes disso que acompanhemos sua irmã até a esquina da rua onde ela mora. Permita-me segurar-lhe o braço, senhorita Pross. Este não é um bom momento, em uma cidade como esta, para a senhorita andar desprotegida. E como o seu acompanhante conhece o senhor Barsad, vou convidá-lo a ir conosco até o escritório do senhor Lorry. Todos prontos? Venham!

Logo depois, e para o resto da vida, a senhorita Pross lembrou-se que, enquanto segurava firme no braço de Sydney e o olhava no rosto, implorando para que não fizesse nenhum mal a Solomon, sentiu naquele braço um propósito firme e certa inspiração no olhar do homem, que não só contradiziam seu gesto cavalheiresco como transfiguravam e elevavam a figura dele. Estava preocupada demais com o temor do que poderia acontecer com o irmão que tão pouco merecia seu afeto, e com as palavras doces de Sydney, que mal pode compreender de fato o que notara.

Acompanharam-na até a esquina da casa dos Manette e Carton seguiu caminho com os outros dois até a residência do senhor Lorry, a poucos minutos dali. John Barsad, ou Solomon Pross, andava ao lado de Carton.

O senhor Lorry acabara de terminar o jantar e estava sentado de frente para um ou dois pedaços de lenha crepitantes da lareira, procurando talvez entre aquelas chamas a imagem daquele funcionário já ancião, porém mais jovem, do Tellson, que observara o carvão em brasa no Royal George, em Dover, muito anos atrás. Virou a cabeça assim que eles chegaram e ficou surpreso ao ver o estranho.

– Este é o irmão da senhorita Pross, senhor – apresentou Carton. – O senhor Barsad.

– Barsad? – repetiu o velho cavalheiro. – Barsad? Este nome não me soa estranho... tampouco este rosto.

– Não lhe disse que o senhor tem uma fisionomia inconfundível, senhor Barsad? – pontuou Carton com frieza. – Por favor, sente-se.

Enquanto pegava uma cadeira para sentar-se também, Carton ofereceu ao senhor Lorry a peça do quebra-cabeça que lhe faltava à memória ao dizer, franzindo o cenho:

– Testemunha no julgamento. – O senhor Lorry lembrou-se no mesmo instante e encarou com explícita aversão o visitante.

– O senhor Barsad foi reconhecido pela senhorita Pross como o estimado irmão de quem o senhor já ouviu falar – explicou Sydney. – E admitiu o parentesco. Agora, tenho uma péssima notícia. Darnay voltou a ser preso.

Estupefato e consternado, o cavalheiro exclamou:

– O que é isso que o senhor me conta! Há duas horas deixo-o livre e a salvo e estava de saída para reencontrá-lo!

– Pois está preso, apesar de tudo. Como foi que isso aconteceu, Barsad?

– Agora pouco, se é que já aconteceu.

– O senhor Barsad é a maior autoridade possível em relação a esse assunto – afirmou Sydney –, e soube pela conversa que ouvi entre ele e um amigo dele, também carneiro, enquanto dividiam uma garrafa de vinho, que a prisão já ocorreu. Ele deixou os mensageiros no portão e os viu entrar na casa de Darnay. Não restam dúvidas de que foi recapturado.

O olhar experiente do homem de negócios notara que seria perda de tempo insistir no assunto. Confuso, mas ciente de que a circunstância dependeria de sua presença de espírito, recompôs-se e permaneceu calado e atento.

– Agora, acredito que o nome e a influência do doutor Manette possam beneficiá-lo amanhã... – declarou Sydney. – Disse que ele voltará a apresentar-se ao tribunal amanhã, não é isso, senhor Barsad?

– Sim, creio que sim.

– ... E o beneficiará amanhã tanto como o auxiliaram hoje. Mas as coisas podem não seguir esse rumo. Devo admitir que estou chocado, senhor Lorry, de ver que o doutor não teve o poder de impedir essa prisão.

– Talvez ele não tenha tomado conhecimento com antecedência – comentou Lorry.

– Mas sendo esse o caso, muito me assusta, pois temos de lembrar que é de conhecimento de todos sua ligação com o genro.

– É verdade – reconheceu o senhor Lorry, com a mão irrequieta no queixo e o olhar consternado em Carton.

– Em suma – acrescentou Sydney –, este é um tempo de desespero, em que cartadas desesperadas são lançadas em apostas desesperadas. Deixe que o doutor jogue para ganhar. E, eu, para perder. Aqui, a vida de um homem vale absolutamente nada. O alçado nos braços do povo hoje será o condenado de amanhã. Agora, a aposta que estou disposto a jogar, caso o pior venha a acontecer, é a de um amigo na Conciergerie. E o amigo que pretende ganhar nessa aposta é o senhor Barsad.

– É preciso ter boas cartas em mãos, senhor – ponderou o espião.

– Vou estudar cada uma delas. Ver o que tenho em mãos... Senhor Lorry... sabe bem que sou um selvagem, por favor, faria a gentileza de me oferecer um conhaque?

O conhaque lhe foi posto à frente e ele entornou o copo em um instante... depois esvaziou mais um... e empurrou a garrafa para longe, pensativo.

– Senhor Barsad – prosseguiu em um tom de quem realmente estuda as cartas que tem em mãos. – Carneiro das prisões, emissário dos comitês republicanos, vezes carcereiro, vezes prisioneiro, sempre espião e informante infiltrado, muito mais valoroso nestas terras por ser inglês, pois um inglês nessas condições levanta muito menos suspeitas de suborno do que um francês, apresenta-se a seus patrões com um nome falso.

Ótima cartada. O senhor Barsad, agora empregado do governo republicano francês, no passado prestara serviço ao governo aristocrático inglês, inimigo da França e da liberdade. Excelente cartada. Dedução tão clara quanto o dia, nestas terras de suspeitas, é que o senhor Barsad, ainda a serviço do aristocrático governo inglês, é o espião de Pitt[27], o inimigo traiçoeiro da República que bebe água de sua fonte, traidor inglês e causador de todos os danos tão afamado e tão raramente encontrado. De fato, uma carta imbatível. Consegue acompanhar o meu jogo, senhor Barsad?

– Não a ponto de compreender a sua jogada – respondeu o espião um tanto inquieto.

– Pois, veja, coloco meu ás na mesa: denúncia do senhor Barsad à seção do comitê mais próxima. Analise bem a sua mão, senhor Barsad, e veja quais são suas cartas. Não tenha pressa.

Carton puxou a garrafa para perto, serviu mais uma dose de conhaque e bebeu. Percebeu o medo do espião de que o estado de embriaguez levasse o delator a denunciá-lo imediatamente. Ciente disso, encheu mais um copo e o entornou.

– Analise suas cartas com cuidado, senhor Barsad. Pelo tempo que precisar.

As cartas do adversário eram menos promissoras do que o imaginado. O senhor Barsad viu cartas que o levariam a perder, cartas essas que nem mesmo Sydney Carton considerara. Expulso de seu honorável emprego na Inglaterra, por conta de numerosos malsucedidos depoimentos, não por ser pessoa malquista (nossas razões inglesas para vangloriar-se de nossa superioridade em relação ao sigilo e aos espiões são mais modernas), ele sabia que atravessara o canal e aceitara o serviço na França primeiro para cutucar e bisbilhotar seus próprios compatriotas; segundo, para aos poucos cutucar e bisbilhotar os nativos. Ele sabia que sob o governo destituído fora espião de Saint-Antoine e da taberna de Defarge; recebera da polícia vigilante informações sobre o encarceramento, a libertação e a história do doutor Manette, que lhe serviram de instrumento para aproximar-se dos Defarge. Sondara madame Defarge e fracassara. Sempre

27 Pitt, ou William Pitt, o Jovem, foi o primeiro ministro da Inglaterra durante a Revolução Francesa (de 1784-1801 e depois em 1804-1806). Desde que a Inglaterra declarou guerra à França após a execução de Luís XVI em janeiro de 1793, "Pitt" (representante do governo e da política ingleses em geral) estava em ativa oposição à França nesse período, e um inimigo confirmado da República. A posição de Barsad nas prisões francesas poderia ser facilmente interpretada como a do "inimigo traiçoeiro da República agachada em seu seio". O uso metonímico de Dickens de "Pitt" – como uma figura para todo o governo inglês ou nação inglesa – pode derivar de Thomas Carlyle, que usa a mesma figura de linguagem em seu livro *A Revolução Francesa* ("Que Pitt tem uma mão nela, o ouro de Pitt: tanto, para todos através de quais agentes de Pitt?"). (N.E.)

se lembrava, com medo e terror, daquela temível mulher que tricotava enquanto ele lhe falava, e o encarava com o olhar fulminante enquanto seus dedos se movimentavam. Tornara a vê-la desde o episódio, na seção de Saint-Antoine, muitas e muitas vezes, tricotando seus registros nas malhas e denunciando pessoas cujas vidas a guilhotina certamente ceifaria. Ele sabia, tal como todos os demais que prestavam serviço como ele, que nunca estava sob segurança. Que fugir era impossível. Que estava atado à sombra de um machado. Que apesar de toda a tergiversação[28] e da traição cometida em prol do terror reinante, bastaria uma palavra para torná-lo vítima desse mesmo terror. Uma vez denunciado e sob acusações graves como acabara de lhe sugerirem, previu que aquela mulher temível e de caráter implacável, como tantas vezes provara, cravaria contra ele aquele registro fatal e extirparia sua última chance de vida. Além do temor que paira sobre todo agente secreto, dentre as cartas em sua mão, certamente, havia a do terno preto, o que justificava a crescente palidez que cobrira sua fisionomia.

– Parece não lhe apetecer as cartas que possui em mão – comentou Sydney com toda a compostura. – Vai jogar?

– Eu acho, senhor – respondeu o espião da forma mais maldosa possível ao virar-se para o senhor Lorry –, que posso recorrer a um cavalheiro com tantos anos de experiência e benevolência como sua pessoa para explicar a este cavalheiro aqui, muito mais jovem que o senhor, se lhe é ou não possível, ante a circunstância em que se encontra, jogar o ás a que se refere. Admito que sou um espião e que esta é uma condição de descrédito, embora alguém deva se encarregar do ofício. Contudo, este cavalheiro não é espião; por que se humilha tanto a ponto de agir como um?

– Sou eu quem jogo meu ás, Barsad – redarguiu Carton, respondendo à pergunta direcionada ao senhor Lorry, olhando para o relógio de pulso –, sem nenhum escrúpulo, daqui a alguns minutos.

– Esperaria dos senhores, cavalheiros, de ambos... – retrucou o espião, no incessante esforço de incluir o senhor Lorry à altercação – ... respeito maior por minha irmã...

– Não haveria maior demonstração de respeito por sua irmã do que poder finalmente aliviá-la do fardo que o irmão é – afirmou Sydney Carton.

– Acha mesmo que não, senhor?

– Já tomei minha decisão quanto a isso.

A atitude amena do espião, curiosamente dissonante de seus trajes maltrapilhos e possivelmente de seu habitual comportamento, foi rechaçada de tal modo pela inescrutabilidade de Carton, sendo este último um mistério para os homens mais sábios

28 No original, *Tergiversation* tem o sentido de renegar, deixar de formar posição de lealdade. Barsad, um vira-casaca de várias descrições, é um tergiversador. (N.E.)

e honestos que ele, que vacilou e lhe faltou. Durante o estado de confusão do espião, retomando o ar de quem contempla as cartas, Carton disse:

– E, de fato, analisando melhor agora, tenho a forte impressão de que disponho de outra bela carta, ainda não citada. Aquele seu amigo carneiro, que se vangloriava por pastar nas prisões das províncias, como é mesmo o nome dele?

– É francês. O senhor não o conhece – respondeu o espião prontamente.

– Ah, é francês? – repetiu Carton, refletindo distraidamente, como se aquilo fosse uma novidade. – Bom, talvez seja mesmo.

– É. E posso lhe garantir que seja. Embora não tenha importância.

– Embora não tenha importância – repetiu Carton da mesma maneira mecânica. – Embora não tenha importância. Não, não tem importância. Não tem. Mesmo assim, sou capaz de reconhecê-lo.

– Creio que não. Tenho certeza que não. Não pode ser – insistiu o espião.

– Não-pode-ser – murmurou Sydney Carton, voltando a servir-se do conhaque (felizmente uma dose pequena dessa vez). – Não-pode-ser. Falava bem francês, mas como estrangeiro, estou equivocado?

– Provinciano – respondeu o espião.

– Não. Estrangeiro! – berrou Carton, batendo na mesma com a palma da mão aberta quando lhe ocorreu no pensamento uma luz. – Cly! Disfarçado, mas o mesmo homem. Aquele homem esteve bem à nossa frente, em Old Bailey.

– Não faça conclusões precipitadas, senhor – resmungou Barsad com um sorriso que conferiu ao nariz aquilino uma inclinação extra em um dos lados. – Aí me coloca em posição de vantagem no jogo. Cly, a quem admito ter sido certa vez, há tempos, parceiro meu, morreu muitos anos atrás. Eu o acompanhei em seus últimos dias. Foi enterrado em Londres, na igreja de Saint Pancras-in-the-Fields. Sua falta de popularidade entre os patifes que acompanharam o sepultamento me impediu de seguir os últimos passos de seus restos mortais, mas ajudei a colocá-lo em seu caixão.

Neste instante, o senhor Lorry, do lugar onde estava sentado, apercebeu-se de uma singular sombra de duende projetada na parede. Rastreando-a à procura de sua fonte, descobriu ser a sombra o reflexo da repentina e extraordinária elevação e retesamento dos fios esvoaçados e espetados do senhor Cruncher.

– Sejamos razoáveis e justos – disse o espião. – Para mostrar-lhe o quanto está equivocado e o quanto sua suposição é infundada, lhe mostrarei a certidão de enterro de Cly, que por acaso trago comigo no bolso. – Em um gesto apressado, ele enfiou a mão no bolso, pegou o papel e o desdobrou. – Pois aqui está. Veja, veja! Pode pegá-la com a mão. Não é falsificada.

O senhor Lorry, então, percebeu que a sombra na parede se alongou quando o senhor Cruncher levantou-se e deu um passo à frente. O cabelo não estaria mais eriçado se naquele momento o tivesse penteado a vaca de chifre espiralado na casa que Jack construiu[29].

Sem ser notado pelo espião, o senhor Cruncher parou ao lado deste e tocou-lhe o ombro feito um oficial de justiça fantasmagórico.

– Esse tal de Roger Cly... – perguntou o senhor Cruncher com a expressão taciturna e petrificada. – Foi o senhor que o colocou em um caixão?

– Sim, fui eu.

– E quem o tirou de lá, então?

Barsad recostou na cadeira e gaguejou:

– O que o senhor quer dizer?

– O que quero dizer é que ele nunca esteve lá dentro. Nunca! Não ele! Que cortem a minha cabeça se ele algum dia esteve nesse caixão – afirmou o senhor Cruncher.

O espião olhou para os outros dois cavalheiros, que por sua vez fitavam Jerry indescritivelmente atônitos.

– Estou lhe dizendo – prosseguiu Jerry –, que o senhor enterrou pedras e terra naquele caixão. Não venha me dizer que deitou Clay naquele caixão. Foi uma morte forjada. Eu e mais duas pessoas sabemos disso.

– E como pode saber?

– E isso lá é da conta do senhor! Valha-me Deus! – resmungou o senhor Cruncher. – É do senhor e de suas imposições vergonhosas aos comerciantes que tenho raiva antiga! Seria capaz de segurá-lo pela garganta e sufocá-lo por meio guinéu.

Sydney Carton que, tal como o senhor Lorry, embasbacara-se com essa súbita reviravolta, pediu ao senhor Cruncher para se acalmar e se explicar.

– Em outra ocasião, senhor. Não é o momento conveniente para explicar o ocorrido – disse de modo evasivo. – O que asseguro é que este senhor sabia muito bem que Cly nunca esteve naquele caixão. Ele que insista com uma palavra ou sequer uma sílaba que deitou o suposto defunto naquele caixão... agarro-o pelo pescoço e o sufoco por meio guinéu. – O senhor Cruncher persistia nessa generosa oferta. – Ou atravesso aquela porta e o denuncio.

– Hum! Vejo que tenho outra carta agora, senhor Barsad – comentou Carton. – Impossível, aqui nesta Paris tempestuosa, onde a suspeita paira no ar, que sobreviva à denúncia estando em contato com outro espião aristocrático que possui os mesmos antecedentes que o senhor e que, não bastasse, ainda tem o misterioso dom de forjar

29 Da cantiga de roda *This Is the House that Jack Built.* (N.T.)

a própria morte e voltar à vida! Uma conspiração dentro das prisões, do estrangeiro contra a República. Uma carta certeira... certeira para a Guilhotina! O senhor está disposto a jogar?

– Não! – respondeu o espião. – Eu desisto. Confesso que éramos tão detestados por aquela multidão ultrajante que só me afastei da Inglaterra por correr risco de morte, e que Cly foi tão caçado por todos os lados que nunca teria escapado não fosse por essa farsa. Mas como esse homem sabe que aquilo foi uma farsa é o mistério dos mistérios para mim.

– Não se preocupem com este homem – aconselhou o arreliento senhor Cruncher. – O senhor já vai ter bastante dor de cabeça com este cavalheiro aqui. E olhe pra mim! Vou repetir mais uma vez! – Nada poderia impedir o senhor Cruncher de demonstrar mais uma vez sua ostensiva generosidade. – Por meio guinéu, sou capaz de agarrá-lo pelo pescoço e estrangulá-lo.

O carneiro das prisões, então, virou-se para Sydney Carton e em um tom decidido, declarou:

– Chegamos ao ponto da conversa. Preciso retornar ao serviço, não posso me demorar mais. O senhor disse que me faria uma proposta. E qual é? Agora, devo avisar que não pode esperar muito de mim. Se me pedir algo que envolva o meu trabalho e coloque minha cabeça em risco... como se ela já não estivesse... prefiro confiar a minha vida à sorte de uma recusa do que à sorte do consentimento. Em suma, a escolha deveria ser minha. Você fala de desespero. Todos aqui estamos desesperados. Lembre-se! Se eu julgar apropriado, posso denunciá-lo e minha palavra pode atravessar muros resistentes, assim como a de outras pessoas também. Agora, diga, o que quer de mim?

– Nada demais. O senhor é carcereiro em Conciergerie?

– Vou lhe dizer de uma vez por todas, não há como fugir – repetiu com firmeza o espião.

– Por que se preocupar em me responder o que não lhe perguntei? É carcereiro em Conciergerie?

– Sou, sim, às vezes.

– E pode exercer o ofício quando quiser?

– Posso entrar e sair quando quero.

Sydney Carton encheu mais um copo de conhaque e, devagar, o despejou por completo na lareira, observando a bebida escorrer pouco a pouco. Tendo-o esvaziado, erguendo o copo de volta, disse:

– Até o momento, conversamos na presença desses dois homens porque o mérito das cartas não deve permanecer apenas entre nós dois. Queira acompanhar-me até aquele quarto escuro para terminarmos esta conversa a sós.

JOGO ENCERRADO

Enquanto Sydney Carton e o carneiro das prisões permaneciam no quarto escuro adjacente, conversando tão baixo que nada se ouvia, o senhor Lorry olhou para Jerry com ar de dúvida e desconfiança. E a reação do comerciante honesto diante daquele olhar tampouco inspirava confiança: trocava a perna em que se apoiava tantas vezes que era como se tivesse cinquenta pernas e quisesse testar cada uma delas; examinava as próprias unhas com questionável concentração; e sempre que o olhar do senhor Lorry cruzava o dele, lhe acometia um breve acesso de tosse dos que requer fechar a mão em círculo e usá-la para proteger a boca, gesto que raramente, quando nunca, indica retidão de caráter.

– Jerry – chamou o senhor Lorry. – Venha aqui.

O senhor Cruncher aproximou-se andando de lado, com um dos ombros adiantando, chegando antes do resto.

– O que mais você tem feito, além de ser mensageiro?

Depois de pensar um pouco, e de lançar um olhar preocupado para o patrão, o senhor Cruncher concebeu a brilhante ideia de responder:

– Agricultor.

– Muitos motivos me levam a pensar – afirmou o senhor Lorry, apontando o dedo indicador com raiva para ele –, que usou o respeitável e renomado nome do Tellson como fachada para exercer alguma outra ocupação ilegal e infame. Se for esse o caso, não conte com a minha amizade quando regressarmos à Inglaterra. Se for esse o caso, não pense que guardarei segredo. O Tellson não pode ser trapaceado.

– Eu espero, senhor – implorou o constrangido senhor Cruncher – que um cavalheiro como o senhor, a quem tenho a honra de servir desde que me começaram a nascer os meus primeiros cabelos brancos, e até muito antes, pense duas vezes antes de me prejudicar de algum modo, se fosse esse o caso... não que o seja, mas ainda que fosse. E que é preciso levar em conta que, ainda que fosse verdade, a história não teria um lado apenas. Haveria dois lados nessa história. E que deveria haver, naquela circunstância, médicos enchendo os bolsos de guinéus enquanto um comerciante honesto sequer via a cor de uma moedinha... uma moedinha de um centavo! Uma não, meia moedinha de um centavo! Não, nem mesmo um quarto de centavo... médicos depositando suas quantias no Tellson, quantias que desaparecem feito fumaça, e piscando às escondidas seus olhos medicinais para o pobre comerciante do lado de fora, entrando e saindo de suas carruagens... ah! Também como fumaça, até mais parecidos! Pois veja, isso também seria trapacear o Tellson. Porque toda moeda tem dois lados. E ainda há a senhora Cruncher, que parece viver nos tempos da Velha Inglaterra, e continuará vivendo amanhã e depois, se for o caso, que vive ajoelhada pelos quatro cantos rezando, a ponto de causar nosso infortúnio... maldito infortúnio! Enquanto isso, as esposas dos médicos nunca nem se importaram em dobrar os joelhos... duvido que alguém tenha visto alguma delas ajoelhada! E, se alguma vez se ajoelham, é para que não faltem pacientes a seus maridos, e como ter uma coisa sem ter outra? E o que dizer dos agentes funerários, do clérigo paroquial, dos sacristãos, dos vigias particulares... todos avarentos e todos metidos no mesmo negócio? Um sujeito não ganharia muito com isso, mesmo que fosse verdade. E com o pouco que conseguisse, jamais conseguiria prosperar, senhor Lorry. Nunca conseguiria viver em paz, passaria o tempo todo querendo pular fora desse negócio se conseguisse pensar em outro meio de ganhar a vida, uma vez dentro... se fosse verdade.

– Argh! – exclamou o senhor Lorry, mas em um certo tom de compadecimento. – Estou chocado com você.

– Agora, o que eu humildemente ofereceria ao senhor – acrescentou o senhor Cruncher –, caso fosse verdade, o que não digo ser...

– Não minta! – ordenou o senhor Lorry.

– Não, *não* farei isso – afirmou o senhor Cruncher, como se nada estivesse tão distante dos seus pensamentos e intenções. – Mas veja, não estou dizendo que seja o caso... mas se fosse, o que eu humildemente lhe ofereceria, senhor, seria o seguinte. Naquele banquinho, junto a Temple Bar, senta-se também um filho meu, nascido e criado para ser homem, que lhe prestará serviço, cumprirá suas ordens, entregará as mensagens que lhe pedir, enfim, fará tudo que o senhor lhe ordenar, até o dia em que seus calcanhares ficarem no lugar da cabeça, se assim for da vontade do senhor. Mesmo que fosse esse o caso, o que digo não ser, pois jamais mentirei ao senhor, permita que este menino ocupe o lugar do pai e cuide da mãe dele. Não... se zangue com o pai deste menino... não faça isso, senhor... e deixe que o pai prossiga trabalhando com o negócio funerário, como coveiro, enterrando o que é preciso para compensar o que ele tenha desenterrado... se esse for o caso... enterrando-os de bom grado e com as convicções de lhes assegurar o genuíno descanso em paz. Isso, senhor Lorry... – continuou o senhor Cruncher, enxugando a testa com o braço, como um sinal de que findara o seu discurso –, é o que com todo respeito lhe ofereço. Um homem não consegue ver todos os horrores que acontecem ao seu redor, tanta gente decapitada, Deus tenha misericórdia! Mas são tantos, tantos corpos que podem cobrir o preço do transporte, ou nem sequer isso, se não refletirmos seriamente sobre as coisas. E este seria, pois, o meu pedido, se fosse o caso, que o senhor considerasse tudo que acabei de dizer e que só fiz por uma boa causa, quando poderia muito bem ter ficado de bico calado.

– Está aí ao menos uma verdade – disse o senhor Lorry. – Não diga mais nada. Talvez eu ainda continue seu amigo, se o senhor ainda merecer e mostrar arrependimento por meio de suas ações... não de palavras... Não quero ouvir mais nenhuma palavra.

O senhor Cruncher esfregava as juntas dos dedos na testa quando Sydney Carton e o espião saíram do quarto escuro.

– *Adieu*, senhor Barsad – disse o primeiro. – Tendo fechado nosso acordo, não há o que temer em relação à minha pessoa.

Carton sentou-se em uma cadeira próxima à lareira, de frente para o senhor Lorry. Quando ficaram a sós, o senhor Lorry lhe perguntou o que fizera.

– Nada demais. Caso a situação do prisioneiro se complique, tenho o acesso garantido a ele pelo menos uma vez.

A frustração do senhor Lorry transpareceu em seu semblante.

– Era tudo o que eu poderia fazer – explicou Carton. – Se lhe pedisse mais que isso, poria a cabeça desse homem sob o machado e, como ele próprio disse, não poderia lhe acontecer coisa pior se ele fosse denunciado. Era esse o ponto fraco da situação. Não haveria modo de evitá-lo

– Mas o acesso a ele, se o pior acontecer no tribunal, não poderá salvá-lo – comentou o senhor Lorry.

– Nunca disse que o salvaria.

Aos poucos, os olhos do senhor Lorry desviaram para o fogo da lareira. O carinho por sua adorada menina e a incomensurável decepção ante a segunda prisão do senhor Darnay, aos poucos, o enfraqueceu. Era um homem velho e que vivia aflito com a ansiedade dos últimos tempos; sucumbiu às lágrimas que escorreram pelo rosto.

– O senhor é um homem bom e um amigo verdadeiro – afirmou Carton, com um tom de voz diferente. – Perdoe-me se sua comoção não me passa despercebida. Não conseguia ver o meu pai chorando sem me abalar. E nem se o senhor fosse meu pai, eu poderia ter mais respeito pela sua dor. No entanto, o senhor está livre deste infortúnio.

Embora tenha dito essas últimas palavras com seu tom habitual, havia respeito e sentimentos genuínos em suas palavras e em seu toque, para os quais o senhor Lorry, que nunca testemunhara o melhor lado de Carton, não estava preparado. Esticou-lhe a mão e Carton com gentileza a apertou.

– Voltando ao pobre Darnay – disse Carton. – Não conte nada a Lucie sobre essa conversa nem sobre o acordo. Isso não lhe possibilitaria visitá-lo. Ela poderia pensar que com isso, caso o pior aconteça, estamos oferecendo a Darnay meios de antecipar a própria sentença.

O senhor Lorry não cogitara aquela possibilidade e olhou brevemente para Carton para saber se aquilo tinha mesmo lhe ocorrido. Teve a impressão que sim; retribuiu o olhar e evidentemente o compreendeu.

– Ela pode pensar milhares de coisas – afirmou Carton. – E o que quer que pense, só servirá para angustiá-la ainda mais. Não lhe conte sobre mim. Como lhe disse quando cheguei, é melhor que eu não a encontre. Posso lhe oferecer minha ajuda para executar o que for preciso, qualquer coisa que esteja ao meu alcance, sem precisar vê-la. O senhor vai visitá-la, imagino? Ela deve estar consternada.

– Vou agora mesmo.

– Fico contente. Ela é muito apegada ao senhor e lhe tem muita confiança. Como ela tem passado esses dias?

– Aflita e triste. Mas muito bonita.

– Ah!

Foi um som longo, triste, um suspiro, quase que um soluço, e atraiu o olhar do senhor Lorry para o rosto de Carton, que observava o fogo. Uma luz ou a sombra (o cavalheiro não soube precisar) o atravessou tão depressa quanto uma súbita transformação climática que varre do topo de uma encosta um dia ensolarado, e ele esticou o pé para empurrar um pequeno tição que caíra das brasas. Vestia casaco de montaria branco, botas de cano alto, então em voga, e, a luz do fogo, ao tocar o tecido claro, deixara Carton com um aspecto muito pálido, com o cabelo castanho e comprido, sem corte definido, pendendo das laterais do rosto. A indiferença dele ante as chamas chamou atenção o suficiente para provocar uma reprimenda da parte de senhor Lorry; a bota continuava a pisar no tição incandescente, até que o peso do pé o partiu.

– Não percebi – explicou ele.

O semblante de Carton voltou a chamar atenção do senhor Lorry. Reparando o ar abatido que costuma anuviar os semblantes naturalmente belos, e com a vívida imagem em mente da fisionomia dos prisioneiros, em um gesto instintivo associou as duas coisas.

– E já concluiu as obrigações que veio cumprir em Paris, senhor? – perguntou Carton, virando-se para o senhor Lorry.

– Sim. Como eu lhe dizia ontem à noite quando Lucie chegou, tão de repente, finalmente concluí todos os meus afazeres por aqui. Tinha esperança de deixá-los em perfeita segurança para então regressar. Tenho salvo-conduto. Estava pronto para partir.

Os dois ficaram em silêncio.

– O senhor tem longos anos de história para recordar, não é? – perguntou Carton em um tom melancólico.

– Estou no meu septuagésimo oitavo ano.

– O senhor foi útil a vida inteira. Sempre ocupado, sempre requisitado. Confiável, respeitado e venerado?

– Sou um homem de negócios, desde que me conheço por homem. A bem da verdade, posso dizer que desde muito menino me tornei um homem de negócios.

– Veja o lugar que o senhor ocupa aos setenta e oito. Quantos sentirão a sua falta quando o senhor não estiver mais aqui!

– Um solteirão solitário – afirmou Lorry, fazendo que não com a cabeça. – Não haverá ninguém para chorar por mim.

– Como pode dizer isso? Ela não choraria pelo senhor? E a filha dela, não choraria também?

– Sim, sim, graças a Deus. Eu não quis dizer o que disse.

– É um belo motivo para ser grato a Deus, não é?

– Com certeza, com certeza.

– Se esta noite o senhor pudesse confessar, com toda a sinceridade, a seu próprio coração: "Não conquistei o amor e o apego, a gratidão e o respeito de nenhuma criatura humana; não fiz nada que garanta o carinho e a estima de ninguém por mim; não fiz nada de bom ou de útil para ser lembrado!", seus setenta e oito anos pesariam como setenta e oito maldições, não lhe parece?

– É a mais pura verdade o que diz, senhor Carton. Acho que pesariam, sim.

Sydney voltou a olhar para o fogo e, depois de algum tempo em silêncio, disse:

– Gostaria de lhe perguntar algo... Sua infância lhe parece distante? Os dias em que sentava no colo de sua mãe lhe parecem distantes?

Comovido com a pergunta sensível, o senhor Lorry respondeu:

– Vinte anos atrás, me pareciam, sim. Neste momento de minha vida, não. Porque, à medida que me aproximo mais e mais do fim, como se caminhasse dentro de um círculo, me aproximo mais e mais do início. É como se isso fosse algum modo de abrandar e preparar o caminho. Meu coração agora está repleto de lembranças que há muito tempo estavam adormecidas, lembranças de minha mãe jovem... e eu, agora, tão velho!... e de muitas recordações dos dias em que o que hoje chamamos de mundo não era real para mim, e meus defeitos ainda não tinham se confirmado dentro de mim.

– Compreendo esse sentimento! – exclamou Carton com um rubor intenso. – E o senhor sente-se melhor por isso?

– Acredito que sim.

Carton terminou a conversa aqui, levantando-se para ajudar o senhor Lorry com o casaco.

– Mas você... – ponderou o senhor Lorry, voltando a tocar no assunto. – Você é jovem.

– Sim. Não sou velho, mas o que faço de minha juventude nunca me permitirá chegar à velhice. Mas chega de falar de mim.

– E de mim também – acrescentou o senhor Lorry. – Vai sair?

– Eu o acompanharei até o portão. O senhor conhece meus hábitos negligentes e irrequietos. Se eu perambular muito tempo pelas ruas, não se preocupe. Reapareço de manhã. O senhor vai ao tribunal amanhã?

– Irei, infelizmente.

– Estarei lá, mas apenas como mais um em meio à multidão. Meu espião encontrará um lugar para mim, senhor. Dê-me o braço, senhor.

Assim o senhor Lorry o fez; os dois desceram as escadas e saíram pelas ruas. Dentro de poucos minutos chegaram ao destino do senhor Lorry. Carton o deixou ali, afastou-se um pouco, sem partir, e voltou ao portão quando o fecharam, e o tocou. Soubera que ela fora à prisão todos os dias.

– Era por aqui que ela saía – disse consigo mesmo, olhando ao redor –, virava aqui e deve ter pisado nessas pedras várias vezes. Seguirei os seus passos.

Eram dez da noite quando ele chegou aos portões de La Force, perto de onde ela estivera centenas de vezes. Um lenhador de baixíssima estatura, tendo fechado sua oficina, fumava cachimbo à porta.

– Boa noite, cidadão – cumprimentou Sydney Carton, meio reticente, pois o homem o olhava de modo inquisitivo.

– Boa noite, cidadão.

– Como vai a República?

– O senhor quis dizer a Guilhotina? Nada mal. Sessenta e três hoje. Em breve chegaremos a cem. Samson e seus homens reclamam de cansaço, às vezes. Há, há, há! É um fanfarrão aquele Samson. Que barbeiro!

– O senhor costuma vê-lo sempre...

– Barbeando? Sempre. Todos os dias. Que barbeiro! Já o viu trabalhando?

– Nunca.

– Vá vê-lo quando ele tiver uma fornada boa. Testemunhe com os próprios olhos, cidadão. Só hoje, rapou a barba de sessenta e três, em menos de duas cachimbadas! Menos de duas cachimbadas. Acredite, palavra de honra!

Enquanto o atarracado sorridente segurava o cachimbo e o posicionava para mostrar como conseguira cronometrar o trabalho do carrasco, o impulso que Carton sentiu de lhe tirar a vida foi tamanho e crescente, que se afastou dali e foi embora.

– Mas o senhor não é inglês – comentou o lenhador –, apesar de vestir-se como um...

– Sim – declarou Carton, hesitando novamente, olhando por cima do ombro.

– O senhor fala como um francês.

– Estudo aqui desde jovem.

– Ah, um perfeito francês! Boa noite, inglês.

– Boa noite, cidadão.

– Mas vá e veja aquele maldito fanfarrão – insistiu o homenzinho, gritando atrás dele. – E leve um cachimbo!

Sydney não se distanciara muito quando interrompeu o passo por um momento e parou debaixo de um lampião tremeluzente e, com um lápis, escreveu algo em um pedacinho de papel. Então, avançando com o passo determinado de quem se lembra muito bem do caminho, por entre as ruas escuras e sujas, muito mais sujas do que o habitual, pois nem mesmo as melhores vias públicas eram higienizadas naquela época de terror, ele parou de frente para uma farmácia, cujo próprio dono fechava as portas naquele momento. Era um estabelecimento pequeno, escuro e sujo, localizado em uma rua sinuosa e íngreme, mantida por um homem pequeno, escuro e sujo.

Depois de cumprimentar este cidadão com um boa-noite, foi ao balcão antes de o estabelecimento fechar e colocou o pedacinho de papel na superfície, diante do homem.

– Fiuuu! – sibilou o farmacêutico enquanto lia a mensagem. – Hi, hi, hi!

Sydney Carton não deu importância àquilo e o farmacêutico perguntou:

– É pra você, cidadão?

– Pra mim.

– O senhor tomará o devido cuidado de mantê-las separadas, cidadão? Sabe quais são as consequências de misturá-las?

– Sei bem.

O farmacêutico preparou alguns pacotinhos e entregou-os a Carton que os guardou, um por um, no bolso interno do casaco, depois contou o dinheiro, pagou a conta e foi embora no mesmo passo determinado com que entrara.

– Não há mais nada a ser feito até amanhã – disse consigo, olhando para a lua. – Não consigo dormir.

Este não foi um gesto imprudente, a maneira como ele pronunciou em voz alta essas palavras sob as nuvens que atravessavam o céu com rapidez, tampouco demonstração maior de negligência do que de provocação. Era, pois, a decisão de um homem cansado, que vagara, lutara e se perdera, mas que por fim encontrara seu caminho e avistara o seu fim.

Épocas distantes, muito antes daquela, quando ele despontava entre os seus promissores concorrentes como uma jovem promessa, acompanhara o funeral do pai até o túmulo. A mãe morrera anos antes. As palavras solenes lidas durante o sepultamento do pai ocorreram-lhe enquanto ele descia as ruas escuras, entre as sombras avultantes, e a lua e as nuvens velejando acima de sua cabeça.

"'Eu sou a ressurreição e a vida', disse o Senhor; 'quem crê em mim, ainda que esteja morto, viverá; e todo aquele que vive, e crê em mim, nunca morrerá'."

Em uma cidade regida pelo cutelo, sozinho na calada da noite e legitimamente entristecido por aqueles sessenta e três que haviam sido assassinados naquele dia, como também por todas as vítimas de amanhã que aguardavam o próprio fim dentro de uma cela, e também pelos que viriam depois de amanhã, e no dia seguinte a esse, a sequência de associações lhe fez lembrar das palavras da juventude, facilmente içadas das profundezas feito a âncora de um navio velho e enferrujado. Ele não as procurara, mas as repetiu e seguiu adiante.

Com um solene interesse pelas janelas iluminadas onde as pessoas preparavam-se para descansar, esquecendo-se por poucas e tranquilas horas dos horrores que as cercavam; pelas torres das igrejas onde nenhuma oração era proferida porque a revolta popular atingira aquele ponto de autodestruição após anos de eclesiásticos impostores, espoliadores e libertinos; pelos cemitérios longínquos, reservados, como se lia em seus portões, ao Sono Eterno; pelas numerosas prisões; e pelas ruas por onde os sessenta e três rolaram até chegar aos braços da morte que, de tão comum e material, nunca, jamais nenhuma história de espírito mal-assombrado e vítima da guilhotina correu pela boca do povo; com um solene interesse por tudo que concerne à vida e à morte da cidade que durante uma curta pausa noturna interrompia sua fúria, Sydney Carton atravessou o Sena mais uma vez à procura de ruas mais iluminadas.

Circulavam poucas carruagens, pois quem as conduzia corria o risco de levantar suspeitas, e a nobreza escondia a cabeça com barretes vermelhos, calçava sapatos pesados e andava a pé, com dificuldade. No entanto, os teatros estavam cheios e as pessoas saíam contentes desses lugares, conversando a caminho de casa. Na entrada de um desses teatros, havia uma garotinha acompanhada da mãe, procurando um caminho na rua para esquivar-se da lama. Ele pegou a menina nos próprios braços e antes que o braço tímido lhe soltasse o pescoço, pediu à garotinha um beijo.

"'Eu sou a ressurreição e a vida', disse o Senhor; 'quem crê em mim, ainda que esteja morto, viverá; e todo aquele que vive, e crê em mim, nunca morrerá'."

Agora que as ruas estavam silenciosas e a madrugada estendia-se à frente, as palavras ecoavam em seus passos e pairavam no ar. Muitíssimo calmo e sóbrio, ele, às vezes, repetia tais palavras para si mesmo enquanto caminhava, mas as ouvia sempre.

A noite findava e, enquanto detinha-se na ponte, ouvindo o som da água colidir com as muralhas da Ilha de Paris, onde a pitoresca confusão de casas e catedral cintilava à luz da lua, o dia irrompia frio na forma de um cadavérico rosto no céu. Então, com a noite, junto à lua e as estrelas, empalideceu e morreu e por algum tempo foi como se a Criação estivesse entregue ao domínio da Morte.

Contudo, o sol, erguendo-se com toda a sua glória, pareceu chocar-se com aquelas palavras e com o fardo da noite, arrastando-os direto para o seu coração em seus raios luminosos e extensos. E observando a cena, cobrindo os olhos com reverência, uma ponte de luz pareceu erguer-se no ar entre ele e o sol, enquanto o rio resplandecia debaixo dela.

A correnteza, tão forte, agitada, intensa e certeira, era como a companhia agradável de um amigo no silêncio matinal. Ele caminhou junto à corrente, distante das casas, e adormeceu em suas margens à luz e ao calor do sol. Ao despertar e retomar a caminhada, deteve-se mais um pouco ali, observando um redemoinho que se formava e girava sem rumo certo, até ser tragado pela correnteza e arrastado para o mar. "Como eu!".

Um barco mercante, cuja vela tinha a cor esmaecida de uma folha seca, apareceu em seu campo de visão, flutuou e desapareceu. Quando seu silencioso rastro desapareceu na água, a oração que lhe irrompera do coração, clamando a misericórdia por todos seus erros e cegueiras, findou com as seguintes palavras: "Eu sou a ressureição e a vida".

O senhor Lorry já estava na rua quando ele retornou e não era difícil supor aonde o homem de bom coração havia ido. Sydney Carton não tomou nada além de um pouco de café, comeu um pão e, tendo se lavado e trocado de roupa para se refrescar, saiu para assistir ao julgamento.

Havia barulho e agitação no tribunal quando a ovelha negra, de quem muitos se afastaram por medo, o empurrou para um canto escuro onde estava a multidão. O senhor Lorry estava lá, o doutor Manette estava lá. Ela estava lá, sentada ao lado do pai.

Quando trouxeram o marido, ela o olhou de um modo tão firme, tão encorajador, tão repleto de admiração, amor e compassiva ternura para fortalecê-lo que o sangue lhe corou o rosto, abrilhantou-lhe o olhar e animou-lhe o coração. Se algum olhar por ali notasse o efeito que causou a Sydney Carton a presença dela, descreveria a cena da mesma forma.

Perante aquele tribunal injusto, havia pouca ou nenhuma norma que garantisse ao acusado a oportunidade de um interrogatório sensato. Não teria ocorrido revolução como aquela se todas as leis, formalidades e cerimônias não tivessem sido deturpadas de modo tão monstruoso, fazendo com que a própria vingança suicida da Revolução as propagasse com a força do vento.

Todos os olhares estavam voltados para o júri. Os mesmos determinados patriotas e bons republicanos de ontem e de anteontem, de amanhã e do dia depois de amanhã. Mais impaciente e proeminente entre eles, havia um homem de semblante angustiado, com os dedos pairando perpetuamente em torno dos lábios e cuja presença muito satisfez os espectadores. Um jurado com sede de morte, aparência canibalesca e pensamento sanguinário, o Jacques Terceiro de Saint-Antoine. O júri inteiro parecia uma matilha de cães pronta para atacar a presa.

Todos os olhares, então, voltaram-se para os cinco juízes e o promotor público. Entre o grupo, nenhuma perspectiva favorável dessa vez. Pelo contrário, pairava no ar ferocidade, intransigência e criminalidade. Cada olhar procurava ressonância em outro par de olhos entre a multidão, e cintilava quando a encontrava. Todos assentiam mutuamente antes de inclinar para a frente e manter o máximo de concentração.

Charles Evrémonde, conhecido como Darnay. Solto ontem. Novamente acusado e recapturado ontem. Acusação formal entregue a ele ontem à noite. Suspeito e denunciado inimigo da República, aristocrata, membro de uma família de tiranos, de uma raça proscrita por ter abusado de seus abolidos privilégios para oprimir infamemente o povo. Charles Evrémonde, conhecido como Darnay, faz jus à proscrição e está absolutamente morto pela lei.

Para tal efeito, e em tão poucas e escassas palavras, interferiu o promotor público.

O presidente perguntou:

– O acusado foi denunciado abertamente ou secretamente?

– Abertamente, presidente.

– Por quem?

– Três vozes. Ernest Defarge, vendedor de vinhos de St. Antoine.

– Ótimo.

– Therese Defarge, sua esposa.

– Ótimo.

– Alexandre Manette, médico.

Deu início um grande alvoroço no tribunal e, em meio a ele, avistava-se o doutor Manette, pálido e trêmulo, de pé no lugar onde estivera sentado.

– Presidente, com indignação declaro que esta é uma mentira e uma fraude. Vossa excelência sabe que o acusado é marido de minha filha. Minha filha e aqueles que lhe são queridos são ainda mais queridos que a minha própria vida. Quem é e onde está o farsante que declara ter eu denunciado o marido de minha filha?!

– Cidadão Manette, acalme-se. Rebelar-se contra a submissão da autoridade de um tribunal pode levá-lo à condição de fora da lei. E quanto ao que lhe é mais querido que a própria vida, nada pode ser mais caro a um cidadão que a República.

A reprimenda foi recebida pela plateia com entusiasmadas aclamações. O presidente tocou a sineta e com entusiasmo retomou:

– Se a República lhe reivindicasse sacrificar sua filha, ao senhor não restaria outra opção senão o dever de sacrificá-la. Escute o que virá a seguir. Por enquanto, fique em silêncio!

Aclamações entusiasmadas novamente foram ouvidas. O doutor Manette sentou--se, olhando ao redor e com os lábios trêmulos. A filha aproximou-se mais dele. O homem aflito esfregou as mãos e tornou a levar uma delas aos lábios.

Defarge foi chamado quando se restabeleceu a ordem o suficiente para ouvirem a testemunha ser ouvida; esta rapidamente expôs a história do encarceramento, contou ter sido um mero serviçal para o doutor, falou sobre a libertação e do estado do prisioneiro quando libertado e entregue a ele. O interrogatório prosseguiu, estando relatada aqui uma pequena parte dele, pois o tribunal não tinha tempo a perder.

– É verdade que executou um bom serviço na tomada da Bastilha, cidadão?

– Creio que sim.

Neste momento, uma mulher entusiasmada gritou da plateia:

– O senhor foi um dos mais corajosos patriotas que estiveram lá. Por que não dizê-lo? Foi um verdadeiro artilheiro naquele dia e estava entre os primeiros a entrar naquela fortaleza maldita quando ela caiu. Patriotas, digo a verdade!

Era Vingança quem, em meio ao caloroso apoio da plateia, assim contribuiu com o processo. O presidente fez soar a sineta, mas Vingança, eufórica com o apoio que recebera, berrou:

– Desafio a sineta! – E foi igualmente aclamada.

– Relate ao tribunal o que o senhor fez naquele dia dentro da Bastilha, cidadão.

– Eu sabia... – afirmou Defarge, olhando para a esposa, que estava de pé em um degrau baixo da escada, a mesma em que o marido estava, fitando-o com atenção. – Eu sabia que este prisioneiro de quem falo fora confinado em uma cela conhecida como Cento e Cinco, Torre Norte. Soube porque ele próprio me contou. Este era o único nome que reconhecia ter, Cento e Cinco, Torre Norte, quando passou a fabricar sapatos sob meus cuidados. Enquanto empunhava a minha arma naquele dia, decidi, depois que a fortaleza viesse abaixo, que examinaria a cela. E a queda aconteceu. Dirigi-me até a cela, acompanhado por um companheiro cidadão que compõe o júri e guiado por um carcereiro. Examinei-a com todo o cuidado. Em um buraco da chaminé, de onde uma pedra fora arrancada e posta no mesmo lugar depois, encontrei um papel com uma mensagem escrita. Aqui está este papel. Resolvi estudar a caligrafia do doutor Manette em alguns documentos. Esta é a letra do doutor Manette. Confio este papel, escrito com a letra do doutor Manette, às mãos do presidente deste tribunal.

– Que seja lido.

Em um silêncio profundo e sepulcral, em que o prisioneiro olhava carinhosamente para a esposa, e a esposa, desviando os olhos dele somente para fitar o pai com solicitude, que, por sua vez, mantinha os olhos fixos no leitor, e a madame Defarge sem tirar os seus do prisioneiro, e Defarge sem desviar os seus de sua esposa satisfeita, e todos os demais olhares voltados para o doutor, que não via ninguém; leu-se a mensagem a seguir.

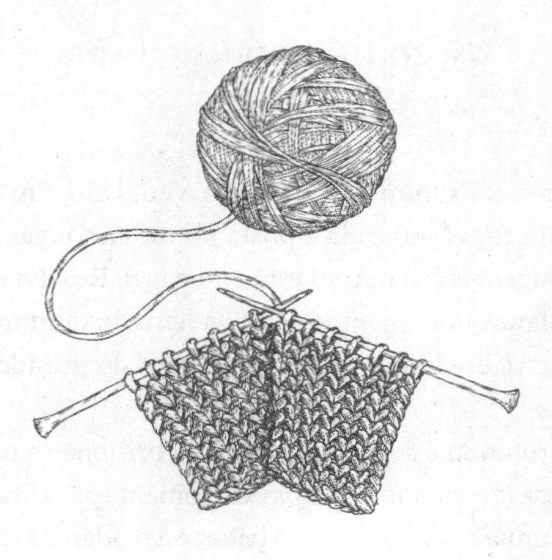

A ESSÊNCIA DA SOMBRA

"Eu, Alexandre Manette, médico desafortunado, natural de Beauvais, posteriormente residente em Paris, escrevo esta melancólica carta em minha cela na Bastilha, durante o último mês de 1767. Escrevo-a entre intervalos furtivos e sob todo o tipo de dificuldade. Pretendo escondê-la na parede da chaminé, onde lenta e laboriosamente construí um esconderijo especialmente com esse propósito. Talvez alguma mão misericordiosa deva encontrá-la, ocasião em que eu e os meus sofrimentos já teremos nos transformado em pó.

"Estas palavras são escritas com a ponta de um ferro enferrujado, e escrevo-as com dificuldade, usando resquícios de fuligem e pequenos pedaços de carvão da chaminé, misturados com sangue, no último mês do décimo ano de meu cativeiro. Não me resta nenhuma esperança no peito. Por avisos terríveis que observei em mim mesmo, sei que minha mente não permanecerá invulnerada por muito tempo, mas declaro formalmente que neste momento tenho plena posse de minhas faculdades mentais, que minha memória é precisa e detalhista, e que escrevo a verdade, pois responderei por estas últimas palavras, sejam elas lidas ou não, no Juízo Final.

"Em uma noite nublada ao luar, na terceira semana de dezembro (creio que era o vigésimo segundo mês) de 1757, eu caminhava por um trecho deserto próximo ao cais do Sena à procura de ar puro para me refrescar, a uma hora de distância de minha residência, na rua da Escola de Medicina, quando uma carruagem apareceu atrás de mim, e vinha a toda velocidade. Quando me esgueirei para o lado, com receio de ser atropelado pelo veículo, uma cabeça apareceu pelo lado de fora da janela e uma voz pediu ao condutor que parasse.

"A carruagem parou tão logo o cocheiro conseguiu refrear os cavalos e a mesma voz me chamou pelo nome. Respondi. A carruagem estava tão à frente que os dois senhores tiveram tempo de abrir a porta e descer antes de eu alcançá-la. Percebi que ambos tinham o corpo coberto por manta e pareciam esconder-se. Ali, parados, lado a lado, próximos à porta da carruagem, também reparei que os dois aparentavam ter mais ou menos a mesma idade que eu, ou talvez fossem um pouco mais jovens, e que eram muito parecidos em relação à estatura, aos gestos, à voz e (até onde pude perceber) ao rosto.

"– O senhor é o doutor Manette?

"– Sim, sou.

"– Doutor Manette, de Beauvais – disse o outro. – Jovem médico, cirurgião especialista que há um ano ou dois tem conquistado renomada e crescente reputação em Paris?

"– Cavalheiros – respondi –, sou o doutor Manette a quem se referem com tanta cortesia.

"– Fomos à sua residência – explicou o primeiro –, mas não tivemos a sorte de encontrá-lo e, tendo recebido a informação de que provavelmente estivesse caminhando por essas redondezas, seguimos por este caminho na esperança de alcançá-lo. Poderia fazer a gentileza de entrar na carruagem?

"Os dois falavam com um tom altivo e enquanto diziam essas frases se deslocavam, deixando-me entre eles e a porta da carruagem. Estavam armados. Eu não.

"– Cavalheiros – falei –, perdoem-me, mas costumo perguntar a quem devo a honra de procurar meu auxílio e a natureza do caso para o qual me convocam.

"A resposta foi dada pelo segundo.

"– Doutor, seus pacientes são todos de boa posição social. Quanto à natureza do caso, nossa confiança em suas habilidades nos assegura que o senhor por si a avaliará muito melhor do que poderíamos descrevê-la. Basta. Pode fazer o favor de entrar na carruagem?

"Não me restava nada a fazer senão obedecer, entrar na carruagem e me calar. Os dois entraram logo atrás de mim, o último pulou os degraus e os recolheu para dentro do veículo. A carruagem deu meia-volta e seguiu adiante na mesma velocidade em que a vi.

"Reproduzo essa conversa do modo exato como ela aconteceu. Não tenho dúvidas de que retrato palavra por palavra com a mesma precisão com que foi dita. Descrevo tudo exatamente como aconteceu, controlando a minha mente para que não desvie da tarefa. Os asteriscos indicam os momentos de interrupção desta mensagem, quando guardo o papel em meu esconderijo.

***

"A carruagem prosseguiu, deixando para trás as ruas, atravessando a Barreira Norte e adentrando uma estrada em direção ao campo. A dois terços de légua da barreira, distância que não calculei naquele momento, mas apenas depois, quando voltei a atravessá-la, o veículo saiu da estrada principal e parou de frente para uma casa isolada. Nós três descemos e caminhando por uma trilha de solo úmido, deparamos um jardim onde uma fonte abandonada havia transbordado e chegamos à porta da casa. Não atenderam logo após o toque da campainha, e um dos dois condutores que me trouxeram até ali com a luva pesada de montaria desferiu um tapa no rosto do homem que apareceu.

"Nada nesse gesto chamara a minha atenção, pois já vi gente comum ser espancada com maior frequência que os cães. No entanto, o outro condutor, igualmente zangado, com a força do braço também acertou o homem. A aparência e o comportamento dos dois eram tão semelhantes que naquele momento notei serem eles irmãos gêmeos.

"Desde o momento em que deparamos o portão da frente (que estava trancado e fora aberto por um dos irmãos para nossa passagem e depois trancado novamente também por ele), escutei gritos provenientes do andar superior. Fui levado diretamente a esse quarto e os gritos soavam cada vez mais alto à medida que subíamos os degraus; encontrei uma paciente deitada na cama e com febre alta.

"Tratava-se de uma mulher belíssima e jovem, certamente com no máximo vinte e poucos anos. O cabelo estava desgrenhado e disforme, e tinha os braços amarrados para trás com faixas e lenços. Percebi que o tecido das amarras era fragmentos de traje masculino. Em uma dessas amarras, que era uma echarpe masculina do tipo que se usa em ocasiões formais, vi o brasão típico de família nobre e a letra 'E'.

"Percebi esses detalhes logo que avistei a paciente, pois, enquanto se debatia, ela virou o rosto para o lado da beirada da cama, puxou a ponta da echarpe com a boca e corria o risco de asfixia. Minha primeira reação foi puxar o lenço de volta para lhe recuperar o fôlego e, ao fazer isso, um bordado costurado na ponta do tecido chamou a minha atenção.

"Com cuidado, virei a jovem de volta, posicionei as mãos em seu tórax para acalmá-la e estabilizá-la e fitei-lhe o rosto. Com os olhos esbugalhados e ferinos, e entre gritos incessantes e agudos, ela repetia as palavras: 'Meu marido, meu pai e meu irmão!', depois contava de um a doze e dizia: 'Shhhh!', e ficava em silêncio, prestando atenção por um instante, não mais que isso, quando recomeçava os gritos, a repetição da frase: 'Meu marido, meu pai e meu irmão!', a contagem até doze e o pedido de silêncio: 'Shhhh!'. Acontecia assim, exatamente nessa ordem, ritmo e intensidade, sem nenhuma interrupção, salvo a pausa regular da intercalação entre uma coisa e outra.

"– Há quanto tempo ela está assim? – indaguei.

"Para diferenciar um irmão do outro, neste relato os tratarei como o mais velho e o mais novo; quando mencionar o primeiro, refiro-me ao mais altivo dos dois. Foi o mais velho que respondeu:

"– Desde ontem, mais ou menos a essa hora.

"– Ela tem marido, pai, irmão?

"– Um irmão.

"– É com ele que falo agora?

"Com notável ar de desprezo, ele respondeu:

"– Não.

"– Há algum fato recente que esteja associado ao número doze?

"Impaciente, o irmão mais novo respondeu:

"– Doze horas?

"– Vejam, cavalheiros – falei, ainda com as mãos posicionadas no peito da jovem –, como se faz inútil minha presença do modo como me trouxeram! Se eu conhecesse a natureza do problema, teria me prevenido. Estamos perdendo tempo. Não há como conseguir medicamentos neste lugar afastado de tudo.

"O mais velho olhou para o mais novo, que com um ar de arrogância, disse:

"– Há uma caixa de medicamentos aqui. – Retirou-a de um armário e a colocou sobre a mesa.

***

"Abri alguns frascos, cheirei-os e levei as rolhas à boca. Se quisesse alguma substância livre de narcótico, que por si são verdadeiros venenos, não teria administrado nenhuma daquelas opções.

"– Não confia nos medicamentos? – perguntou o mais novo.

"– Veja, cavalheiro, vou usá-los – respondi sem dizer nem mais uma palavra.

"Com muita dificuldade e depois de muitos esforços, consegui fazer a paciente engolir a dose que eu queria lhe dar. Como eu pretendia repeti-la depois de um tempo, e como era preciso observar o efeito, sentei-me ao lado da cama. Havia também ali uma mulher tímida e acanhada, esposa do homem que atendera a porta, que se recolhera para um canto. A casa era úmida e velha, com móveis aleatórios, evidentemente ocupada há pouco tempo e por período determinado. Cortinas grossas e velhas foram dependuradas nas janelas para abafar o som dos gritos que continuavam a ser ouvidos na ordem regular: 'Meu marido, meu pai, meu irmão!', seguido da contagem até doze e 'Shhhh!'. Tão violento era o surto que não desatei as amarras de seus braços, mas as averguei para assegurar que não machucavam a paciente. A única centelha de esperança quanto ao caso foi perceber que minha mão apoiada no peito da jovem causara efeito calmante o suficiente para tranquilizá-la por alguns minutos. Mas não surtiam nenhum efeito em relação aos gritos; nenhuma regularidade de um pêndulo poderia se equiparar àquela.

"Por terem as minhas mãos surtido tal efeito (ou assim presumi), havia meia hora que eu estava sentado ao lado da cama, com os dois irmãos observando, quando o mais velho falou:

"– Há outro paciente.

"Chocado, perguntei:

"– É caso urgente?

"– É melhor que veja com os próprios olhos – respondeu sem demonstrar preocupação e depois pegou uma lamparina.

***

"O outro paciente estava deitado em um quarto dos fundos, depois de um segundo lance de escadas, e que parecia um tipo de sótão sobre um estábulo. Em uma parte do cômodo, havia um teto baixo de gesso e a outra parte era aberta, com as vigas e o telhado visíveis. Feno e palha ficavam armazenados na primeira parte, bem como lenha para fogueira e um punhado de maçãs apinhado na areia. Tive de atravessar esta primeira parte para chegar à outra. Minha memória é detalhista e permanece incólume. Uso esses detalhes para testá-la e consigo rememorá-los todos, desta minha cela na Bastilha, perto do final do décimo ano de meu cativeiro, como os vi naquela noite.

"Apoiado em um punhado de feno, com uma almofada jogada por cima da cabeça, estava um belo jovem camponês, de no máximo dezessete anos. Deitado de barriga para cima e com os dentes cerrados, mantinha a mão direita apertada contra o peito e os olhos absortos fitando o teto. Ao ajoelhar-me perto dele, não consegui identificar o local do ferimento, mas percebi que agonizava por conta de uma ferida provocada por objeto pontiagudo.

"– Sou médico, meu pobre rapaz – falei. – Deixe-me examiná-lo.

"– Não quero ser examinado. Deixe isso pra lá – afirmou.

"Ele tapava com a mão o ferimento e eu o tranquilizei, pedindo que me deixasse afastá-la para vê-lo. Tratava-se de um golpe de espada, desferida entre vinte e vinte e quatro horas antes, mas nenhum cuidado médico o teria salvado mesmo que recebesse o devido cuidado logo após o golpe. A morte aproximava-se rapidamente. Ao virar-me para o irmão mais velho, vi-o olhar para o rapaz bonito e cuja vida lhe escorria por entre os dedos, como se o ferido fosse um pássaro caído, uma lebre ou talvez um coelho. Nunca, jamais como uma criatura humana.

"– Como isso aconteceu, cavalheiro? – perguntei.

"– Um fedelho, cachorro maldito e raivoso! Um servo! Obrigou meu irmão a desferir-lhe um golpe e foi derreado com a espada de meu irmão... como um cavalheiro.

"Não houve a menor demonstração de pena, tristeza ou de humanidade nessa resposta. O mais velho parecia reconhecer a inconveniência de ter uma criatura desconhecida e moribunda ali, e que tanto melhor seria se ele tivesse batido as botas na habitual rotina obscura de sua espécie vermiforme. Era totalmente incapaz de demonstrar o menor sentimento de compaixão pelo menino ou pelo seu destino.

"Os olhos do rapaz se movimentaram devagar em direção ao mais velho enquanto este falava, e agora aos poucos se voltavam para mim.

"– Doutor, eles têm muito orgulho, esses nobres. Mas nós, os cães comuns, também somos orgulhosos às vezes. Eles nos saqueiam, maltratam, espancam, matam... mas ainda nos resta um pouco de orgulho, às vezes. Ela... o senhor já a viu, doutor?

"Os berros e gritos podiam ser ouvidos ali também, embora mais baixos por conta da distância. Ele referia-se a eles como se ela estivesse deitada ali, no mesmo quarto.

"Respondi:

"– Eu a vi.

"– É minha irmã, doutor. Há muito anos eles têm seus direitos vergonhosos, esses nobres, sobre a modéstia e a virtude de nossas irmãs, mas temos boas moças entre nós. Sei disso e escutei meu pai dizer muito isso. Ela era uma boa moça. Também estava noiva de um bom rapaz: um inquilino dele. Todos éramos inquilinos dele... aquele homem que está parado aí. O outro é irmão dele, o pior de uma raça maldita.

"Foi com muita dificuldade que o rapaz reuniu forças para conseguir falar, mas o espírito conferia assustadora ênfase às suas palavras.

"– Fomos tão roubados por este homem parado aí, tanto quanto sempre o são os cachorros jogados à sarjeta por seus 'superiores donos'... tributados sem dó nem piedade, forçados a trabalhar para ele sem honorários, obrigados a moer nosso milho no moinho deles, a alimentar suas aves de criação com a nossa colheita escassa, e proibidos de criar sequer uma galinha... saqueados, roubados a tal ponto que, quando tínhamos a chance de comer um pedaço de carne, mastigávamos e engolíamos com medo, com a porta trancada e as cortinas fechadas, escondido para que essa gente não o tomasse de nós... Eu lhe digo, fomos tão roubados, perseguidos, e nos deixaram tão miseráveis que nosso pai nos contou que a pior de todas as coisas seria pôr um filho no mundo, e nos aconselhou a rezar para que nossas mulheres fossem estéreis e nossa raça infeliz extinta!

"Nunca antes eu testemunhara a sensação de um oprimido irrompendo feito fogo. Supunha que devia vibrar como algo latente nas pessoas, mas nunca a vira revelada daquele modo antes de encontrar aquele pobre rapaz moribundo.

"– No entanto, doutor, minha irmã se casou. O pobre noivo estava doente na ocasião, e ela casou-se com seu amado, para cuidar dele e confortá-lo em nossa cabana... nossa casinha de cachorro como este homem a chamaria. Ela estava casada há poucas semanas quando o irmão deste homem aí a viu, ficou encantado por ela, pediu ao outro que a emprestasse a ele... porque de que valem os maridos entre nós! E ele estava de fato disposto e empenhado a atender ao pedido do outro, mas minha irmã era boa e virtuosa, e odiava o irmão dele tanto quanto eu o odeio. Então, o que os dois fizeram para convencer o marido a usar sua influência sobre ela e obrigá-la a lhes fazer a vontade?

"Os olhos do rapaz, até então fixos nos meus, devagar se voltaram para o observador e percebi pela expressão dos dois que tudo aquilo era verdade. Esses dois tipos de orgulho, que confrontam um ao outro, noto até mesmo na Bastilha; o do cavalheiro, embevecido de total indiferença, e o do camponês, imbuído de um sentimento reprimido e da mais pura sede de vingança.

"– Doutor, o senhor sabe que entre os direitos desses nobres está o de nos amarrar feito cachorros nas carroças e nos obrigar a puxá-los? Pois o amarraram e o conduziram desse jeito. O senhor sabe que também faz parte do direito deles nos manter a noite toda do lado de fora de suas propriedades, fazendo calar os sapos para que não perturbem o sono da nobreza? Pois o mantiveram assim, no sereno nocivo da noite, e quando raiou o dia lhe ordenaram a retornar ao arreio. Mas ele não deu o braço a torcer. Não! Em uma tarde, quando o livraram do arreio apenas para que pudesse se alimentar... ele soluçou doze vezes, uma a cada badalada do sino, e morreu nos braços dela.

"Nada neste mundo, senão a determinação do rapaz de revelar tudo o que sofrera, seria capaz de mantê-lo vivo. Empurrava a nuvem de sombras mortais com a mesma força com que pressionava a mão direita cerrada contra o ferimento.

"– Então, com a permissão daquele sujeito ali e inclusive contando com sua ajuda, o irmão levou-a embora... mesmo depois de ouvir o que ela disse a ele... e que em breve o senhor saberá do que se trata, doutor, se é que já não saiba... o irmão deste homem levou-a embora para o próprio prazer e diversão, por pouco tempo. Eu a vi quando passou por mim na estrada. Quando contei a notícia em casa, o coração do nosso pai sucumbiu e ele nunca mais voltou a pronunciar as palavras que o preenchiam. Levei minha irmã mais nova... porque tenho outra irmã... para um lugar bem longe do alcance deste homem e lá pelo menos sei que ela nunca se tornará vassala dele. Então, segui o irmão até aqui, e ontem à noite invadi a casa pela janela... feito um cachorro, mas munido com a espada... Onde está a janela do sótão? De que lado está?

"O quarto ficava cada vez mais escuro ao seu redor e o mundo que o circundava se estreitava. Olhei para os lados e vi que o feno e a palha estavam pisoteados, como se tivesse acontecido uma luta ali.

"Ela me ouviu e correu para cá. Pedi-lhe que não se aproximasse antes de ele cair morto. Ele apareceu e a princípio começou a me atirar algumas moedas, depois, passou a me chicotear. Mas eu, apesar de um cachorro miserável, reagi e o ataquei a ponto de fazê-lo puxar a espada. Deixei que quebrasse em quantos pedaços quisesse a espada contaminada com o sangue de um cachorro ordinário... ele me acertou com um golpe certeiro para poder escapar da morte.

"Alguns momentos antes, meu olhar percebeu os fragmentos da espada quebrada espalhados pelo feno. Era a arma de um cavalheiro. Em um outro canto, jazia uma espada velha que aparentava pertencer a um soldado.

"– Agora, levante-me, doutor, me ajude a levantar. Onde ele está?

"– Não está aqui – respondi, oferecendo ajuda ao rapaz e pensando que a pergunta se direcionava ao irmão.

"– Ele! orgulhosa como é essa raça, deve estar com medo de mim. Para aonde foi o homem que estava bem aqui? Vire meu rosto na direção dele.

"E assim o fiz, erguendo a cabeça do rapaz, apoiando-a no meu joelho. No entanto, envolvido de súbito por algum poder extraordinário, ele se levantou completamente, obrigando-me a levantar também, do contrário, não conseguiria ampará-lo.

"– Marquês – disse o garoto, voltando-se para o homem com os olhos esbugalhados e a mão direita erguida. – Quando chegar o momento de pagar por tudo o que fez, convoco o senhor e todos os seus, até a última criatura de sua raça desgraçada, a pagar por suas atrocidades. Traço essa cruz de sangue sobre o senhor como um sinal de minha promessa. Quando chegar o momento em que terá de pagar por tudo o que fez, convoco o seu irmão, a pior espécie dessa raça desgraçada, a pagar por tudo que fez separadamente. Traço essa cruz de sangue sobre ele como um sinal de minha promessa.

"Por duas vezes, ele apoiou a mão no ferimento do peito e com o dedo indicador traçou uma cruz no ar. Permaneceu com o dedo ainda esticado por mais um instante. Quando a mão caiu, ele caiu junto, e eu deitei seu corpo morto no chão.

***

"Quando retornei à cabeceira da jovem, deparei-a delirando exatamente como antes. Eu sabia que aquilo perduraria por muitas horas e que provavelmente terminaria no silêncio do sepulcro.

"Repeti a dose dos medicamentos que havia lhe dado e permaneci sentado ao seu lado noite adentro. Os gritos agudos persistiam com a mesma intensidade, sem nunca tropeçar na ordem tampouco na precisão das palavras. 'Meu marido, meu pai e meu irmão! Um, dois, três, quatro, cinco, seis, sete, oito, nove, dez, onze, doze. Shhhh!'.

"O quadro persistiu por vinte e seis horas desde o momento em que a vi. Eu havia me ausentado e retornado duas vezes, e estava ao seu lado quando ela começou a vacilar. Fiz o pouco que poderia ser feito em uma circunstância como aquela e, aos poucos, ela desfaleceu em um estado de letargia e ficou deitada, como morta.

"Era como se a ventania e a chuva finalmente tivessem cessado depois de uma extensa e pavorosa tempestade. Desamarrei-lhe os braços e chamei a mulher para me ajudar a ajeitá-la na cama e ajustar o vestido que ela rasgara. Foi então que notei ser o seu estado aquele em que surgem as primeiras expectativas de ser mãe; perdi o fio de esperança que ainda me restava.

"– Ela morreu? – perguntou o marquês a quem ainda descrevo como o irmão mais velho, entrando calçado com botas de montaria no quarto.

"– Não morreu – respondi –, mas está a ponto do último suspiro.

"– Que força tem essa gentalha! – disse, observando com certa curiosidade a mulher deitada.

"– Prodigiosa resistência, eu diria – retruquei –, fruto do sofrimento e do desespero.

"A princípio, ele riu do meu comentário, mas logo depois franziu a testa. Com o pé, ele arrastou uma cadeira para perto da minha, ordenou à mulher que se retirasse e com a voz sussurrada disse:

"– Doutor, vendo meu irmão nessa situação complicada envolvendo esses camponeses, recomendei que lhe procurasse e lhe pedisse sua ajuda. O senhor é um homem de reputação ilibada e, como um jovem que tem uma fortuna a construir pela frente, provavelmente zela pelos seus interesses. As coisas que viu aqui, aconteceram aqui e daqui não devem sair.

"Auscultei a paciente e evitei comentar.

"– Pode me conceder a honra de sua atenção, doutor?

"– Cavalheiro, em minha profissão, tudo que se trata com os pacientes é sempre confidencial – respondi com resguardo, pois estava perturbado com tudo que vira e ouvira.

"A respiração da paciente era tão difícil de escutar que me detive à pulsação e ao coração. Tinha vida, nada mais. Ao olhar para o lado, deparei os dois irmãos fitando-me.

***

"Escrevo com tanta dificuldade, faz tanto frio e tenho tanto medo de ser pego e enviado para uma cela subterrânea e escura que preciso abreviar esta narrativa. Minha memória prevalece na mais perfeita ordem, livre de confusão e de falhas. Sou capaz de recordar e detalhar cada palavra trocada entre aqueles irmãos e eu.

"Ela agonizou por uma semana. Bem perto do fim, ao aproximar o ouvido de seus lábios, consegui compreender algumas palavras que me disse. Perguntou-me onde estava, e eu lhe respondi; quem era, e eu lhe falei. De nada adiantou perguntar-lhe o sobrenome: lentamente ela mexeu a cabeça de um lado para o outro no travesseiro e guardou segredo, tal como o rapaz fizera.

"Não tive a chance de perguntar-lhe nada até o dia em que tive de comunicar aos irmãos que a situação da moça piorava muito e ela não resistiria ao dia seguinte. Até então, embora ninguém além de mim e da mulher lhe oferecesse companhia, um ou outro dos irmãos sempre ficava atrás da cortina na cabeceira da cama quando me via ao lado da moça. Apesar disso, nenhum deles parecia preocupado com a conversa que eu poderia ter com a paciente... como se (possibilidade que me veio à mente) eu também estivesse à beira da morte.

"Sempre notei que o orgulho de ambos estava amargamente ferido pelo fato de o irmão mais novo (como o chamo) ter cruzado espadas com um camponês, e de esse camponês ter sido um garoto. A única preocupação que parecia afetar a ambos era que o acontecimento pesaria como algo vexatório e ridículo para a família. Todas as vezes que nossos olhares se cruzaram, o meu e o do irmão mais novo, seu semblante me fazia lembrar do rancor que sentia por mim pelo simples fato de eu ter tomado conhecimento dos fatos por meio do rapaz; algo que não me passou despercebido apesar de o mais novo ser mais gentil e educado comigo do que o outro. Também não deixei de reparar que para o mais velho eu era um verdadeiro fardo.

"Minha paciente faleceu duas horas antes da meia-noite – de acordo com o meu relógio, mesmo horário em que a vi pela primeira vez. Eu estava a sós com ela quando sua cabeça jovial e desfortunada inclinou ligeiramente para o lado e todos as suas angústias e sofrimentos terrenos chegaram ao fim.

"Os irmãos estavam aguardando em uma sala no andar inferior, ansiosos para ir embora. Eu os ouvira, quando ficaram apenas os dois ao lado da cama, batendo nas botas com o chicote e andando de um lado para o outro.

"– Finalmente ela morreu? – perguntou o mais velho, quando entrei.

"– Está morta – respondi.

"– Congratulações, meu irmão. – Foi o que disse ao virar-se para trás.

"Ele já havia me oferecido dinheiro, cujo recebimento adiei o máximo que pude. "Agora, me oferecera um *roleau* de ouro. Peguei-o da mão dele, mas o deixei sobre a mesa. Refletira muito sobre a questão e decidira não aceitar nada.

"– Queiram perdoar-me, cavalheiros – falei. – Mas, à vista das circunstâncias, recuso a receber.

"Os dois entreolharam-se, mas curvaram a cabeça para mim quando inclinei a minha a eles e nos separamos, sem trocar nenhuma outra palavra.

***

"Estou cansado, cansado, cansado... esgotado pelo sofrimento. Não consigo ler o que escrevi com esta mão seca.

"No outro dia, de manhã cedo, o *rouleau* de ouro foi deixado à porta de minha casa dentro de uma caixinha, com o meu nome escrito por fora. E desde o primeiro momento refleti muito sobre o que deveria fazer. Resolvi, naquele mesmo dia, escrever uma carta confidencial ao ministro, contando a natureza dos dois casos para as quais me convocaram e o local para aonde me levaram: com efeito, relatando todas as circunstâncias. Sabia qual era a influência da corte, bem como quais eram as imunidades dos nobres, e presumia que o caso jamais fosse mencionado, no entanto, ansiava por aliviar minha consciência. Mantive o assunto em segredo absoluto, ocultando-o até mesmo de minha esposa, fatos que também decidi expor em minha carta. Não temia qualquer que fosse o risco que eu poderia correr, mas tinha consciência do risco que poderia haver a outras pessoas, se soubessem o mesmo que eu.

"Passei o dia tão atarefado que não consegui concluir a carta naquela noite. Na manhã seguinte, levantei bem antes do horário habitual para terminá-la. Era o último dia do ano. A carta estava bem diante dos meus olhos, terminada, quando fui avisado sobre a chegada de uma senhora que desejava falar-me.

***

"Estou cada vez mais inepto para concluir a tarefa a que me propus. Faz muito frio, está muito escuro, meus sentidos estão muito embotados e a melancolia que me envolve é cada vez mais apavorante.

"A dama era uma jovem, simpática e bonita, mas não destinada a ter uma vida longa. Estava muito agitada. Apresentou-se como a esposa do marquês St. Evrémonde. Relacionei o título que o garoto usara para referir-se ao irmão mais velho com a inicial bordada na echarpe e sem nenhuma dificuldade concluí ter visto aquele nobre em questão recentemente.

"Minha memória permanece precisa, mas não posso registrar aqui as palavras de nossa conversa. Suspeito estar sendo vigiado ainda mais de perto do que já era, e não sei em quais momentos pode haver gente no meu encalço. Ela em partes suspeitara e em parte descobrira os principais acontecimentos daquela história cruel, bem como sabia da participação do marido e do socorro que me foi solicitado. Não sabia, porém, que a jovem tinha morrido. Sua esperança era, disse-me com muitíssima angústia, oferecer-lhe, sob sigilo, empatia feminina. Sua esperança era evitar a ira dos Céus contra aquela casa que há muito tornara-se odiada por ter causado tanto sofrimento a tanta gente.

"Ela tinha razões para acreditar que tinha uma irmã caçula viva e seu desejo maior era poder ajudá-la. Não pude fazer nada a não ser confirmar que existia de fato essa irmã, pois não sabia de nada além disso. O que a levou a procurar-me e contar-me seu segredo era a esperança de que eu pudesse lhe revelar o nome dessa irmã e o endereço onde residia. Contudo, até então, eu desconhecia ambos.

***

"Falta-me papel para escrever. Ontem tiraram-me uma folha, como uma advertência. Devo encerrar esta narrativa hoje.

"Ela era uma jovem bondosa, compassiva e não era feliz no próprio casamento. Como ela poderia ser! O irmão desconfiava e não gostava dela, e usufruía de sua influência para prejudicá-la. Sentia pavor dele e também do marido. Quando a acompanhei até a porta, em sua carruagem vi uma criança, um lindo menino entre dois e três anos.

"– Pelo bem dele, doutor – pediu entre lágrimas, apontando para o menininho –, farei tudo que estiver ao meu alcance para reparar aos pobres todo o sofrimento vivido. Do contrário, ele nunca poderá tirar proveito de sua herança. Pressinto que se nenhuma reparação for feita àquela inocente, um dia meu filho acabará respondendo por ela. O que ainda tenho e posso considerar meu... é pouco mais que o valor de algumas joias... farei com que a primeira tarefa dele seja entregá-las, com o compadecimento e o lamento de sua falecida mãe, a esta família prejudicada; se for possível descobrir o nome e o endereço desta irmã.

"Ela beijou o menininho e, acariciando-o, disse:

"– É para o seu próprio bem, meu querido. Será fiel, meu pequeno Charles?

"A criança respondeu bravamente:

"– Sim!

"Beijei a mão daquela senhora, ela segurou a criança no colo e partiu, acariciando-o. Nunca mais a vi.

"Como ela citou o nome do marido certa de que eu já o soubesse, em minha carta não fiz nenhuma menção a isso. Selei-a e, sem confiar outras mãos senão as minhas, entreguei-a pessoalmente naquele mesmo dia.

"Naquela noite, a última do ano, por volta das nove horas, um homem vestido de preto tocou a campainha de minha casa, disse que desejava ver-me e acompanhou meu jovem criado, Ernest Defarge, até o andar de cima. Quando o criado entrou na sala onde eu estava sentado com a minha esposa... Ó minha querida, amada do meu coração! Minha bela e jovem esposa inglesa... vimos o homem, que deveria ter aguardado no portão, parado e calado atrás de Defarge.

"– Um caso urgente na Rue St. Honore – disse. Não demoraria em nada, havia uma carruagem à espera, explicou ele.

"Trouxe-me para cá, trouxe-me para meu túmulo. Quando já tinha saído de casa, por trás e com toda força amarraram minha boca usando uma mordaça preta e prenderam também meus braços. Os dois irmãos, em um canto escuro do outro lado, atravessaram a rua e me identificaram com um simples gesto. O marquês tirou do bolso a carta que eu havia escrito, mostrou-me, queimou-a com as chamas da lamparina que tinha em mãos e eliminou as cinzas esmagando-as com a sola do sapato. Nenhuma palavra sequer foi dita. Trouxeram-me para cá, trouxeram-me para a minha sepultura.

"Se a Deus aprouvesse incutir no coração pétreo de um dos dois irmãos a ideia, em todos esses assombrosos anos, de me conceder a menor notícia sobre minha esposa, que fosse com uma simples palavra, se estava viva ou morta, eu poderia talvez considerar que Ele não nos abandonara totalmente. Contudo, agora creio que a marca da cruz vermelha lhes será fatal e que não pertencem à misericordiosa Graça divina. A eles e a todos os seus descendentes, até o fim de sua raça, eu, Alexandre Manette, prisioneiro infeliz, nesta última noite de 1767, em minha insuportável agonia, denuncio para que, chegado o devido tempo, prestem contas por todas essas coisas. Eu os denuncio ao Céu e à Terra."

***

Um barulho terrível irrompeu quando a leitura da carta chegou ao fim. Uma toada de desejo e ânsia cujas notas não estavam banhadas em nada além de sangue.

A narrativa suscitava os ímpetos mais vingativos da época e não havia uma cabeça sequer na França que não se prostrasse a eles.

Desnecessário explicar, diante daquele tribunal e daquela plateia, por que os Defarge não tinham trazido a público aquela carta junto às outras memórias dos cativos da Bastilha, e a mantiveram em segredo, aguardando o momento propício para revelá-la. Igualmente desnecessário explicar por que aquele detestado sobrenome fora excomungado de Saint-Antoine e bordado no registro fatal. Não há no mundo nenhum homem cujas virtudes e préstimos poderiam salvaguardá-lo, naquele lugar e naquele dia, contra tal denúncia.

E o pior de tudo para o condenado, era o fato de o denunciante ser um cidadão conhecido, seu amigo, pai de sua esposa. Uma das aspirações mais desejadas pela masssa era imitar as questionáveis virtudes públicas da Antiguidade e executar sacrifícios e autoimolações no altar do povo. Portanto, quando o presidente anunciou (se não o fizesse, a própria cabeça começaria a tremular sobre os ombros) que o bom médico da República faria ainda mais jus a ela ao arrancar pela raiz uma família detestável de aristocratas, e que certamente sentiria incomparáveis e sagrados regozijos ao tornar a filha viúva e a neta órfã, houve um alvoroço patriótico regado à selvageria que reverberou no tribunal sem o menor toque de compaixão.

– Muita influência a favor dele, tem o doutor? – murmurou madame Defarge, sorrindo para Vingança. – Pois salve-o agora, meu doutor, salve-o!

A cada voto proferido pelo júri, ouvia-se um rugido. Outro e mais outro. Rugido e mais rugido.

Por unanimidade de voto. No coração e pela descendência um aristocrata, um inimigo da república, um notório opressor do povo. De volta à Conciergerie e morte em vinte e quatro horas!

CREPÚSCULO

A devastada esposa do inocente condenado à morte desabou ao ouvir a sentença como se fora atingida por um golpe mortal. No entanto, não disse uma só palavra. Tão potente era a voz que ressoava em seu interior, bradando que ela, a esposa, era a única pessoa deste mundo que poderia ampará-lo nessa desgraça sem aumentá-la, que rapidamente se pôs de pé, mesmo depois de um choque como aquele.

Como os juízes tinham de participar de uma manifestação pública do lado de fora, as próximas sessões foram suspensas. O ruído e o movimento rápido dos corredores da corte que se esvaziavam ainda não tinham cessado quando Lucie esticou os braços em direção ao marido, sem esboçar nada no rosto além de amor e conforto.

– Se ao menos eu pudesse tocá-lo! Se eu pudesse abraçá-lo ao menos uma vez! Ó, bons cidadãos, se tiverem um mínimo de compaixão por nós!

Apenas um dos carcereiros permaneceu ali, junto de dois dos quatro homens que o prenderam na noite anterior, e Barsad. Todos os espectadores saíram para assistir ao espetáculo nas ruas. Barsad propôs aos demais:

– Deixem-na abraçar o marido, é coisa de um instante.

Em silêncio, todos concordaram e a ajudaram a atravessar os assentos do tribunal até o tablado onde ele, debruçando-se sobre o banco dos réus, pôde envolvê-la em seus braços.

– Adeus, querida de minha alma. Aceite a minha bênção de despedida. Que voltemos a nos encontrar onde repousam os cansados!

Foram essas as palavras do marido enquanto a reteve em seus braços.

– Posso suportar, Charles querido. Recebo apoio divino, não sofra por mim. Dê uma bênção de despedida à nossa filha.

– Concedo-a por você. Abençoe-a e diga que lhe mandei um beijo. Mande-lhe também o meu adeus.

– Meu marido! Não! Um momento! – Charles começou a afastar-se dela.

– Sinto que nossa separação não será por muito tempo. Sinto que meu coração se partirá aos poucos, mas enquanto puder, cumprirei o meu dever e, quando deixá-la, Deus a cercará de amigos, tal como fez comigo.

O pai seguira a filha e teria se ajoelhado ante os dois, não fosse por Darnay que o deteve, bradando:

– Não, não! O que fez para se ajoelhar aos nossos pés, o que o senhor fez?! Agora conhecemos bem a luta que enfrentou, o quanto sofreu quando suspeitou de minha ascendência e como suas suspeitas foram comprovadas. Agora compreendemos a natural antipatia que sentiu por mim a princípio, mas contra a qual lutou e superou por amor à própria filha. Nós lhe agradecemos de todo o coração e com todo o nosso amor e respeito. Que o céu o proteja!

A única reação que restou ao pai dela foi levar as mãos à cabeça grisalha e apertá-la, soltando um grito de angústia.

– Não poderia ser diferente – disse o prisioneiro. – Tudo contribuiu para este desfecho. Foi o constante e inútil esforço de aliviar o fardo de minha mãe que trouxe minha presença fatal à vida do senhor. Não se poderia esperar nenhum bem deste mal, tampouco um final feliz jamais seria o desfecho de um começo tão infeliz. Conforme-se e perdoe-me. Que o céu o abençoe!

Quando o levaram, a esposa teve de soltá-lo e, com as mãos em prece, um olhar radiante e um sorriso consolador, ficou observando-o partir. Quando o marido atravessou a porta dos prisioneiros, ela virou-se, apoiou a cabeça no peito do pai, tentou dizer algo e caiu a seus pés.

Então, emergindo do mesmo canto escuro onde permanecera imóvel até aquele momento, Sydney Carton apareceu e amparou-a. Apenas o pai e o senhor Lorry a acompanhavam. O braço tremia enquanto ele a erguia e lhe sustentava a cabeça. Apesar disso, algo no semblante dele esboçava mais do que compaixão: um rubor que denotava certo orgulho.

– Devo levá-la ao coche? Mal sinto o peso de seu corpo.

Com cuidado, carregou-a até a porta e com ternura a acomodou na carruagem. O pai e o velho amigo da família entraram, e ele sentou-se ao lado do condutor.

Quando chegaram ao portão onde Carton, poucas horas antes, deteve-se por certo tempo, imaginando em quais daquelas pedras ásperas os pés dela haviam pisado, ele voltou a erguê-la e a carregou escada acima em direção aos aposentos da casa. Lá, acomodou-a em um sofá onde a filha e a senhorita Pross choravam por ela.

– Não a acorde – pediu ele à senhorita Pross com a voz gentil. – Não permita que recobre a consciência, por enquanto é melhor que permaneça nesse estado de desfalecimento.

– Ó, Carton, Carton, querido Carton! – lamentou a pequena Lucie, saltando do sofá, envolvendo-o em um abraço terno e com profunda tristeza. – Agora que o senhor está aqui, acho que pode fazer alguma coisa para ajudar a mamãe e para salvar o papai! Olhe pra ela, querido Carton! Como o senhor, que ama tanto a mamãe, consegue vê-la assim?!

Ele curvou-se em direção à menina e encostou o rosto em sua bochecha corada. Afastou-se devagar da criança e com todo o carinho olhou para Lucie, ainda inconsciente.

– Antes de eu ir embora... – disse e depois de hesitar, acrescentou: – Posso dar um beijo na sua mamãe?

Certo tempo depois lembraram que, quando ele se abaixou e tocou-lhe o rosto com os lábios, murmurou algumas palavras. A menina, que estava bem perto dele, contou-lhes depois, e quando já era uma bela senhora e avó, também contou aos netos que ouvira as seguintes palavras:

– Pela vida que tanto ama.

Ao sair dos aposentos, virou-se de repente para o senhor Lorry e o pai de Lucie, que vinham logo atrás, e disse ao último:

– O senhor teve grande influência ontem sobre o caso, doutor Manette, ao menos tente usufruir dela novamente. Aqueles juízes e todos os homens do poder lhe têm grande apreço e dão muito valor aos seus préstimos, não é verdade?

– Não me esconderam nada que dissesse respeito a Charles. Eu tinha plena convicção de que o salvaria e o salvei – respondeu confuso e bem devagar.

– Pois tente de novo. O tempo que separa esta tarde da de amanhã é escasso e curto, mas tente mesmo assim.

– É o que pretendo fazer. Não descansarei nem um segundo sequer.

– Faz muito bem. Já testemunhei grandes feitos de pessoas com energia idêntica à do senhor... embora nunca – acrescentou com um sorriso e um suspiro simultâneos –, tenha testemunhado uma façanha como essa. Mas tente! Pouco vale a vida quando não se faz bom uso dela, ainda assim, todo o esforço é válido. Não fosse assim, todos sucumbiríamos à tentação da morte.

– Falarei diretamente com o promotor e o presidente – afirmou o doutor Manette. – E recorrerei também a outros cujo nome é melhor não citar. Vou escrever também, e... Mas espere! Por conta da manifestação nas ruas, não encontrarei ninguém antes de escurecer.

– Isso é verdade. Pois bem! É uma última tentativa na melhor das hipóteses e, ainda que tenha de esperar até o escurecer, continua muito válida. Gostaria de saber o resultado, mas, veja, mantenho baixas minhas expectativas! Quando o senhor deve encontrar essas temíveis autoridades, doutor Manette?

– Tão logo escureça, assim espero. Daqui a uma ou duas horas.

– Logo depois das quatro o Sol já começa a se pôr. Estimemos mais uma ou duas horas... Se eu for à casa do senhor Lorry às nove, já devo ter notícias do que conseguiu, seja por meio de nosso amigo ou de sua parte mesmo?

– Sim.

– Que a sorte o acompanhe!

O senhor Lorry acompanhou Sydney até a porta e tocou-lhe o ombro no momento da partida, fazendo-o virar antes de sair.

– Não tenho a menor esperança – disse o senhor Lorry com a voz baixa e triste.

– Tampouco eu.

– Se algum daqueles homens, entre tantos, estivesse disposto a poupá-lo... o que não passa de uma suposição... que valor teria a vida dele ou a de qualquer outro para aquela gente! Duvido que alguém ouse defendê-lo depois daquele alvoroço no tribunal.

– Também duvido. Naqueles rugidos, escutei o ruído do cutelo.

O senhor Lorry apoiou o braço no batente da porta e abaixou a cabeça.

– Não se desespere – disse Carton com muita gentileza. – Não sofra. Encorajei o doutor Manette a fazer uma última tentativa porque penso que isso um dia possa servir de consolo a ela. Do contrário, a ideia de que "a vida dele foi cruelmente desperdiçada" pode afligi-la.

– Sim, sim, sim – concordou o senhor Lorry, enxugando os olhos. – O senhor tem razão. Mas Charles morrerá. Não resta nenhuma esperança.

– Sim, morrerá. Não resta nenhuma esperança – repetiu Carton.

E a passos firmes desceu os degraus.

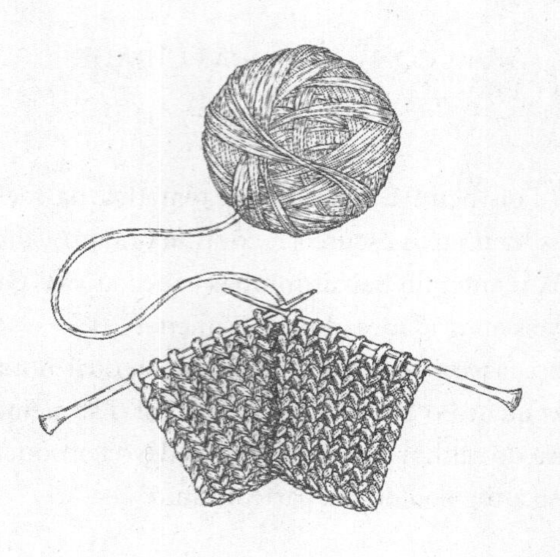

A ESCURIDÃO

Sydney Carton interrompeu o passo no meio da rua, ainda sem saber para aonde ir.

– No escritório do Tellson, às nove horas – disse consigo pensativo. – Será que faço bem aparecer nesse meio-tempo? Creio que sim. É melhor que saibam haver homem como eu por aqui. É uma boa precaução e pode ser uma necessária medida preventiva. Mas cuidado, cuidado, cuidado! Melhor refletir um pouco mais!

Observando os próprios passos que começavam a traçar um objetivo, ele deu uma ou duas voltas na rua já escura e começou a ponderar as consequências da ideia que lhe ocorrera. Obteve a confirmação de sua primeira impressão.

– É melhor que saibam haver homem como eu por aqui.

Com isso, virou em direção a Saint-Antoine.

Defarge identificara-se, naquele dia, como o dono de uma taberna no subúrbio de Saint-Antoine. Não seria difícil para alguém que conhecia tão bem a cidade como ele encontrar-lhe a casa sem precisar pedir informação a ninguém. Tendo avaliado bem a situação, Carton retornou às ruas do entorno, jantou em um restaurante e caiu em um sono profundo após a refeição. Pela primeira vez em muitos anos, não bebeu muito. Desde a noite anterior tomara apenas uma pequena dose de vinho suave, e também na noite anterior despejara o conhaque aos poucos na lareira do senhor Lorry como um homem que por fim enfadara-se da bebedeira.

Já eram sete horas quando despertou revigorado e voltou a ganhar as ruas. Ao caminhar em direção a Saint-Antoine, parou de frente para a vitrine de uma loja onde havia um espelho e ali aproveitou para ajustar o nó frouxo da gravata, a gola desajeitada do paletó e o cabelo desgrenhado. Feito isso, seguiu direto para a taberna de Defarge e lá entrou.

Por acaso, não havia nenhum outro freguês no estabelecimento além de Jacques Terceiro, o mesmo dos dedos inquietos e da voz rouca. Este homem, que Carton vira compondo o júri, bebia no balcão enquanto conversava com os Defarge, marido e esposa. Vingança vez ou outra intervinha na conversa, como frequentadora regular do local.

Ao entrar, Carton sentou-se e pediu (em um francês bastante medíocre) uma pequena dose de vinho. Madame Defarge lançou-lhe um olhar despreocupado, depois tornou a olhá-lo, dessa vez de modo fulminante, e depois mais e mais fulminante, até resolver aproximar-se mais dele e perguntar-lhe qual fora o pedido.

Ele repetiu o que já havia solicitado.

– Inglês? – perguntou madame Defarge, erguendo as sobrancelhas negras e inquisitivas.

Depois de fitá-la por um tempo, como se o som de uma simples palavra em francês levasse tempo demais para se formar em sua mente, com o sotaque estrangeiro fortemente demarcado ele respondeu:

– Sim, madame, sim. Sou inglês!

Madame Defarge voltou ao balcão para buscar o vinho e, quando ele pegou um periódico jacobino e fingiu interesse por tentar compreender o conteúdo do que lia, ouvia-a dizer:

– Eu juro, é idêntico ao Evrémonde!

Defarge trouxe-lhe o vinho e cumprimentou-o com um boa-noite.

– Como?

– Boa noite.

– Ah! Boa noite, cidadão – respondeu, enchendo o copo. – Ah! Que vinho bom. Brindo à República.

Defarge voltou para o balcão e disse:

– Sem dúvida parece um pouco mesmo.

A madame redarguiu com veemência:

– Pois digo que é muito parecido.

Em um tom de pacificidade, Jacques Terceiro comentou:

– Ele não lhe sai do pensamento, madame, deve ser por isso.

A amável Vingança, com uma risada, acrescentou:

– É verdade! Além disso, está ansiosa para ter o prazer de vê-lo amanhã!

Carton acompanhava linha por linha, palavra por palavra de seu periódico com o dedo indicador, passando-o devagar pelo papel, com o semblante absorto e sério. Todos eles apoiavam-se com os braços sobre o balcão e falavam baixo. Depois de um certo tempo de silêncio, durante o qual todos o observavam sem distraí-lo da compenetrada leitura da edição jacobina, voltaram a conversar entre si.

– A madame tem razão no que diz – comentou Jacques Terceiro. – Por que parar? Há uma grande força nisso tudo. Por que parar?

– Bem, veja – ponderou Defarge –, mas uma hora teremos de parar. A questão é... quando?

– Depois do extermínio – respondeu a madame.

– Magnífico! – coaxou Jacques Terceiro. E Vingança concordou totalmente com a sugestão.

– O extermínio é uma boa doutrina, minha esposa – comentou Derfarge, deveras perturbado. – De maneira geral, não tenho nada contra. Mas esse médico já sofreu demais. Você o viu hoje, viu como ele ficou quando o relato foi lido.

– Vi sim, vi a cara dele! – confirmou a madame com desdém e raiva.

– Sim. Eu vi a cara dele. Vi que não é a cara de um verdadeiro amigo da República. Ele que se vire com aquela cara que é problema só dele!

– E você viu, minha esposa – comentou Defarge em tom de reprimenda –, a angústia da filha daquele homem, que deve causar uma angústia ainda maior para ele!

– Vi a filha dele – repetiu a madame. – Sim, não é de hoje que reparo na cara da filha dele. Reparei naquela cara hoje e outras vezes também... Na corte, na rua, bem de frente para a prisão... E basta que eu levante um dedo...! – A mulher aparentemente ergueu o dedo de fato (ou pelo menos foi essa a impressão de Carton que não tirava os olhos do periódico), e o bateu com um baque na beirada do balcão, como se o dedo fosse o próprio cutelo.

– Bravo, cidadão, bravo! – coaxou o do júri.

– Ela é um anjo! – exclamou Vingança, envolvendo a madame em um abraço.

– Quanto a você... – prosseguiu a implacável madame, dirigindo-se ao marido. – ... se dependesse de você, e felizmente não depende, este homem escaparia da morte agora mesmo.

– Não! – negou Defarge. – Nem se erguer este copo fosse o suficiente para isso! Mas eu deixaria a coisa como está. Estou dizendo para parar por aqui.

– Pois veja, Jacques! – retrucou a madame Defarge enfurecida –, e veja você também, Vingança, amiga do peito, vejam só, vocês dois! Ouçam! Por outros crimes como tirania e opressão, guardo essa raça em meus registros, condenada à destruição e ao extermínio. Perguntem a meu marido se não é verdade.

– É verdade – concordou Defarge sem ser inquirido.

– No início dos dias bons, quando a Bastilha caiu, ele encontrou aquele papel de hoje e o trouxe pra casa. No meio da madrugada, depois que a taberna foi limpa e fechada, nós o lemos aqui mesmo, onde estamos, à luz desta lamparina. Perguntem a ele se não é verdade.

– É verdade – confirmou Defarge.

– Naquela noite, digo a ele, quando terminamos de ler, e a lamparina apagou, e o dia começou a raiar entre as persianas e as grades de ferro, que tenho um segredo para lhe contar. Perguntem a meu marido se não é verdade.

– É verdade – confirmou Defarge.

– Conto-lhe o segredo. Bato no peito com essas duas mãos como faço agora e digo: "Defarge, fui criada entre os pescadores, à beira-mar, e aquela família de camponeses tão oprimida pelos dois irmãos Evrémonde, os mesmos descritos neste papel da Bastilha, é a minha família. Defarge, a irmã do rapaz ferido no chão e morto, era a minha irmã, aquele marido era meu cunhado, a criança que não chegou a nascer era filho deles, o rapaz era meu irmão, aquele pai era o meu pai, aquelas pessoas mortas são a minha gente, e as consequências de tudo isso, por descendência, recai sobre mim!". Pergunte a ele se não é verdade.

– É verdade – confirmou Defarge.

– Então, diga ao vento e ao fogo quando devem parar – retrucou a madame. – Mas não a mim.

Ambos os ouvintes se deleitaram assombrosamente com a natureza fatal do ódio da madame – o freguês, mesmo sem vê-la, pôde perceber o quanto a mulher empalidecera – e elogiaram-na categoricamente. Defarge, inexpressiva minoria, interveio com algumas palavras em prol da memória da falecida e compassiva esposa do marquês, mas com isso só conseguiu da esposa uma repetição de sua última resposta.

– Diga ao vento e ao fogo quando devem parar. Não a mim!

Outros fregueses entraram e o grupo se separou. O freguês inglês pagou pelo que consumira e, perplexo, conferiu o troco e, como estrangeiro, perguntou o caminho para chegar ao Palácio Nacional. Madame Defarge o acompanhou até a porta, apoiou o braço no dele e apontou para a direção que deveria seguir. O inglês não conseguiu conter o ímpeto de pensar que talvez seria uma boa atitude agarrar aquele braço, erguê-lo e cravar uma faca bem debaixo dele, nas costelas.

No entanto, seguiu caminho e logo foi devorado pela sombra das muralhas da prisão. Na hora marcada, emergiu dessas profundezas para apresentar-se à casa do senhor Lorry e lá encontrou o cavalheiro irrequieto, andando de um lado para o outro. Contou que esteve com Lucie até pouco tempo e que a deixara apenas por alguns minutos para voltar ali e cumprir um compromisso. O pai dela ainda não regressara desde que partira do Tellson, às quatro da tarde. Ainda restava a ela poucas esperanças de que a interferência do pai pudesse salvar Charles, mas a possibilidade era quase nula. O doutor Manette saíra há mais de cinco horas. Onde poderia estar?

O senhor Lorry aguardou até as dez, mas o doutor Manette não retornou. Como não era de sua vontade deixar Lucie sozinha por mais tempo, ficou combinado que ele voltaria à casa dela e à meia-noite retornaria ao banco. Nesse meio-tempo, à lareira, sozinho, Carton esperava o retorno do médico.

Esperou, esperou e esperou até o relógio marcar doze horas. E o doutor não apareceu. O senhor Lorry retornou e sem notícias do doutor Manette. Onde o médico poderia estar?

Os dois conversaram a respeito e já começavam a sentir a frágil estrutura de esperança abalar-se por conta da extensa ausência quando escutaram-no subindo as escadas. No instante em que o doutor entrou na sala, ficou claro que estava tudo perdido.

Se realmente conversara com alguém ou se simplesmente passara todo esse tempo vagando pelas ruas, jamais souberam. Enquanto olhava para os dois, nenhum deles lhe fez nenhuma pergunta, pois sua expressão já dizia tudo.

– Não consigo encontrá-lo – disse. – E preciso muito dele. Onde está?

Estava com a cabeça e o pescoço descobertos; enquanto ele falava, o olhar disperso percorria o ambiente. Tirou o casaco e deixou-o escorregar até o chão.

– Onde está o meu banco? Estou procurando-o por todos os lados e não consigo encontrá-lo. O que fizeram com o meu trabalho? O tempo urge, preciso terminar aqueles sapatos!

Carton e o senhor Lorry entreolharam-se e naquele momento o coração de ambos partiu-se ao meio.

– Andem, vamos! – pediu em um tom choroso e melancólico. – Deixem-me retomar o meu trabalho. Devolvam-me minhas ferramentas.

Como não obteve nenhuma resposta, ele puxou os cabelos e começou a bater os pés no chão feito uma criança contrariada.

– Não torturem um pobre infeliz – implorou-lhe com um berro apavorante. – Devolvam-me minhas ferramentas. O que será de nós se esses sapatos não estiverem prontos hoje à noite?

Perdido, completamente perdido!

Era tão evidente que de nada adiantaria argumentar ou tentar trazê-lo de volta daquele lapso que os dois, como de comum acordo, apoiaram cada um a mão em um de seus ombros e o acalmaram, pedindo-lhe para sentar-se de frente para a lareira e prometendo em breve reaver suas ferramentas de trabalho. Ele esmoreceu na poltrona, contemplou as brasas e derramou lágrimas. Como se tudo que acontecera desde a época do casebre não passasse de uma fantasia passageira ou de um sonho, o senhor Lorry viu-o encolher e transfigurar-se na exata figura que Defarge mantivera sob sua vigilância.

Por mais abalados e perplexos que estivessem diante daquele espetáculo de ruína, não era hora de sucumbir a tais emoções. Sua filha única, despojada de sua última centelha de esperança e confiança, dependeria dos dois agora mais do que nunca. Novamente, como de comum acordo, os dois entreolharam-se com resoluta decisão. Carton foi o primeiro a falar:

– Foi-se a última esperança, que já não era das maiores. Sim, é melhor que seja levado à companhia dela. Mas, antes que vá, o senhor poderia, por um momento, me conceder sua atenção? Não me pergunte por que imponho tais condições e por que lhe peço uma promessa. Tenho um motivo... um bom motivo.

– Não duvido disso – afirmou o senhor Lorry. – Diga-me.

A figura monótona sentada na cadeira entre eles balançava para frente e para trás, gemendo. Falavam no mesmo tom que o fariam se estivessem ao pé do leito de um doente, zelando pelo seu sono.

Carton abaixou-se para pegar o casaco quase enroscado em seus pés. Nesse instante, uma caixinha onde o doutor tinha o hábito de carregar sua lista diária de afazeres caiu no chão. Carton a pegou e encontrou nela um papel dobrado.

– Acho bom averiguarmos do que se trata – sugeriu. O senhor Lorry assentiu, consentindo. Carton desdobrou o papel e exclamou: – Graças a Deus!

– O que é isso? – indagou o senhor Lorry afoito.

– Um momento! Falarei disso no momento certo. – Ele enfiou a mão no bolso do próprio casaco e tirou dele outro papel. – Esse é o documento que autoriza a minha saída da cidade. Veja, preste atenção... Sydney Carton, cidadão inglês?

O senhor Lorry segurou o papel aberto na palma da mão e o examinou com o semblante sério.

– Guarde-o para mim até amanhã. Vou visitá-lo na prisão amanhã, lembra-se? E é melhor não o carregar comigo.

– Por que não?

– Não sei. Prefiro assim. Agora, pegue este papel que o doutor Manette carrega consigo. É um documento semelhante, que o autoriza, bem como à filha e à neta, a atravessarem a barreira e a fronteira a qualquer momento! Veja!

– Sim!

– Talvez ele tenha providenciado esse documento como uma última e extrema medida de precaução contra desgraça maior. Quando foi datado? Não importa, não perca tempo averiguando-o. Guarde-o com todo o cuidado junto ao meu e ao seu. Veja só! Há uma ou duas horas, jamais desconfiaria de que ele tinha ou pudesse ter esse documento. É válido até que o anulem. O que pode vir a acontecer e tenho meus motivos para crer que isso pode se concretizar.

– Estão correndo algum risco?

– Um grande risco. Correm o risco de serem denunciados pela madame Defarge. Escutei isso pela própria boca dela. Sem que notassem, escutei as palavras dessa mulher esta noite, que acendeu o alerta vermelho do risco que estão correndo. Não perdi tempo e, desde então, eu tenho mantido contato com o espião. Ele me confirmou. Ele sabe que um lenhador, que mora nas mediações da muralha da prisão, está sob o controle dos Defarge e vem sendo instruído pela madame para contar que a viu – explicou Carton, sem nunca mencionar o nome de Lucie –, acenando e gesticulando para os prisioneiros. Não é difícil prever que a acusação será a mais óbvia: uma conspiração de prisioneiros, e que envolverá a vida dela... e talvez a da filha... e também a do pai... pois ambos foram vistos com ela naquele ponto. Não se apavore. O senhor salvará os três.

– Que os céus digam amém, Carton! Mas como?

– Vou lhe dizer como. Tudo dependerá do senhor e digo-lhe que não poderia depender de ninguém melhor. Essa nova denúncia certamente só será feita depois de amanhã. É provável que seja feita dois ou três dias depois, com probabilidade maior que ocorra após uma semana. O senhor sabe que é crime lastimar ou mostrar solidariedade por qualquer vítima da Guilhotina. Ela e o pai certamente seriam acusados de cometer tal crime e esta mulher... cujo ímpeto inveterado de perseguição não cabe na descrição das palavras... aguardaria para acrescentar essa força à acusação e se certificaria em dobro. Acompanha meu raciocínio?

– Com tanta atenção e confiança no que diz, que até chego a perder de vista por um momento – respondeu o senhor Lorry, tocando o encosto da cadeira do médico – esse desastre.

– O senhor dispõe de recursos e pode providenciar uma viagem para chegar ao litoral o mais rápido possível. Os preparativos para regressar à Inglaterra já foram providenciados pelo senhor há alguns dias. Prepare os cavalos amanhã cedo para que estejam a pleno vapor às duas da tarde.

– Farei isso!

A atitude e o comportamento de Carton foram tão fervorosos e estimulantes que contagiaram o senhor Lorry e o incendiaram com as chamas da juventude.

– O senhor tem o coração nobre. Não disse que não poderia depender de ninguém melhor? Conte a ela, ainda esta noite, sobre o risco que ela corre, e que envolve o pai e a filha. Seja categórico neste ponto, pois ela se contentaria muito bem em deitar a cabecinha ao lado do marido. – Ele vacilou por um instante, depois prosseguiu: – Pelo bem de sua filha e de seu pai, insista que devem sair de Paris acompanhados pelo senhor, nessa mesma hora. Diga-lhe que este foi o último desejo de seu marido. Diga-lhe que dependem disso mais coisas do que ela ousaria acreditar ou esperar. O senhor acredita que o pai dela, mesmo nessa triste condição, se submeterá ao desejo dela, não?

– Tenho certeza.

– Foi o que imaginei. Com discrição e sem demora, deixe todos os preparativos no pátio, deixe estipulado até mesmo qual será o seu assento na carruagem. No momento em que eu me aproximar, leve-me e partiremos.

– Entendo que devo esperá-lo qualquer que seja a circunstância, certo?

– O senhor tem em mãos meu salvo-conduto, junto com os demais, e deixará um lugar reservado para mim. Depois que eu ocupar o meu lugar, parta para a Inglaterra!

– Pois então – comentou o senhor Lorry, agarrando a mão ansiosa, porém tão firme e decidida de Carton –, tudo não dependerá apenas de um homem velho, porque terei em minha companhia a energia e o vigor de um jovem.

– Com a providência celestial, o senhor terá! Prometa-me com o valor de sua palavra que nada mudará o curso do plano que nos comprometemos a cumprir a partir de agora.

– Nada, Carton.

– Lembre-se destas palavras amanhã. Mude o curso ou atrase a viagem... por qualquer que seja o motivo... nenhuma vida poderá ser salva e tantas outras inevitavelmente serão sacrificadas.

– Lembrarei. Espero cumprir a minha parte fielmente.

– E eu espero cumprir a minha. Por ora, adeus!

Apesar de ter dito esta última frase com um sorriso grave e sincero, e de ter levado as mãos do idoso aos lábios, não partiu sem antes ajudá-lo a levantar a figura que balançava para a frente e para trás diante da lareira, cujas brasas começavam a apagar; a proteger-lhe com um chapéu e um manto; e convencê-lo a sair para tentar descobrir onde estavam escondidos o banco e as ferramentas pelas quais ainda perguntava muito, gemendo. Caminhou a seu lado e o protegeu pelo caminho até o pátio da casa na qual um coração aflito... tão feliz na memorável época em que ele próprio lhe revelara suas aflições... velava aquela noite temerosa. Ele entrou no pátio e ali permaneceu alguns momentos sozinho, fitando a luz da janela do quarto dela. Antes de partir, soprou-lhe uma bênção e um adeus.

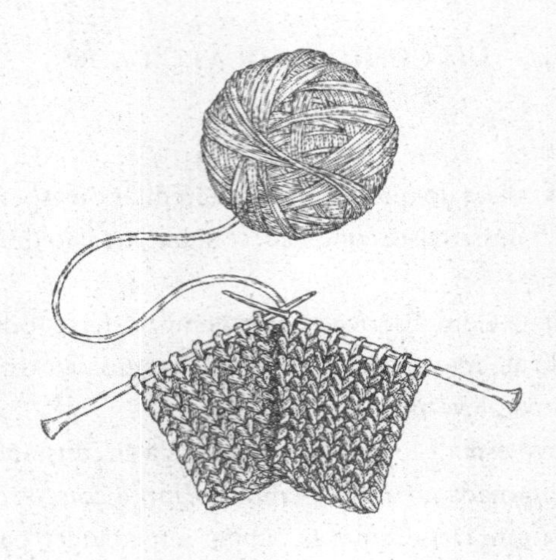

CINQUENTA E DOIS

Na prisão escura da Conciergerie, os condenados do dia aguardavam seu destino. Estavam em número igual às semanas do ano. Da maré da cidade às profundezas infinitas e eternas do oceano, cinquenta e duas cabeças rolariam naquela tarde. Antes que esvaziassem as celas, novos ocupantes seriam nomeados; antes que o sangue deles se fundisse ao sangue derramado no dia anterior, o sangue de amanhã que se misturaria ao deles já estava reservado.

Cinquenta e dois condenados. Do cobrador de impostos de setenta anos, cujas riquezas não podiam assegurar-lhe a vida, à costureira de vinte, cuja pobreza e obscuridade não puderam poupá-la. Doenças físicas, engendradas nos vícios e negligências dos homens apoderam-se de vítimas de todas as classes. E a assustadora desordem moral, fruto de inenarrável sofrimento, de intolerável opressão e implacável indiferença os feria igualmente sem a menor distinção.

Charles Darnay, isolado em uma cela, deixara de lado qualquer ilusão lisonjeira desde que se apresentara ao tribunal pela segunda vez. A cada linha da narrativa que escutava, ouvia a própria condenação. Compreendeu que não haveria influência pessoal capaz de salvá-lo, que fora praticamente sentenciado por milhões e que unidades esparsas não poderiam lhe valer de nada.

Contudo, tendo a imagem do rosto de sua amada tão vívida na memória, não foi fácil preparar a mente para o que teria de suportar. Agarrara-se com toda a força aos laços da vida e era muito, muito difícil soltá-los. Com esforços graduais parecia afrouxá-los um pouco de um lado, mas o outro os apertava ainda mais. E quando conseguia dominar uma das mãos, a outra cedia e tornava a agarrar-se com toda a força. Ademais, havia um ímpeto de pressa que lhe acelerava os pensamentos, e o palpitar fervilhante do coração relutava contra a resignação. Se, por algum momento, resignava-se, a esposa e a filha que teriam de sobreviver a ele pareciam protestar, rechaçando-o pela atitude egoísta.

Todavia, isso tudo foi no começo. Em pouco tempo, a consideração de que não havia desgraça no destino que ele deveria encontrar e de que muitos outros seguiam injustamente pelo mesmo caminho, todos os dias e a passos firmes, passou a encorajá-lo. Depois, surgiu a constatação de que a futura paz de espírito de seus entes queridos dependeria de sua introspectiva bravura. Assim, aos poucos alcançou certo estado de serenidade, conseguiu elevar os pensamentos e extrair disso conforto.

Antes que as trevas da noite de sua condenação fincassem suas raízes, teve tempo de percorrer seu último caminho. Tendo recebido autorização para comprar material para escrever e uma lamparina, sentou-se e começou a passar para o papel suas ideias até a hora em que todas as luzes da prisão se apagariam.

Escreveu uma carta extensa para Lucie, mostrando-lhe que nada soubera a respeito da prisão do pai dela antes de ela mesma lhe contar, e que tal como ela só tomara conhecimento do papel que o pai e o tio tiveram em todo esse sofrimento no momento em que a carta foi lida no tribunal. Ele já havia lhe explicado que omitira sua verdadeira identidade porque fora a única condição, agora totalmente compreensível, que o pai dela impusera para o noivado e que se tornara uma promessa feita por Darnay na manhã do casamento. Rogou à Lucie que nunca perguntasse ao pai, pelo bem do próprio, se ele havia esquecido totalmente daquele relato, ou se havia se lembrado dele (naquele momento ou para sempre) quando escutou a história sobre a torre, naquele domingo, sob o plátano do jardim. Se ainda guardasse na memória alguma lembrança do relato escrito, não restava dúvida de que imaginava que o papel fora destruído junto com a Bastilha, pois entre as relíquias dos prisioneiros descobertas ali pela multidão e divulgadas ao mundo inteiro, não houve nenhuma menção a ele. Suplicou ainda à esposa, apesar de destacar que seria desnecessário fazê-lo, que consolasse o pai, oferecendo-lhe toda forma de carinho possível, com a absoluta certeza de que ele não havia feito nada para sentir-se culpado, e que só fizera esquecer-se de si mesmo em favor da filha e do genro. Findou a carta jurando-lhe amor, gratidão e bênçãos eternos, pedindo-lhe que superasse a tristeza para dedicar-se à filha amada dos dois; e, na certeza de que todos se encontrariam no céu, reiterou a súplica para que consolasse o pai.

Para o doutor Manette escreveu no mesmo tom, mas declarou confiar expressamente a seus cuidados a esposa e a filha; e não o fez sem a derradeira esperança de afastá-lo de qualquer abatimento ou do risco de um lapso retrospectivo, os quais previa e temia que pudessem acometê-lo.

Ao senhor Lorry, encomendou-lhe todos e relatou sua condição financeira. Dito isso, acrescentou linhas e mais linhas com muitos agradecimentos pela amizade e pelo caloroso afeto e deu por encerrada as cartas. Não pensou em Carton. Ocupara tanto a mente com as outras pessoas que não se lembrou dele.

Teve tempo hábil de terminar as cartas antes de as luzes apagarem-se. Ao deitar na cama de palha, pensou que sua vida neste mundo chegara ao fim.

No entanto, a vida acenou de volta para ele durante o sono e exibiu-se em formas radiantes. Livre e feliz, de volta à antiga casa no Soho (embora ela não parecesse em nada com a casa de verdade), inexplicavelmente liberto e de coração leve, de volta à companhia de Lucie, que lhe dizia tudo aquilo ter sido um sonho e que ele nunca fora embora. Uma pausa no esquecimento, e então ele até sofreu, e voltou aos braços dela, morto e em paz, e continuava o mesmo. Outra pausa no esquecimento, e ele despertou em uma manhã sombria, sem saber onde estava ou o que acontecera, até que uma frase lhe ocorreu: "Este é o dia de minha morte!".

Assim passaram-se as horas do dia em que cinquenta e duas cabeças rolariam. E, agora, sereno e esperançoso de encarar seu fim com silencioso heroísmo, uma nova e perturbadora sequência de pensamentos começava a gravitar em torno dele, a qual era muito difícil de dominar.

Nunca vira o instrumento que poria fim à sua vida. A que altura ficava posicionado do chão, quantos degraus havia, onde ele ficaria, como seria tocado, se as mãos que o tocariam seriam tingidas de vermelho, para que lado virariam seu rosto, se seria o primeiro ou talvez o último. Essas e outras perguntas semelhantes, indubitavelmente alheias à sua vontade, lhe interpelavam o pensamento várias vezes e em diferentes momentos. Não resultavam do medo: esse era um sentimento que não o acometia; mas eram consequência do estranho desejo de saber o que fazer quando chegasse a hora, um desejo gigantescamente desproporcional aos parcos e curtos momentos a que se referiam; um interesse que pertencia mais a algum outro espírito que o habitava do que a ele próprio.

As horas passavam enquanto ele andava de um lado para o outro e os relógios marcavam os números que ele nunca mais ouviria. Nove que se foram para sempre, dez que se foram para sempre, onze que se foram para sempre, doze aproximando-se para nunca mais voltar. Depois de uma aguerrida batalha contra aquela excêntrica onda de pensamentos que o deixara perplexo, vencera. Passou a andar de um lado para o outro repetindo em voz baixa seus nomes. A pior parte da guerra havia passado. Podia andar de um canto ao outro agora livre das fantasias que o distraíam, rezando por si e por eles.

Meio-dia que se foi para sempre.

Avisaram-no que sua derradeira hora seria às três e sabia que seria convocado certo tempo antes, porquanto as carroças sacolejavam firme e lentamente pelas ruas. Ciente disso, decidiu manter em mente *duas* horas como o momento derradeiro, para fortalecer-se nesse período e, logo depois, chegada a hora, transmitir sua força aos demais.

Caminhando sem parar de um lado para o outro e com os braços cruzados no peito, um homem muito diferente do prisioneiro que andava de um canto ao outro em La Force, escutou mais uma ir embora para sempre, sem surpresa. Aquela hora tinha a mesma duração que boa parte das demais. Agradecendo aos céus com o fervor do coração por ter recuperado o autocontrole, pensou: "Falta apenas mais uma" e voltou a andar de um lado para o outro.

Passos no corredor de pedra do outro lado da porta. Ele interrompeu o passo.

A chave foi posta na fechadura e girada. Antes de a porta abrir, ou assim que a abriram, um homem, em inglês e com a voz baixa, disse:

– Ele nunca me viu aqui. Fiquei longe dele. Entre sozinho. Esperarei por perto. Não perca tempo!

A porta fechou-se com a mesma rapidez com que fora aberta, e ali, diante dele, cara a cara, calado, atento, com um sorriso discreto nos lábios e o dedo indicador erguido e encostado sobre eles para adverti-lo a não dizer nada, estava Sydney Carton.

Tão brilhante era o fulgor de seus olhos que, pela primeira vez, o prisioneiro cogitou ser aquela figura algum produto de sua imaginação. Todavia, ele falava e era mesmo sua voz. Ele segurou a mão do prisioneiro e a apertou. Era mesmo real.

– De todas as pessoas que há na terra, a que menos esperava encontrar agora seria eu, não é? – perguntou.

– É difícil acreditar que seja mesmo você. Mal consigo processar o que meus olhos veem. Você se tornou... – perguntou com uma apreensiva possibilidade que lhe ocorria. – ... prisioneiro?

– Não. Por obra do acaso tenho certos poderes sobre um dos carcereiros, e por esse motivo estou aqui de frente pra você. Venho por parte dela... sua esposa, Darnay.

O condenado pressionou as duas mãos juntas.

– Trago-lhe um pedido feito por ela.

– Qual?

– Uma súplica muito sincera, urgente e enfática dirigida a você no mais patético tom daquela voz que tanto estima e da qual se lembra muito bem.

O prisioneiro virou o rosto um pouco de lado.

– Não terá tempo para perguntar por que sou eu quem a trago, tampouco o que significa. Não disponho de tempo para essas explicações. Apenas limite-se a fazer o que vou lhe mandar... tire essas botas suas e calce as minhas.

Havia uma cadeira encostada na parede da cela, atrás do prisioneiro. Carton, avançando em direção a ele na mesma velocidade da luz, o fez sentar ali e ficou parado de frente para ele, descalço.

– Depressa, calce as minhas botas! Ponha as mãos nelas, com toda sua força de vontade. Rápido!

– Carton, não há como fugir daqui, impossível! Morrerá junto comigo. É loucura.

– Seria loucura se eu lhe pedisse para fugir, mas foi isso que pedi? Quando eu lhe pedir para cruzar aquela porta, diga-me que sou louco e não arrede o pé daqui. Troque esta gravata pela minha, seu casaco pelo meu. Enquanto faz isso, deixe-me tirar esta fita de seu cabelo e despenteá-lo, para que fique desgrenhado como o meu!

Com rapidez ímpar, e com exemplar força de vontade e atitude que parecia mesmo algo sobrenatural, obrigou o prisioneiro a fazer tudo o que lhe mandava. O encarcerado obedecia-lhe feito uma criança.

– Carton! Meu caro Carton! Isso é loucura. Não pode dar certo, nunca dará certo, já tentaram esse truque e nunca funcionou. Imploro-lhe que não acrescente a sua morte à amargura da minha.

– Por acaso lhe pedi, caro Darnay, para atravessar aquela porta? Quando eu lhe pedir isso, recuse. Há pena, tinta e papel nesta mesa. Está com a mão firme o suficiente para escrever?

– Estava até você entrar.

– Pois recupere a firmeza e escreva o que lhe ditarei. Depressa, amigo, depressa!

Apertando a cabeça confusa com uma das mãos, Darnay sentou-se à mesa.

Carton, com a mão direita sobre o peito, mantinha-se de pé e parado ao lado dele.

– Escreva exatamente o que vou lhe falar.

– A quem devo endereçá-la?

– A ninguém. – Carton ainda mantinha a mão sobre o peito.

– Devo datá-la?

– Não.

A cada pergunta, o prisioneiro olhava para cima. Carton, de pé ao lado dele e com a mão sobre o peito, olhava para baixo.

– "Se você se lembra" – ditou Carton –, "das palavras que trocamos, há muito tempo, compreenderá totalmente esta carta ao lê-la. E lembra-se delas, eu sei. Não seria de sua natureza esquecê-las".

Ele começava a tirar a mão do peito; o prisioneiro arriscando olhar para cima em um espanto apressado enquanto escrevia, a mão parou, segurando algo.

– Já escreveu "esquecê-las"? – perguntou Carton.

– Já. Isso que tem na mão é uma arma?

– Não. Não estou armado.

– E o que é isso que tem na mão?

– Logo você vai saber. Continue escrevendo. Falta pouco. – E, com isso, recomeçou a ditar. – "Sou grato por ter chegado a hora em que posso prová-las. E meu gesto não será motivo de arrependimento tampouco de pesar". – Ao dizer essas palavras, com os olhos fixos no redator, sua mão abaixava vagarosa e delicadamente em direção ao rosto dele.

A pena escorregou dos dedos de Darnay e caiu na mesa. Com o olhar vago, observou ao redor.

– Que vapor é esse? – perguntou.

– Vapor?

– Sim, que cruzou o ar aqui?

– Não vi nada, não deve ser nada. Pegue a pena e termine. Depressa, depressa!

Como se a memória estivesse prejudicada ou as faculdades perturbadas, o prisioneiro esforçou-se para manter a concentração. Enquanto, com a visão embaçada e o ritmo da respiração alterado, ele olhava para Carton – que tornara a encostar a mão no peito – Carton o fitava.

– Depressa, depressa!

O encarcerado debruçou-se mais uma vez sobre o papel.

– "Se tivesse acontecido de outra forma" – prosseguiu Carton, cuja mão voltava a abaixar-se vagarosa e delicadamente –, "eu jamais teria esperado esta grande oportunidade. Se tivesse acontecido de outra forma" – acrescentou, com a mão no rosto do prisioneiro –, "eu seria obrigado a responder por muitas outras coisas. Se tivesse acontecido de outra forma..." – Carton olhou para a pena e percebeu que ela percorria o papel traçando marcas ininteligíveis.

A mão de Carton não voltou a encostar mais no peito. O prisioneiro levantou-se, espantado, mas a mão de Carton apertava-lhe com firmeza as narinas e o braço esquerdo dele envolveu a cintura do prisioneiro. Por poucos segundos e com pouquíssima força de ambos os lados, lutou com o homem que viera ali para dar a própria vida por ele. No entanto, dentro de um minuto ou pouco mais que isso, desfaleceu no chão.

Depressa, mas com as mãos tão leais ao seu objetivo quanto o coração, Carton vestiu-se com as roupas que o prisioneiro deixara de lado, penteou o cabelo para trás e amarrou-o com a fita antes usada pelo condenado. Depois, com a voz baixa, chamou:

– Venha! Entre!

E, com isso, o espião entrou na cela.

– Está vendo? – perguntou Carton, olhando para cima, ajoelhado com apenas uma das pernas e ao lado da figura desfalecida, levando ao bolso o papel com a mensagem que fora escrita. – Ainda acha que corre risco muito grande?

– Senhor Carton – respondeu o espião com um ligeiro estalido dos dedos –, entre tudo o que se passa aqui, meu risco maior não é este, se o senhor for fiel e cumprir a sua parte do acordo.

– Não tema. Serei fiel até a morte.

– Tem de ser, senhor Carton, para que haja cinquenta e dois na contagem. Vestido como está, não terei o que temer.

– Não tenha medo! Logo estarei fora de seu caminho e não poderei prejudicá-lo, e os outros estarão bem longe daqui, se Deus assim permitir! Agora, consiga ajuda e leve-me até a carruagem.

– O senhor? – perguntou o espião com a voz tensa.

– Ele, homem! Com quem troquei de lugar. Sairá pelo mesmo portão pelo qual entrei?

– Claro.

– Sentia-me fraco e indisposto quando me trouxe aqui e me sinto ainda pior agora que vai me tirar daqui. Aquela conversa sobre despedida me deixou abalado. Coisas parecidas já aconteceram aqui, não uma, nem duas, mas muitas vezes. Sua vida está em suas próprias mãos! Rápido! Peça ajuda!

– O senhor jura que não me trairá? – perguntou o espião trêmulo ao hesitar pela última vez.

– Ora, homem! – redarguiu Carton, batendo o pé. – Já não lhe jurei, lhe dei a minha palavra que iria até o fim? Para que desperdiçar tempo tão precioso agora? Leve-o até o pátio que já conhece, coloque-o na carruagem, mostre-o ao senhor Lorry e diga-lhe que não lhe dê nada além de ar puro para recobrar a consciência, e para se lembrar das palavras que me disse e da promessa que me fez ontem à noite, e vá embora!

E assim o espião partiu, e Carton sentou-se à mesa, apoiando a testa nas mãos. O espião voltou dali a um instante, acompanhado de dois homens.

– O que houve? – indagou um deles, contemplando a figura desfalecida no chão. – Ficou muito aflito quando descobriu que o amigo foi sorteado na loteria da Santa Guilhotina?

– Um bom patriota – disse o outro – teria ficado mais aflito se um aristocrata não fosse sorteado.

Os dois ergueram o desfalecido, colocaram-no na maca que haviam trazido e curvaram-se antes de atravessar a porta.

– Falta pouco tempo, Evrémonde – disse o espião em tom de alerta.

– Sei bem disso – afirmou Carton. – Cuide bem do meu amigo, eu lhe suplico, e deixe-me sozinho.

– Vamos, meus filhos – ordenou Barsad. – Levantem-no e saiam logo.

A porta se fechou e Carton ficou sozinho. Esforçando-se ao máximo para escutar o som lá fora, não ouviu o menor sinal que pudesse indicar alguma suspeita ou alarme. Não houve nada. Chaves giraram, portas bateram, passos distantes percorriam o chão, atravessando os corredores. Nenhum berro, tampouco alvoroço, que indicasse algo de atípico. Pouco tempo depois, respirando mais aliviado, sentou-se à mesa e voltou a prestar atenção aos sons, quando o relógio marcou duas horas.

Ruídos que ele não temia, pois presumia seu significado, tornavam-se audíveis. Várias portas abertas em sucessão até chegar a dele. Um carcereiro, com uma lista à mão, espreitou pela fresta e disse apenas: "Siga-me, Evrémonde!". E ele o acompanhou até uma sala escura, grande e longe dali. Era um dia escuro de inverno, e com as sombras que havia tanto ali dentro quanto do lado de fora, pôde distinguir vagamente os demais que eram trazidos ali para que os braços fossem amarrados. Alguns de pé, outros sentados. Alguns lastimavam, outros estavam inquietos, mas estes eram a minoria; a maioria permanecia calada e imóvel, sem tirar os olhos do chão.

Encostado à parede em um canto escuro, enquanto alguns dos cinquenta e dois eram trazidos depois dele, um homem interrompeu o passo para abraçá-lo, como se o conhecesse. Apavorou-se com a possibilidade de ser descoberto, mas o homem seguiu caminho depois de abraçá-lo. Pouco depois disso, uma mulher jovem, de corpo franzino, rosto meigo, magro e em cujas bochechas não se via o menor vestígio de cor, olhos grandes e resignados, levantou-se do assento onde ele a vira se sentar e veio falar com ele.

– Cidadão Evrémonde – disse, tocando-o com a mão fria. – Sou aquela pobre costureirinha, que esteve com o senhor em La Force.

Ele murmurou uma resposta:

– É verdade. Perdão, esqueci-me de que é acusada.

– Conspiração. Embora o Deus justo saiba que sou inocente. E como não seria? Quem pensaria em conspirar com uma criaturinha feito eu?

O sorriso melancólico com que disse essas palavras tocou-lhe tanto o coração que seus olhos marejaram.

– Não tenho medo de morrer, cidadão Evrémonde, mas não fiz nada. Não estou disposta a morrer se a República, que tanto bem deveria fazer aos pobres, lucrar com a minha morte. Mas não compreendo como algo assim pode ser possível, cidadão Evrémonde. Uma criaturinha tão pobre e fraca como eu!

Como a última coisa na Terra capaz de lhe amolecer e aquecer o coração, assim o fez aquela moça digna de pena.

– Ouvi dizer que o libertaram, cidadão Evrémonde. Esperava que fosse verdade.

– E era. Mas me capturaram de novo e condenaram.

– Se nos levarem no mesmo carro, cidadão Evrémonde, permitiria que eu lhe segurasse a mão? Não estou com medo, mas como sou pequena e fraca, isso me daria mais coragem.

Quando a moça virou o rosto e seu olhar resignado deparou-lhe o rosto, ele notou nele uma dúvida repentina seguida de espanto. Apertou os dedos jovens e calejados pelo trabalho e os levou à boca dela, pedindo-lhe segredo.

– Vai morrer por ele? – sussurrou.

– E pela sua esposa e filha. Shhhh! Sim.

– Ó, me deixará segurar esta mão tão corajosa, desconhecido?

– Shhh! Sim, minha pobre irmã. Até o fim.

***

As mesmas sombras que anuviavam a prisão, anuviavam também, naquele início de tarde, a barreira e a multidão que a cercava, quando uma carruagem partindo de Paris aproximou-se para passar pela inspeção.

– Quem são as pessoas a bordo? Que temos aí dentro? Documentos!

Os documentos foram entregues e na sequência averiguados.

– Alexandre Manette. Médico. Francês. Quem é ele?

– Aqui está – murmurou o ancião indefeso, com a voz vacilante, apontando para o médico.

– Ao que parece, o cidadão médico não está bem da cabeça? Será que a febre da Revolução foi demais para ele?

– Foi mesmo.

– Ah, muitos sofrem com ela. Lucie. Sua filha. Francesa. Onde está?

– Aqui. É ela.

– Ao que parece é mesmo. Lucie, esposa de Evrémonde, não é?

– É, sim.

– Há! Evrémonde tem compromisso em outro plano agora. Lucie, sua filha. Inglesa. É ela?

– Ela mesma.

– Beije-me, filha de Evrémonde. Agora, já pode dizer que beijou um bom republicano, o que é uma novidade para a sua família, nunca se esqueça disso! Sydney Carton. Advogado. Inglês. Onde está?

– Está deitado ali, no canto da carruagem. – E também apontam para ele.

– Parece que o advogado inglês está desmaiado?

– Espera-se que se recupere com o ar fresco. Não tem a saúde muito boa e se entristeceu muito depois de despedir-se de um amigo que contrariou a República.

– Ficou desse jeito por causa disso? Belo motivo! Há muitos como ele por aí contrariando a República e devem ficar olhando pela janelinha. Jarvis Lorry. Bancário. Inglês. Quem é?

– Sou eu. Necessariamente, já que sou o único que restou.

Foi Jarvis Lorry quem respondera a todas as perguntas. E foi Jarvis Lorry quem desceu e ficou parado, com a mão apoiada na porta da carruagem, respondendo ao interrogatório do grupo de oficiais. Deram uma volta em torno da carruagem e montaram na boleia para averiguar a pouca bagagem que carregavam no teto. Os camponeses que havia por ali se espremeram com curiosidade perto da porta para espiar por dentro do veículo. Uma criança pequena, erguida pela mãe, esticou os bracinhos para tocar a esposa de um aristocrata que morrera na guilhotina.

– Eis aqui seus documentos, Jarvis Lorry, estão assinados.

– Podemos partir, cidadão?

– Podem. Avante, postilhões! Boa viagem!

– Eu os saúdo, cidadãos! O primeiro perigo foi vencido!

Novamente, essas foram as palavras do senhor Jarvis Lorry, apertando as mãos unidas e olhando para cima. Na carruagem, há pavor, choro, e a respiração ofegante do viajante desfalecido.

– Não estamos indo devagar demais? Não conseguem ir um pouco mais rápido? – perguntou Lucie, agarrando-se à mão do mais velho entre eles.

– Levantaria a suspeita de fuga, minha querida. Não posso pedir que apertem o passo. Isso pode complicar a situação.

– Olhe pra trás, olhe pra trás e veja se estão nos seguindo!

– A estrada está vazia, minha querida. Até o momento, não há uma alma atrás de nós.

Casas em conjuntos de duas ou três passaram por nós, fazendas desertas, prédios em ruínas, tinturarias, curtumes e estabelecimentos similares, terrenos descampados, ruas com árvores desfolhadas. O pavimento maciço e irregular sob os nossos pés, e a lama macia e funda de ambos os lados. Às vezes, desviamos e acabamos entrando no lamaçal para contornar as pedras que colidem com as rodas e sacolejam a carruagem;

outras, ficamos atolados em sulcos. A impaciência e agonia nos aflige tanto que o pavor e a pressa abissal fazem pensar em saltar do veículo, correr... esconder-nos... fazer qualquer coisa menos parar.

No descampado, novamente entre prédios em ruínas, fazendas desertas, tinturarias, curtumes e afins, casas em grupos de duas ou três, ruas de árvores desfolhadas. Teriam esses homens nos enganado e estariam nos levando de volta para o mesmo caminho? Estamos passando pelo mesmo lugar de novo? Graças a Deus, não. Um vilarejo. Olhe pra trás, olhe pra trás, veja se tem alguém nos seguindo! Shhh! A estalagem de posta.

Sem pressa, nossos cavalos são retirados. Sem pressa, a carruagem para em uma ruazinha, sem os cavalos e impossibilitada de voltar a se mover. Sem pressa, os novos cavalos começam a aparecer, um por um. Sem pressa, os novos postilhões surgem, testando e trançando seus chicotes. Sem pressa, os antigos postilhões contam seu dinheiro, se atrapalham nas contas e chegam a resultados errados. Durante todo esse tempo, nossos corações batem a uma velocidade tão acelerada que superariam o galope mais veloz do cavalo mais veloz já criado neste mundo.

Por fim, os novos postilhões assumem seus lugares nas selas e os antigos postilhões ficam para trás. Passamos pelo vilarejo, subimos a colina, descemos a colina e chegamos a um solo baixo e pantanoso. De repente, os postilhões trocam alguns comentários e gestos entusiasmados, e os cavalos são freados, quase ficam empinados. Estão nos seguindo?

– Ei! Vocês aí dentro da carruagem. Contem-nos uma coisa!

– O que houve? – pergunta o senhor Lorry, olhando pela janela.

– Quantos eles disseram?

– Perdão, não compreendi?

– ... Na última parada. Não disseram quantos foram para a guilhotina hoje?

– Cinquenta e dois.

– Eu não disse! Belo número. Meu concidadão aqui disse que tinham sido quarenta e dois... Dez cabeças a mais compensam muito mais. A Guilhotina é generosa. Amo a Guilhotina. Upa! Avante!

A noite adensa o céu, escura. Ele se mexe mais, está começando a recobrar os sentidos e a falar de modo inteligível; acha que ainda estão juntos. Chama-o pelo nome e pergunta o que tem na mão. Ó, Céus, tenham misericórdia de nós! Olhe pra trás, olhe pra trás e veja se estão nos seguindo.

O vento ricocheteia atrás de nós, e as nuvens voam atrás de nós, e a lua mergulha atrás de nós, e toda a noite impetuosa avança atrás de nós, mas, até o momento, nada mais nos persegue.

O TRICÔ CHEGA AO FIM

Naquele mesmo momento em que os cinquenta e dois aguardavam seu destino, madame Defarge promovia uma tenebrosa cúpula com Vingança e Jacques Terceiro, o do júri revolucionário. Não foi na taberna que madame Defarge reuniu-se com seus ministros, mas na oficina do lenhador, outrora calceteiro. O lenhador em si não participou da conferência, mas manteve-se a pouca distância dali, feito um subalterno que não deveria manifestar-se sem necessidade, tampouco emitir sua opinião sem que lhe pedissem.

– Mas nosso Defarge – comentou Jacques Terceiro –, é sem dúvida um bom republicano. Não?

– Não há nenhum melhor – protestou a volúvel Vingança com suas notas vocais estridentes – em toda a França.

– Aquiete-se, Vingancinha – ordenou madame Defarge, com o cenho ligeiramente franzido, pousando a mão nos lábios de sua tenente. – Ouça o que vou dizer. Meu marido, concidadão, é um bom republicano e homem valente. Merece bom tratamento da República e conquistou sua confiança. Mas é um homem que tem suas fraquezas, e de tão fraco, chega ao ponto de se compadecer do doutor.

– É uma pena e tanto – resmungou Jacques Terceiro, mexendo a cabeça de um lado ao outro, lamentando com seus impiedosos dedos na boca faminta. – Não é coisa digna de um bom cidadão. Algo para se lastimar, de fato.

– Pois, veja – acrescentou a madame. – Não me preocupo com esse tal doutor. De nada me importa sua pessoa com ou sem cabeça. Para mim, tanto faz. Mas os Evrémonde têm de ser eliminados. A esposa e a filha têm de seguir o caminho do marido e do pai.

– A esposa seria uma cabeça e tanto para a guilhotina – coaxou Jacques Terceiro. – Já vi olhos azuis e cabelos dourados ali e coisa encantadora foi ver Sansão suspendendo-os. – Era um ogro, mas falava como um epicurista.

Madame Defarge olhou para baixo sem mexer a cabeça e refletiu.

– A criança também – observou Jacques Terceiro, com certo regozijo contemplativo. – Tem cabelos dourados e olhos azuis. E raramente vemos uma criança lá em cima. Seria uma cena e tanto!

– Resumindo – afirmou madame Defarge, recobrando o pensamento após a curta abstração. – Não posso confiar esse assunto a meu marido. Desde ontem à noite, não só sinto que não posso confiar-lhe os detalhes de meu plano, como também sinto que, caso resolva adiá-lo, corro o risco de ele avisá-los para que fujam.

– Isso não pode acontecer – resmungou Jacques Terceiro. – Ninguém pode escapar. Não chegamos nem à metade do necessário. Precisamos chegar a uns cento e vinte por dia.

– Mais uma vez, resumindo... – prosseguiu a madame Defarge. – Meu marido não tem os mesmos motivos que eu para perseguir esta família até aniquilá-la e eu não tenho os mesmos motivos que ele para me apiedar daquele médico. Portanto, devo agir por conta própria. Venha aqui, pequeno cidadão.

O lenhador, que tinha por ela muito respeito e postura de total submissão por medo de morrer, com o barrete vermelho em mãos, aproximou-se.

– Em relação àqueles acenos, pequeno cidadão – disse madame Defarge com a voz implacável –, que ela faz aos prisioneiros. Está preparado para descrevê-los e prestar testemunho hoje mesmo?

– Ah, sim, sim, por que não! – bradou o lenhador. – Todos os dias, fizesse chuva ou sol, das duas às quatro, sempre acenando, às vezes com a pequena, outras vezes sozinha. Não tenho dúvidas do que sei. Vi com os meus próprios olhos.

Enquanto falava, fazia todo tipo de gesto como se fosse a personificação incidental da enorme diversidade de sinais que jamais vira.

– Conspiração clara! – declarou Jacques Terceiro. – É evidente.

– Não restam dúvidas de parte do júri? – inquiriu a madame, lançando um olhar sombrio e de esguelha para ele, corroborado por um sorriso sinistro.

– Confie no júri patriótico, estimada cidadã. Eu respondo por meus colegas jurados.

– Agora, deixe-me pensar um pouco... – disse madame Defarge, refletindo mais uma vez. – Pela última vez! Posso poupar o médico por causa do meu marido? Para mim, de nada importa. Posso poupá-lo?

– Seria mais uma cabeça para a soma – pontuou Jacques Terceiro em voz baixa. – Estamos bem longe do número ideal... Seria uma pena, penso eu.

– Ele também acenava junto dela quando a vi – argumentou a madame. – Não posso falar de um sem mencionar o outro. Não devo me calar e confiar o caso totalmente às mãos deste pequeno cidadão aqui. Porque má testemunha é coisa que não sou.

Vingança e Jacques Terceiro rivalizaram entre si nas fervorosas asserções de que ela era a mais admirável e maravilhosa entre as testemunhas. O pequeno cidadão, sem querer ficar para trás, declarou ser ela uma verdadeira testemunha celestial.

– Ele terá que correr o risco – afirmou a madame. – Não, não posso poupá-lo. Você tem compromisso às três horas, vai assistir à fornada de hoje... E você, vai também?

A pergunta dirigiu-se ao lenhador que mais do que depressa respondeu afirmativamente, aproveitando o ensejo para dizer-lhe que ele era o mais devoto dos republicanos e seria, de fato, o mais desolado dos republicanos se algo o impedisse de desfrutar de suas deleitosas cachimbadas contemplando o divertido ofício do barbeiro nacional. Seu discurso fora tão convincente que poderia ter levantado suspeitas (e talvez de fato tenha, a julgar pelo olhar sombrio e desprezível com que a madame Defarge o fitava) de guardar consigo dia e noite pequenos temores quanto à própria segurança.

– Eu – comunicou a madame – tenho um compromisso no mesmo local. Logo que acabar... por volta das oito da noite... encontrem-me em Saint-Antoine e denunciaremos essas pessoas na minha seção.

O lenhador disse que se sentiria orgulhoso e lisonjeado por oferecer seus préstimos à cidadã. A cidadã o encarou, ele ficou envergonhado, desviou o olhar como um cachorrinho teria feito, retirou-se para sua madeira e escondeu seu estado de confusão atrás do cabo do serrote.

Madame Defarge fez sinal para que o do júri e Vingança se aproximassem da porta e lhes relatou detalhes de suas intenções, dizendo o seguinte:

– Ela está em casa agora, aguardando o momento da morte dele. Estará se lastimando e chorando. Estará em um estado de espírito condenável pela justiça da República. Estará cheia de solidariedade pelos inimigos da República. Vou até lá falar com ela.

– Que mulher admirável, que mulher admirável! – exclamou Jacques Terceiro muito entusiasmado.

– Ah, minha companheira! – bradou Vingança, envolvendo-a em um abraço.

– Pegue o meu tricô – pediu madame Defarge, colocando o tricô nas mãos de sua escudeira –, e deixe-o preparado pra mim no lugar de sempre. Depois, guarde o meu lugar de sempre. Vá agora mesmo, direto pra lá, pois é provável que haja mais gente hoje do que de costume.

– Obedeço de muito bom grado as ordens de minha chefe – afirmou Vingança animada, beijando-lhe a bochecha. – Não vai se atrasar?

– Estarei lá antes do início.

– E antes de as carroças chegarem. Não deixe de comparecer, meu anjo – pediu Vingança, olhando para trás, pois já havia atirado o pé na estrada – antes de as carroças chegarem!

Madame Defarge acenou discretamente para sinalizar que a ouvira e que ficassem tranquilos, pois chegaria a tempo. Logo depois, atravessou o chão enlameado e dobrou a esquina do muro da prisão. A Vingança e o jurado, observando-a se afastar, admiravam-se com a visão da bela figura e de seus soberbos dotes morais.

Naquela época, para muitas mulheres a mão terrivelmente deformadora do tempo pesava, mas não havia entre elas outra mais temível do que essa figura implacável que agora caminhava pelas ruas. De personalidade forte e destemida, arguta e ligeira, extremamente determinada, o tipo de beleza que não só aparenta transmitir a firmeza e a animosidade de sua detentora como também desperta instintivamente nos outros o reconhecimento dessas qualidades; a época conturbada a teria alçado sob quaisquer circunstâncias. No entanto, imbuída desde a infância de um crescente ressentimento fruto da injustiça e de um ódio inveterado contra uma classe, a ocasião a transformou em uma tigresa. Era uma figura absolutamente impiedosa. Se alguma vez fora dotada de virtude, perdera-a para sempre.

Em nada a incomodava o fato de um inocente pagar com a própria vida pelos pecados de seus antepassados; ela via não ele, mas todos eles. Em nada a incomodava o fato de a esposa ficar viúva e de a filha ficar órfã, pelo contrário: essa punição era insuficiente porque a família toda era sua inimiga e presa e, como tal, não tinha o direito de sobreviver. Rogar-lhe por misericórdia era inútil, pois madame Defarge não se apiedava de ninguém, nem dela própria. Mesmo que tivesse sido morta pelas ruas, em alguma das tantas brigas em que estivera envolvida, nem assim sentiria pena de si mesma; se lhe enviassem ao cutelo no dia seguinte, não nutriria outro sentimento mais suave do que o desejo atroz de trocar de lugar com o homem que definira sua sentença de morte.

Era esse o coração que batia sob o vestido rudimentar. A peça surrada, de certo modo proporcional e estranho parecia suficiente ao que se propunha, e a cabeleira escura fazia volume debaixo do barrete vermelho. Escondida no peito, levava uma pistola carregada. Escondida na cintura, levada uma adaga afiada. Assim munida, caminhando com o passo confiante típico de tal personagem, e com a maleabilidade de uma mulher livre que, na infância, caminhava descalça e com as pernas descobertas pela areia marrom da praia, madame Defarge seguiu seu caminho pelas ruas.

No entanto, quando a viagem da carruagem, que naquele exato momento aguardava a embarcação de todos os passageiros e de suas bagagens, fora planejada na noite anterior, a dificuldade de embarcar a senhorita Pross foi algo que muito preocupou o senhor Lorry. Não só era aconselhável evitar a sobrecarga do veículo, como era de extrema importância reduzir ao máximo o tempo de inspeção do veículo e de seus passageiros quando atravessassem a barreira, já que o sucesso da fuga poderia depender de alguns segundos aqui e ali. Por fim, após análise criteriosa, o senhor Lorry propôs que a senhorita Pross e Jerry, livres para deixar a cidade quando bem quisessem, partissem às três no veículo sob rodas mais leve e mais conhecido daquela época. Desprovidos de bagagem, logo ultrapassariam a carruagem, ocasião em que providenciariam com antecedência a troca dos cavalos, facilitando em muito o avanço do percurso durante as preciosas horas da noite, quando qualquer atraso seria ainda mais arriscado.

Vendo nesse arranjo a esperança de prestar serviço legítimo naquela circunstância emergencial, a senhorita Pross recebeu a sugestão com alegria. Ela e Jerry acompanharam a partida da carruagem, sabiam quem era o homem que Solomon trouxera, passaram dez minutos afligidos pela angústia e pelo suspense e agora concluíam os preparativos para seguir o veículo, no mesmo instante em que madame Defarge, avançando pelas ruas, aproximava-se cada vez mais e mais daquela residência agora deserta naquela rua quase abandonada onde o plano fora traçado.

– Diga-me o que acha, senhor Cruncher? – perguntou a senhorita Pross, quase sem conseguir falar, tampouco ficar de pé, se mexer, ou viver tamanho estado de agitação. – O que acha de não partirmos desse pátio, já que outra carruagem saiu daqui hoje e com isso alguém possa vir a suspeitar de nós?

– Minha opinião, senhorita – respondeu o senhor Cruncher – é de que está coberta de razão. Seja como for, esteja certa ou errada, permanecerei ao lado da senhorita.

– Estou com a cabeça tão ocupada, apavorada e ao mesmo tempo esperançosa em relação ao futuro daquelas preciosas criaturas – declarou a senhorita Pross, aos prantos –, que não me sinto capaz de elaborar nenhum plano. Consegue pensar em alguma coisa, meu caro e bondoso senhor Cruncher?

– Quanto ao futuro, senhorita, creio que sim – respondeu o senhor Cruncher. – Quanto ao uso presente dessa velha e abençoada cabeça minha, considero que não. Faria-me o favor, senhorita, de prestar atenção a duas promessas e votos meus que gostaria de registrar na presente circunstância de crise?

– Ah! Pelo amor de Deus! – exclamou a senhorita Pross, ainda aos prantos. – Desembuche e acabe com isso logo de uma vez, como faria um cavalheiro.

– Primeiro – afirmou o senhor Cruncher todo trêmulo e com o semblante cinzento e cerimonioso –, prometo que quando esses pobres coitados se safarem dessa situação, nunca mais voltarei a fazer isso, nunca mais!

– Tenho certeza, senhor Cruncher, que nunca mais voltará a fazer isso, seja lá o que for, e lhe imploro que não considere necessário mencionar detalhes do que se trata – afirmou a senhorita Pross.

– Não, senhorita, não vou lhe dizer do que se trata. Segundo, quando aqueles pobres coitados se safarem dessa situação, nunca mais vou impedir a senhora Cruncher de se ajoelhar quando bem quiser, nunca mais!

– Seja lá o que signifique esse arranjo doméstico – disse a senhorita Pross, tentando enxugar os olhos e se recompor –, não tenho dúvidas de que é melhor que a própria senhora Cruncher decida quando ou não deve se ajoelhar. Ó, meus pobres queridos!

– Chego a ponto de dizer, senhorita, além do mais... – prosseguiu o senhor Cruncher, com a mais alarmante tendência de engatar em um discurso inflamado, como quem se vê diante de um púlpito. – ... que essas minhas palavras sejam registradas por escrito e transmitidas à senhora Cruncher pela senhorita... diga-lhe que minhas opiniões a respeito da penitência sofreram mudanças e que, do fundo do meu coração, torço para que a senhora Cruncher esteja de joelhos neste exato momento.

– Ora, ora, ora! Espero que esteja mesmo, meu caro – exclamou a distraída senhorita Pross. – E espero que os desejos dela sejam atendidos.

– Queira Deus – acrescentou o senhor Cruncher com acrescida solenidade, acrescida lentidão e acrescida eloquência –, que nada do que eu tenha dito ou feito não interfira nas minhas mais sinceras preces por aquelas pobres criaturas! Queira Deus que todos dobremos os joelhos... se isso de algum modo for conveniente... se isso de alguma forma livrá-los do risco que correm! Queira Deus, senhorita! É só o que peço! Que-i-ra Deus!

Foi essa a conclusão do senhor Cruncher depois de longo, porém, inútil esforço para encontrar outra melhor.

– Se um dia regressarmos à nossa terra natal, lhe dou a minha palavra de que contarei à senhora Cruncher tudo, ou o máximo que conseguir lembrar e compreender do que o senhor me disse de maneira tão impressionante – declarou a senhorita Pross. – Em todo caso, lhe asseguro que prestarei testemunho de sua sinceridade neste momento tão terrível. Agora, por favor, precisamos pensar. Meu caro senhor Cruncher, precisamos pensar!

Enquanto isso, madame Defarge, galgando seu caminho pelas ruas, aproximava-se cada vez mais.

– Se o senhor fosse antes – sugeriu a senhorita Pross –, e impedisse o veículo e os cavalos de virem até aqui, depois esperasse por mim em algum lugar, não seria melhor?

O senhor Cruncher ponderou que de fato aquela poderia ser a melhor opção.

– Onde o senhor poderia me esperar? – perguntou a senhorita Pross.

De tão desnorteado, o senhor Cruncher não conseguia pensar em outro lugar a não ser Temple Bar. Ora, essa! Temple Bar ficava a centenas de quilômetros dali e madame Defarge estava muito, muito perto deles.

– Na porta da catedral – sugeriu a senhorita Pross. – Desviaria muito do caminho, se me pegasse perto da porta da catedral, entre as duas torres?

– Não, senhorita.

– Assim sendo, como o melhor dos homens, vá direto para a estalagem de posta e providencie essa mudança – disse a senhorita Pross.

– Não sei se devo... – afirmou o senhor Cruncher, hesitando e mexendo a cabeça de um lado para o outro, em um gesto hesitante. – ... deixá-la aqui sozinha, entende? Não sabemos o que pode acontecer.

– Os céus sabem o quanto isso é verdade! – concordou a senhorita Pross. – Mas não se preocupe comigo. Pegue-me na catedral às três horas, ou o mais próximo possível disso, e tenho certeza de que será melhor partir em viagem dali do que deste pátio. Tenho certeza do que digo. Agora vá! Deus o acompanhe, senhor Cruncher! Não pense em mim, mas nas vidas que podem estar em nossas mãos!

Esse preâmbulo, fortalecido pelas mãos da senhorita Pross que em uma súplica enfática apertavam as do senhor Cruncher, levaram-no a tomar uma decisão. Com um ou dois acenos encorajadores, ele imediatamente partiu para modificar o curso do arranjo, deixando-a sozinha para seguir adiante com o plano que sugerira.

Projetar uma medida preventiva e ver o primeiro passo de sua concretização acontecer trouxe grande alívio à senhorita Pross. A necessidade de recompor a aparência para não chamar a atenção nas ruas foi outro alívio. Ela olhou para o relógio e viu que eram duas horas e vinte minutos. Não havia tempo a perder, precisava aprontar-se imediatamente.

Apavorada, entre o extremo nervosismo, com a solidão dos quartos abandonados, e com a semi-ilusão de rostos espreitando por trás de cada porta aberta, a senhorita Pross pegou uma bacia de água fria e começou a lavar os olhos, que estavam inchados e vermelhos. Assombrada por suas lucubrações febris, não suportava sentir a visão obscurecida pelas gotas d'água nem por um segundo, fazendo pausas constantes para olhar ao redor e ter certeza de que ninguém a espiava. Em uma dessas pausas, recuou e soltou um grito ao ver uma figura parada e de pé na sala.

A bacia espatifou no chão e a água escorreu até os pés de madame Defarge. Por vias estranhas e inexoráveis e banhadas pelo sangue, aqueles pés encontraram aquela água.

Madame Defarge olhou-a com frieza e disse:

– A esposa de Evrémonde, onde ela está?

Ocorreu à senhorita Pross que todas as portas estavam abertas e isso poderia levantar a suspeita de fuga; sua primeira reação foi fechá-las. Na sala, eram quatro. Fechou-as todas. Logo depois, posicionou-se diante da porta dos aposentos que Lucie ocupara.

O olhar sombrio de madame Defarge a seguiram durante esse movimento veloz e pousaram sobre ela ao término. A senhorita Pross não era uma mulher dotada de beleza, os anos não tinham lhe domado o aspecto selvagem, tampouco atenuado a austeridade de sua aparência. No entanto, de modo diferente de madame Defarge, também era uma mulher determinada e mediu a figura da cabeça aos pés.

– Pela aparência, você bem que parece a esposa de Lúcifer – disse a senhorita Pross ofegante. – Mesmo assim, não vai levar a melhor desta vez. Sou inglesa.

Madame Defarge a olhou com desprezo, mas algo naquele olhar delatou à senhorita Pross que ambas estavam encurraladas. Via diante de seus olhos uma mulher firme, dura, belicosa, como o senhor Lorry vira naquela mesma figura uma mulher de pulso firme, anos atrás. Madame Defarge sabia muito bem que a senhorita Pross era a amiga devotada da família; e a senhorita Pross sabia muito bem que madame Defarge era a inimiga malévola da família.

– A caminho daquele lugar – anunciou madame Defarge, apontando ligeiramente em direção ao fatídico ponto –, onde já mandei reservar a minha cadeira e o meu tricô, estou aqui de passagem para deixar meus cumprimentos à esposa de Evrémonde. Gostaria de vê-la.

– Sei que suas intenções são maléficas – declarou a senhorita Pross –, mas não tenha dúvidas de que vou lutar contra elas.

Cada uma falava em sua própria língua; uma não entendia uma palavra sequer da outra. Ambas permaneciam atentas, procurando deduzir por meio da aparência e do comportamento o significado das palavras ininteligíveis.

– Não fará nenhum bem esconder-se de mim agora – afirmou madame Defarge. – Os bons patriotas saberão o significado disso. Deixe-me vê-la. Vá e diga que vim lhe falar. Está me ouvindo?

– Se esses seus olhos cuspissem fogo – redarguiu a senhorita Pross –, e eu fosse uma espécie de alvo inglês, não conseguiriam sequer encostar de raspão em mim. Não, sua maldita estrangeira. Sou bem páreo para você.

Madame Defarge provavelmente não conseguia compreender os detalhes dessas frases, mas compreendia a mensagem principal, que era o fato de estar sendo tratada com desdém.

– Sua porca imbecil! – retrucou madame Defarge, franzindo a testa. – De você, não consigo extrair nada. Exijo vê-la. Avise-a que estou aqui e exijo vê-la ou saia da frente dessa porta e me deixe entrar aí! – ordenou com um movimento enfático e furioso do braço direito.

– Jamais pensei que um dia desejaria compreender essa sua língua absurda – declarou a senhorita Pross. – Mas daria tudo o que tenho, menos as roupas que visto, para saber se desconfia da verdade ou se sabe parte dela.

Nenhuma das duas tirou os olhos da outra por um momento sequer. Madame Defarge permanecia exatamente no mesmo lugar em que a senhorita Pross se deu conta de sua presença. Todavia, agora dera um passo à frente.

– Sou britânica – acrescentou a senhorita Pross. – Estou desesperada. Mas não dou uma moedinha de dois centavos pela minha própria vida. Sei que quanto mais tempo eu a mantiver por aqui, maior a esperança para a minha menina. Não restará um só fio desse cabelo escuro na sua cabeça se se atrever a encostar um dedo em mim!

Assim declarou a senhorita Pross, balançando a cabeça, e com um brilho no olhar a cada frase apressada, e cada frase pronunciada em um só fôlego. Assim declarou a senhorita Pross, que nunca em sua vida dera uma bofetada em ninguém.

Todavia, tão emocional era a natureza dessa coragem que fez brotar-lhe nos olhos lágrimas irrefreáveis. Madame Defarge compreendera tão mal essa coragem que a confundira com fraqueza.

– Rá, rá! – zombou. – Sua pobre coitada. Não vale nada! Vou chamar o doutor. – E de fato chamou em voz alta: – Cidadão doutor! Esposa de Evrémonde! Filha de Evrémonde! Qualquer um menos essa idiota infeliz, responda à cidadã Defarge!

Talvez o silêncio seguinte, talvez alguma revelação latente no semblante da senhorita Pross, talvez o repentino pressentimento de que isso não tivesse a ver com nenhuma dessa suspeitas, sussurrou no ouvido de madame Defarge que eles tinham partido. No mesmo instante, abriu três daquelas portas e espiou dentro dos cômodos.

– Esses quartos estão todos bagunçados, fizeram as malas às pressas, tem muita bugiganga espalhada pelo chão. Não tem ninguém nesse quarto atrás de você. Deixe-me ver.

– Nunca! – retrucou a senhorita Pross, que entendeu a ordem tão perfeitamente quanto madame Defarge compreendera a resposta.

– Se não estão neste quarto, fugiram, mas podem ser capturados e trazidos de volta – disse Madame consigo mesma.

– Enquanto não souber se estão ou não naquele quarto, não saberá o que fazer – afirmou a senhorita Pross para si mesma. – E não saberá, no que depender de mim. E saiba ou não, não poderá sair daqui enquanto eu segurá-la.

– Desde o começo, ando pelas ruas e nada me segura. Vou cortá-la em pedacinhos, mas a arranco da frente desta porta.

– Estamos sozinhas no topo de uma casa alta em um pátio isolado, dificilmente alguém poderá nos ouvir, e rezo para invocar toda a minha força física e mantê-la aqui, pois cada minuto que eu a segurar aqui valerá cem mil guinéus para minha querida – asseverou a senhorita Pross.

Madame Defarge avançou em direção à porta. A senhorita Pross, em uma reação instintiva, agarrou-a pela cintura com a força dos dois braços e a deteve. Em vão madame Defarge tentou se desvencilhar; a senhorita Pross, com a vigorosa tenacidade do amor, sempre mais forte que o ódio, a agarrava com toda a força e chegou a erguê-la do chão durante a luta que travaram. As duas mãos de madame Defarge esbofetearam de um lado para o outro o rosto da senhorita Pross, que, porém, mantendo a cabeça baixa, continuava apertando-lhe a cintura e agarrava-a com a força de uma mulher que encontra algo em que se apegar durante um afogamento.

Dali a pouco, as mãos de madame Defarge pararam de esbofetear e tatearam sua cintura circunvalada.

– Está sob a minha força – afirmou a senhorita Pross com a voz abafada. – Não vai conseguir puxar as minhas mãos. Sou mais forte que você, agradeço aos Céus por isso. Vou segurá-la até que uma de nós desmaie ou morra!

Madame Defarge levou as mãos ao próprio peito. A senhorita Pross olhou para cima, viu do que se tratava, em um movimento rápido e meticuloso arrancou-lhe a arma e disparou. Ficou ali de pé, sozinha e com a visão embaçada pela fumaça.

Tudo isso aconteceu em um segundo. Quando a fumaça se dissipou, deixando para trás uma temível quietude, desapareceu no ar feito a alma de uma mulher furiosa cujo corpo jazia morto no chão.

Nos instintivos susto e terror ante aquela situação, a senhorita Pross distanciou-se o máximo que pôde do corpo e desceu as escadas correndo para buscar socorro, em vão. Felizmente, considerou as consequências do que havia feito a tempo hábil de se controlar e voltar. Foi horripilante tornar a atravessar aquela porta, mas assim ela o fez, e até se aproximou do corpo para pegar o gorro e as outras peças que deveria usar. Vestiu-as no patamar da escada, não antes de fechar, trancar a porta e tirar a chave. Sentou-se no degrau da escada e ali ficou por alguns momentos para tomar fôlego e chorar, depois levantou-se e saiu às pressas.

Por sorte, havia um véu no gorro, não fosse por ele, dificilmente conseguiria caminhar pelas ruas sem ser interpelada. Também por sorte, tinha aparência tão peculiar que o semblante não transparecia o estado de consternação. Precisava contar essas duas vantagens, pois as marcas das garras estavam cravadas em seu rosto, o cabelo ficara desgrenhado e as vestes (postas às pressas pelas mãos trêmulas) estavam amassadas e esgarçadas de centenas de modo diferentes.

Ao atravessar a ponte, atirou a chave no rio. Como chegou à catedral alguns minutos antes de seu acompanhante e precisou aguardá-lo ali, ficou pensando: E se a chave já tivesse enroscado em uma rede, e se fosse identificada, e se abrissem a porta e os restos mortais fossem descobertos, e se ela fosse detida na barreira, enviada para a prisão e acusada de assassinato! Em meio a esse curso desatinado de pensamentos, o acompanhante apareceu, apanhou-a e levou-a embora.

– Há algum barulho pelas ruas? – perguntou ela.

– O barulho de sempre – respondeu o senhor Cruncher, aparentemente surpreso com a pergunta e a fisionomia da senhorita Pross.

– Não escutei. O que foi que disse? – indagou a senhorita Pross.

De nada adiantou o senhor Cruncher repetir o que acabara de dizer; a senhorita Pross não conseguia escutá-lo. "Então, vou gesticular com a cabeça", pensou ele espantado. "Enxergar, vejo que ela consegue". E enxergou mesmo.

– E agora, está ouvindo algum barulho pelas ruas? – perguntou a senhorita Pross mais uma vez, pouco tempo depois.

E o senhor Cruncher fez que sim com a cabeça.

– Não ouço nada.

– Ficou surda na última hora? – indagou o senhor Cruncher, refletindo e com o espírito perturbado. – O que será que aconteceu com essa senhorita?

– Sinto como se um estampido muito alto tivesse sido disparado no meu ouvido, e como se fosse a última coisa que vou ouvir nessa vida.

– Deus tenha misericórdia, parece que endoideceu! – exclamou o senhor Cruncher, cada vez mais e mais perturbado. – Será que tomou alguma coisa para não perder a coragem? Escute! É o barulho daquelas carroças terríveis! Consegue escutá-las, senhorita?

– Não ouço nada – respondeu a senhorita Pross, não porque escutou a pergunta, mas ao vê-lo dirigindo-se a ela. – Ó, meu bom homem, primeiro veio um disparo alto, depois um silêncio profundo, e esse silêncio parece ser eterno e imutável, jamais se romperá enquanto eu viver.

– Se ela não escuta o barulho terrível dessas carroças, que já estão bem perto de seu destino – ponderou o senhor Cruncher, olhando por cima do ombro –, digo que nunca mais ouvirá nada neste mundo.

E, de fato, ela nunca mais ouviu nada.

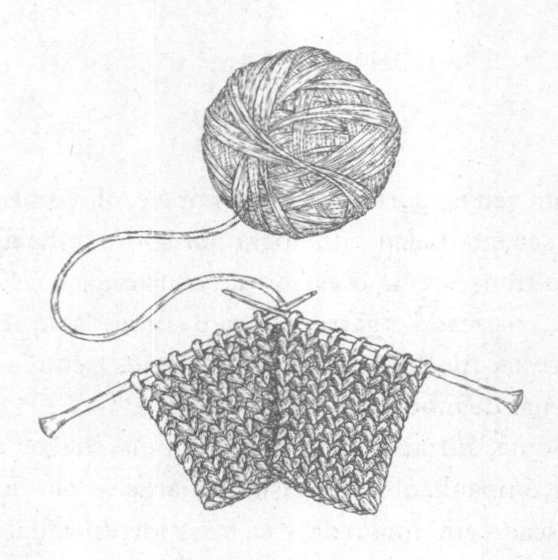

OS PASSOS ECOANTES CALAM-SE PARA SEMPRE

Pelas ruas de Paris, as carroças mortais ribombam pelo chão maciço e inóspito das ruas. Seis carroças carregam o vinho do dia à *La Guillotine*. Todos os monstros devoradores e insaciáveis que se podiam imaginar, desde que se tem notícia da imaginação, fundidos em uma única realização: Guilhotina. E, no entanto, não há na França, com sua rica variedade de solo e clima, uma folha, uma grama, uma raiz, um ramo, um grão de pimenta que amadurecerá sob condições mais seguras do que aquelas que germinaram esse horror. Esmague a humanidade até deformá-la mais uma vez, com martelos semelhantes, e ela voltará a contorcer-se na mesma imagem desfigurada. Semeie a mesma semente da ganância e da opressão mais uma vez e certamente frutos da mesma espécie brotarão.

Seis carroças rolam pelas ruas. Faça-as voltar ao que eram, ó, Tempo, poderoso encantador, e as carruagens da monarquia absolutista será vista, a equipagem dos nobres feudais, as toaletes de pomposas Jezebéis, as igrejas que são a casa de meu Pai, e também as covas dos leões, as cabanas de milhares de camponeses famintos! Não, o grandioso mágico que executa com maestria a ordem atribuída pelo Criador nunca reverte as transformações já concretizadas. "Se pela vontade de Deus é transformado", declara o vidente para o encantado nos sábios contos árabes, "que assim permaneça! Mas, se assume essa forma por simples encanto passageiro, restabeleça sua forma anterior!" Inalteráveis e irremediáveis, as carroças prosseguem caminho.

Enquanto as lúgubres rodas das seis carroças giram, parecem abrir um extenso e sinuoso sulco entre a população que circula nas ruas. Rostos sulcados são atirados de um lado ao outro e os arados avançam em um movimento incessante. Tão acostumados estão os moradores daquelas casas com esse espetáculo, que em muitas janelas não há ninguém; e em outras, as tarefas realizadas pelas mãos sequer são interrompidas enquanto os olhos observam os rostos nas carroças. Aqui e ali, os moradores locais recebem visitas para assistir à cena e, com a complacência de um cura ou de um guia devidamente legitimado, apontam com o dedo para esta e aquela carroça, e parecem comentar quem estava sentado ali ontem e quem ocupava o mesmo lugar no dia anterior.

Quanto aos ocupantes da carroça, alguns observam com olhar impassível essas coisas e todas as demais que ocorriam à margem de seus últimos metros percorridos; outros, com um persistente interesse pelos hábitos da vida e daquela gente. Alguns, sentados de cabeça baixa, afundam em um silêncio desesperador; novamente, alguns, de tão zelosos de sua aparência lançam sobre a multidão olhares como os que viam no teatro e nos retratos. Vários fecham os olhos, pensam, ou tentam reunir seus pensamentos mais dispersos. Apenas um, uma criatura miserável e com aparência de doido, de tão perturbado e acometido pelo pavor, canta e tenta dançar. Nenhum deles desperta, seja pela aparência ou pelos gestos, a piedade do povo.

Há uma guarda que faz a escolta de vários cavaleiros e cavalga lado a lado às carroças, e muitos rostos se voltam para alguns deles e lhes lançam perguntas. De fato, parece ser sempre a mesma pergunta, pois vem sempre acompanhada do subsequente aglomeramento de gente atrás da terceira carroça. Os guardas emparelhados a essa carroça frequentemente apontam com suas espadas para um homem a bordo dela. Todos se perguntam quem é *ele*; ele está aos fundos da carroça, com a cabeça baixa para poder conversar com uma moça qualquer sentada na lateral do veículo e cuja mão ele segura. Ele não tem nem um pouco de curiosidade quanto ao que acontece à sua volta e o tempo todo permanece conversando com a moça. Aqui e ali, na extensa rua de St. Honore, berros irrompem contra ele. Se o perturbam de alguma forma, sua única reação é esboçar um sorriso tranquilo enquanto afasta o cabelo para o lado com o movimento da própria cabeça. Não consegue tocar o próprio rosto sem dificuldade, já que as mãos estão amarradas.

Nos degraus de uma igreja, aguardando a chegada das carroças, está o espião de pé, o carneiro da prisão. Olha para a primeira: não está ali. Olha para a segunda: aqui também não. Começa a perguntar-se: "Será que me sacrificou?", quando o rosto se alegra e ele olha para a terceira.

– Onde está Evrémonde? – pergunta um homem atrás dele.

– Ali. Aquele de trás.

– Segurando a mão da moça?

– Sim.

O homem berra:

– Desça, Evrémonde! À Guilhotina todos os aristocratas! Desça, Evrémonde!

– Shhh! Quieto! – roga o espião com certa timidez.

– E por que devo ficar quieto, cidadão?

– Ele vai pagar pelo que fez daqui a cinco minutos. Deixe-o em paz.

Mas o homem continuou a bradar:

– Desça, Evrémonde!

Por um instante, o rosto de Evrémonde volta-se para ele. Evrémonde, então, vê o espião, o observa atentamente e segue seu caminho.

Os relógios marcam três horas exatas e o sulco arado aberto por entre a multidão vira para entrar no local da execução, aproximando-se do fim. Os sulcos lançados de um lado para o outro se esfarelam e se fecham atrás do último arado depois que ele passa, pois todos agora rumam para a Guilhotina. De frente para ela, sentada em suas cadeiras, como se estivessem em um parque de diversão, há várias mulheres eufóricas, tricotando. Em uma das cadeiras mais à frente, está Vingança, olhando ao redor, procurando pela amiga.

– Therese! – exclama com a voz estridente. – Alguém a viu? Therese Defarge!

– Ela nunca perde uma! – comenta uma tricoteira da irmandade.

– Nem vai perder agora! – exclama Vingança, de forma petulante. – Therese!

– Mais alto! – recomenda a mulher.

Ahh! Mais alto, Vingança, mais alto e ainda assim ela dificilmente a ouviria. Mais alto, Vingança, rogando uma praga ou algo do tipo junto ao berro, e ainda assim dificilmente ela conseguirá ouvi-la. Mande outras mulheres procurá-la pelos quatros cantos, onde quer que tenha se demorado. Embora as mensageiras tenham executado atos terríveis, há dúvidas se por boa vontade a procurariam muito longe dali!

– Que azar! – lamenta Vingança, batendo o pé na cadeira. – E aí vêm as carroças! E Evrémonde será despachado em um piscar de olhos e ela não está aqui! Veja o tricô dela aqui em minha mão e a cadeira vazia esperando por ela. Que desgosto, que decepção!

Enquando Vingança desce de seu posto, as carroças começam a despejar a carga. Os ministros da Santa Guilhotina estão a postos e preparados. *Slash*! Uma cabeça é exibida à plateia e as tricoteiras, que mal tiraram os olhos do tricô para olhá-la um instante antes, quando ainda era capaz de falar e pensar, contam UMA.

A segunda carroça é esvaziada e segue em frente. A terceira a sucede. *Slash*! E as tricoteiras, sem nunca vacilar ou interromper o trabalho, contam DUAS.

O suposto Evrémonde desce e a costureira sai logo depois dele. Como prometera, não soltou a mão paciente dela nem no momento da saída, continua segurando-a. Com cuidado, ele a posiciona para que fique de costas para o instrumento barulhento que sem cessar sobe e cai com um baque; ela olha no rosto dele e lhe agradece.

– Não fosse pelo senhor, querido desconhecido, eu não estaria tão calma, pois sou uma coitadinha por natureza, fraca de coração, nem teria conseguido elevar meus pensamentos Àquele que foi sentenciado à morte, para que nos conforte e nos ampare neste momento. Acho que o senhor me foi enviado pelos Céus.

– Ou talvez os Ceús tenham me enviado você – diz Sydney Carton. – Não tire os olhos de mim, querida menina, e não dê importância a mais nada.

– Não dou importância a mais nada enquanto seguro a sua mão. Nem darei quando a largar, se forem rápidos.

– Serão rápidos. Não tema!

Os dois permaneceram naquele aglomerado de vítimas, mas conversavam como se estivessem a sós. Olhos nos olhos, voz com voz, mão com mão, coração com coração, esses dois filhos da Mãe Universal, tão diferentes e tão distantes, foram unidos nessa estrada escura para regressarem juntos para casa e juntos descansarem em seu peito.

– Amigo corajoso e generoso, me permite fazer uma última pergunta? Sou muito ignorante e... essa pergunta me perturba... um pouco.

– Diga-me o que é.

– Tenho uma prima, minha única parente e, como eu, órfã, a quem amo muito. Ela é cinco anos mais nova que eu e mora na casa de um fazendeiro, no sul. A pobreza nos separou, ela desconhece o meu destino... pois, não sei escrever... e, se soubesse, como poderia dar-lhe essa notícia? É melhor que seja assim.

– Sim, sim. Melhor que seja.

– O que estive pensando durante o caminho, e que continua me encafifando, enquanto olho para o seu rosto gentil e forte que tanto me apoia, é o seguinte: se a República realmente fizer o bem aos pobres, e os fizer sentir menos fome, e sofrer menos, é possível que ela viva por muito tempo. Pode até chegar à velhice.

– E o que tem isso, minha bondosa irmã?

– O senhor acha – disse, e o olhar resignado, no qual há tanta resistência, enche-se de lágrimas, os lábios entreabrem-se e tremulam –, que isto parecerá muito tempo para mim; enquanto espero por ela no céu, onde confio que o senhor e eu seremos acolhidos com misericórdia?

– Não parecerá, minha filha. Lá não há tempo, tampouco sofrimento.

– O senhor me conforta tanto! Sou tão ignorante. Posso beijá-lo agora? Chegou a hora?

– Sim.

Ela lhe beija os lábios, ele beija os dela. Os dois trocam bênçãos solenes. A mão esquálida não treme quando ele a solta; não se vê nada além de uma doce e resplandecente constância no semblante resignado. Ela vai antes dele. Já se foi. As tricoteiras contam: VINTE E DUAS.

"'Eu sou a ressurreição e a vida', disse o Senhor; 'quem crê em mim, ainda que esteja morto, viverá; e todo aquele que vive, e crê em mim, nunca morrerá'."

O burburinho generalizado, os vários rostos erguidos, a premência de numerosos passos na confluência da multidão, fazendo-a avançar em massa feito uma onda gigante, tudo se apaga. VINTE E TRÊS.

***

Naquela noite, o comentário da cidade foi que nunca passara por ali um rosto tão cheio de paz quanto o dele. Muitos disseram ainda que ele parecia sublime e profético.

Uma das mais notáveis vítimas do mesmo cutelo, uma mulher, aos pés daquele mesmo cadafalso, pouco tempo antes pedira permissão para escrever os pensamentos que a inspiravam. Se ele tivesse expressado a mesma vontade, e se os seus pensamentos fossem proféticos, teriam sido os seguintes:

Vejo Barsad, Clay, Defarge, Vingança, o jurado, o juiz e longas fileiras de novos opressores que se ergueram à sombra dos antigos, mortos por este mesmo instrumento punitivo antes que ele caia em desuso. Vejo uma cidade bonita e um povo brilhante irrompendo desse abismo, e, em sua luta pela legítima liberdade, entre triunfos e derrotas ao longo dos anos vindouros, vejo o mal desta época e de época anterior, do qual é um fruto natural, aos poucos se expiando e desvanecendo.

Vejo as vidas pelas quais ofereço a minha, pacíficas, úteis, prósperas e felizes naquela Inglaterra que nunca mais voltarei a ver. Vejo-a com uma criança no colo, que carrega o meu nome. Vejo seu pai, velho e corcunda, mas restaurado, dedicado a todos os homens que passam pelas suas mãos de cura, e em paz. Vejo o bondoso ancião, amigo tão longevo deles, daqui a dez anos enriquecendo-os com tudo o que lhe pertencia, fazendo uma tranquila travessia em direção à sua merecida recompensa.

Vejo que tenho um santuário em seus corações e no de seus descendentes de todas as gerações seguintes. Vejo-a, já senhora, chorando por mim no aniversário deste dia. Vejo-a junto do marido, depois de completarem seu caminho, deitados lado a lado em seu último leito terreno, e sei que um não foi mais honrado e sacralizado na alma do outro do que fui na alma de ambos.

Vejo aquela criança outrora acalentada no peito dela e que carrega o meu nome tornando-se um homem, cravando seus passos no caminho que antes fora meu. Vejo-o tão bem-sucedido que meu nome torna-se ilustre à luz do dele. Vejo as máculas com que manchei o meu nome desaparecerem. Vejo-o sobretudo como o mais justo dos juízes e o mais honrado dos homens, trazendo ao mundo um menino com o meu nome, com a testa que bem conheço, os cabelos dourados, trazendo-o a este lugar, que então será tão belo de se contemplar, não restando nenhum vestígio da desfiguração deste dia... E ouço-o contando à criança a minha história, com a voz terna e vacilante.

O que faço agora é algo muito, muito melhor que tudo que já fiz. Desfrutarei de um descanso muito, muito melhor do eu jamais pensei conhecer.